L'EMPIRE DES FEMMES

NANCY FRIDAY

L'EMPIRE
DES FEMMES

Les femmes ont changé.
Elles confient leurs fantasmes sexuels

Traduit de l'américain
par Bernard Cohen

Albin Michel

Édition originale américaine :
WOMEN ON TOP
© 1991 by Nancy Friday

Traduction française :
Éditions Albin Michel S.A. 1993
22, rue Huyghens, 75014 Paris

ISBN 2.226.06637.3

Pour Mary, de Lexington (Kentucky),
et pour mon Norman chéri.

« Sans jeu avec les fantasmes, aucun travail créatif ne pourrait être mené à bien. Nous sommes redevables d'une dette incalculable aux jeux de l'imagination. »

Carl Gustav Jung, *Les Types psychologiques*, 1923

PREMIÈRE PARTIE

Nouvelles du front
érotique intérieur

Voici décidément un drôle de moment pour écrire sur le sexe. Nous sommes désormais bien loin de la fin des années soixante et de la décade soixante-dix quand la curiosité sexuelle électrisait l'atmosphère, quand l'existence des femmes connaissait des changements en chaîne, quand l'exploration de leur sexualité allait de pair avec leur émancipation économique. Aujourd'hui, le climat sexuel est bien moins favorable. Oubliés, les débats animés consacrés au sexe comme partie intégrante de l'humaine condition. Les victimes du sida, les bulletins en provenance du front de la bataille entre partisans et adversaires de l'avortement libre, l'augmentation alarmante du nombre de grossesses non désirées font du sexe un risque plutôt qu'un accomplissement.

Il y a vingt ans, la plupart des garçons et des filles avaient brandi l'étendard de la liberté sexuelle. Plus tard, quand le temps de « se calmer » parut être arrivé, ils ont mis au lit la révolution sexuelle, en la bordant soigneusement. Et ils s'écrient presque tous aujourd'hui qu'ils sont « allés trop loin » il y a deux décennies. Enfants sages du calvinisme, ceux qui mènent le jeu social aujourd'hui s'autopunissent pour leurs excès d'antan et tournent vertueusement le dos à la sexualité. Et puisqu'ils sont encore « la majorité », celle qui édicte les règles du jeu et décide des gros titres des journaux, ils affirment parler au nom de tous.

Les femmes de ce livre sont pour eux de quasi-inconnues. La plus grande partie d'entre elles ont une vingtaine d'années, et appartiennent donc à la génération qui a suivi la révolution sexuelle et l'apparition du mouvement féministe. Des femmes d'un type entièrement nouveau, si on les compare à celles qui prenaient la parole dans *My Secret Garden*, mon premier travail sur l'imaginaire sexuel féminin, publié en 1973 et qui en est à sa vingt-neuvième édition. Même si elles ont toutes lu ce texte déjà ancien, et ont été influencées par lui, ces jeunes femmes acceptent leurs fantasmes comme une part naturelle de leur propre vie. Comment en serait-il autrement d'ailleurs, étant donné la période exceptionnelle de l'histoire des femmes au cours de laquelle elles ont atteint l'âge adulte ? Pour elles, le flux d'émotions que nous avions libéré dans les années soixante-dix palpite toujours. Il n'y a pas eu de « hiatus sexuel », pas de « retour au calme ». La sexualité est là, cette énergie qui ne pourrait être bridée au nom de telle ou telle « priorité ». Leurs fantasmes prouvent de façon éloquente qu'elles n'entendent renoncer à rien.

Voici donc le tableau d'un imaginaire collectif qui n'aurait pu être tracé il y a vingt ans, au temps où les femmes ne disposaient en commun ni des mots, ni de la liberté, ni des concepts pour raconter leurs émotions sexuelles. Les voix qui les premières s'élevèrent dans ce but étaient encore hésitantes et culpabilisées tout simplement parce qu'elles osaient admettre l'inadmissible : que des femmes puissent avoir des pensées érotiques susceptibles de stimuler leur désir. Le sentiment de culpabilité était omniprésent dans les confidences recueillies pour *My Secret Garden* : des centaines de femmes s'inventaient mille stratagèmes afin d'oublier la crainte de passer pour des dévergondées en racontant leur recherche de l'orgasme. Elles le faisaient dans le secret de leur esprit, là où personne n'était censé les percer à jour. Personne, sauf leur mère : une femme pouvait atteindre l'âge adulte, porter elle-même des enfants, mais si elle n'avait pas acquis son autonomie émotionnelle vis-à-vis de la première personne à l'avoir entièrement eue sous son contrôle, comment pouvait-elle distinguer ses propres opinions de celle de sa génitrice ? Tout se passait comme si la mère continuait à être le juge de sa fille tout au long de sa vie, la mettant en garde à chacune de ses initiatives ou de ses rêveries sexuelles.

Ce travail de déculpabilisation avait pour recours favori ce qu'on a abusivement appelé « le fantasme de viol », abusivement car en fait le viol en tant que tel, la violence physique, l'humiliation, n'y étaient pas présents en tant que tels. Son message essentiel était le suivant : ce qui s'est passé ne relève pas de ma volonté. Dire qu'elle avait été « violée » était pour la femme le moyen le plus simple d'esquiver cet interdit qui dans son esprit pesait sur le sexe depuis son enfance. Il faut noter que les intéressées ne voyaient jamais dans ce fantasme l'expression d'un désir refoulé : je n'ai jamais entendu une seule femme dire qu'elle aurait réellement voulu être violée.

A leur secours venait aussi l'anonymat. Dans leur rêverie, les hommes étaient des étrangers sans visage, inventés par la femme afin qu'il ne soit pas même question après coup pour elle de s'impliquer, d'assumer une quelconque responsabilité, d'envisager une liaison. Ces mâles faisaient leur boulot, puis disparaissaient. Être baisée par un étranger sans visage renforçait encore le message : « Ce n'est pas ma faute ! Je suis toujours une fille bien, Maman ! »

Bien sûr, le sentiment de culpabilité sexuelle n'a pas disparu, pas plus que le « fantasme de viol ». Le personnage convenu du voyou, du mauvais garçon dont la présence fantasmée permet à la femme de parvenir à l'orgasme, fait en quelque sorte partie de la tradition. Mais la plupart des femmes, dans ce livre, assument que la culpabilité existe, de même qu'on assume qu'une voiture de sport est dangereuse à conduire. Elles ont appris que la culpabilité vient « du dehors », de leur mère, de l'Église, alors que la sexualité surgit « du dedans » et relève de leur seule responsabilité. La culpabilité, elle, peut donc être contrôlée, surmontée, et même canalisée pour se donner plus de plaisir encore. Si l'on veut parler de fantasme de viol, on peut dire que la femme d'aujourd'hui serait surtout disposée à renverser le scénario, se retrouvant alors à prendre un homme en son pouvoir et à le violer. Ce qui n'arrivait jamais dans les récits de *My Secret Garden*.

L'imaginaire est le champ de bataille entre la pulsion sexuelle et des émotions antagoniques dans lesquelles chacun puise selon son histoire personnelle, selon ses premières expériences érotiques. Quelles passions interdites nous étions-nous autorisées à accepter à mesure que nous gagnions en expérience ? Dans le nouveau paysage imaginaire que tracent ces témoignages, il s'agit surtout de la colère, du désir de la prise de contrôle, et de la volonté de connaître la plus entière satisfaction sexuelle.

La colère est une émotion que les femmes n'avaient pas l'habitude de s'autoriser. Au temps de mon premier livre, les femmes « bien » ne l'exprimaient jamais. Quand elles la rencontraient, elles préféraient diriger leur fureur contre elles-mêmes. La colère est difficile à exprimer pour les femmes, d'abord parce que nous n'avons pas l'habitude de l'exhaler dans cette relation fondatrice et primordiale qu'est la relation à la mère. Mais les femmes d'aujourd'hui savent au moins qu'elles ont le droit à la colère, et les fantasmes sont un terrain sans danger où elles peuvent exprimer leur fureur face à tous les obstacles qui leur font face, à commencer par ce défi que leur pose la vie moderne : être une femme sexuellement active, en plus de « tout le reste ». Ces nouvelles femmes n'ont pas de modèles, pas de schémas, elles doivent s'inventer elles-mêmes, et les rêves érotiques sont l'un de leurs bancs d'essai.

Qu'on ne se méprenne pas : ce livre n'est pas consacré aux « femmes en colère » : les voix auxquelles il donne la parole expriment tout le registre des passions humaines, de l'imaginaire et du discours sexuel. La fureur est inextricablement liée au désir, dans la réalité comme dans les fantasmes. L'imaginaire érotique des hommes est lui aussi empreint de fureur, en lutte avec l'érotisation de l'existence. Si leur manière d'en rendre compte diffère de celles de l'autre sexe, c'est surtout en raison de leur expérience initiale de la relation avec la femme-mère. Mais la colère est humaine et, même si l'histoire a pu nous faire croire le contraire jusqu'il y a peu de temps, elle appartient aussi bien à l'un qu'à l'autre sexe.

Je n'oublierai jamais ces femmes qui m'ont tant impressionnée par leur détermination, et tant appris aussi : « Attrape ça ! », disent-elles en se servant de leur force érotique pour séduire ou subjuguer tout ce qui peut se trouver sur le chemin de l'orgasme. Elles reprennent le savoir accumulé par leurs aînées, qui n'ont pu entièrement le mettre en pratique parce qu'elles étaient encore trop proches des tabous que pourtant elles combattaient. Elles, elles peuvent regarder leur mère en face et encore jouir.

J'ai toujours pensé que nos fantaisies érotiques éveillées sont le véritable révélateur de nos aspirations sexuelles, et que, comme nos rêves nés du sommeil, elles se modifient à mesure que de nouvelles personnes et de nouvelles expériences entrent dans notre vie, s'inscrivent sur l'arrière-plan de notre enfance. Un pschanalyste recueille les rêves de ses patients comme des pépites d'or. Il faudrait accorder à nos rêveries érotiques la même importance, car elles sont la complexe résultante de ce que nous désirons consciemment et redoutons inconsciemment. Mieux les connaître revient à mieux nous connaître.

Telle la radiographie d'un os fracturé placée en pleine lumière, un fantasme révèle la ligne vitale du désir sexuel et pour nous, femmes, l'endroit où cette volonté d'être sexuellement active a été brisée par une peur ancienne et tenace, passée dans le domaine de l'inconscient. Enfants, nous craignons que le désir sexuel nous fasse perdre l'amour de la personne dont notre vie même dépend : la culpabilité, qui s'enracine ainsi très tôt et très profondément, grandit parce que nous ne voulons pourtant pas renoncer à cette émotion sexuelle. Ensuite, les fantasmes nous aident à surmonter le cycle peur/culpabilité/anxiété. Nous chargeons les personnages et les situations que nous imaginons de nos interdits les plus profonds et ainsi, par le pouvoir immense de l'esprit, nous faisons travailler pour notre propre compte l'interdit, ici et maintenant, juste un moment, de telle sorte que nous puissions atteindre l'orgasme et en être soulagées.

Ici, pour la première fois, s'élèvent des voix de femmes qui prouvent que nos fantasmes ont changé de la même manière que le monde a changé au cours des dernières années. Il ne s'agit pas là de prétextes masturbatoires, d'ombres portées des images de *Playboy*, mais d'incursions hardies dans ce qui fonde la vie quotidienne : des indices sur notre identité, aussi précieux que les rêves qui nous visitent la nuit.

Et maintenant, un mot sur les raisons qui m'ont poussée à me lancer dans ce travail. A la fin des années soixante, j'ai décidé d'écrire sur l'imaginaire sexuel féminin parce que j'aime les recherches originales et que ce sujet était *terra incognita*, une pièce manquante dans le puzzle. J'avais moi-même des fantasmes, et j'étais certaine que les autres femmes en avaient aussi. Mais lorsque j'en parlai à des amis et à des connaissances travaillant dans l'édition, ils me dirent qu'ils n'avaient jamais entendu parler d'un imaginaire sexuel féminin. Il n'y avait d'ailleurs pas la moindre référence à «ça» dans les catalogues de la bibliothèque municipale de New York, ni à la bibliothèque de l'université de Yale, ni à celle du British Museum, qui contiennent des millions et des millions de livres : pas un mot sur les fantasmes érotiques de la moitié du monde !

Les éditeurs étaient cependant intrigués, car c'était une période où toute la planète était soudain prise d'une grande curiosité à l'égard du sexe, et de la sexualité féminine. Ils se mirent à signer frénétiquement des contrats avec tous ceux qui semblaient pouvoir mettre en lumière ce continent noir qu'on appelle la Femme. Je me souviens parfaitement du premier éditeur qui refusa *My Secret Garden*. Quand je fis mention du contour que j'avais commencé à tracer de ce continent à partir de quelques exemples de fantasmes, il se mit à saliver. « Des fantasmes sexuels féminins ! » s'exclama-t-il en se léchant les babines, avant de me demander de lui envoyer mon manuscrit très vite, au plus vite ! Avant la tombée du jour, les fantasmes en question furent renvoyés à mon appartement, sous double enveloppe. A quoi s'attendait-il, exactement ? Je ne l'ai jamais su, mais le manège se reproduisit avec la plupart des maisons d'édition new-yorkaises. Je précise au passage que cette répugnance à accepter la réalité de l'imaginaire sexuel féminin s'exprima chez les éditeurs de sexe féminin aussi bien que masculin.

Ce n'était pas l'indignation morale qui les animait, mais le refus de constater ce qu'ils avaient toujours su et tu : que nous, les femmes, fantasmons comme les hommes, et que les images qui en résultent ne sont pas toujours « agréables ». Quant aux spécialistes du comportement, aux dizaines de psychologues et de psychiatres que j'interviewai pour mon travail, ils m'avertirent tous que je m'engageais dans une impasse. « Seuls les hommes ont des fantasmes sexuels », martelaient-ils. Même en juin 1973, quand *My Secret Garden* parut, le magazine *Cosmopolitan*, pourtant « libéral », publia un grand article de l'éminent (et également libéral) Dr Allan Fromme, dans lequel on pouvait lire : « Les femmes n'ont pas de fantasmes sexuels... La raison en est évidente : elles n'ont pas été éduquées à tirer plaisir de la sexualité... Les femmes sont en général dénuées d'imaginaire érotique. » Au début, en effet, les femmes que j'interviewai étaient écrasées sous le poids des prophéties de Fromme. « Un fantasme sexuel, qu'est-ce que c'est ? » demandaient-elles, ou bien : « Que cherchez-vous en insinuant que j'ai des fantasmes sexuels ? Moi, j'aime mon mari ! », ou bien encore : « A quoi bon des fantasmes ? Ma vie sexuelle est géniale. » Même les femmes les plus épanouies sexuellement que je connaissais et qui voulaient m'aider dans ma recherche, après avoir essayé de comprendre, secouaient la tête négativement.

C'est alors que je compris la force libératrice qui peut venir de la voix d'une autre femme. Quand je décidai de leur raconter mes propres rêveries érotiques, alors seulement elles commencèrent à réaliser. Aucun homme, et certainement pas le Dr Fromme, n'aurait pu persuader ces femmes de lever le voile sur leur préconscient et de révéler l'imaginaire dont elles avaient si souvent tiré plaisir, mais qu'elles avaient toujours refusé d'admettre. Seules les femmes peuvent se libérer entre elles, seule une voix de femme peut les autoriser à s'assumer dans leur sexualité, à accepter librement d'être ce qu'elles veulent être, quand elles se sentent approuvées par une autre d'entre nous.

Finalement, après trois années d'un lent travail — entretiens personnels, articles dans des journaux invitant les femmes à m'apporter leur contribution, annonces dans toute la presse, depuis le *Village Voice* jusqu'au *Times* de Londres (mais le magazine *New York*, trop prude, refusa de publier mon appel) —, mon livre parut mais il y eut encore un baroud d'honneur de certains journaux, qui m'accusèrent d'avoir inventé ces témoignages en projetant mes propres fantasmes. Un journal du Cleveland alla même jusqu'à publier sa critique de *My Secret Garden* dans ses pages sportives...

En quelques mois, cependant, tout se passa comme si les rêves érotiques féminins avaient toujours fait partie de notre paysage. Le moment voulait cela : lorsque le besoin impérieux se fait sentir de comprendre quelque chose, lorqu'un vide dans la pensée collective demande à être comblé, nous regardons en face ce que nous avions auparavant rejeté durant des siècles. En 1973, une confluence de courants économiques et sociaux poussa les femmes à mieux se comprendre et à changer leur vie. Le temps était venu de débarrasser l'imaginaire érotique féminin de ses contraintes répressives. Quatre ans plus tard, le même phénomène se produisit avec le livre que je me sentis obligée d'écrire pour poursuivre ma recherche, pour cerner les sources de la terrible culpabilité qu'éprouvaient les femmes à l'égard du sexe.

Au début, cet ouvrage fut violemment rejeté, aussi bien par les éditeurs que par les lectrices. «J'ai jeté ce livre à l'autre bout de la pièce!», «J'avais envie de vous tuer!» furent les réactions les plus typiques de mes premières lectrices. Mais le bouche-à-oreille conduisit ensuite un nombre grandissant de femmes à faire face au sujet qui m'occupait et qui était encore tabou : la relation mère/fille, de nouveau un thème dont aucun fichier de bibliothèque ne faisait mention. Si nous voulions changer radicalement l'existence des femmes, il fallait accepter d'analyser honnêtement les rapports avec l'autre «moi-même», avec la mère. Encore une fois, le moment était venu.

Pourquoi la compréhension collective de la psychologie humaine avait-elle si longtemps refusé aux femmes la possibilité d'avoir une identité sexuelle affirmée, d'avoir leur propre mémoire érotique? La réponse est aussi ancienne que les plus anciennes mythologies : la crainte que les besoins sexuels des femmes puissent être égaux, voire supérieurs, à ceux des hommes. Les mythes grecs font déjà s'opposer là-dessus Zeus et Héra, et le dieu mâle, tout en reconnaissant que la sexualité féminine est infiniment plus puissante que celle des hommes, finit par l'emporter en produisant un vieux devin qui dans ses vies antérieures fut à la fois homme et femme. Dans la vie réelle, nous répugnons aussi à interroger trop franchement la puissance, le pouvoir, la suprématie sexuelle de l'homme. Les hommes ont un «besoin» de sexe que n'éprouvent pas les femmes, dit-on souvent, ce qui est à l'évidence absurde : c'est la société patriarcale qui a eu «besoin», pour se fonder et perdurer, de croire en la suprématie sexuelle de l'homme, ou plutôt en une femme non sexuelle. Comment l'homme aurait-il pu partir à ses guerres, jeter toutes ses forces dans ses industries, si une partie de son esprit avait été accaparée par la peur d'être cocufié, la peur de savoir que sa petite femme était à la maison (ou pire encore, dehors) en train d'assouvir son insatiable sensualité? Le simple fait de la voir poser sa propre main sur son corps à elle l'emplissait de soupçons, car elle éveillait de ce simple geste un feu qu'il craignait de ne jamais pouvoir éteindre.

Si l'homme n'avait pas autant redouté la sexualité féminine, pourquoi l'aurait-il ainsi étouffée, se condamnant à vivre avec une épouse sinistre, dépouillée de toute sensualité, et à chercher la compagnie des prostituées pour assouvir ses désirs? Si la femme avait réuni les attraits du sexe et de l'amour conjugal, elle aurait été trop forte, et lui n'aurait pas été à la hauteur.

Et les femmes ont si profondément intégré la conception masculine de notre sexualité qu'elles en sont venues à se juger elles-mêmes selon les exigences des hommes : moins une femme était sexuellement active, plus elle était «bien». Et nous nous sommes chargées de faire la police à leur place, en nous emprisonnant mutuellement. L'amère ironie de tout ce processus a voulu que nous-mêmes autorisions la société à nous considérer comme des «Belles au bois dormant» que seul le baiser d'un homme pouvait réveiller de leur léthargie sexuelle : un conte de fées fondateur, un mythe destiné à faire oublier que nous ne sommes pas endormies mais plus qu'éveillées, chaudes, affamées de sexe, prises d'un appétit tellement insatiable qu'il pourrait saper le système économique, l'éthique protestante du labeur, la discipline sociale, et laisser les hommes vidés, ramollis, tout simplement à notre merci.

Prudemment, les hommes ont donc divisé les femmes en mamans et en putains, les unes bonnes à marier et à enfanter, les autres bonnes à baiser. La plupart des hommes fantasment volontiers sur les femmes sexuellement voraces, mais lorsque le rêve se fait réalité — comme cela se produisit brièvement au cours des années soixante-dix —, lorsque cette femme fantasmée se tient debout devant lui, les mains sur les hanches, lorsqu'elle presse son sexe sur son visage, alors ses plus profondes frayeurs se réveillent : va-t-il pouvoir la contenter, ou finira-t-il par se retrouver aussi petit et démuni qu'il le fut jadis devant son premier grand amour, la mère, la Géante de la chambre d'enfants?

Les femmes ont vécu dans l'alternative sainte/salope jusqu'au moment où l'essor des forces productives, dans les années soixante, parvint à un point de rupture qui fit exploser le mouvement féministe et la révolution sexuelle. Durant cette brève période des années soixante-dix et du début de la décennie quatre-vingt, de nombreuses femmes semblèrent s'épanouir au travail comme au lit. A celles qui n'ont pu connaître ces années en raison de leur jeune âge, ou à celles qui les ont déjà oubliées, j'aimerais pouvoir faire sentir l'énergie inédite, excitante, qui s'empara de nous. Participant à ce que l'on a appelé la révolution sexuelle, nous étions persuadées que nos paroles et nos actes fondaient une liberté sexuelle qui éliminait à jamais les valeurs culpabilisantes de nos parents, dans lesquelles nous avions été élevées. Nous étions alors loin de savoir combien cette époque allait être brève, combien de temps il faut pour surmonter des tabous sexuels hérités de génération en génération, et comment nos compagnons d'armes dans cette révolution allaient rapidement capituler, tourner casaque, oublier.

En retrouvant des photos jaunies où nous nous revoyons danser sur la scène de *Hair*, ou défiler côte à côte en proclamant : « Faites l'amour pas la guerre », les seins dressés par la révolte, nous rions de ces images de notre jeunesse. Certaines d'entre nous rougissent lorsque leurs enfants leur demandent : « C'est vraiment toi, là, maman ? » Pourquoi nous empressons-nous de renier ces années, d'y voir une aberration, une fête excessive où nous aurions trop bu et où en tout cas nous n'aurions pas dû rester si tard, vu les bêtises que nous y avons commises ? « Tu vois, m'man », avons-nous l'air de dire, « tout ça c'était à cause de l'alcool, de la drogue, des mauvaises influences. Mais moi je suis toujours une fille bien. » En fait, nous sommes devenues nos propres parents. Non pas les parents que nous avons aimés, mais le côté de nos parents que nous en étions venues à détester : frustrant, culpabilisé, asexué.

Et donc les femmes ont accordé toujours plus d'importance à leur travail, la maternité est de nouveau à la mode, et le sujet scabreux de la sexualité a disparu des conversations. Aujourd'hui, lorsqu'un couple se forme, il rêve de réaménager une maison, d'acheter une voiture, d'accumuler de nouveaux gadgets domestiques. Même à l'université, les enquêtes sociologiques montrent que l'avenir professionnel potentiel d'un flirt est désormais symboliquement beaucoup plus important que sa propension à devenir un partenaire sexuel satisfaisant. Souvent, l'aspect sexuel n'est même plus mentionné.

Jadis, il semblait que le mouvement des femmes pour une complète égalité socio-économique et la révolution sexuelle n'étaient qu'un seul et même processus. Mais en réalité ils ont seulement coïncidé dans le temps. La société a accepté beaucoup plus facilement l'entrée des femmes dans le monde du travail que leur accession à une sexualité pleine et entière. Même si on ne le dit pas beaucoup, il est évident que l'égalité économique entre les sexes est beaucoup moins dangereuse pour le système que l'égalité sexuelle. Et il ne faut pas non plus oublier la force de la récompense, de l'approbation sociale : une femme qui se bat pour réussir sur le plan économique ne devient pas pour autant une « mauvaise fille ». Notre corset puritain, s'il ne peut se satisfaire de la sexualité « trop humaine », accueille volontiers les bourreaux de travail, même lorsqu'il s'agit de femmes entrant dans ce qui s'appelait jadis « le monde des hommes ». Au contraire, une femme qui consacre beaucoup de temps et d'énergie à sa vie sexuelle ne sera peut-être pas considérée aujourd'hui comme une « salope », mais tout au moins comme quelqu'un « hors du coup » : une hippie retardataire qui n'a pas compris que « la fête est finie », un objet de ressentiment et de jalousie pour les autres femmes.

Bien sûr, l'inégalité entre hommes et femmes se poursuit jusqu'à nos jours en matière de salaires. Lorsqu'une femme et un homme sont en concurrence pour un poste, elle continue le plus souvent à perdre la partie. Bien plus, les femmes demeurent divisées entre elles : nous comprenons maintenant un peu mieux l'aliénation endurée par les femmes qui avaient une existence traditionnelle lorsque l'attention de la presse et de la société se concentra sur celles qui rejoignaient le monde du travail. Alors qu'un nombre grandissant de femmes essaient de trouver une place pour la famille et la maison dans une vie déjà bien occupée par leurs responsabilités professionnelles, un ressentiment, une jalousie prévisibles s'expriment à l'égard de leurs sœurs qui n'ont jamais abandonné un mode de vie traditionnel. Mais, quoi qu'il en soit, la bataille pour sortir du cadre confiné du foyer familial a été gagnée.

Il n'en va pas de même avec les mœurs sexuelles et cette « révolution » dont il a été question. Lentement mais sûrement, la machine juridico-sociale tire les femmes en arrière, vers une forme d'esclavage sexuel qui nous prive de notre droit de contrôle sur notre propre corps. Au moment même où nous nous dirigeons difficilement vers l'égalité économique, c'est à nouveau la perte de notre sexualité spécifique qui s'avère le moyen par lequel la société nous maintient « à notre place ».

Car il en va du confort de la société, et la nôtre préfère à tout la position du missionnaire.

Toute révolution perd du terrain une fois que son impulsion initiale est passée : c'est particulièrement vrai dans le cas de la lutte des femmes pour l'égalité sexuelle, que notre société redoute. Le soin des enfants et les contingences matérielles sont des données incontournables, aussi bien pour les femmes au foyer que pour celles engagées dans la vie professionnelle. Mais il existe aussi une autre activité qui demande du temps et de l'énergie, et qui n'est jamais considérée comme prioritaire : le sexe. Peut-être vingt-quatre heures par jour ne suffisent-elles pas ? Parvenir à l'autonomie financière requiert beaucoup d'énergie, mais conserver une identité sexuelle acquise tardivement aussi : et quand je dis tardivement, je ne parle pas de l'âge de telle ou telle d'entre nous. Alors, s'il faut sacrifier quelque chose, ce sera la liberté sexuelle, avec laquelle nous n'avons jamais vraiment été à l'aise — autrement, nous aurions utilisé sans réserve les moyens contraceptifs qui ont rendu possible notre révolution sexuelle.

Je voudrais insister sur un point : pour tenir, le système patriarcal a besoin de l'approbation des deux sexes. S'il a vacillé dans les années soixante-dix, c'est parce qu'un assez grand nombre de femmes avaient réussi à s'unir et à exiger ensemble des changements. Mais cette union n'a pas duré longtemps : nous avons perdu la majeure partie de la force dont nous aurions pu disposer si nous étions restées soudées. Les féministes vindicatives, mal disposées à l'égard des hommes ou des femmes qui aimaient les hommes, firent la fine bouche devant la révolution sexuelle. Et dans les deux camps on s'ingénia à s'aliéner les femmes « traditionnelles » qui étaient restées dans la cellule familiale et dont les valeurs, les besoins et jusqu'à l'existence furent superbement ignorés.

Si tant de schismes ne nous avaient pas divisées, nous serions probablement parvenues aujourd'hui au principe « À travail égal, salaire égal », et à obtenir tout ce que nous voulions. Faire porter aux hommes la responsabilité de tous nos malheurs est certes plus facile que reconnaître notre peur et notre haine de la femme/mère : c'est cette nouvelle « guerre des femmes » qui a permis au vieux système de se ressaisir et de reconstruire ses fortifications.

Ce qu'il nous faut maintenant, c'est plus de temps, pour que les hommes et les femmes trouvent le moyen de parvenir à une distribution équitable des pouvoirs, à un meilleur accord sexuel que celui auquel nos parents étaient parvenus et qui, malgré ses défauts, a eu le mérite de fonctionner longtemps. Les hommes étaient jadis ceux qui décidaient, ceux qui nourrissaient, ceux qui étaient sexuellement reconnus, et les femmes... nous savons quel rôle elles étaient censées remplir. C'était la « règle du jeu », et au moins s'appliquait-elle également à tous, ce qui la rendait étrangement confortable : ce « deux poids-deux mesures » pouvait être chèrement payé, mais tous savaient qu'il existait, et cela suffisait à le faire fonctionner. La société disait ce qu'elle pensait, consciencieuse jusqu'au plus profond de son inconscient.

Dès lors que ce « contrat » ne fonctionne plus, les nouvelles options, les nouvelles définitions, ne rencontrent pas un acquiescement aussi solide. Il faut pour cela du temps, des générations. Et, sans reconnaissance sociale solide, comment des mères, même lorsqu'elles ont personnellement lutté pour la liberté sexuelle, peuvent-elles s'autoriser à transmettre à leurs filles des idées neuves quant à ce que peut être une femme ? Les mères sont les gardiennes de « ce qui se fait » et de « ce qui ne se fait pas » : si la société tout entière ne croit toujours pas que l'égalité sexuelle soit possible, comment peut-on attendre d'une mère qu'elle pousse sa fille à se placer hors du consensus social, à se mettre en danger ?

Il ne s'est pas écoulé assez de temps depuis nos combats récents pour que nous puissions prétendre abandonner le mythe de la suprématie du mâle. Pourrais-je dire moi-même le temps qu'il m'a fallu pour renoncer au besoin de croire que les hommes me prendraient en charge, quand bien même j'ai été élevée dans le but de devenir une femme parfaitement capable de se débrouiller toute seule matériellement, voire de prendre en charge un homme ? Contrastant avec ces sombres prédictions, voici cependant venir une nouvelle génération dont les fantasmes donnent matière à ce livre. Ses icônes ? Les chanteurs-acteurs exhibitionnistes de la chaîne de télévision MTV. Parmi eux, Madonna, la main entre les cuisses, prêche à ses sœurs : « Masturbez-vous. » Madonna n'est pas un fantasme masturbatoire masculin. Elle est un sex-symbol et un modèle pour beaucoup de femmes. Elle n'est pas non plus qu'un fantasme lesbien (même si elle peut l'être aussi) : elle incarne la femme sexuelle, la femme indépendante socialement, et je pourrais ajouter : la mère moderne. J'imagine très bien Madonna avec un bébé sur le bras, et, pourquoi pas encore, une main entre les cuisses.

Je doute fort que les hommes rêvent de Madonna quand ils se masturbent, à moins qu'il s'agisse de la subjuguer, de la mater, de la clouer au sol et de lui montrer « ce qu'est un vrai mec ». Non, elle est « trop femme » pour la plupart des hommes. Il y a dix ans, quand je publiai mon livre *Les Fantasmes masculins*, l'un des fantasmes favoris des hommes était l'image d'une femme parvenant d'elle-même à l'orgasme. Ces mâles avaient grandi dans les années cinquante et soixante, ils recherchaient, du moins dans la sécurité de leurs rêves, une femme moins « fabriquée », moins sexuellement gourde que le genre Doris Day. A l'époque, il y avait quelque chose de bouleversant à « imaginer » une femme qui puisse avoir secrètement sa propre vie sexuelle, une femme qui puisse partager la responsabilité de l'acte sexuel. C'était excitant pour les hommes, car si éloigné de la réalité...

Aujourd'hui, nombreux sont les hommes jeunes à me dire que ces « nouvelles femmes » sont trop intimidantes, trop exigeantes : « Elles veulent tout, et elles risquent de tout prendre. » Pauvre petit, cet homme acculé : et je ne prétends pas un instant ignorer sa peur ancestrale du désir sexuel féminin enfin débridé. Les racines les plus profondes de cette terreur plongent dans son enfance dominée par les femmes, comme chez son père et chez le père de son père, époque où une femme avait tout pouvoir sur son existence, époque qu'il n'oubliera jamais. Mais ce qui est risible, c'est de constater combien ces hommes ont besoin de nous maintenir « à notre place » parce qu'ils croient plus en notre force que nous n'y croyons nous-mêmes.

S'il fallait dater le moment où le courant sexuel a été coupé, je ne prendrais pas le moment terrible où le sida est apparu. Cette sinistre épidémie est devenue le plus déplorable alibi d'une régression sexuelle et d'une remontée de la bigoterie qui étaient déjà en cours lors de son apparition. Non : si le sida a certainement accéléré la déroute d'une saine curiosité sexuelle, c'est la vague de cupidité des années quatre-vingt matérialistes qui lui a donné le coup de grâce. Le sexe est antinomique avec l'avidité matérialiste. Par définition, la cupidité est une faim jamais rassasiée, et qui donc exige d'être constamment nourrie. Quand bien même ils reçoivent plus qu'ils n'ont besoin, encore plus que ce qu'ils peuvent consommer jusqu'à leur mort, les cupides ne peuvent faire taire leur volonté de fer d'amasser, de posséder encore et encore. Leur panoplie : le rigorisme, l'alerte permanente, l'obsession prédatrice, bref tout ce qui va à l'encontre du sexe, car le sexe est ouverture, satisfaction, abandon de soi. Pour que puisse s'ouvrir la saison des amours, les animaux abandonnent, ne serait-ce qu'un instant, leur quête de nourriture et se laissent aller à humer les parfums sexuels. Pour dire les choses aussi simplement qu'elles se produisent : dans une société ravagée par l'avidité matérialiste, il ne reste plus de temps pour le sexe.

C'est donc, en effet, un drôle de moment pour écrire sur la sexualité. Assise devant ma table après une soirée passée en compagnie de «faiseurs d'opinion» et de brasseurs d'affaires qui ont si vite oublié leur jeunesse, je me fais l'impression d'être un de ces soldats perdus et oubliés dans la jungle, toujours engagé dans une guerre qui s'est achevée depuis des années. Je ne crois pas pour autant que ce livre ne suscitera qu'indifférence. Même si vous et moi ne formons pas la majorité, nous sommes un grand nombre. Au vu de l'âge des femmes qui apparaissent dans ces pages, j'imagine que la majorité d'entre vous a moins de quarante ans. Si la plus jeune de mes «témoins» en a quatorze et la plus âgée soixante-deux, la plupart de celles qui m'ont parlé et écrit à propos de leurs fantasmes ont une vingtaine d'années. Le temps dira donc à quel point la maturité, le mariage, la maternité, la carrière professionnelle, ces portes qui habituellement se ferment devant la sexualité, chargeront votre vie d'inhibitions. Mais, en tout état de cause, je suis convaincue que vos vies sexuelles prendront une autre voie que celle des femmes des générations précédentes.

Vous êtes les premières à avoir grandi dans un monde où le sexe s'affiche partout. De la télévision aux défilés de mode, il est devenu une évidence. Comment pourriez-vous donc rester empruntées à son égard ? Vous avez passé toute votre vie au sein d'une culture qui, à l'apogée de la révolution sexuelle, a

27

fait du sexe un argument de vente. Ceux qui ont conçu ce truc de marketing peuvent bien être personnellement revenus aux principes asexués de leurs parents (qu'ils avaient un moment combattus), nous sommes la plus grande société de consommation au monde, qui répugne donc à renoncer à «ce qui fait vendre».

Ce qui déterminera votre capacité à conserver votre aisance à l'égard de la sexualité, votre volonté d'en faire une part toujours plus importante de votre existence, c'est l'attention que vous porterez aux mensonges de la société. Avec la meilleure bonne foi, nous ne pouvions pas prétendre changer en l'espace d'une seule génération les plus profondes, les plus significatives convictions en matière de sexualité. Derrière le matraquage érotique, trop médiatisé, trop évident pour être convaincant, il y a toujours le message selon lequel le sexe «pour le plaisir» est une erreur, une immoralité, un danger, un péché. Si vous avez conscience de cette sirène qui tente de vous tirer en arrière, qui veut sans cesse vous rappeler que vous êtes la gentille petite fille de votre maman, sans doute serez-vous capable de transmettre un message moins trouble à vos enfants. Peut-être avez-vous décidé de douter de tout, de ne croire en rien, mais soyez au moins conscientes que la répression sexuelle ne se relâche jamais, surtout celle qui s'exerce au détriment des femmes.

La «règle du jeu» existe toujours. Les filles d'aujourd'hui ne rejettent pas une compagne qui a une vie sexuelle, mais elles le feront si elle couche avec deux hommes alors qu'elles-mêmes n'en ont qu'un. Elles peuvent accepter le sexe, mais continuent à se surveiller mutuellement pour s'assurer que personne ne reçoit plus qu'elles-mêmes. Et nous, les femmes, nous comportons particulièrement comme des fillettes lorsque nous refusons de nous protéger grâce aux moyens contraceptifs. Cela s'appelle la jalousie, ce regard endurci par le ressentiment qui ne peut supporter de contempler le plaisir, et tout particulièrement le plaisir sexuel, pris par une autre. Et c'est en étudiant ce sentiment que j'en suis venue à comprendre et à assumer les commentaires désobligeants de l'une de mes meilleures amies à propos de mes «livres masturbatoires». Elle m'envie de pouvoir écrire sur le sexe, même si elle ne le reconnaîtra jamais, et c'est pourquoi elle dénigre mon travail. Elle peut accepter de me voir écrire sur les relations mère-fille, sur la jalousie et l'envie, voire un nouveau roman, mais, sur la sexualité, non.

Est-ce parce que le sexe est en effet une «perte de temps», une activité sans but précis et sans promesse de reconnaissance sociale? Il y a quelques années, je me trouvais à Lexington, dans le Kentucky, debout sur la pelouse du *country club* où se donnait une réception, quand je fus approchée par une jeune femme qui ne faisait pas partie de notre groupe. Elle se présenta timidement, et me demanda si je préparais un nouvel ouvrage sur les fantasmes sexuels féminins. Étaient-ils en train de changer? m'interrogea-t-elle. De nouvelles images, de nouvelles idées, traversaient-elles la tête des femmes, des mises en scène qui n'apparaissaient pas dans mes précédentes enquêtes? Bien sûr, lui dis je, tout un nouveau monde érotique féminin était en train d'émerger, sous l'influence des changements concrets survenus dans la vie des femmes, et en réponse à ces changements.

Tandis que je lui parlais, je sentis l'intensité de son attente, et le soulagement qu'elle éprouva à constater qu'elle n'était pas «la seule» à évoquer des fantasmes que ne mentionnait pas *My Secret Garden*. A un moment, je tournai la tête et m'aperçus que toute l'assistance s'était regroupée autour de nous pour nous écouter. «Dans mon milieu, nous rencontrons sans cesse des gens avides d'information», me dit le rédacteur en chef d'un journal qui se tenait là, «mais je n'avais encore jamais vu une demande aussi pressante.»

Elle s'appelait Mary, cette jeune femme de Lexington, et si je lui ai dédié ce livre, c'est parce qu'elle a su me rappeler que je ne devais pas laisser les «faiseurs d'opinion» juger de l'importance à donner ou non à la sexualité. La plupart des gens que je connais sont beaucoup moins capables que Mary de vivre avec leurs besoins sexuels, peut-être parce qu'ils sont plus vieux, plus accaparés par leur succès professionnel, plus influencés par les principes de leurs parents, qu'ils avaient toujours gardés dans un recoin de leur cerveau au cas où la révolution sexuelle ne triompherait pas.

Lorsque nous refusons d'assumer nos fantasmes, nous perdons le contact avec ce merveilleux monde intérieur qui fonde ce que la sexualité de chacun a d'unique. C'est évidemment le but de ceux qui haïssent le sexe et qui sont prêts à tout, à invoquer n'importe quoi, pour barrer l'accès à ce point si sensible qui existe en chacun de nous. Prenez garde à eux, mes amies, car ce sont les représentants de commerce besogneux du péché. Votre esprit n'appartient qu'à vous. Vos fantasmes, comme vos rêves, naissent de votre propre histoire, depuis la prime enfance jusqu'à ce qui vous est arrivé hier. S'ils sont prêts à nous condamner pour nos fantasmes, demain ils prétendront nous mettre en prison pour des actes que nous avons commis dans nos rêves.

Le but des remarques désobligeantes de mon amie à propos de mes écrits sur la sexualité était de susciter en moi une honte qui m'aurait empêchée de continuer. Dans notre vie, tout le monde n'acceptera pas facilement votre manière de vivre votre sexualité. N'oubliez jamais la jalousie, surtout lorsqu'elle s'exprime entre femmes à propos du sexe. Ne vous laissez pas prendre au piège de leur propre honte, ne renoncez pas à votre sexualité simplement pour ne plus les inquiéter.

DEUXIÈME PARTIE

Distinguer le sexe de l'amour : éloge de la masturbation

Se masturber ne demande pas d'apprentissage : ce n'est pas, disons, comme apprendre à jouer du violon. Dès les premières années de notre vie, notre main se porte instinctivement entre nos jambes. Quelque chose, quelqu'un entre en contact avec nos parties génitales si tôt dans notre vie que la plupart d'entre nous ne peuvent se rappeler de ce premier signal. Mais un message s'est inscrit dans notre cerveau, une mise en garde tellement chargée de peur que nous avons encore du mal à accepter le fait de nous caresser, même lorsque nous avons atteint l'âge adulte, même après avoir permis à un homme d'introduire son pénis en nous et de toucher notre sexe. Quand nous le faisons, c'est encore un acte purement physique s'opposant à une prévention mentale : le délicat mouvement de nos doigts ne peut avoir d'effets que si notre esprit nous y autorise. Aussi agréable soit l'orgasme qui nous emporte, nous n'en sortons pas plus épanouies en tant que femme : nous avons gagné une bataille, mais nous avons perdu notre statut de «filles bien».

La masturbation a été considérée comme *le* tabou féminin, parce qu'elle suppose une satisfaction sexuelle sans relation avec l'homme. Elle était porteuse d'une possible autonomie, et personne ne voulait que les femmes se prennent autant en charge elles-mêmes. Dans ce livre, la plupart des femmes affirment qu'elles n'éprouvent pas ces sentiments négatifs à l'encontre de la masturbation. Elles en parlent avec une aisance qui fait réellement plaisir à constater, avec un sens de la description si riche que j'en suis émerveillée : leurs fantasmes atteignent une telle audace que les témoignages recueillis dans mon précédent livre paraissent souvent bien pâles et bien timides.

Et en effet elles l'étaient, ces premières approches du monde érotique intérieur des femmes. Comment les femmes d'aujourd'hui pourraient-elles réaliser la difficulté qu'eurent ces « pionnières » à prendre la parole alors que ces mots n'étaient pas encore familiers, alors qu'elles étaient encore réticentes à se masturber ou à exprimer tout haut ce que leurs aînées ne leur avaient pas encore permis de dire ? Si j'avais mieux compris alors les liens étroits qui unissent la masturbation aux fantasmes, j'aurais plus facilement découvert « ce qui ne se disait pas » dans les rêveries érotiques recueillies pour mon premier livre. J'aurais commencé mes interviews par ce qu'on savait au moins à l'époque (plus de la moitié des femmes interrogées dans le cadre du rapport Kinsey reconnaissaient s'être masturbées), et j'aurais demandé à mes interlocutrices ce qu'elles avaient en tête quand elles se caressaient. Mais je n'avais pas encore réalisé que se masturber sans évoquer de fantasmes ne se produit que très rarement chez les femmes. Et il ne m'était tout simplement pas venu à l'esprit que les femmes pouvaient se sentir plus coupables de ce qu'elles pensaient que de ce qu'elles faisaient concrètement.

La main qui se pose sur le sexe n'est pas le vrai coupable. La main peut faire quelque chose d'interdit mais elle est une présence évidente, objectivée presque. C'est l'esprit, qui est à l'origine de la vie sexuelle, qui nous interdit l'orgasme ou nous le concède. Les doigts peuvent s'activer sur le clitoris des heures durant sans que le plaisir ne vienne : c'est seulement lorsque l'esprit suscite l'image adéquate, le scénario plausible et convaincant pour nous seules, parce qu'il nous fait surmonter toutes nos angoisses de punition et nous fait entrer dans l'interdit, dans le monde intérieur qu'est notre propre psychologie sexuelle, c'est seulement alors que nous pouvons vraiment jouir.

Dans quelle proportion les jeunes femmes qui apparaissent dans ce livre sauront-elles conserver leur liberté sexuelle ? Jusqu'à quel point l'ont-elles assimilée ? La question reste ouverte. J'aime à penser qu'il est tout aussi impossible de revenir à ce monde rétrograde et asexué, dans lequel les femmes ont vécu jadis, que de renvoyer les femmes hors du monde du travail, à la maison.

Mais dans ce dernier cas il s'agit d'une question économique, d'une nécessité pour la plupart des femmes, et donc d'un processus irréversible.

Les lois et usages s'opposant à la liberté sexuelle de la femme plongent par contre leurs racines dans l'état le plus primitif de la société, au temps où les hommes redoutaient le mystère de la sexualité féminine et de la reproduction. Pour établir sa suprématie sexuelle au Moyen Age, l'homme a inventé la ceinture de chasteté. Afin de contrôler le prodigieux appétit sexuel de la femme — que l'on suspectait d'être insatiable —, certaines sociétés ont établi l'usage de retirer son clitoris à la femme, tarissant ainsi la source de son plaisir et en faisant la propriété de l'homme. Après l'excision, quand on jugea nécessaire de brider encore plus la femme (et de rassurer les hommes), on retira aussi les lèvres de son sexe, et cet usage perdure jusqu'à aujourd'hui dans certaines parties de l'Afrique et du Moyen-Orient, où beaucoup de femmes continuent à se considérer indignes du mariage tant qu'elles n'ont pas subi ce qu'il faut appeler sans détour une mutilation.

Tout cela paraît aux Occidentaux modernes une aberration, une survivance moyenâgeuse et sadique. Mais l'excision était pratiquée chez nous jusqu'au début de ce siècle : c'était au temps de votre grand-mère ou arrière-grand-mère, quand les chirurgiens les plus réputés et respectés du pays pouvaient aisément saisir leur bistouri et pratiquer l'ablation de telle ou telle partie des organes génitaux féminins en prétendant traquer la démence, l'hystérie, et bien sûr défendre l'hygiène. Ils considéraient que la masturbation était au cœur de ces désordres psychologiques féminins : enlever le clitoris signifiait donc trancher le nœud gordien... Les archives prouvent que ce genre d'opération était encore pratiqué dans certains hôpitaux psychiatriques américains jusque dans les années trente.

Puis vint un temps où l'excision ne fut plus nécessaire : les hommes découvrirent qu'ils n'avaient plus besoin de faire quoi que ce soit car les femmes avaient si bien été soumises aux préjugés masculins relatifs à la sexualité féminine qu'elles en étaient arrivées à ne vivre qu'en fonction des besoins de l'homme. Aucune fille «bien» n'aurait pensé à se caresser, à explorer sa sexualité, car une femme «bien» ne pouvait être sexuée. Les mères élevèrent scrupuleusement leurs filles dans l'art d'éviter le sexe : les femmes apprirent à détester leurs organes génitaux, à considérer la sexualité comme un devoir et non un plaisir. C'était au temps de votre grand-mère ou de votre arrière-grand-mère : il n'y a pas si longtemps, vraiment.

Il peut paraître impossible que les jeunes femmes de ce livre en viennent à désapprendre, à oublier ce dont elles sont intimement convaincues : que leur corps leur appartient. Mais le test déterminant sera quand elles se marieront et auront à définir des règles pour leurs propres enfants. Dans le mariage, nous « régressons » d'une certaine manière, nous nous confrontons à l'image de nos parents en tant que mari et femme. Consciemment, nous aimons chercher à imiter les aspects de leur relation qui nous plaisaient le plus ; inconsciemment, nous devenons souvent à l'image de ce que nous aimions le moins chez eux : rigides, obsédés par l'idée que le voisin pourra avoir de nous, asexués. Et cette tendance s'accentue quand nous devenons à notre tour des parents.
Lorsque les femmes de cette nouvelle génération seront mères, se souviendront-elles encore du désir impétueux qu'elles avaient de prendre en main leur propre destin sexuel ? Apprendront-elles à leurs filles à aimer leur corps, les laisseront-elles se masturber et découvrir le plus intime de leur sexualité ? Ou bien régresseront-elles encore, se répétant ce que des générations de mères les mieux intentionnées du monde avaient cru, se persuaderont-elles qu'en limitant la curiosité sexuelle de leur chère petite fille elles ne font que travailler pour son bien ?

Quand nous nous détournons du sexe et ne tolérons plus que les autres expérimentent ce que nous avons jadis goûté, nous ne faisons pas que réagir à la voix intimidante de nos parents : il existe une voix sociale, l'héritage d'une société qui n'a jamais été à l'aise devant la sexualité et qui a tout particulièrement abhorré la masturbation. Même si les femmes de ce livre ont grandi à une époque où l'idée de la libération sexuelle était largement approuvée, la véritable « sensibilité » de ce pays, la fibre la plus intime de son caractère national, est imprégnée par l'éthique calviniste du travail et par une attitude foncièrement puritaine à l'égard du sexe. Il serait absurde de croire qu'en quelques décades de tolérance et de reconnaissance de la sexualité cet « antisexualisme » ait pu être substantiellement battu en brèche.

Savoir cela, s'en souvenir constamment, est de la plus grande importance si nous voulons avoir quelque espoir que ces jeunes femmes voient leurs filles grandir dans un monde moins obtus. La connaissance est un pouvoir. Et donc nous devons nous demander pourquoi le simple fait de se masturber est devenu synonyme de peur et de culpabilité. La réponse est peut-être qu'il ne s'agit pas d'un « simple fait » : dans la mythologie égyptienne, un dieu des origines se masturbe dans sa paume, porte son sperme à sa bouche et le vomit droit devant lui, créant ainsi une nouvelle race d'êtres humains. Un homme ou une femme parvient par lui-même ou par elle-même à l'orgasme, et par cet acte solitaire expérimente la force de son « moi », l'ivresse du pouvoir. La masturbation, mythique ou réelle, fonde la liberté sexuelle.

A vrai dire, nous nous accommodons de l'idée que d'autres vivent dans de meilleures conditions matérielles que nous, mais nous avons le plus grand mal à accepter que d'autres soient plus libres sur le plan sexuel. L'argent est aussi un pouvoir, et il génère l'envie : mais la liberté sexuelle doit être un pouvoir plus grand encore puisque l'envieux ne s'accorde aucun repos tant qu'il (ou elle) n'est pas allé fouiner dans les recoins les plus secrets de la vie de la personne enviée, tant qu'il n'a pas piétiné tout ce qui peut causer sa rancune dévorante, jusqu'à ce que la personne enviée se retrouve aussi lamentablement asexuée que l'envieux lui-même. On comprend ainsi pourquoi la masturbation et le fantasme sexuel ont été reconnus comme « normaux » pratiquement au même moment dans l'histoire de l'humanité : ils vont la main dans la main, ces deux bons amis, et c'est pourquoi j'ai consacré un si long développement à la masturbation dans ce livre. L'un est le révélateur de l'autre. Sans fantasme, la masturbation se sentirait vraiment trop seule...

UN PEU D'HISTOIRE

Les historiens sont toujours à la recherche d'un nouvel objectif à travers lequel examiner et comprendre le passé. L'histoire contemporaine des attitudes communes à l'égard de la masturbation offre à ce titre un « angle » fascinant sur toute notre culture.

A posteriori, les us et coutumes du passé à propos de la masturbation nous paraissent délirants, encore plus absurdes que les idées et comportements réels de nos ancêtres. Et cependant ils présentent pour nous un « air de ressemblance » inquiétant.

Prenons, par exemple, la croyance populaire selon laquelle la quantité de sperme en chaque homme était limitée et constituait à elle seule toute sa réserve d'énergie. A chaque éjaculation, il perdait donc un peu de sa virilité, de sa force vitale, et un homme avisé se devait de dépenser son sperme aussi parcimonieusement que son bas de laine ! Jadis, les médecins conseillaient à leurs patients d'éviter l'acte sexuel avant tout événement aussi important qu'une action militaire, une rencontre sportive ou une réunion d'affaires déterminante — quand j'ai rappelé cela à mon mari, il m'a affirmé que beaucoup d'hommes croient jusqu'à aujourd'hui à ce mythe et agissent en conséquence... A la fin du siècle précédent encore, les pertes nocturnes étaient considérées comme un danger si terrible que les médecins préconisaient des lavements à l'eau froide avant d'aller au lit.

Quant à nous, femmes, nous avons été considérées tout bonnement comme des vampires toujours prêtes à vider l'homme jusqu'à la dernière goutte de son précieux fluide. Simultanément, et selon l'archétype maman/putain, on a vu en nous le sexe destructeur, capable de dissimuler sa propre nature pour se laisser aller au sentiment maternel, beaucoup plus satisfaisant pour les hommes. Durant la majeure partie du siècle dernier, la seule activité sexuelle méritant que le sperme (adoré comme la liqueur de vie) soit versé a été l'acte de procréation, et rien, rien ne semblait plus déplorable, plus pernicieux ni plus dangereux que la masturbation, supposée conduire tout droit à l'épilepsie, à la perte de la vue, ou de l'ouïe ou de la mémoire, aux vertiges, aux maux de tête, à l'impuissance, au rachitisme et à une diminution de la taille du pénis, pour ne mentionner que quelques-unes des calamités promises.

Aux États-Unis, nul n'a mieux personnifié ce genre de pensée obsessionnelle que deux « héros » américains du XIXᵉ siècle, Sylvester Graham et John Harvey Kellogg. Ce dernier haïssait tellement le sexe qu'il ne parvint jamais, tout au long de nombreuses années, à consommer son mariage. Mais, comme la plupart des ennemis irréductibles de la pornographie, il était obsédé par le sexe en tant que sujet abstrait, et s'était juré de le faire disparaître de la vie des autres individus. Médecin hautement respecté, Kellogg rencontra un large lectorat pour ses thèses sur la masturbation : le traitement qu'il préconisait au masturbateur chronique n'était ni plus ni moins que la circoncision, circoncision à pratiquer «sans anesthésie, car la brève douleur accompagnant cette opération aura un effet salutaire sur l'esprit, surtout si elle s'associe à l'idée d'une punition» (*sic*). Graham et Kellogg partageaient la même aversion pour la masturbation, et tous deux croyaient en une secrète relation entre la sexualité et la nourriture. Mêlant leur fanatisme à une certaine ingénuité yankee, chacun d'eux à son tour inventa un aliment anti-masturbatoire qui connut un succès commercial impressionnant : Graham conçut le «cracker Graham» et Kellogg ses fameux cornflakes, en-cas destinés à détourner du «péché secret» de l'onanisme.

Et l'entrée dans le XXᵉ siècle «éclairé» ne dissipa pas ce genre de théories fumeuses, loin de là. Voici la description d'un garçon s'adonnant à la masturbation que l'on peut trouver dans une brochure du YMCA, publiée dix-huit fois et recommandée à la lecture des boy-scouts jusqu'en 1927 :

«Répétant son acte chaque semaine, et même dans des cas extrêmes presque tous les jours, le jeune commence à sentir sa virilité vaciller. Il constate que ses muscles se font de plus en plus mous, que son dos s'avachit, qu'après un moment ses yeux sont cernés et glauques, que ses mains sont moites, qu'il est incapable de soutenir le regard des autres. Conscient de son affaiblissement général, il perd confiance en lui, se dérobe aux activités sportives, fuit la compagnie de ses condisciples masculins et féminins, et devient un "non-être" au sein de la vie sociale et sportive de la communauté. En ce qui concerne ses résultats scolaires, il peut fort bien réussir dans ses études durant un certain nombre d'années, mais finalement sa mémoire commence à le trahir et, au moment-même où il essaie d'entrer utilement dans la vie active, il découvre soudain que son cerveau est devenu aussi mou que ses muscles et n'est plus aucunement capable de l'aider à réaliser quoi que ce soit.»

Il fallut attendre l'édition de 1959 pour que la position du *Manuel du scoutisme* à l'égard de la masturbation soit un peu nuancée :

« N'importe quel garçon digne de ce nom sait qu'il doit éviter tout ce qui peut l'exciter excessivement. Il te sera alors de la plus grande aide de te lancer dans un match animé, de t'absorber dans ton hobby préféré, de t'efforcer de demeurer fidèle à tes idéaux les plus élevés. C'est là aussi que le scoutisme est ton allié, quand tu respectes le dixième article de la loi scoute : *Un scout est propre.* »

Quand l'Association médicale américaine apposa son label de « normalité » sur la masturbation en 1972, le manuel jeta l'éponge, renonçant à mentionner l'onanisme et se contentant de conseiller aux scouts de consulter leurs parents ou leurs mentors religieux au cas où ils éprouveraient de « fortes émotions » nées de leur corps, sans préciser aucunement ce que pourraient être ces « émotions ». Si je n'ai pas évoqué le *Manuel de la fille scoute*, c'est parce qu'on n'y trouve rien sur la masturbation, pas un mot, à aucun moment. Est-ce pour autant que la société patriarcale ne se souciait pas, ni ne se soucie encore aujourd'hui, de la masturbation féminine ? Le silence est plus éloquent que les mots.

L'homme du début de ce siècle vivait avec une conception de la sexualité féminine totalement contradictoire, propre à lui faire perdre la boule. Il voulait voir la femme chaste, passive, si proche du Ciel qu'elle serait capable de sauver aussi son âme à lui, lorsqu'il revenait d'une journée de compétition féroce au sein de la nouvelle société industrielle. C'est ce que l'on appelait « le culte de la nonne au foyer ». Mais en même temps, le deuxième hémisphère du cerveau masculin était assailli par les images d'une femme cannibale, tenaillée par un appétit de Bacchante pour le corps de l'homme. Un éminent docteur signalait à cette époque que la masturbation conduisait tout droit à la nymphomanie, « plus fréquente chez les blondes que chez les brunes ».

Il existait alors une école de peinture très en vogue, spécialisée dans cette vision ambivalente de la femme que partageaient les hommes : de grandes toiles offraient au regard de tous des femmes nues langoureusement étendues, en général dans un cadre pastoral, permettant ainsi à l'homme de se plonger dans sa contemplation et de satisfaire des heures durant, sans crainte, ses fantasmes voyeuristes. Ces femmes, voyez-vous, avaient toujours les yeux clos et paraissaient pratiquement mortes, ou du moins tellement épuisées qu'elles n'étaient à l'évidence pas en mesure de présenter le moindre danger pour le précieux fluide mâle. Et la raison de leur fatigue mortelle était évidente : leurs mains, délibérément peintes pour suggérer l'image du serpent, reposaient trop près de la zone proscrite entre leurs jambes pour ne pas faire naître la suspicion. Souvent elles apparaissaient en groupe, enlacées, la tête des unes posée sur les seins des autres. Un homme pouvait aisément imaginer à quoi elles s'étaient adonnées : nous, les femmes, étions toujours prêtes à nous entraîner mutuellement dans la pratique « criminelle » de la masturbation. D'ailleurs les médecins mettaient en garde contre les internats de jeunes filles, devenus dans leur imagination le repère de tendrons prosélytes empressés de guider leurs condisciples dans le vice masturbatoire.

Il suffit de considérer ces deux aspects antagoniques de la femme sur une assez longue période pour en arriver aux années cinquante, quand Hollywood créa Doris Day et Marilyn Monroe pour répondre aux besoins les plus opposés de la gent masculine : personne n'imaginerait Doris Day avec une de ses mains entre les jambes, et Marilyn, pauvre victime de son propre appétit sexuel, est morte jeune.

SEPT RAISONS POUR SE MASTURBER

Les femmes qui s'expriment ouvertement dans ce livre pourraient-elles, un jour, renoncer à la masturbation ? Il y a toujours un risque. Et les hommes ? Jamais. Que les hommes se masturbent est un fait aussi reconnu, aussi évident que le pénis entre leurs jambes. Une mère peut ne pas aimer voir son petit garçon se toucher, elle pourra montrer sa désapprobation et lui retirer sa main d'entre les jambes, mais au fond elle ne voudra pas empêcher son fils de « devenir un homme ». Que sait-elle des hommes, d'ailleurs? Si l'anatomie détermine le destin de chacun, alors le destin de l'homme est de se masturber. Il le fera peut-être dans la culpabilité, en redoutant les tourments de l'enfer, mais il le fera tout de même. Et nous, nous haussons les épaules en nous disant que les hommes sont ainsi faits : des animaux guidés par leur instinct sexuel. Mais la société ne voit pas les femmes de cette manière. Depuis la nuit des temps, une mère «qui se respecte» empêchera sa fille de se masturber avec une bien plus grande détermination qu'elle n'en fera preuve à l'égard de son fils. Les mères savent tout ce qu'il est convenu de savoir sur le fait d'être une femme : les «filles bien» ne se masturbent pas.

C'est pourquoi les femmes qui apparaissent dans ce livre occupent une place si importante dans l'histoire : elles appartiennent à la première génération qui a grandi dans un semblant de tolérance sexuelle, qui a commencé à dédramatiser la masturbation. Donneront-elles à leurs filles une chance d'exister au-delà de l'alternative sainte/salope ? Changeront-elles le cours de l'histoire de la sexualité ? Impossible de répondre sans hésitation par l'affirmative.

Le sexe et l'économie sont inextricablement liés. Aujourd'hui, la supériorité économique de l'homme est remise en cause. Mais il existe une manière déjà éprouvée de nous faire revenir au «bon vieux temps», ce temps auquel s'accroche encore une part de notre inconscient, car nos parents, et avant eux leurs parents, ont été élevés selon ces principes : rendre les femmes étrangères à leur sexe, nous ramener à notre rôle asexué de jadis, nous priver du droit à disposer librement de notre corps, nous priver du droit à la contraception et à l'avortement, faire à nouveau de l'acte sexuel la corvée déplaisante qu'il a pu être auparavant. Nous serons sur la file de gauche, mais les yeux bandés. Nous serons fières de nos salaires, mais nous demeurerons les dindons de la farce. Exagération ? Je crois qu'il s'agit au contraire d'une forte possibilité. Et je suis loin de blâmer seulement les hommes pour cette vague de réaction montante qui pourrait rejeter les femmes dans une manière de nouvel esclavage sexuel : autant de femmes que d'hommes aimeraient, elles aussi, nous ramener à ce temps où les femmes étaient égales dans l'asexualisme.

Quand j'ai commencé à travailler sur ce livre, je ne concevais pas la masturbation féminine comme le symbole formidable qu'elle est, j'en suis maintenant sûre. Jusqu'au jour où j'ai vu le dessin grotesque d'un sexe de femme avant et après une clitoridectomie, je ne parvenais pas à imaginer que l'humanité puisse arriver à de telles extrémités pour « garder les femmes à leur place ». Retirer chirurgicalement toute trace apparente de sexualité d'entre les jambes d'une femme, s'acharner jusqu'à ce qu'il ne reste plus qu'une fente meurtrie, pour qu'après, quoi qu'il advienne, le monde puisse continuer à tourner... Mais aujourd'hui, avec toute notre « évolution », il suffit de répéter l'opération dans les esprits, et si elle intervient sur un esprit encore très jeune ses conséquences peuvent être aussi radicales. Le terrain que nous avons gagné sur le tabou de la masturbation doit donc être protégé par la conscience assumée de ce qui pourrait se résumer ainsi :

1. La masturbation nous apprend que nous sommes responsables individuellement de notre sexualité, que personne ne doit s'y ingérer, même notre propre mère.

2. La masturbation est un excellent moyen d'apprendre à séparer l'amour du sexe, surtout pour celles qui ont tendance à les confondre.

3. En apprenant nous-mêmes ce qui nous excite, nous devenons plus aptes à l'orgasme, nous devenons de meilleures partenaires sexuelles, conscientes de leur rôle, capables de donner en retour du plaisir, mieux aptes à exprimer ce qui nous excite.

4. Si nous éprouvons de la répugnance à toucher ce qui se trouve entre nos jambes, cette répulsion ne pourra que s'étendre, nous laissant à jamais insatisfaites de tout notre corps.

5. La masturbation nous apprend à distinguer le clitoris, les lèvres, l'urètre et le vagin.

6. La masturbation nous prépare mieux à nos responsabilités en matière de contraception, aussi bien qu'en matière d'éducation sexuelle de nos enfants.

7. Enfin, une évidence : la masturbation est l'une des principales sources de plaisir sexuel, un merveilleux emportement, un moyen de se détendre, un doux calmant avant le sommeil, un traitement de beauté qui nous donne une contenance plus assurée. Comme l'écrit une des femmes de ce livre,

«la masturbation et les fantasmes sont les moments où je suis le plus moi-même.»

AMOUR ET SEXE :
COMMENT LES HOMMES APPRENNENT LA DIFFÉRENCE

Les relations entre les hommes et leur mère influencent aussi leur vie sexuelle, voire la dévient, mais elles n'impliquent pas la renonciation à la masturbation, à la liberté de choisir si l'on veut se toucher ou pas. En effet, la masturbation est l'un des meilleurs moyens dont dispose l'homme dans son enfance pour apprendre à se distancier émotionnellement de sa mère. Il peut débuter sa vie en étant amoureux de sa mère, en contemplant son reflet dans ses yeux à elle, il peut même désirer lui ressembler, puisque ce qu'il goûte le plus en elle est la douceur, la tendresse, la compréhension. Mais très vite il apprend qu'il doit être différent, qu'il doit se séparer d'elle, et renier les aspects féminins de sa personnalité qui le faisait ressembler à elle. Il doit devenir «un petit homme». La première preuve, la plus évidente, dont il dispose pour vérifier qu'il n'est pas comme sa mère mais comme un homme, c'est son pénis : c'est un signe visible, une partie familière de lui-même qu'il a déjà l'habitude de toucher, ne serait-ce que pour uriner.

A l'âge de douze ou treize ans, il a appris que ce pénis a sa vie propre : sans même qu'on le touche, il peut se gonfler et éjaculer. C'est peut-être une expérience effrayante, mais c'est aussi une bonne leçon : son corps lui dit qu'il est, en lui-même, une personne sexuée. Avant même de comprendre la signification du mot sexe, il apprend de son corps ce dont il est question. De ses propres mains, il se provoque une érection. Il peut éprouver un accablant sentiment de culpabilité en le faisant, mais en défiant les lois de sa mère, en risquant de perdre son amour, il gagne encore quelque chose : désormais il se sait différent d'elle, moins féminin, plus masculin. Et puis, il découvre très vite qu'il ne s'est aucunement aliéné l'amour de sa mère, qu'elle ne le rejette pas ! Ce n'était donc qu'une crainte enfantine, une culpabilité qu'il s'était construite au temps où il ne pouvait se passer de maman. Ainsi, la vie lui a appris qu'il peut être sexué, différent, distancié de sa mère sans qu'elle cesse pour autant de l'aimer. Selon un processus d'apprentissage très simple, la masturbation finit par devenir un élément intégrant de sa maturation en tant que mâle. C'est le principe de réalité auquel la majorité des petites filles n'osent pas se confronter.

Bientôt, en compagnie d'autres garçons, il se persuade de ce qu'il a déjà appris tout seul. Se masturber ensemble, faire des concours d'éjaculation, jouer les durs, dire des obscénités — tout cela en rejetant la présence des filles! — constituent chez le pré-adolescent le rite de passage dans la virilité, loin des femmes. Et quand les filles finissent par croiser son chemin, à entrer dans sa vie aussi soudainement que le printemps est là un beau matin, le garçon est submergé par des émotions contradictoires : son désir pour la fille acquiert une intensité qui lui fait prendre ses distances avec la camaraderie masculine dont il avait fini par dépendre presque entièrement, les copains deviennent des rivaux. Mais s'il veut la fille il ne veut pas pour autant perdre son indépendance toute neuve. Dans ce qu'il éprouve lorsqu'il se promène au clair de lune avec elle, main dans la main, il y a une exaltation, un sentiment humain qui n'appartient en exclusivité ni au sexe masculin ni au sexe féminin. Mais chez lui l'amour semble aussi présenter le risque de le ramener à la domination féminine exclusive dont il vient de s'échapper. L'amour est pour lui un mystère, alors que l'envie sexuelle ne l'est plus : quand il passe son bras autour des épaules de la fille, la pulsion qui l'envahit est déjà connue, il la reconnaît d'autant mieux que son pénis est en érection. Il peut être encore terrifié à l'idée de passer à l'acte, ne pas se sentir prêt, mais il sait au moins une chose : il éprouve exactement la même sensation que lorsqu'il se masturbe.

LE CODE DE LA «FILLE BIEN»

Mais la fille qui se fait étreindre et embrasser au clair de lune, comment peut-elle distinguer ce qu'il y a de sexuel dans ses émotions? Rien ne lui est encore arrivé qui lui permette de se comprendre, de repérer précisément l'envie sexuelle dans le flot d'émotions et de sensations qui envahit son corps et son esprit d'adolescente. Elle n'a jamais eu d'érection, son corps ne lui a jamais désigné sans équivoque ce qu'était le sexe, montré que le sexe n'était pas inévitablement lié à cette autre émotion qu'elle ressent au même moment, l'impression romantique de ne faire qu'un avec l'autre.

Elle a peut-être, à neuf ou dix ans, ressenti quelque chose de délicieux en mettant son coussin entre ses cuisses et en bougeant d'avant en arrière. Les femmes font souvent remonter leurs premiers fantasmes à ce moment, fantasmes d'être capturées par de cruels pirates, fantasmes évoquant inévitablement des gens dépravés qui leur font ressentir ces sensations interdites mais déjà éprouvées. Mais traditionnellement on n'a jamais apposé le terme de sexe sur cette expérience : personne ne voulait même penser qu'une petite fille de neuf ans soit sexuée, et encore moins une fillette de quatre ans, l'autre moment auquel les femmes font souvent remonter leur première excitation sexuelle. La fille n'a pas de mots pour exprimer ce qu'elle ressent, et ne veut surtout pas connaître ces «vilains» mots qu'elle a appris à blâmer chez son frère, car elle sait qu'elle sera récompensée d'être la gardienne des convenances. A l'adolescence, elle est d'ores et déjà convaincue que toutes les sensations qu'elle ressent «là» ont à voir avec l'amour.

Et quand le garçon l'embrasse, donc, il réveille en elle des sensations qu'elle a appris à associer avec de la musique douce, des passages littéraires romantiques, des scènes d'amour au cinéma. Pendant des années, dans l'obscurité des salles de cinéma, elle et les autres filles de son âge se sont laissé ravir collectivement par ces frissons romantiques plutôt que par l'appel du sexe. Pendant que dans la rue les garçons faisaient l'apprentissage de la hardiesse et de l'indépendance, elles restaient à l'intérieur, pratiquant la convivialité féminine, apprenant à danser entre filles, se coiffant entre elles, s'initiant à la chaude intimité de nuits passées entre amies : dans ces amitiés entre filles, elles retrouvaient l'intimité fusionnelle avec leur mère, la gardaient vivante en elles, la cultivaient en leur sein jusqu'à ce que les garçons soient prêts pour elles. Et quand l'une de ces amitiés tournait au vinaigre, la souffrance de se sentir trahie qu'éprouvait la fillette n'était pas si différente de celle que ressent un enfant lorsqu'il est abandonné par sa mère. Mais le sentiment de trahison et d'abandon n'est guère propice à l'apprentissage de l'indépendance, à la prise de conscience de sa propre valeur. Que savait-elle d'ailleurs de son «moi», de ses propres exigences, cette fille ? Elle avait passé toute son existence à être encouragée à la constance, à préserver et à conserver ses relations avec les autres.

Les voici donc au clair de lune, garçon et fille. Lui, le pauvre innocent, est persuadé qu'elle connaît et maîtrise les émotions qu'il fait naître en la touchant, qu'elle s'est elle-même déjà touchée de la même manière. Que sait-il d'ailleurs d'elle, ce jeune garçon ? Un bras passé autour de ses épaules, il risque maladroitement son autre main entre les jambes de la fille. Elle se rebiffe. Elle lui dit qu'il est brutal, vulgaire. Elle fond en larmes : comment peut-il la prendre pour « ce genre de fille » ? Après tout ce qu'elle a sacrifié pour répondre au code de la « fille bien », ne peut-il pas la respecter ? Il devait être sa récompense, non son agresseur. Pire encore, il a fait éclater la bulle de romantisme dans laquelle elle se sentait au chaud, il a gâché cette impression merveilleuse qu'elle avait eue dans ses bras de ne faire qu'un avec lui.

Il devra payer pour ce qu'il a fait. Si jamais il doit à nouveau passer son bras autour des épaules de la fille, ce sera à ses conditions à elle : c'est sa première leçon de négociation entre sexes, sa première intuition que le refus de se prêter au contact sexuel pourrait être son plus grand pouvoir. De son côté, le garçon accepte que ce soit à elle de décider s'il y aura du sexe ou non entre eux. Brutalement, il revit le pouvoir absolu qu'eut jadis une femme sur lui, et même s'il désire toujours la fille il n'éprouve qu'amertume envers la règle qu'elle a édictée. Le terrain est prêt pour le marchandage tacite, et c'est là que commence la guerre entre les femmes et les hommes.

En serait-il de même si la femme grandissait en apprenant de son propre corps qu'elle est un être sexué à part entière ? La masturbation n'est pas la réponse miracle à tous les problèmes, mais existe-t-il meilleur moyen de passer un stade capital dans l'apprentissage de la distinction entre amour et sexe, de la reconnaissance de leur égale importance ?

A moins d'avoir été autorisée à prendre conscience de son propre corps quand elle était encore enfant, l'adolescente ne sera souvent plus encline à explorer le plaisir solitaire de la masturbation. A ce stade de sa vie, elle est grisée par les sentiments d'amour absolu, de passion sublime et impraticable, dans lesquels la sexualité ne peut que se fondre, sans conserver sa spécificité. L'idée même d'éprouver du plaisir sexuel pour elle et par elle seule va totalement à l'encontre de l'image qu'elle poursuit, celle de la « partenaire » idéale, un rôle qu'elle identifie à la mère, et il est entendu qu'une mère ne se masturbe pas ! Vivre la sexualité par elle seule ? Plutôt mourir ! Non, c'est le garçon qui doit en être le vecteur, qui doit la réveiller comme la Belle au bois dormant, qui doit lui donner la vie. Mais pour cela, il doit faire en sorte qu'elle se sente aimée, aimante, en fusion avec lui. Elle veut se sentir « emportée », un terme qui revient si souvent lorsque l'on essaie de comprendre pourquoi encore tant de femmes se retrouvent enceintes sans l'avoir voulu. Et même si les femmes de ce livre se sentent responsables et maîtresses de leur corps, même si elles ne rêvent plus sans cesse d'être « emportées », elles gardent plus de points communs qu'elles ne le pensent avec leurs sœurs aînées.

JUSQU'À QUEL POINT AVONS-NOUS CHANGÉ ?

Il faut bien distinguer les trois niveaux du changement : il y a d'abord les attitudes, qui changent le plus rapidement, puis le comportement, plus lent à se transformer, et enfin ce que nous ressentons au fond de nous, ce qui nous fait penser inconsciemment que telle ou telle chose est « bien » ou « mal », et cela peut demander des générations pour se transformer, en admettant que cela se transforme un jour.

Une femme d'aujourd'hui serait furieuse qu'on lui dise que son comportement sexuel n'est pas totalement différent de celui de sa mère. Pour prouver qu'elle a gagné son indépendance vis-à-vis de celle-ci, elle portera des vêtements sexy comme le veut la mode, emploiera en parlant les formules les plus « branchées », et elle sera sincèrement persuadée qu'elle se trouve à des années-lumière de sa génitrice. Ce sont là des changements superficiels qui surviennent rapidement, souvent du jour au lendemain : nous lisons un livre, nous voyons un film, nous nous retrouvons à un dîner assise à côté d'un inconnu, brillant causeur, sensible et posé, et le lendemain nous avons déjà abandonné ce que nous avions toujours pensé jusqu'alors du sexe — soudain, l'adultère dans le cadre d'une histoire « importante » ne paraît plus aussi condamnable qu'avant. Notre attitude a changé. Passer à l'acte demandera sans doute un peu plus de temps, mais, enfin, nous voici dans l'«histoire» : seulement, quand nous nous réveillons le matin dans le lit de l'inconnu, après une nuit de sexe sans réticences, nous nous sentons salie, coupable. Nous ne comprenons pas pourquoi : tout simplement, nous n'avions pas compté avec la vigilance infatigable de notre inconscient.

Or ce code moral souvent inconscient mais toujours solidement ancré en nous, de qui le tenons-nous ? De nos parents, qui l'avaient reçu des leurs. Ainsi, quand une femme qui se juge sexuellement indépendante et responsable se retrouve tout de même enceinte, elle pourra accepter le message culpabilisant de son inconscient : c'est parce qu'elle a «mal» agi, pourra-t-elle ressentir. Le troisième niveau du changement l'a prise en défaut.

Quand j'affirme que la masturbation est un acte sain, gratifiant et épanouissant, je ne veux surtout pas suggérer qu'elle devrait ou pourrait remplacer l'intimité avec une autre personne. Certaines des femmes de ce livre qui disent se masturber trois ou quatre fois par jour comme pourraient être étiquetées «obsédées» par les amateurs d'étiquettes, quand bien même c'est certainement plus enrichissant que de passer cinq heures par jour devant la télévision, comme la majorité d'entre nous avouent le faire. Loin de moi l'idée d'imposer encore un autre blâme aux femmes en critiquant celles qui peuvent choisir de ne pas se masturber. Car «choisir» est la question clé. Je dirai cependant ceci : je peux très bien imaginer une femme responsable de sa sexualité qui ne se masturbe pas, mais à mon avis elle choisit la voie la plus compliquée.

Se toucher est la meilleure, l'essentielle leçon d'anatomie : en apprenant ce qui se passe «là», nous gagnons une meilleure maîtrise de notre corps, de ce qui nous appartient. Ainsi, il est triste mais peu surprenant d'entendre de nombreuses femmes dire qu'elles ne se servent pas de diaphragme parce qu'elles répugnent à se toucher. Être capable de se donner un orgasme à soi-même constitue l'essence de l'indépendance sexuelle. Il est bel et bon d'avoir un partenaire, mais il est important de savoir que sa présence n'est pas indispensable à l'expression de sa sexualité. Parvenir à l'orgasme par soi-même, c'est l'équivalent sexuel d'être capable de prendre en charge son propre loyer.

Il y a quinze ans, je n'aurais pu mettre en lumière l'importance de la masturbation dans l'établissement de l'identité féminine comme je peux le faire aujourd'hui : je ne savais pas encore ce que les femmes de ce livre m'ont dit.

Nous sommes nées d'une femme, nous avons grandi sous la loi d'une femme. Quand par la suite une autre femme nous blesse, nous tirant un instant hors du monde de la «fille bien» dans lequel nous trouvions refuge durant notre jeunesse, cela nous fait souffrir et nous humilie bien plus profondément que ce que pourrait dire ou faire un homme. Et quand d'autres femmes nous encouragent, il n'y a rien que nous ne puissions réussir.

L'être-femme n'a jamais été aussi riche de possibilités qu'aujourd'hui, et par là même aussi générateur d'anxiété. Nous voulons être indépendantes et choyées. Nous voulons que les hommes nous traitent d'égal à égal sur le plan sexuel, et nous voulons qu'ils nous emportent dans un tourbillon érotique. Nous séduisons les hommes, et nous attendons d'eux qu'ils sachent exactement, sans un mot de nous, ce qu'ils doivent faire à notre corps. Les hommes font de leur mieux, certains mieux que d'autres, mais ils avancent tous à tâtons.

Mais quelqu'un au moins sait ce que nous voulons : une autre femme. Quelqu'un dont le corps est le même que le nôtre, quelqu'un qui sait ce que veut dire «être femme». Pas de leçon de géographie pour elle, nul besoin avec elle de rompre le charme par de froides directives : «Touche-moi ici, embrasse-moi là, lèche-moi ça!» Elle sait, déjà. Elle ne suscite pas la honte non plus, ni l'angoisse de choquer par son odeur ou son goût : elle connaît déjà. Par cœur. En plus, elle est tendre, elle sait prendre soin de nous comme aucun homme, du moins en fantasme. On ne s'étonnera pas que la principale nouveauté dans le paysage fantasmatique féminin, depuis la publication de *My Secret Garden*, soit le rêve de faire l'amour avec une autre femme. Des femmes qui se considèrent hétérosexuelles, bisexuelles ou lesbiennes trouvent pareillement excitante l'idée d'être couchée auprès d'une autre femme et de goûter non seulement une tendre relation érotique mais tout aussi bien une rencontre sexuelle aussi passionnée que celle qu'elles imaginent avec un homme.

Quand j'ai réuni le matériel destiné à *My Secret Garden*, je n'ai pas trouvé grand-chose sur la sexualité entre femmes : c'est simplement que ce thème n'«émergeait» pas encore. A mon avis, la vogue grandissante de ce type de fantasme renvoie aujourd'hui à la complexité grandissante de l'existence concrète des femmes, au fait que nous ne savons plus qui nous voulons être, ce que signifie être femme. Et comme les hommes le savent encore moins que nous, ils n'arrivent pas à faire face à nos attentes, chaque jour plus exaspérées. C'est comme se regarder dans la glace de ces fantasmes, essayant de se trouver soi-même dans l'image de l'autre femme. En partie pour y chercher du réconfort et la confirmation de notre féminité, en partie par rejet indigné des hommes, nous nous tournons vers celles qui, comme nous, sont à la recherche de la satisfaction sexuelle.

C'est seulement quand les femmes de ce livre seront mères à leur tour, c'est seulement alors que nous saurons si elles croient sincèrement en leur droit à la liberté sexuelle en général et à la masturbation en particulier. Le fait qu'une fille diffère de sa mère sera toujours ressenti comme une trahison si la mère n'est pas profondément et sincèrement convaincue de la vérité de ses mots quand elle dit : «Tu es ma fille, que tu aies tort ou non. Tu es ma fille, que tu te masturbes ou non.» Le message pourrait être alors celui-ci : «Je ne suis pas toujours à l'aise avec cette question du sexe, ma chérie. Tu le sais bien. Tu sais quelle éducation j'ai reçue. Mais je voudrais que tu sois heureuse sur le plan sexuel et, parce que je t'aime, je voudrais que tu penses à toi-même. La masturbation peut t'apprendre tant de choses sur toi-même. Goûte pleinement à cet aspect-là de l'existence, aussi. Tu as ma bénédiction.»

Mères, laissez votre petite fille se masturber.

TROISIÈME PARTIE

Fantasmes

1.

Séductrices, parfois sadiques : celles qui veulent être obéies

LE POUVOIR DE LA GRANDE SÉDUCTRICE

Ah, le plaisir de la séduction ! Prendre un homme, l'étendre par terre, vous au-dessus, orchestrer la musique de sa lente reddition en déplaçant le poids de votre corps, en murmurant des mots interdits de votre voix de femme-mère, l'observer perdre peu à peu le contrôle ou, mieux encore, contrôler sa perte de contrôle, jusqu'au moment ultime où, grâce au jeu des délicats muscles vaginaux sur son pénis, il jouisse... Quelle force, quel pouvoir que de donner un orgasme à un être humain ! Non, il faudrait plutôt dire ici : de «faire jouir» quelqu'un. J'aime particulièrement ce premier chapitre où il s'agit de femmes qui rêvent de conduire un homme jusqu'à l'orgasme, renversant les vieux rôles et pour une fois revendiquant le pouvoir de contrôler l'acte sexuel dans toute sa complexité. Comme beaucoup de femmes, je suis remuée par l'idée de tracer la voie du plaisir à un homme, dans toute la gamme des possibles qui se développe ici, du plaisir à la douleur.

Avez-vous déjà séduit un homme ? En avez-vous eu l'idée ? Elle n'est peut-être pas toujours troublante : tenir les commandes n'est pas un fantasme universel, même chez les hommes, qui ont pourtant l'obligation de séduire, du moins formellement, s'ils veulent passer pour de «vrais hommes». Un garçon timide, naturellement réservé, ou qui n'est tout simplement pas prédisposé à séduire en raison de l'environnement dans lequel il a grandi, devra passer par les pires tourments au moment de l'adolescence : faire le premier pas, décrocher le téléphone, s'exposer à un refus... Ensuite, il devra conduire la fille dans ce qu'il suppose être un bon restaurant, payer la note avant de la piloter vers la voiture, l'appartement, le divan, et plus tard le lit, où il sera tenu de poursuivre scrupuleusement et prudemment la séduction de cet être éduqué à dire « non » même quand il veut dire « oui ».

Quand je compare ce qui se passe aujourd'hui à mes expériences adolescentes, je vois que les choses ont changé, que garçons et filles ne se considèrent plus mutuellement comme des extraterrestres, ce qui est bien. Mais l'augmentation inquiétante du nombre de grossesses chez les adolescentes prouve que, dans leur vie sexuelle, ils sont aussi perdus que nous l'étions. Ils se punissent eux-mêmes en n'utilisant pas de moyens contraceptifs, et nous, les adultes, leur reprochons de ne pas être capables de s'adapter à une société en apparence ultra-sexualisée, mais en réalité puritaine et terrorisée par le sexe.

Cliniquement, je suis restée vierge jusqu'à l'âge de vingt-deux ans. J'ai eu une chance incroyable de ne pas me retrouver enceinte avec tous les jeux sexuels qui m'ont occupée, laissant monter la fièvre jusqu'à la limite de la pénétration complète. Terrifiée à l'idée d'être enceinte, redoutant de me marier trop jeune et de renoncer ainsi à mon rêve de découvrir le monde, je jouais avec le feu, sans cesse. Très attirée par les hommes, je me dépouillais de mon sens des responsabilités comme de mes vêtements pour m'allonger à leur côté et me laisser glisser dans la volupté, non comme une femme mais comme une fillette complaisante et sans cervelle. Finalement, j'ai vu le monde, et en chemin j'ai appris à utiliser un diaphragme, puis la pilule. Mais il a fallu que je me mette à écrire pour commencer à comprendre à quel point mes relations autodestructrices avec les hommes étaient calquées sur celles que j'aurais désiré avoir avec ma mère : en me plaçant entièrement entre leurs mains, sans aucune protection contraceptive, je leur demandais en fait de s'occuper de moi comme elle ne l'avait jamais fait, comme un bébé a besoin qu'on s'occupe de lui. En choisissant d'explorer les aspects interdits de la sexualité, les relations entre mère et fille, la jalousie et le ressentiment, j'essayais de retrouver un peu du courage qu'il y avait en moi dans ma prime jeunesse, un peu de cette curiosité entreprenante envers l'autre sexe que je m'étais tellement efforcée de refouler. Je suis sans doute arrivée maintenant au meilleur âge de ma vie, après avoir bouclé la boucle, après avoir retrouvé la fille de onze ans que j'étais et qui ne voyait rien de mal à ne pas considérer les garçons comme des extraterrestres.

J'ai raconté mon histoire parce que je pense qu'il existe des millions de femmes qui, au début de leur vie, ont en elles autant de courage d'aller vers l'autre que leurs frères. Les femmes de ce livre appartiennent à une génération qui n'a pas eu à dominer son assurance, à refouler le désir d'initier et de contrôler le plaisir sexuel, ne serait-ce qu'en fantasme. Même si les hommes sont généralement plus forts et plus grands, ils n'ont pas le monopole de la bravoure. Je ne sais pas où ces nouvelles séductrices dont on lira ici les témoignages ont appris à s'y exercer, mais si ce courage devient une part de leur moi assumée, elles pourront certainement le transmettre à leurs filles, et si les mères élèvent leurs filles dans l'idée qu'il est préférable de prendre l'initiative plutôt que d'attendre, nous pourrons sans doute voir l'avènement d'une nouvelle génération de femmes plus responsables de leur sexualité. Quand vos yeux se posent franchement sur l'homme que vous voulez, quand vous savez pourquoi vous le désirez, et quand vous acceptez le risque qu'il puisse vous rejeter, vous êtes déjà bien plus forte que celle qui attend d'être choisie comme un petit four sur un plateau.

Et si une femme sait qu'elle veut séduire lorsqu'elle sort le soir, il est probable qu'elle aura installé son diaphragme, de même qu'elle emportera son porte-monnaie et ses clefs. Les moments les plus importants de la vie amoureuse sont toujours précédés de fantasmes jouant avec ce qui peut ou va arriver. Si le fantasme consiste à se voir choisie, embrassée, conduite par la main comme une aveugle jusqu'à une chambre sombre où la sensation romantique de succomber est censée survenir comme par magie, comment une femme pourrait-elle rompre le charme en manifestant sa responsabilité sexuelle par le fait de se remettre debout, d'aller à la salle de bains et de mettre en place son diaphragme ? Mais si le fantasme se développe sur le mode : « d'abord, je lui téléphone et s'il dit oui je lui propose ce charmant restaurant, ensuite nous faisons l'amour sous ma conduite experte », alors évidemment « j'aurai déjà mon diaphragme, parce que je ne veux pas me retrouver enceinte et placée devant le choix de me faire avorter ou de renoncer à ma vie de grande séductrice».

Reste à se demander comment les hommes accueilleront ce nouveau type de fantasme féminin. Mais ils rêvent souvent eux-mêmes d'une femme aussi sexuée qu'eux, d'une femme qui, pour changer, s'occupe de séduire l'homme, s'intéresse à son plaisir, à tout. Bien sûr, l'homme contrôle ses propres fantasmes, ce qui lui permet de s'abandonner sans risques entre les mains d'une femme aussi forte. Dans l'idéal, le sexe est «une expérience mutuelle», dit Liz à propos de sa séduction fantasmée d'un homme : «Il m'embrasse avec reconnaissance, et je l'embrasse avec la même gratitude.» Dans ces fantasmes qui finissent bien, c'est encore la sensation du pouvoir qui, en fin de compte, procure à la femme sa jouissance*.

Cassie

Mes fantasmes sont plutôt du genre «libérés», puisque c'est moi qui fait toujours le premier pas. D'abord une brève présentation : âge, vingt-neuf ans. Profession : manager en investissements dans une société de courtage. Mariée. Cursus universitaire : MBA. Les fantasmes de domination sont vraiment survenus quand j'ai commencé à monter les échelons dans la corporation, et que je me suis retrouvée en compétition avec des hommes. Avec mon diplôme, les possibilités d'emploi ne manquaient pas, j'ai choisi celui qui m'intéressait le plus, et donc, très vite, je me suis retrouvée dans une situation toute nouvelle pour moi : être en compétition avec des hommes, ou superviser leur travail. C'est un problème de plus en plus répandu et compliqué dans les professions commerciales, comme vous le savez. Je veux seulement vous raconter comment, à ma grande surprise, cela m'a transformée sur le plan sexuel : j'ai découvert que, lorsque je travaillais avec des mecs sur un plan compétitif ou de supériorité hiérarchique, j'en éprouvais une réelle

---

* Le verbe *to fuck*, si souvent employé dans les témoignages qu'on lira ici, a une force et une crudité que le métaphorique «faire l'amour» français ne peut rendre de manière satisfaisante. La plupart du temps, il a été donné par le verbe «baiser», dont on oubliera la connotation machiste puisqu'en anglais une femme ultra-féminine peut dire sans difficultés qu'elle a «baisé» son amant. *(N.d.T.)*

excitation sexuelle. J'ai commencé à fantasmer ces situations, à en recevoir des images érotiques. Par exemple, si un mec de mon âge ou plus jeune se retrouvait en compétition avec moi pour un contrat ou une promotion, je me mettais à nous imaginer (s'il était mignon, bien sûr) tous les deux dans un lit pour un affrontement sexuel, chacun se battant pour se retrouver « au-dessus » de l'autre.

Plus je montais les échelons, plus ces fantasmes incroyablement excitants se sont développés, au point que je m'imaginais soumettre mon rival et lui faire l'amour, fermement mais tendrement. Je sais que cela peut paraître dingue, mais c'est à ces occasions que j'ai connu mes premiers vrais orgasmes. Je suis devenue très sûre de moi, et j'ai découvert que je pouvais me déclencher plusieurs orgasmes à la chaîne si je voulais, ce qui m'a d'abord effrayée car je ne pensais pas avoir un tel tempérament ! Avec vos livres et d'autres, j'ai compris que la sexualité féminine n'était pas une honte, mais plutôt quelque chose de très bien ! Un fantasme complémentaire est apparu quand je me suis mise à superviser le travail de mecs plus jeunes que moi, en général tout juste diplômés. Dans mes fantasmes, ils passaient sous ma « tutelle » sexuelle, et plus je me montrais sûre de moi plus je mouillais.

Et cela se passait de la même manière au bureau. Un jour, en expliquant à un stagiaire ce qu'il avait à faire, j'ai ressenti une véritable « décharge » de plaisir sexuel. C'était génial. Je ne pouvais pas attendre de rentrer à la maison pour me masturber. Je n'en ai éprouvé aucune honte. Bien, mais il y avait encore quelque chose à tenter : passer à l'action ! Aurais-je le culot ? Pas avec mon éducation conservatrice, mais il est connu qu'on se sent plus hardi quand on éprouve une attirance sentimentalo-sexuelle pour quelqu'un. C'est vrai pour les hommes, mais aussi pour les femmes, même si on le dit moins. C'est une invention de la nature pour faire se rencontrer les gens. Donc, je me suis particulièrement intéressée à un stagiaire plus jeune que moi. Il est plutôt timide et respectueux à mon égard. Les mecs plus jeunes sont moins coincés devant les femmes entreprenantes, ils ont grandi dans le contexte du mouvement féministe. Celui-là était si timide que j'ai dû pratiquement lui ordonner de m'appeler par mon prénom et de laisser tomber le « Mrs. Blake ». Nous en sommes venus à vraiment nous aimer d'un amour très tendre, dans une relation de grande sœur à petit frère. J'ai pris les devants, l'invitant à déjeuner pour parler travail, et il avait l'air totalement sous la coupe de mon assurance (et de ma carte de crédit), de la même façon que les femmes craquent traditionnellement pour les hommes à qui tout réussit. Inutile de dire que je n'avais jamais connu auparavant une telle adoration venant d'un homme, et que j'ai adoré ça. C'est moi qui menais le flirt, et il adorait ça lui aussi ! Quand j'ai passé affectueusement mon bras sur ses épaules pour le serrer un court instant, j'ai senti qu'il tremblait. Nous sommes devenus de plus en plus intimes, au rythme que je voulais. Et quand je dis intimes, je ne parle pas seulement du plan sexuel, il y a une grande différence ! Au lit, je me montrais maternelle et protectrice, pas agressive, et lui se souciait vraiment de me faire plaisir. Notre complicité s'est encore approfondie quand nous nous sommes sentis libres d'inverser les rôles et d'exprimer notre véritable personnalité. De toute façon, nous sommes encore ensemble même si je gagne deux fois plus d'argent que lui. On s'en fiche ! Ce côté grande sœur-petit frère est vraiment merveilleux. Il est mon protégé, et il m'adore.

Mary

Sur un coup de tête, et avec le sentiment que je n'avais rien à perdre, je donnai mon fantasme à lire à l'homme qui en était l'objet. Mais avant, je lui expliquai qu'il s'agissait seulement d'un fantasme, que j'espérais qu'il ne serait pas fâché ou irrité contre moi après l'avoir lu. Avec un large sourire, il m'assura qu'il ne serait ni fâché, ni irrité. Inutile de dire que tout le reste de la journée et la nuit suivante je me retrouvai dans un état de grande nervosité, de tension et d'excitation. Je fantasmais sur sa réaction à mon fantasme et à moi, sur ses commentaires à propos de la force de mon récit. Quand je vins reprendre ce long texte, j'étais sexuellement prête, et j'attendais réellement qu'il transforme mon fantasme en réalité. Mais à vrai dire il garda tout son sang-froid, même s'il paraissait très flatté, et je quittai son bureau terriblement déçue. Je lui avais certes raconté que le fait de le savoir en train de lire mon fantasme calmait un peu mon obsession de lui faire l'amour, je lui avais dit que je me sentais désormais moins tendue, puisque j'avais fait l'amour avec lui au moins en pensées, de la seule manière qu'il puisse accepter. Mais, mon Dieu, je suis encore folle de lui, et je le désire à chaque fois que je le vois. J'ai remarqué chez lui un changement d'attitude à mon égard, il est plus réservé, il ne m'adresse plus de clins d'œil. Mais je ne suis pas prête à renoncer, parce que je suis sûre que si je sais attendre le moment viendra, un jour ou l'autre.

J'ai trente-deux ans, je suis diplômée, mère d'un enfant de neuf ans. Mon mariage dure depuis onze années, et les cinq dernières ont été particulièrement heureuses et gratifiantes. Je suis née en Géorgie, mais quand j'ai eu dix ans mes parents nous ont déracinées, mes deux sœurs et moi, et nous sommes allées vivre en Floride. Je suis la typique «fille bien» du Vieux Sud, et même si j'ai perdu à peu près tout mon accent sudiste il en demeure des traces évidentes, encore plus prononcées quand je suis excitée. Mes racines sudistes, mon accent, mon univers familial, je le sens, déterminent l'essentiel de ma personnalité. Physiquement, je suis ce que pas mal d'hommes et de femmes appelleraient «mignonne». Je suis petite, très frêle mais musclée. J'ai la peau mate qui vire au caramel quand je suis bronzée, des yeux marron foncé et des cheveux châtain parsemés de mèches dorées. Le fait de ne pas être de grande taille ne m'a jamais causé de troubles psychologiques. Au contraire, mon gabarit m'a toujours attiré des attentions prévenantes, même à l'âge adulte. Mais, paradoxalement, je n'ai pas ce caractère dépendant, timide, hésitant, que l'on attend d'habitude chez ceux ou celles qui ont l'habitude d'être protégés par les autres. Au contraire, je suis très directe, je me fais des amis facilement, j'aime les gens et être en contact avec eux.

J'ai l'impression que les hommes qui se sont intéressés à moi l'ont fait en général parce qu'ils interprétaient mal ces manières spontanées, parce qu'ils croyaient que je leur «faisais du gringue». Mais si j'apprécie quelqu'un, je l'exprime par des caresses, des étreintes, car j'aime que les corps soient en contact. Ces signes d'affection sont cependant asexués, dans la majorité des cas. Je suis très sélective et, depuis que je suis adulte, je n'ai dû être attirée sexuellement que par quatre ou cinq hommes. Lorsque les hommes, et parfois quelques femmes, se trompent sur ma spontanéité et commencent à se montrer trop pressants envers moi, je suis toujours surprise et c'est avec maladresse que j'essaie de clarifier le malentendu. Moi, j'aime avoir l'impression d'être celle « qui est aux commandes » dans ce genre de situation.

Tout cela m'amène à mon fantasme préféré, que j'utilise sans cesse quand je me masturbe avec les doigts (plusieurs fois par jour) ou avec ma douche à hydromassage. Je n'ai alors plus qu'à fermer les yeux, à me concentrer sur l'homme de mon fantasme, je suis aussitôt troublée et je dois caresser ma chatte déjà bouillante. Cet homme existe en fait réellement, j'entretiens avec lui des relations amicales et professionnelles. Il est un peu plus âgé que moi, consciencieux, il se porte bien et a plus qu'un soupçon de brioche ; bref, absolument pas le genre Roméo, d'autant qu'il ne cherche pas à séduire les femmes. Il ne dégage aucun *sex-appeal* comme d'autres hommes peuvent le faire, et n'attire donc pas toutes les femmes comme un aimant. Mais moi, si. Dès que je l'ai connu, je me suis senti attirée par lui physiquement et émotionnellement. Je le trouve extrêmement sexy, avec son charme de garçon timide et ses grands yeux noisette. Quand il me regarde, j'ai l'impression d'être toute nue devant lui. Regarder, c'est la seule chose qu'il m'ait faite : j'ai tenté de le séduire sans m'en cacher aucunement, mais il ne s'intéresse pas le moins du monde à moi sur le plan sexuel. Bien sûr, il est flatté par mon intérêt et mon désir, mais tout simplement il ne recherche pas de relation physique avec moi. Cette attitude distante aiguillonne encore plus mon envie de le connaître sexuellement, j'en suis obsédée.

Mon intuition féminine me dit que je lui fais de l'effet, que je l'attire, et que probablement il voudrait bien me baiser à mort, ne serait-ce que pour vérifier si je suis aussi bonne que j'en ai l'air. Moi, il me suffit de l'apercevoir ou de surprendre son clin d'œil quand nous nous croisons pour que ma chatte commence à picoter et que le fond de ma culotte devienne tout humide. Il a toujours pris soin de ne rien dire ou faire qui me permette d'aller de l'avant. Avoir sa queue bien dure au fond de moi, en train de me prendre, ce serait le paradis. Mais malgré tous mes efforts je n'arrive pas à le faire céder, il est tout simplement trop fort pour moi, il se contrôle trop bien. Alors, je me retiens jusqu'à ce que mon cerveau et mes sens me disent d'y aller, je l'attrape par l'entre-jambes, je le malaxe jusqu'à ce que sa bite soit dure comme fer, prête à jaillir de son pantalon. C'est moi qui ai le dessus, c'est moi qui commande. J'explore la moindre parcelle de son corps, et lui procure du plaisir par tous les moyens imaginables. Dans mon fantasme, nous faisons l'amour aussi physiquement, aussi crûment, aussi violemment que je le voudrais.

L'homme de mon fantasme est chez moi, nous sommes seuls à boire du vin et à discuter normalement. Le fait de l'avoir ainsi « rien que pour moi », sans gêneurs, à ma main, porte mon corps à ébullition. Il est en train de me parler d'une vieille blessure qu'il a dans le dos, si douloureuse quand elle se réveille. Il me confie que son dos lui fait mal en ce moment. Après un autre verre de vin, j'arrive à le convaincre de me laisser lui masser le dos, et je lui promets de rester sage... Il est sceptique, il hésite, mais finit par me suivre dans la chambre d'amis où se trouve un lit à hauts montants. Il remonte sa chemise jusqu'au milieu de sa poitrine. Je sens qu'il est inquiet d'être chez moi, seuls tous les deux, et de savoir que je vais toucher son corps. Je sens qu'il se demande s'il sera capable de se dominer, de ne pas se laisser aller. Il s'étend sur le ventre tout en gémissant qu'il ne devrait vraiment pas être ici. Je commence à masser son dos, mes mains sont si fortes, huilées, elles le soulagent si bien en montant et descendant de ses épaules jusqu'en bas. Je le sens se relaxer, ses muscles sont moins crispés, et la ferme pression de mes mains se fait plus lente, plus appuyée. Bientôt j'entends qu'il respire plus profondément, je sais qu'il s'est endormi grâce au vin et à mon massage. Tranquillement, je me penche sous le lit et prends quatre grands foulards, cachés là spécialement pour l'occasion. J'attache soigneusement ses poignets et ses chevilles aux quatre montants du lit, en ayant soin de laisser les foulards assez lâches pour qu'il puisse bouger ses membres.

Je monte à califourchon sur lui et reprends mon massage, en sachant très bien qu'il sera furieux quand il se réveillera, mais sans m'en soucier vraiment. Évidemment, il se réveille en sentant le poids de mon corps sur son dos. Je continue et je l'entends rire, parce qu'il trouve d'abord la situation comique, puis il me reproche de l'avoir attaché. Il me dit que le petit jeu est fini, que je serais gentille de le libérer, mais il n'est pas aussi fâché ou irrité que je l'aurais pensé. Il se débat pour détacher ses bras mais s'aperçoit que ses efforts sont inutiles, parce que les nœuds sont bien serrés. Je lui dis de ne pas me résister, de me laisser faire ce que je veux et je lui promets que je le libérerai ensuite, mais il doit se montrer un gentil garçon. Et, puisqu'il est attaché, je lui dis qu'il ferait mieux de se détendre et d'apprécier toutes les choses délicieuses que je vais lui faire. Je lui rappelle que désormais c'est moi qui contrôle la situation, pas lui. Ensuite, je lui enlève ses chaussures et ses chaussettes.

Je me mets à masser son pied gauche, en frottant légèrement le contrefort et en faisant passer mes ongles autour de la cheville. Je le sens se relaxer un tout petit peu, mais il ne me fait pas encore confiance. Je descends ma bouche jusqu'à ses doigts de pied et les suce un par un, de bas en haut, comme si chacun d'eux était une petite bite. Il gémit un peu et me demande ce que je cherche exactement. Je lui réponds que j'aime ses doigts de pied, et que cela m'excite. Dieu, personne ne m'a jamais fait ça avant, me dit-il, c'est incroyable comme c'est bon. Je passe au moins dix minutes à adorer ses pieds et ses chevilles, ma bouche suce bruyamment quand je commence à remonter le long de sa jambe en relevant son pantalon pour continuer mon exploration. De plus en plus sûre de moi, d'autant que je ne l'entends pas protester, je glisse ma main sous lui, détache sa ceinture et baisse sa braguette. Je suis maintenant tellement excitée que mes mains en tremblent, mais malgré sa corpulence j'arrive à lui descendre le pantalon jusqu'aux chevilles. A nouveau, je le chevauche et lui caresse le bas du dos, puis en ondulant des mains je lui masse les fesses et les cuisses. Je l'embrasse au creux des reins, le suce et le mordille tout en descendant lentement vers les fesses puis sur les cuisses qu'il garde étroitement serrées. Je les gratte délicatement de mes ongles, et j'introduis ma langue entre ses jambes toujours fermées. Je sens qu'il les écarte très légèrement, et je peux donc bouger ma langue plus loin. Il porte des caleçons blancs que je déboutonne et fais descendre sans hâte. Pour m'aider, il soulève un peu ses hanches. Oh, maintenant j'ai à moi ses fesses nues, rebondies, magnifiques, pour la première fois, et je ne peux retenir un cri de plaisir. Je sens mon jus s'écouler hors de moi, se répandre à l'intérieur de mes cuisses, je me sens toute collante mais j'adore ça. Je me commande de me calmer, de ne pas oublier que c'est moi qui donne du plaisir, et qu'ensuite, si tout se passe comme je l'ai rêvé, j'en recevrai autant que j'en donne.

J'attrape et pétris ses fesses, je plonge mon visage entre elles sans arrêter de sucer et d'embrasser. Lorsque je tends ma langue pour lécher son trou, d'abord doucement puis plus agressivement, il commence à geindre de plaisir et à se tortiller. J'enfonce ma langue loin dans son cul, puis porte ma bouche sur ses couilles bien fermes. Je les prends une par une dans ma bouche, pour les sucer et les parcourir de ma langue. Il est couvert de ma salive, dont j'enduis mes doigts pour lui masser délicatement la partie entre ses couilles et son trou. Il est tellement excité qu'il est maintenant à genoux et bouge son corps d'avant en arrière. Comme je suis toute menue, j'arrive à ramper sous lui, même s'il est toujours attaché. Quand je me mets à sucer ses tétons en les mordillant, il s'affaisse sur moi et je peux sentir sa bite maintenant totalement bandée se presser contre mon ventre. Il me supplie de le détacher pour pouvoir caresser mes seins. Il ne m'a pas encore embrassée mais nos visages sont si proches que je meurs d'envie de le goûter, de lui prendre la langue, et si possible de retrouver le goût de ma chatte dans sa bouche. Il me dit de le libérer pour qu'il puisse toucher ma chatte, sentir combien je suis mouillée maintenant, combien je suis chaude. Alors j'accepte, je détache non seulement ses poignets mais aussi ses chevilles, et à présent il est plus que prêt pour moi. Dès qu'il a les mains libres, il s'empresse de remonter mon mince T-shirt pour découvrir mes seins bronzés, mes tétons érigés. Il soupire en attrapant un de mes seins, en l'enfermant dans sa main et en le pétrissant du pouce. Puis il le prend dans la bouche, en tétant si fort que j'en crie presque de douleur. Il m'attire vers lui en me prenant par le dos. Il est vraiment dans tous ses états, haletant, les yeux pleins de désir pour moi. Il descend le long de moi pour ouvrir mon short et me l'enlever. Ses mains caressent la partie de mon corps qu'il vient de découvrir, avec toujours plus de passion. Il dit combien il aime mon corps, si ferme, si musclé, et en même temps si féminin.

Je balance les hanches d'avant en arrière pour sentir le bout de sa queue contre mon clitoris qui pointe. Son corps est tendu comme une corde, son cœur bat à tout rompre tant il me veut, mais je ne suis pas encore décidée : c'est moi qui donne du plaisir, et je veux sucer sa queue avant qu'elle gicle tout au fond de moi. Il m'attire vers lui pour que ma chatte soit bien contre son instrument, mais je me dégage, je me penche et commence à sucer son nombril, à le creuser de ma langue. Puis j'embrasse les poils de son pubis en prenant bien soin de ne pas effleurer sa bite, toujours tendue depuis près d'une heure. Il s'impatiente, je sais qu'il n'en peut plus et je donne un rapide coup de langue sur son gland. Il me crie d'y aller, attrape ma tête dans ses deux grandes mains et fait descendre ma bouche le long de son sexe prêt à exploser. J'adore dire des obscénités quand je fais l'amour, je lui dis que j'aime sa queue à la folie, que j'aime son goût, que j'ai tellement attendu ce moment, si longtemps. Je la sens grossir encore dans ma bouche quand je la reprends entièrement. je sens qu'elle est prête à envoyer sa crème épaisse au fond de ma gorge. Il jouit avec des spasmes qui secouent tout mon corps. J'aime le goût de son jus, exactement celui que j'avais imaginé, et la façon dont il a jailli pour s'écouler le long de ma gorge. Quand il se calme, je lèche ce qui sort encore, je ne veux pas en perdre une goutte.

Sa respiration redevient normale, tous ses muscles se détendent sauf un, sa bite. Je m'allonge sur lui, le recouvre de mon corps, enfouissant mon visage au creux de son cou. Je commence à lui titiller l'oreille de ma langue, à lui murmurer que je le veux, que je veux le sentir au fond de moi, me remplir complètement. Tandis que je mords et suce son cou, il me prend doucement la tête entre ses mains et presse sa bouche ouverte contre la mienne. Sa langue parcourt tout mon visage, sa pointe s'insinue même dans mes narines et autour de mes yeux. Tous les nerfs de mon visage sont éveillés, mon con palpite à la folie. Je n'arrive plus à me contrôler, et il le comprend bien aux mouvements de mes hanches. Je prends sa taille dans mes cuisses musclées, je place ma chatte de telle sorte qu'il puisse me pénétrer. Arc-boutée, sans souffrir de délais, je me presse plus fort contre sa bite et la fais entrer en moi. Une fois à l'intérieur, il pousse à son tour pour me sentir complètement, puis sa bite se met à bouger d'avant en arrière, avec une lenteur calculée. Je n'en peux plus, je lui dis de me baiser, chéri, s'il te plaît, baise-moi fort, mets-moi cette queue dure et douce jusqu'au fond, jusqu'au cœur. Il commence à bouger plus fort, plus loin. J'aime tellement que je relève mes genoux aussi loin que possible, jusqu'à ce qu'ils touchent mes épaules. Je suis tout ouverte pour sa grosse barre, nos corps se meuvent dans une parfaite harmonie. Le bruit de nos bassins cognant l'un contre l'autre, le contact de ses couilles contre ma peau, tout me rend folle. Quand je crie que je vais jouir, il enfonce sa bite encore plus fort, encore plus loin, encore plus vite, et je suis secouée par mon premier orgasme. Il continue à me chevaucher, se préparant à jouir pour la deuxième fois. Moi, je continue à lui dire qu'il est un fantastique baiseur, que j'adore sa queue, à l'embrasser, à le lécher. Je le fais basculer pour me placer sur lui, sans laisser sa bite toujours tendue à mort s'échapper de moi. Je commence à la «traire» en faisant jouer les muscles de mon vagin, en la serrant puis en la relâchant, et au bout de la troisième fois il hurle son deuxième orgasme. Je peux sentir son jus gicler en moi. Maintenant je suis prête à nouveau moi aussi, je me mets à remuer des hanches mais je la sens glisser hors de moi. Je me retourne et me penche pour la nettoyer, goûter ma mouille sur elle. Nous faisons ainsi un 69, et je reçois sa langue sur mon clitoris tendu, elle me pénètre comme une petite queue, me suce, et lèche le jus qui s'écoule de mon vagin. Il pose mes jambes sur ses épaules pour mieux enfoncer sa tête entre elles, me mord, me suce, jusqu'à ce que je crie à nouveau que je jouis. Il me lèche doucement après mon orgasme, puis je me tourne vers lui et nous restons un moment dans les bras l'un de l'autre, savourant l'instant. Nous savons que cet après-midi, aussi fantastique qu'il ait été, sera le dernier que nous passerons ensemble. Il faudra le garder dans nos mémoires. Nous n'en parlons pas, mais nous le savons tous deux. Nous devions nous connaître enfin pour continuer chacun notre chemin. Quand je le raccompagne à la porte, il se retourne et me soulève contre lui. Il me demande comment j'ai appris à me servir de ma chatte de cette manière, pour lui faire ce qu'aucune autre femme ne lui a jamais fait. Je lui souris et je lui réponds : je t'avais bien dit que j'étais bonne ; après avoir été avec moi une seule fois, tu vas m'avoir dans la peau. Il me fait un clin d'œil, me regarde fixement, et une nouvelle fois je sens ces élancements dans ma chatte que j'avais cru pouvoir faire disparaître après ce moment passé ensemble.

Lynn

J'ai dix-sept ans, je vais bientôt finir le lycée. J'ai perdu ma virginité à quinze ans, comme la plupart des filles de mon école à ce qu'il paraît. Quand le sexe, dans toutes ses merveilleuses variantes, était encore une chose nouvelle pour moi, mes fantasmes ne faisaient que reprendre des scènes de mes plus récentes aventures. Je suis maintenant à mon deuxième petit ami, dix-sept ans lui aussi, que j'ai eu le plus grand plaisir à débaucher et avec qui j'adore explorer de nouveaux plaisirs. Nous avons par exemple découvert qu'un «instrument» qui nous tombait sous la main, comme un esquimau glacé ou un morceau de tarte aux cerises, pouvait ajouter du piquant à la relation sexuelle. D'ailleurs, nous pensons tous les deux que nous sommes un peu plus avancés sur ce terrain que nos camarades de classe, qui en sont encore à se battre avec les braguettes et les complexes de culpabilité sur la banquette arrière d'une voiture, dans le noir et l'inconfort.

Il y a quelque chose de délicieux à rêver de coucher avec son professeur, ce modèle respecté, ce pilier érigé par la société pour personnifier tout ce qui est «moral» face à la jeunesse pervertie d'aujourd'hui. Certains professeurs hommes possèdent un attrait sexuel disons cérébral, qui vous pousserait à posséder non seulement leur corps mais aussi leur esprit cultivé, de sorte que simultanément ils vous rempliraient le con de sperme et la tête de connaissances. Éducation religieuse. Je n'aimerais pas m'abandonner à réaliser ce fantasme, à cause des problèmes évidents que cela poserait lors de la remise des diplômes. D'autres fantasmes qui me sont chers tournent autour de la relation maître/élève, dans lesquels je peux aussi bien jouer un rôle que l'autre. Si je suis l'élève, j'imagine un homme mûr, séduisant, qui pourrait tout m'apprendre sur la littérature, la philosophie, l'art, l'histoire, la politique, la sociologie... et bien entendu le sexe. Quand je joue l'autre rôle, je me vois sous les traits d'une femme d'une vingtaine ou d'une trentaine d'années, qui reçoit comme patients des garçons encore vierges désireux de faire leur éducation sexuelle, à la recherche d'un cours particulier, en douceur mais pour de bon. Évidemment, il y a beaucoup de demandes, mais je n'accepte pas d'argent. Après avoir sélectionné un nouvel étudiant que j'ai envie d'éduquer, je parle avec lui de tout et n'importe quoi, je le laisse tâter le terrain et se sentir en confiance avec moi. Quand le contact est établi, je passe au plan physique : baisers, caresses, massages, bains à remous ensemble... Puis c'est la phase sexuelle : masturbation réciproque, sexe oral, pénétration. D'abord, c'est moi qui le guide, ensuite je le laisse prendre les choses en main. A la fin, je lui donne une petite tape sur le cul et je le renvoie dans le monde, avec une bien meilleure compréhension psychologique et sexuelle des femmes que la plupart des hommes peuvent en avoir.

J'ai inventé un de mes derniers fantasmes pour inspirer mon petit ami. Je ne sais pas exactement d'où il peut venir : un homme (sans visage précis, et donc interchangeable) s'apprête à prononcer un discours devant un grand amphithéâtre bondé. C'est un discours important, il a mis des heures à le préparer. L'assistance attend avec intérêt. Il monte à la tribune, parle normalement pendant environ cinq minutes, puis commence à réaliser que deux mains douces et chaudes sont en train de se faufiler dans sa braguette et caressent son entre-jambes par-dessus le pantalon. Il essaie de se reculer, mais je le retiens par la main, et pour ne pas perdre contenance il reste en place. Mes mains poursuivent leur travail. Pris au piège, il se met à bander, et maintenant il n'oserait plus faire un pas loin du pupitre. Je libère sa queue et la prend dans ma bouche. Ma langue, mes lèvres et mes mains se surpassent. Il s'efforce de garder son calme alors qu'il approche de l'explosion. Son visage est rouge, il sue abondamment, mais il continue à parler. L'audience est captivée. Son bassin remue pour enfoncer plus loin sa queue dans ma bouche, à la recherche de sensations encore plus fortes. Plus vite. Il ne peut plus se retenir. Il jouit en criant les derniers mots de son discours, le public se déchaîne et l'applaudit (nous applaudit) debout.

Liz

J'ai vingt-deux ans, j'ai fait des études commerciales, je suis déjà divorcée mais je vis avec mon petit ami et j'en suis très heureuse. Il y a à peine dix minutes, je me suis assise à mon bureau, tout au bord de la chaise, j'ai passé mon bras droit sous la table, remonté un peu ma jupe en jeans sur le côté droit; comme elle est un peu fendue par-devant et que je ne porte pas de sous-vêtements, j'ai commencé à me caresser en pensant à l'un de mes professeurs au lycée. Il était brun, viril, avec une moustache lascive. Je savais que je l'attirais : nous plaisantions, riions, nous taquinions sans cesse, avec des sous-entendus érotiques dans nos regards et nos rires souvent nerveux. Il avait pour lui un bureau avec un débarras dans lequel il me faisait entrer, puis il fermait la porte derrière nous. Nous continuions à nous taquiner jusqu'à ce qu'il vienne derrière moi et se mette à jouer avec mes seins et à exciter mes tétons. Nous nous frottions l'un contre l'autre, pour finir en nage et les vêtements froissés. Nous ne l'avons jamais fait pour de bon dans cet endroit, il avait peur d'être découvert, mais croyez-moi j'en avais autant envie que lui, c'est-à-dire terriblement.

Un de mes fantasmes se déroule dans des toilettes publiques vous voyez le genre, avec une cuvette et un box. Depuis la fenêtre de mon bureau, j'aperçois une équipe de travailleurs du bâtiment de l'autre côté de la rue, en train de construire un trottoir en béton. Ils sont tous plutôt musclés, torse nu avec des jeans délavés et troués. Ils remarquent que je suis en train de les regarder d'en haut, ils font un peu de chahut mais je m'en moque, parce que je m'intéresse particulièrement à l'un d'entre eux. Il est superbe, avec un bronzage doré sur des muscles bien déliés, un petit cul d'enfer, des cheveux blonds bouclés, un visage aux traits durs. Il soutient mon regard pendant que je continue à l'observer au travail. Ce manège dure quelques jours, je lui fais un signe quand l'équipe arrive le matin, je le regarde beaucoup pendant la journée, puis je lui adresse un nouveau signe quand je repars en voiture le soir, et il me répond d'un geste lent, plein de sous-entendus (du moins c'est ce que j'imagine). Bien. Finalement, un jour il arrête ma voiture et me demande comment je m'appelle. Je le lui dis et j'apprends que son nom est Wayne. Je lui propose d'aller déjeuner ensemble quelque part. Évidemment, il vient me prendre dès le lendemain. Nous passons un bon moment dans la cafétéria d'à côté, à parler de nous — les trucs habituels, la famille, les loisirs, etc. Je découvre que je suis vraiment troublée par le seul fait d'être assise à côté de ce mec, et je me trémousse un peu sur ma chaise en sentant que je deviens de plus en plus humide. Il avance son visage souriant au-dessus de la table vers moi, et respire profondément tout en posant sa main sur ma cuisse — ou bien ses bras sont incroyablement longs, ou bien la table est très étroite... Enfin, c'est un fantasme ! Il rapproche sa chaise, parvient à portée de mon entre-jambes trempé et enfonce le bout des doigts dedans. En même temps, il sourit largement en remarquant les efforts que je déploie pour continuer à manger comme si de rien n'était. Je lui propose de retourner à mon bureau par le passage de derrière, un long couloir désert où se trouvent les toilettes. Je m'arrête devant l'entrée des dames et lui dis que je dois m'absenter. Alors, il se propose de m'aider avec ma fermeture Éclair, nous éclatons de rire et nous engouffrons dans l'entrée. Une fois dans le box, nous nous embrassons et nous caressons. Il me retourne, soulève ma jupe et sort sa pine de son pantalon. Par-derrière, il la fait glisser entre mes fesses et tout autour de mon con mouillé. Je me penche en avant, une main posée sur un genou et l'autre appuyée contre le mur, j'arrive à peine à me maîtriser quand je pense que, d'un moment à l'autre, il va enfoncer son pieu dans mon vagin convulsé. Et il le fait, me plongeant dans l'extase ! Il commence avec un mouvement circulaire, puis donne de grands coups en avant, en avant, en avant. Comme il caresse mon clitoris en même temps, il ne nous faut pas beaucoup de temps à tous deux pour jouir. Nous frissonnons et jouissons une éternité tandis que nos ventres se contractent, que nos jambes se tendent, que nos dos se cambrent et que nous gémissons de plaisir. En silence, si ce n'est nos respirations haletantes et nos soupirs de contentement, nous nous rhabillons mutuellement, en nous caressant et nous cajolant. Il m'embrasse avec reconnaissance, et je l'embrasse avec la même gratitude, parce que cela était pour nous deux une expérience fantastique. Nous revenons à mon bureau, il me laisse à la porte avec un regard coquin qui promet encore d'autres délicieux déjeuners à l'avenir.

Ellen

Je voudrais tout d'abord décrire certains aspects de mon travail, car ils ont une grande influence sur ma vie sexuelle et mes fantasmes. J'ai vingt-sept ans, je suis blanche, diplômée. J'aime bien mon mari, nous sommes relativement heureux, mais je le considère seulement comme un ami. Il est chimiste, et même s'il est très gentil avec moi je le trouve trop froid. Depuis quelque temps, je travaille au service des ventes d'une usine de mise en bouteille Pepsi Cola. Je suis la seule à pouvoir vendre le produit pré- et postmixé en citernes. Il y a six chauffeurs qui me le livrent. Dans le cadre de mon stage d'entrée, je devais accompagner un des chauffeurs sur la route pendant une jour-

71

née. Kevin a vingt-quatre ans, il est marié depuis seulement deux mois. Quand on nous a réunis, nous nous connaissions à peine, seulement de vue. On dit que je suis très belle et très sûre de moi, alors que lui est plutôt timide et manque d'expérience. Après quelques heures à être secoués ensemble dans une cabine de camion et à rester si proches l'un de l'autre, expérience des plus stimulantes physiquement, je me suis sentie de plus en plus attirée par lui et ma nervosité a fini par devenir évidente. Je ne pouvais m'arrêter de regarder la barbe de Kevin et sa masse de cheveux blonds bouclés sur le col de sa chemise. Toute la journée, nous avons plaisanté ensemble et nous sommes mutuellement raconté notre vie. J'ai commencé à avoir de sérieux espoirs au moment où il m'a posé des questions qui me permettaient de lui donner une idée de la tristesse de ma vie conjugale.

Mes chauffeurs m'appellent tout le temps pour des problèmes de livraison ou autres. Je suis aussi en contact radio avec eux toute la journée. Kevin s'est mis à m'appeler très souvent, et j'avais le plus grand mal à rester concentrée sur mon travail. Deux autres chauffeurs avaient l'habitude de passer me voir dans mon bureau à la fin de la journée, et Kevin s'est joint à eux pour voir si je pouvais être intéressée par l'un des deux autres. Je suis restée impassible, même si la situation me faisait fantasmer.

J'imagine que je suis assise dans mon bureau et que deux de mes jeunes et beaux chauffeurs entrent pour discuter d'une affaire avec moi. Comme je parle au téléphone, ils doivent attendre. L'un d'eux jette un coup d'œil sur mes pieds. Je porte un pantalon long, mais aussi des bas de soie noirs et des hauts talons. Mes ongles sont vernis de carmin, avec une petite étoile dorée sur l'ongle de mon orteil. Il fait remarquer à son compagnon combien mes jambes sont longues et troublantes, il dit trouver mes pieds très sexy. Je m'enfonce un peu dans mon fauteuil tout en poursuivant ma conversation téléphonique. Je remarque que le pantalon de Dave commence à être tendu par une érection. Je lui fais signe d'approcher. Nos regards se croisent, il grimace un sourire. Ses lèvres frôlent ma nuque et je sens mon con se mouiller. Sa main s'enfouit dans ma chevelure tandis qu'il incline la tête vers mon décolleté et m'embrasse juste à la naissance des seins. Chacun de ses gestes est si doux et si provoquant qu'il en devient presque insupportable. Je passe un bras autour de sa taille pour poser ma main sur son jeune cul bien ferme.

Phil demande s'il doit nous laisser, et je lui fais signe que non. Mes bras sont nus, Phil attire vers lui celui qui n'est pas occupé et se met à en embrasser l'intérieur en remontant du poignet jusqu'à l'épaule, ce qui me fait vibrer. Dave saisit un de mes seins dans sa main et s'exclame sur sa dureté et sa douceur. Le bras toujours passé autour de lui, je commence à le masturber par-dessus son bleu de travail pendant qu'il excite mon clitoris sous la couture de mon pantalon moulant. Phil regarde en souriant. Je me sens perdue, complètement incapable de poursuivre mon entretien au téléphone. Juste au moment où j'approche de l'orgasme, mon interlocuteur me rappelle que je lui ai promis de lui frotter le dos. En me tordant dans mon fauteuil, je lui dis : «Viens dans mon bureau quand tu arrives, et je te frotterai, Kevin.»

Dans la vie réelle, Kevin et moi avons fini par tellement nous apprécier qu'après environ trois semaines nous nous sommes retrouvés un samedi pour boire un verre. Il était très attiré par moi, mais hésitait par peur du scandale. Nous nous sommes assis à une table en nous regardant droit dans les yeux. Après quelques verres, je me suis sentie très agressive et je me suis dit qu'apparemment c'était à moi de faire le premier pas. J'ai passé ma main sur son visage et dans sa barbe. Je lui ai dit qu'il me plaisait. Il m'a proposé d'aller dans sa voiture, et une fois installés il m'a embrassée avec fougue. Le goût de cigarette et l'odeur de son after-shave étaient extrêmement excitants. J'ai pensé que j'allais mourir si je ne sentais pas très vite sa queue contre mon corps. J'étais presque sur ses genoux, mais la radio nous gênait et la position n'était pas très confortable. Il m'a dit qu'il ne pouvait pas comprendre ce que je lui trouvais, il avait l'impression que j'avais déjà tout ce que je voulais dans la vie. C'est peut-être que je cherche à avoir quelqu'un dont le style de vie m'est étranger. Descendre quelques échelons sociaux, je trouve cela passionnant. Tout comme d'apprendre à ce jeune homme quelques tours qui pourraient bien lui plaire.

Au moment où sa main et ses lèvres ont trouvé mes seins, nous étions déjà en train de gémir tous les deux. Mais, aussi incroyable que cela puisse paraître, il a eu l'air d'être incapable d'aller plus loin. Je crois que je lui avais flanqué une trouille bleue. Nous nous sommes séparés ainsi, avec la promesse de nous revoir bientôt. Cela ne s'est pas encore produit, même si Kevin m'appelle plusieurs fois par jour et passe à mon bureau chaque fois qu'il peut. Je suppose qu'il est déchiré entre l'amour qu'il porte à sa femme et le trouble qu'il éprouve quand il pense que je l'ai choisi pour qu'il me fasse l'amour. Je reste assise ici, en attendant l'inévitable.

Pat

J'ai vingt-cinq ans, je suis célibataire, je vis seule, des rares aventures que j'ai eues avec des hommes il n'y en a pas eu une seule satisfaisante, et je n'ai jamais eu d'orgasme avec un homme jusqu'à ce que je me décide à «le» faire moi-même (me masturber tout en faisant l'amour). J'espère pourtant de tout cœur que je pourrai un jour établir une relation durable, satisfaisante pour les deux, joyeuse, qui sera aussi épanouissante sur le plan sexuel. L'un de mes rêves est de pouvoir réaliser mes fantasmes dans le cadre «sécurisant» d'une telle relation.

Voici mon plus récent et plus cher fantasme : je suis attirée par un homme qui travaille dans un petit restaurant de ma ville. J'ai pris rendez-vous avec lui après la fermeture pour lui proposer des dessins et des croquis pour un nouveau menu et une nouvelle enseigne. Je les range à l'arrière de mon break, et quand j'arrive il sort pour m'aider à les en retirer. J'ai enfilé des bas et des porte-jarretelles, une culotte en dentelle noire sans fond et une jupe très courte. Tandis qu'il se tient derrière moi, j'ouvre le hayon de la voiture et je grimpe dedans pour attraper mes dessins. Évidemment, ma jupe remonte un peu, juste assez pour qu'il puisse voir mes fesses nues. Je l'entends avaler sa salive à cette vue, mais je fais comme si de rien n'était et je continue à rassembler les feuilles. Je ressors, et nous entrons ensemble dans le restaurant. Il est très tard, la rue est déserte, mais le restaurant a ses baies ouvertes ; le fait qu'un passant puisse surprendre ce qui va suivre me plonge dans un mélange d'inquiétude et d'excitation paradisiaque.

Je commence à aligner mes dessins contre un mur, au sol. Je me penche en avant avec les jambes tendues et un peu écartées, de telle sorte que j'expose ma foufoune qui est déjà tout imprégnée de sucs. L'homme (je l'appellerai David) est en train de bégayer qu'il aime beaucoup mon travail, je comprends à sa respiration qu'il est chamboulé mais il est trop timide pour passer à l'acte. C'est moi qui contrôle la situation.

Quand je me retourne, je remarque qu'il a retiré le tablier qu'il portait autour de la taille et qu'il le porte à une étrange distance de son corps, dans le but de cacher la bosse apparue sous son pantalon. A ce moment, je m'assois le dos au mur, les jambes relevées et le clitoris bien exposé, ou bien sur une chaise, les jambes écartées. Je parle de mon travail comme si tout était normal, mais je suis tellement chaude que j'ai du mal à me retenir. Mes seins sont tendus sous mon chemisier, ma foufoune est tellement mouillée, et je ne désire qu'une chose : baiser. Je me lève pour me diriger vers un petit bar sur lequel se trouvent la caisse, des chaises retournées, etc., et je me juche dessus en relevant à nouveau les jambes et en les écartant. Ma jupe me cache un peu. Sur le comptoir, il y a un gâteau au cho-colat, je plonge un doigt dans le glaçage, je le lèche et le suce, et je demande posément à David quel est son parfum préféré. Il est comme hypnotisé, il me répond : «Chocolat», et cette fois j'enduis entièrement mon doigt de crème, relève ma jupe et le passe sur mon clito en lui proposant de venir goûter. Il jette son tablier par terre, découvrant son pantalon distendu. En trois pas il se rapproche de moi, j'enduis sa bouche et la mienne de crème. Il me saisit avec force et m'embrasse violem-ment, toute timidité oubliée. Je lui rends son baiser en enfon-çant ma langue comme une folle. Il se met à m'embrasser dans le cou pendant que je rejette ma tête en arrière (une position que j'aime beaucoup), à embrasser et sucer mes oreilles. Il m'arra-che presque mon chemisier et tombe sur mes petits seins, je le laisse faire un moment avant de lui relever la tête et de lui dire que mon con l'attend. Sans hésiter, il plonge sa langue sur mon clito, le nettoie bruyamment de sa crème au chocolat et le titille savamment. Je ne me suis jamais sentie aussi chaude, j'ondule et gémis sur le comptoir avec son beau visage entre mes jam-bes. Je sors de ma poche un petit vibromasseur et me l'enfonce tandis qu'il me mordille toujours. Presque instantanément, je jouis violemment, en criant et en me convulsant. Son tour est maintenant venu : je descends du bar, je déboutonne son pan-talon pour libérer sa pine qui reste là à attendre, magnifique-ment tendue, avec son gland adorable et sa hampe pourpre. Je tends la main vers le gâteau au chocolat à moitié défoncé, reprends de la crème pour en enduire sa pine, puis commence à lécher et à sucer en lui disant que je vais le sucer jusqu'à ce qu'il explose. Il remue son cul pour mieux s'enfoncer, et me tient par la tête. Il jouit, dans l'extase, et j'avale tout son sperme délicieux, auquel se mêle un goût de chocolat.

Mais ce n'est pas fini, car il me prend dans ses bras, me porte à la cuisine, me dépose sur le plan de travail et recommence à me sucer tout en me branlant avec une carotte qui se retrouvera ensuite dans une innocente salade... Je veux que ce soit lui qui me baise, et comme j'adore être prise par derrière je me mets à quatre pattes sur la table et l'appelle, en ouvrant des doigts les lèvres de ma foufoune. Il se hausse et me pénètre d'un coup, il me bourre furieusement, ses mains sur mes hanches, ses couilles battant contre le haut de mes cuisses. Les bruits érotiques me font généralement perdre la tête, et là nous sommes très, très bruyants. Je me masturbe pendant qu'il continue à me baiser divinement, parfois il se retire presque entièrement puis m'attire vers lui pour que je m'empale à fond. Il me prend pendant des heures, hurle comme un chien et me dit que nous baisons exactement comme des chiens. Je jouis, encore et encore, sans fin.

PS : Je me masturbe très souvent avec les doigts, des vibromasseurs ou l'hydromasseur de ma douche, mais maintenant j'attends d'inclure à ma vie sexuelle une pine et un corps bien réels.

Sue

J'ai trente-quatre ans, mariée depuis treize ans, trois filles. Je suis inspectrice des Eaux et forêts, et je ne travaille qu'avec des hommes. J'ai découvert que les vrais « machos » étaient en fait très rares, que la plupart des hommes veulent qu'on les aime. J'ai compris qu'un sourire affectueux et deux mots gentils pouvaient faire fondre les plus endurcis. J'aime les hommes : quand ils sont en groupe, ils ont un sens de l'humour qui rend le travail avec eux très agréable, et j'ai aussi appris à apprécier la haute idée qu'ils ont d'eux-mêmes. Ils peuvent être pépères, vieux, laids ou tout sales après une journée de travail, et pourtant ils essaieront toujours d'attirer l'attention d'une femme sur eux. Les hommes ont l'air de s'estimer plus que les femmes ne le font. Dans cette profession inhabituelle pour une femme, grâce au contact des hommes, j'ai appris à être beaucoup plus contente de moi.

Le fantasme que je vais raconter est en partie réel. Nous inspectons une zone de coupe de bois. Je suis la seule femme de l'équipe. Nous sommes à une trentaine de kilomètres de la ville, en pleine forêt, nous avons installé notre équipement et c'est l'heure du déjeuner. Les trois autres membres de l'équipe retournent aux camions pour casser la croûte et faire une sieste. Je reste avec les appareils, ainsi qu'un coéquipier, physiquement très attirant. Proche de la quarantaine, très, très poilu, des poils partout sur la poitrine, les épaules, le cou, et une barbe fournie. Il a aussi des yeux d'une intensité fantastique, avec des pattes d'oie qui se dessinent quand il les plisse dans le soleil. Il commence à enlever sa chemise, ses bottes, son jean, et reste en combinaison de chauffe. Il est très brun, ce n'est pas Monsieur Muscles mais il a un beau corps, des cuisses solides et musclées, des bras très puissants, des mains particulièrement belles, on voit qu'il prend soin d'elles. Je fais toujours attention aux mains masculines, je les aime bien formées, avec des ongles nets et bien taillés. Il pose ses vêtements à terre et roule sa combinaison jusqu'à la taille, elle lui arrive à peine au-dessus du pubis. J'ai l'impression que toute cette démonstration m'est destinée. Nous plaisantons ensemble sur son air de gros ours, d'abominable homme des neiges. Quand il sourit, il découvre de grandes dents blanches carrées. Il ne s'est jamais montré entreprenant avec moi, il m'a toujours traitée en égale et en amie, mais là, il est vraiment très érotique. En plus, s'il lui est arrivé d'enlever sa chemise quand nous travaillons ensemble, c'est la première fois qu'il se met torse nu. J'enlève mes bottes et mes chaussettes, roule mon jean et mon T-shirt pour laisser mon dos et mes jambes prendre le soleil. Il me dit qu'il aimerait bien enlever complètement sa combinaison et je lui réponds : « Vas-y, je ne regarderai pas, ou plutôt si ! » Nous rions tous les deux, puis j'ajoute : « Ne t'en fais pas, tu ne risques rien avec moi. » Et lui : « Mais est-ce que toi tu ne risques rien avec moi ? » Il s'allonge pour un bain de soleil, et là commence le fantasme :
Donc, il s'étend et ferme les yeux. Je suis assise sur une souche, à le regarder. Il est très brun, avec de la sueur qui perle

dans ses poils. Il y a une grosse bosse dans son short, je suis sûre qu'il n'est pas en érection, c'est simplement qu'il en a une grosse. Je continue à le regarder un bon moment, et il le sait ; puis je m'approche de lui, me penche et l'embrasse très doucement. Il se laisse faire. Je glisse ma langue dans sa bouche et l'entraîne dans un « baiser à la française* ». Il se râcle la gorge et me dit : « Oh non, tu es sûre de vouloir ça ? » Moi : « Oui. » Il reste sur le dos, je passe mon visage sur tout son corps poilu et trempé de sueur. Je tire sa tête vers l'arrière pour mordre sa gorge et sa poitrine. Dans ce fantasme, il n'est pas une bête de sexe, c'est moi qui domine, qui fais tout le travail, et lui se contente de recevoir. Sa libido n'est pas très éveillée, c'est moi qui l'excite par ma seule force. Normalement, il a cette grosse queue rarement en érection, mais cette fois, dans la forêt en plein soleil, elle gonfle comme jamais. Je me mets sur lui et me jette sur sa queue en piqué, pour n'en faire qu'une bouchée. Il pousse un grognement, je m'assois sur lui en bloquant au sol ses bras avec mes pieds et ses jambes avec mes mains, je le baise comme personne ne l'a jamais fait auparavant. Il perd tout contrôle, les yeux hors de la tête, gémissant et tressautant. Quand il jouit, son visage est déformé par une expression de plaisir intense et de douleur. Mon plaisir, c'est de voir à quel point il s'est abandonné à moi, de voir un homme bien élevé et sûr de lui devenir un mâle se débattant dans l'agonie du plaisir. Après, il reste tout pâle, tremblant, mais il doit se ressaisir avant que le reste de l'équipe ne revienne. Je lis tout cela sur son visage.

Fin du fantasme. Mais même si je suis très heureuse avec mon mari, un homme merveilleux avec lequel je partage une vie sexuelle géniale, j'aimerais bien que ce fantasme devienne un jour réalité.

Célia

Je suis une fille de 25 ans, noire, de la moyenne bourgeoisie, célibataire. Je viens de passer un merveilleux été avec Derek, qui a un an de plus que moi. Il va se marier bientôt mais je

---

* Pour des raisons qui tiennent à l'imaginaire anglo-saxon, *french kiss* signifie « se rouler une pelle », en opposition à *fish kiss*, « baiser de poisson », avec des lèvres fermées. De même, *frencher* désigne généralement une « suceuse ». Par ailleurs, *french-fried fuck*, littéralement un « coït de frites *à la française* », exprime en anglais argotique quelque chose de totalement inutile. *(N.d.T.)*

n'arrête pas de penser à lui. Parfois, je rêve que je fais l'amour avec lui dans les endroits les plus surprenants.

A l'Opéra de New York, au niveau du parking, il y a des toilettes pour femmes et pour hommes. J'y suis allée plusieurs fois, et je n'ai jamais vu personne les surveiller. Il ne sait pas où je le conduis, il a l'air surpris quand je l'attire dans les toilettes pour femmes — je ne sais pas comment sont faites celles pour les hommes, s'il y a des cabines. Une fois dedans, nous commençons à nous frotter l'un contre l'autre, frénétiquement. Je lui ouvre sa chemise en faisant sauter quelques boutons tant je suis pressée. Dessous, il porte un T-shirt que j'arrache sans qu'il proteste, avec un beau bruit de tissu déchiré. Je me sens animale, pas du tout comme il me connaît, et de me voir ainsi déchaînée lui fait perdre aussi la tête. Oubliant sa retenue, il ouvre le haut de ma robe, découvre un soutien-gorge en dentelle noire qui couvre à peine mes seins, passe sa langue dessus en suçant mes tétons à travers la dentelle. Je suis aux anges, ma main descend le long de son dos pour se glisser dans son pantalon et lui palper ses fesses, délectables. De ses dents, il descend mon soutien-gorge qui immobilise presque mes bras, et mord mes tétons, tendrement, assez fort pour me couper la respiration mais pas assez pour me faire mal. Nous n'avons pas beaucoup de temps, quelqu'un pourrait entrer. Mes mains tâtonnent sur son pantalon et le font tomber à terre. Il me facilite la tâche tout en m'attrapant par les fesses et en m'attirant contre son sexe dur comme une pierre. D'un coup soudain, il entre en moi et m'arrache un hurlement : je ne suis pas encore assez mouillée, donc il doit forcer plus que d'habitude pour me pénétrer mais je ne m'en plains pas, c'est exactement ce que je veux. A deux debout dans cette cabine, nous occupons presque toute la place disponible, nous nous cognons aux parois en tendant nos corps l'un contre l'autre, inondés de sueur, avec des cris étouffés et des baisers de feu. J'ai passé mes jambes autour de sa taille et les serre si fort que, même s'il le voulait, il ne pourrait pas s'en aller. Je veux cette queue au fond de moi, je le murmure dans son oreille, plus fort, plus loin, plus fort, il me fait taire d'un baiser mais ses assauts deviennent encore plus violents, si c'est possible.

Il attrape mes cheveux pour tirer ma tête en arrière, découvrir mon cou qu'il couvre de baisers jusqu'à revenir sur mes seins. Je mets ma main entre mes jambes pour frotter sa queue quand elle est à moitié sortie de mon con, recueille mon jus sur mes doigts et en enduis la pointe de mes seins. Il ouvre grand la bouche sur mes tétons et aspire autant de chair qu'il peut, comme s'il voulait m'avaler. Je suffoque presque de plaisir. Au début, il gémissait mon nom, maintenant il gémit, tout simplement. Nous avons du mal à faire moins de bruit mais nous devons être prudents, puis il m'enfonce sa langue au fond de la bouche et c'est plus facile ainsi d'être silencieux ! Je jouis un peu avant lui, il continue à pousser en moi pour demander mon aide, je me presse contre lui en sentant d'autres orgasmes monter en moi, et finalement il jouit, son corps secoué de spasmes me projette contre la porte de la cabine. Nous manquons de tomber par terre, épuisés tous les deux par cet assaut. Nous nous rajustons mutuellement nos vêtements, nous essuyons avec du papier toilette et sortons tranquillement. Le plaisir du moment est toujours intense, même si nous savons que nous allons continuer à la maison.

Annette

Je suis une WASP* de trente-trois ans, enfant unique, diplômée de psychologie, un mètre soixante-huit, un joli visage, un corps agréable et de très jolies jambes. Je n'ai jamais été mariée, ni demandée en mariage. Je n'ai eu qu'un seul amant, et en secret en plus car ma famille est très conservatrice et ne conçoit pas le sexe en dehors du mariage. Mes fantasmes tournent essentiellement autour des bites, sauf quand je me masturbe. Je suis capable de les évoquer n'importe où et n'importe quand dans la journée, par exemple au travail, en déjeunant, etc., sans que personne ne s'en aperçoive. Je commence par mon premier souvenir de ce magnifique cadeau de la nature qu'est le pénis : j'avais six ans, le frère de ma copine trois ou quatre. J'étais allée passer un week-end dans sa famille. Nous avons pris notre bain ensemble, ce qui m'a permis de voir pour la première fois un garçon tout nu. J'ai tellement aimé sa bite qu'ensuite, pendant que nous jouions à cache-cache dans sa chambre et que nous étions cachés derrière le lit, je lui ai fait ouvrir sa braguette pour moi.

* *White Anglo-Saxon Protestant*, couche socio-ethnique du *melting-pot* américain qui véhicule généralement les valeurs puritaines des fondateurs de la Nouvelle-Angleterre. *(N.d.T.)*

Quelques années plus tard, nous avions *Peter Pan* en cours de récitation : dans les albums et les films, il semble non sexué mais dans mon esprit il a toujours été un garçon, un vrai. Je me rappelle avoir émergé une nuit d'un rêve où j'étais la fille un peu plus âgée qui devait s'occuper de lui. Il tombait d'un arbre, ou un truc approchant, et se faisait mal au sexe. Moi, je devais le masser délicatement pour faire passer la douleur. A l'école puis au lycée, nous avions des cours d'hygiène*, avec des croquis et des exposés sur Freud et la sexualité. Mais il a fallu que j'attende d'avoir vingt-cinq ans pour voir un sexe masculin en vrai. L'homme que j'aimais avait presque vingt ans de plus que moi, et une grande expérience : il avait même été « amant de remplacement » dans une clinique de thérapie sexuelle pendant un moment. Il était très patient, très doux avec moi, mais il a été très surpris de découvrir que j'étais « complètement » vierge, c'est-à-dire que je ne m'étais jamais touchée « là où je pense », et n'avais jamais rien fait avec des garçons sinon échanger un baiser. Personne auparavant ne m'avait approchée, spirituellement, physiquement ou moralement. Il m'a longuement parlé du sexe, de la conception selon laquelle le corps entier est notre organe sexuel, il m'a expliqué que tout pouvait être dit à condition de le faire sans choquer ni heurter.

La première fois que je l'ai vu tout nu, il était allongé à côté de moi et m'a dit de bien regarder et de toucher ce que je voudrais. Après un petit moment d'embarras, j'ai tendu la main vers son pénis, bien sûr. Il m'a annoncé la longueur et le diamètre du sien, ainsi que les mensurations moyennes chez les autres hommes. Après m'avoir attirée contre lui, il a commencé à se masturber, et ainsi je pouvais sentir la montée de sa passion. Je l'ai regardé éjaculer avec une curiosité avide. Puis il m'a dit d'en recueillir dans ma main et d'y goûter. Cela avait le même goût que mes propres sécrétions, exactement. Je n'ai pas fait l'amour avec lui pendant six mois encore, parce que je ne voulais pas renoncer à ma précieuse virginité, mais j'en ai appris long sur le sexe oral, qui me plaît beaucoup. Cette histoire est maintenant finie, mais j'ai deux fantasmes que j'aimerais partager avec le prochain homme de ma vie.

* Il faut souligner la troublante interaction de l'hygiène et du sexe dans les cultures anglo-saxonnes, ce qui est défini comme « sale » pouvant être aussi, contradictoirement, « bon pour la santé ». *(N.d.T.)*

1. J'imagine attendre avec impatience le retour de mon homme à la maison, parce que j'ai très envie. Quand j'entends sa clef dans la porte, je me suis déjà débarrassée de tous mes vêtements et je me précipite à sa rencontre. J'ai été tellement excitée toute la journée que je ne peux tout simplement pas le laisser prendre un moment de repos après sa journée de travail. Je le déshabille aussi vite que possible, et lui me regarde faire, stupéfait. Je ne lui laisse que ses caleçons (courts, c'est important) et je vois qu'il est tumescent. Je l'embrasse fougueusement en frottant de haut en bas son entre-jambes pour sentir son érection. Je l'oblige à s'étendre sur le sol du salon et à me baiser à travers la fente de son caleçon.

2. Mon homme revient d'un week-end « entre garçons », camping, pêche, tout ça. Comme il rentre bredouille, il est mort de faim et je lui ai préparé son repas préféré. Je lui montre le repas et lui demande de s'asseoir pour que je puisse le « servir ». Je dispose tout devant lui, puis j'ajoute qu'il y a encore quelque chose que je voudrais lui donner. Pendant qu'il attaque son plat avec appétit, je lui dis que je veux me mettre à genoux sous la table et lui sucer la bite. Il est d'accord, nous commençons, mais au bout d'un moment il n'en peut plus, il veut me baiser, il arrête de manger. J'arrête de le sucer et le préviens qu'il doit finir tout ce que j'ai préparé spécialement pour lui, autrement je ne le ferai pas rester bien dur. Il se met à avaler son repas à toute vitesse pendant que je lèche sa hampe et ses testicules. Quand il a fini, il se renfonce dans sa chaise pour pouvoir me regarder sous la table. Je me relève, je me glisse sur ses genoux et prends sa bite tendue en moi, en lui faisant face, puis je remue comme une possédée et je jouis. Je me demande si ce serait si facile de le faire sur une chaise, mais j'essaierai.

Pour conclure, je précise que dans ces fantasmes je n'ai pas en tête le sexe d'un homme en particulier, c'est simplement un mec qui est fou de moi et m'aime tendrement. Je ne regarde pas le bas-ventre des hommes, parce que je sais qu'ils ont tous une queue et qu'un jour il y en aura un dont la bite ne sera que pour moi.

Elaine

Aussi loin que je m'en souvienne, j'ai toujours eu des fantasmes sexuels, et c'est à l'âge de quatre ans que j'ai connu ma première excitation érotique, en jouant avec le tuyau d'arrosage. Cette agréable découverte me poussa à continuer mes jeux dans la baignoire, mais dès le début je sentais que mes parents ne m'auraient pas du tout approuvée. Ils sont très prudes, et semblent penser qu'en dehors du mariage puritain le sexe est quelque chose d'absolument immoral. Cette attitude m'a peut-être poussée vers des désirs sexuels de plus en plus intenses, car j'ai sans doute choisi de me rebeller sur le terrain qui les aurait le plus choqués.

J'ai trente-quatre ans, je suis mariée depuis douze ans, j'ai trois enfants, j'ai exercé comme enseignante mais ne travaille plus. Mon mari n'admettra jamais qu'il puisse avoir des fantasmes au-delà du besoin naturel de se faire sucer ou de faire l'amour. Et je n'arrive pas non plus à lui confier mes fantasmes les plus débridés, de peur de le choquer. Je ne pense pas qu'il aimerait apprendre que je voudrais coucher avec d'autres hommes. Je suis restée vierge jusqu'à dix-huit ans, ensuite il n'a su que me peloter rapidement et me sauter, et donc, après seize années en sa seule compagnie et avec sa faible imagination, je fantasme comme une folle! Le lui dire, ce serait le blesser et le rendre encore plus jaloux qu'il ne l'est déjà. Et puis j'ai peur que cela puisse l'amener à ne plus du tout faire l'amour avec moi. Moi, j'ai toujours envie, je suis prête à essayer n'importe quoi, mais lui, c'est toujours le même type ennuyeux qui n'aime que sa manière ennuyeuse de baiser, du genre: «Je ne fais que passer, merci, m'dame!» Pour moi, la variété est indispensable au sexe, et c'est sur mon insistance qu'il peut y avoir un peu de fantaisie entre nous. Je n'ai jamais eu d'amant mais, si je ne craignais pas les représailles divines, je serais prête à en changer toutes les minutes! Donc, merci maman et papa, vous avez bien réussi avec moi: j'ai une conscience, même si j'aimerais tant ne pas en avoir!

L'un de mes fantasmes préférés est d'être baisée par des animaux qui me permettent d'être aussi dépourvue d'inhibition qu'ils le sont eux-mêmes. J'ai laissé des animaux me lécher le con et le cul, et une fois j'ai sucé le sexe d'un chien en croyant bêtement que je l'exciterais assez pour qu'il veuille me sauter. Je l'ai retourné sur le dos, j'ai dégagé son pénis et me suis mise à sucer et à lécher jusqu'à ce que mes cuisses soient trempées tant j'avais envie de le baiser. Il a apprécié ces attentions mais n'a pas saisi le message, si bien qu'à la fin je l'ai enfourché et j'ai glissé sa bite dans mon con, en le chevauchant comme je pouvais. J'ai joui, mais c'était plus cérébral que la sensation véritable de me faire baiser par un chien.

En fantasme, j'imagine que je suis dans un laboratoire de recherche scientifique et qu'on me demande de pousser un gorille mâle à me faire l'amour pour qu'un film soit tourné sur cette expérience. Je suis étendue, toute nue, dans une pièce qui ressemble à une cage de zoo. Le gorille me regarde, il n'est pas impressionné par le fait que je sois nue, donc je me mets à quatre pattes et commence à me rapprocher lentement de lui. Il paraît intéressé par cette position, alors je lui tourne le dos et relève mon cul pour qu'il puisse voir mon con par-derrière. Regardant entre mes jambes, je peux voir comment il tend un doigt pour tâter mon con. Puis il le renifle et le met dans sa bouche pour goûter mon jus, et le replonge avec un intérêt accru. Je reste immobile mais continue à l'observer tandis qu'il rapproche sa tête de mes jambes pour examiner au plus près mon con et le renifler. A plusieurs reprises, il plonge ses doigts et les suce comme s'il goûtait à un pot de miel. Je peux voir son énorme bite poilue commencer à durcir et à s'ériger, et lorsqu'il se met à me sucer et à pousser sa langue dans mon con, j'ai envie de lui crier : « Baise-moi, vas-y, baise-moi ! » Mais je me tais parce que je sais que je pourrais l'effrayer, ce qui pourrait être dangereux pour moi, ou faire rater l'expérience. Il y a au moins une douzaine de scientifiques qui suivent la scène de l'autre côté d'une baie en verre, qui prennent des notes, et qui approuvent de la tête lorsque le singe me saisit par la taille par-derrière et attire mon con contre sa face. Il lèche et suce comme s'il ne pourrait jamais s'en rassasier. Finalement, je regarde l'horloge sur le mur d'en face et m'aperçois qu'il s'active sur mon con depuis deux heures, et que depuis tout ce temps j'ai eu tellement d'orgasmes que je suis épuisée. Les scientifiques notent la magnifique érection du singe, trente centimètres et demi de long et cinq de diamètre. Je leur fais savoir que j'aimerais bien faire une pause pour aller aux toilettes, mais ils estiment que le gorille pourrait être contrarié de me voir quitter la pièce alors qu'il bande si fort. En fait, il a été incapable de remplir ses devoirs avec un gorille femelle, et ils veulent lui apprendre comment faire en m'utilisant comme substitut. Si l'expérience réussit, s'il me baise, ils prendront le sperme répandu dans mon vagin pour inséminer le gorille femelle qui attend quelque part.

Je prends mon travail très au sérieux, j'adore cette mission, et je comprends donc que je vais devoir me soulager comme je peux tandis que le singe me tient et m'enfonce sa langue dans le trou toutes les cinq secondes. J'ai tellement besoin de pisser que je décide d'émettre un petit jet d'urine la prochaine fois qu'il enlèvera un instant sa langue de mon con. Dès que je laisse tomber quelques gouttes sur le sol, mon entre-jambes se met à me brûler et je réalise qu'il a tant sucé les lèvres qu'elles sont gercées. Mais quand je regarde comme il bande, je me dis que s'il me baise vraiment ce sera le meilleur coup de ma vie. Le flot de pisse s'accroît, aussi le gorille renifle-t-il et observe-t-il avec attention d'où cela peut venir d'entre mes jambes. Quand j'ai fini, il lèche doucement le minuscule méat et me nettoie bien. Puis il me prend dans ses bras et m'emporte dans un coin de la pièce, me dérobant au regard des scientifiques et de la caméra. Je sais que je dois me débrouiller pour que nous soyons placés autrement, de telle sorte qu'ils puissent tous voir mon con quand le singe va me pénétrer. Je sais aussi qu'il faut à tout prix que je lubrifie cette énorme queue et mon vagin, car autrement la pénétration sera absolument impossible. Une ouverture dans le mur a été prévue, avec divers onguent à cet effet, et derrière attend un laborantin, qui est là pour m'assister et photographier en plan rapproché mon con dans l'état où il se trouve après cette première étape du travail. Je me rapproche centimètre par centimètre de ce mur, et le singe me suit sans me quitter des yeux. Il regarde la fenêtre de l'ouverture s'ouvrir et l'assistant passer ses mains dans la pièce tandis que je tends mon cul vers elles. (C'est Sandy, un petit mec qui a envie de moi depuis qu'il m'a vue et qui déteste l'idée de me laisser être sucée et baisée par le gorille, mais son job est de me lubrifier avec son doigt, et il s'en acquitte volontiers.) Lentement, délicatement, il enfonce l'onguent tiède et qui sent le fruit dans mon con, puis m'enduit l'entre-jambes et le cul. Il ne peut s'empêcher de glisser un de ses doigts gantés dans mon cul tout en me titillant le clitoris, sous prétexte de mieux me préparer à l'expérience. Le singe ne s'est guère occupé de ces deux parties de mon anatomie, et je suis envahie d'un plaisir relaxant, non sans me demander de combien de doigts Sandy va pouvoir se servir avant que la patience du singe soit à bout. Celui-ci continue à m'observer, et il a commencé à se branler lentement. Les chercheurs notent aussi ce point, et continuent à observer le moniteur sur lequel apparaît en gros plan le pénis du singe et, dans l'autre partie de l'écran, en gros plan aussi, mon con béant.

Toujours aussi lentement et délicatement, Sandy a enfoncé trois doigts lubrifiés dans mon cul, qui me massent en tournant. Je me retourne le plus lentement possible et me cambre pour plaquer mon entre-jambes dans l'ouverture. Sandy s'empresse de pousser sa bouche sur mon clitoris et se met à remuer sa langue dessus, tandis que je sens sa salive chaude dégouliner sur mes lèvres et ajouter à la sensation que j'ai d'être, des fesses au pubis, idéalement glissante. Je sais bien que Sandy aura des ennuis pour s'être laissé aller à me bouffer et à me branler le cul durant une expérience d'une telle importance scientifique, mais je n'ai pas du tout envie qu'il s'arrête. Levant la tête, je vois la lampe rouge s'allumer, ce qui signifie que je dois retourner exciter le singe. Il est en train de se rapprocher de moi, avec une érection comme je n'en ai jamais imaginé : sa bite n'a peut-être plus toute la longueur d'il y a un moment, mais elle est d'une épaisseur incroyable, et ses couilles ressemblent à deux petites noix de coco ! Je commence à avoir peur de lui, mais il ne faut pas le lui montrer car il pourrait alors me blesser. Je me remets à genoux en tendant mon cul vers lui, et je peux voir ses yeux s'allumer quand il aperçoit de nouveau mon con. Sans plus d'hésitation, il fonce sur moi, la bave aux lèvres, sa bite pointée dans toute sa gloire de mâle. Les scientifiques retiennent leur respiration quand il m'ouvre le con de ses lèvres et de ses dents et se remet à me bouffer avec une vigueur renouvelée. Quand il sent l'odeur fruitée de l'onguent, cependant, il est un peu perdu et se met à donner de petits coups de dents, puis en vient à me grignoter le trou du cul. Je n'ai pas mal, mais je suis à la fois effrayée et excitée quand il enfonce sa langue et la remue dans le cul que les doigts de Sandy viennent d'enduire. Les scientifiques se consultent sur ce développement inattendu, et notent que bouffer le cul n'est pas un comportement totalement étranger aux gorilles.

A ce moment, j'ai tellement été excitée que je veux tout de suite cette grosse bite de singe dans mon con, que je suis prête à faire n'importe quoi pour qu'il me saute. Mais il n'a pas la moindre idée de la manière dont il faut s'y prendre, et c'est donc à moi de guider son énorme trique si l'on veut qu'il se passe quelque chose. Je tends une main par-derrière et saisit sa bite pour la caresser doucement mais fermement. En éprouvant cette nouvelle sensation, le singe arrête de me sucer et attend de voir la suite. Je prends le sachet de vaseline que Sandy m'a donné et l'ouvre sur le bout de son pénis, puis l'enduit de haut en bas d'une couche aussi épaisse que possible. Je passe aussi ma main gluante sur mon con pour que toutes les chances soient de notre côté. Le singe est assis par terre, je me relève pour l'enfourcher, en espérant m'empaler moi-même sur son sexe et utiliser le poids de mon corps pour arriver à me le faire entrer dans le con. Il tend la main et me pose un doigt sur le clito, puis se penche en avant pour lui donner de petits coups de dents. Je le laisse sucer son fruit avant de m'incliner pour saisir son pénis à deux mains et le caresser. Il grogne et se cambre en avant, ce qui me permet de lui masser aussi les couilles. Il est prêt, moi aussi, et sur un signe de tête des scientifiques j'abaisse mon con vers l'extrémité de son pénis, que je frotte contre les lèvres. Je sens sa queue se lubrifier encore plus de ses propres sécrétions, et alors je commence à la pousser dans mon con. Je dois aller doucement, la faire entrer progressivement tout en me concentrant pour relâcher au maximum les muscles de mon con pour arriver à la prendre. Il est absolument immobile, mais je sens sa tension, et la grande force qui attend en lui. Sa bite est en train de me remplir, mon entre-jambes est de plus en plus brûlant, et je veux donc qu'il me baise coûte que coûte. Je suis stupéfaite que mon con puisse s'écarter autant pour recevoir cette bite gigantesque sans se déchirer. Ainsi remplie, j'ai l'impression que le singe et moi ne faisons plus qu'un. Il est trop large pour rentrer entièrement en moi, et de toute façon mon vagin est déjà entièrement occupé, alors je me mets à peser sur ses épaules et son pénis et commence à rentrer et à sortir, à rentrer et à sortir. Les scientifiques applaudissent, se donnent des claques dans le dos et se félicitent mutuellement de me voir baiser un singe avec un tel succès. Je suis en train de prendre le pied de ma vie, je le sais, et je ne suis donc pas surprise que le singe apprécie, lui aussi ! Après quinze ou vingt minutes, je suis comblée mais le singe n'a pas encore joui en moi et je me souviens que je dois le chevaucher jusqu'à ce qu'il le fasse. Comme mon con est trempé, à vif, je décide de changer de position. Mais le singe pense que je veux m'enfuir, il m'attrape par-derrière et me fait tomber sur les genoux. Il pilonne si fort mon con que je laisse échapper un cri de surprise. Ses pattes ont trouvé mes seins, qu'il presse dans son désir de me coller à lui et de satisfaire son besoin de copuler. La caméra continuait à tourner sans film, les hommes en chargent une seconde et une troisième au cas où nous baiserions encore plusieurs heures. Je suis vannée mais je me sens plus femme que n'importe quelle autre femme au monde, et je suis fière de ce que j'ai accompli. Le pénis du singe est pris de violentes pulsations quand son sperme se met à remplir mon con à gros bouillons. Je souris, attentive à ce qui se passe à l'intérieur de moi, consciente du prix que portent les chercheurs à ce que je suis en train de recevoir. Maintenant satisfait, le sexe du singe décline et sort de moi, puis le gorille lèche gentiment mon con distendu, trempé, empli de foutre. Sa langue soulage ma fente irritée, mais je suis trop épuisée pour ressentir autre chose qu'une toilette apaisante après une baise incroyable. Après m'avoir léchée un moment, le singe s'écarte et va s'endormir dans un coin. Sandy entre, me soulève dans ses bras et me guide dans l'autre pièce où médecins et chercheurs attendent pour me prendre le sperme recueilli et l'inséminer au gorille femelle. Quand ils en ont terminé, Sandy m'administre un lavage vaginal et un clystère pour me débarrasser de toutes les sécrétions du singe, puis me laisse longuement aller au plaisir d'un bain chaud. Je n'ai pas la force de penser encore à faire l'amour, je m'attends à avoir mal pendant quelques jours, mais je remercie Sandy de l'attention qu'il m'a portée et je lui promets de l'appeler dès que j'en aurais envie. Je rentre à la maison, je me couche. Comblée.

DE LA BONNE MÈRE À L'ORGASME

Tout homme aime reposer sur le sein d'une femme. Cajolé, entouré, voire materné, l'homme le plus abrupt pourra baisser sa garde et s'autoriser à revenir au stade infantile, à ce plaisir sexuel primitif, si particulier. La femme voudrait bien le garder plus longtemps tout près d'elle, savourer ainsi le goût de son propre pouvoir, mais lui, une fois satisfait, reprend ses distances : aussi doux soit-il d'être étendu dans les bras d'une femme, chaque homme se souvient du temps où il était sous le contrôle absolu de la femme-sein. S'il s'abandonne plus long-temps, il risque d'y perdre sa force, sa supériorité. Alors la femme soupire, le laisse partir en sentant que son pouvoir s'en va avec lui, en sachant qu'elle se résigne une nouvelle fois à attendre, attendre que l'homme veuille bien revenir sur son sein, en son pouvoir.

«Nous ne voulons plus attendre!», crient les femmes de ce livre. Plus de cajoleries, plus de tendresse maternelle, sauf quand nous décidons nous-mêmes d'en prodiguer! Assez de faire comme si le pouvoir de la mère n'était pas *le* pouvoir, le pouvoir de la femme, et comme si nos seins, nos reins, notre vagin qui vous ramène au fond de nous pendant l'acte sexuel, vous les hommes, n'étaient pas l'origine de tout pouvoir! Messieurs, une nouvelle ère s'est ouverte, qui questionne sérieusement la société patriarcale, la religion, la position du missionnaire... du moins dans l'univers des fantasmes.

Cette nouvelle approche, cette célébration de la beauté et de la puissance du corps féminin ont essentiellement été facilitées par la reconnaissance physique mutuelle entre femmes, délivrées de leurs tabous. Quand les féministes dénièrent au pénis son monopole du pouvoir sexuel, les yeux des femmes s'ouvrirent sur les ressources érotiques de leur propre corps. Elles portèrent alors toute leur attention sur leur propre satisfaction sexuelle, dans une pulsion érotique orale jamais épuisée, qui explique évidemment pourquoi les hommes ont toujours eu peur de célébrer avec elles le culte de la Déesse-Mère aux orgasmes infinis. Désormais, les femmes exigent d'eux un plus grand respect envers leur pouvoir maternel.

Les femmes de ce chapitre sont bien décidées à faire comprendre aux hommes où commence le pouvoir, qui est à la source de leur existence et de leur plaisir. Elles les tentent de leurs seins, leur donnent ou leur retirent leurs sécrétions vitales, passent des caresses aux fessées, leur apprennent à faire l'amour, à sucer, et parfois, comme Jane, elles essaient «de le ramener au fond de mon ventre, en l'aspirant de l'intérieur». La plupart d'entre elles sont tendres, elles agissent ainsi «pour son bien à lui». Elles font souvent penser à de petites filles jouant avec leur poupée. Dans sa prime enfance, quand sa mère la punissait, la femme rejouait la scène traumatisante avec sa poupée, se comportant alternativement comme la «bonne mère» et comme la «mauvaise mère » avec le jouet dans lequel elle se projetait. Aujourd'hui, la plupart de ces femmes réécrivent à nouveau cette histoire, jouant à la mère toute-puissante dont elles se souviennent, ou interrogeant le souvenir d'abus sexuels commis par des hommes ou des femmes sur elles quand elles étaient enfants. Et le charme du fantasme, c'est qu'il leur permet de tout contrôler. Elles écrivent le scénario, conçoivent les décors, choisissent et dirigent les acteurs, et se réservent toujours le rôle de la star. Et il ne faut surtout pas que la « première » soit un four, car elles sont aussi leur propre critique : Bravo ! Orgasme !

Certaines de ces femmes se plaisent à donner vie à leurs fantasmes. Le rôle de la « bonne mère » leur convient parfaitement, et elles n'ont aucune difficulté à trouver des hommes de chair et de sang, en général plus jeunes qu'elles, qui apprécient eux aussi une relation dominée par le rayonnement maternel de la femme. Au cours de mes recherches sur les fantasmes sexuels masculins, j'avais établi que les deux plus courants étaient d'être séduit par « une femme-qui-en-veut », et d'être puni-humilié aux pieds d'une femme dominatrice. Ces fantasmes sont cependant datés, ils appartenaient à une époque où les femmes sexuellement agressives étaient plutôt rares. Dans les années soixante-dix, les hommes payaient volontiers des prostituées pour assouvir leur fantasme d'humiliation-domination, car cette relation commerciale ne remettait pas en cause leur statut social et symbolique, leur supériorité. Mais désormais, en repensant à ce rêve masculin d'être « pris » par une femme, je ne peux m'empêcher de penser au proverbe : « Prends garde à tes rêves, car ils peuvent devenir réalité. »

Beatrice

J'ai dix-neuf ans, je suis très bien notée dans mes études de psychologie, je ne suis pas un « canon », mais suis tout de même assez séduisante — j'ai droit à beaucoup de regards, de sifflets d'admiration et de propositions. J'ai l'intention de devenir thérapeute-sexologue, je suis féministe mais je crois que les hommes eux aussi ont tout intérêt à l'égalité des sexes, et je n'aime pas les blesser ou les accuser injustement sous prétexte de faire avancer la cause féminine. Mes amis me disent attentionnée, sensible, ouverte, et dans la réalité je ne pourrais faire de mal à personne. Dans mes fantasmes, je n'inflige pas vraiment de la souffrance à mon amant, disons que je prends juste plaisir à l'avoir sous mon contrôle.

Je me masturbe depuis que je suis toute petite, et quand on m'a appris que c'était quelque chose d'absolument interdit, j'ai continué en cachette. Au début, je frottais mon clitoris avec mes doigts ou de petits jouets, mais dans les dernières années j'ai commencé à utiliser des objets divers pour la pénétration. Quand j'étais petite, je me rappelle avoir été furieuse d'apprendre que certaines femmes pouvaient avoir mal la première fois qu'elles se font pénétrer, jusqu'à ce que j'apprenne qu'un gynécologue pouvait couper l'hymen avant, si nécessaire. Ensuite j'ai appris qu'on pouvait l'étirer soi-même sans douleur, doucement. J'ai commencé avec des objets plutôt fins (tampons...) qui glissaient bien dans mon con, puis je suis passée à des choses plus larges, sans jamais éprouver de douleur. Quand c'est simplement pour le plaisir, je préfère des objets en forme de phallus, plus épais que longs : un gros concombre bien ferme, c'est l'idéal ! Je me considère encore vierge « techniquement » puisque je n'ai jamais encore fait l'amour avec un garçon. Ma religion réprouve le sexe avant le mariage, une règle que je trouve dure à respecter : mais quand je me marierai, je me promets d'être une partenaire très active et volontaire.

Je fantasme beaucoup sur le sexe, ce qui me joue parfois des tours, par exemple quand je suis censée prendre des notes pendant un cours. Mais j'ai de bons résultats scolaires, j'entretiens de bonnes relations avec tous ceux qui m'entourent. J'ai déjà fantasmé sur beaucoup d'hommes, mais mon favori actuel l'emporte sur tous les autres : c'est un chanteur connu, je parviens à des orgasmes fabuleux quand je le baise en rêve pendant que la stéréo emplit ma chambre de ses chansons. Il est vraiment doux, sensible, séduisant, parfois timide, et aussi mince et grand, terriblement sexy. Comme je suis grande moi aussi, je rêve qu'il a quelques centimètres de moins, et qu'ainsi il est exactement de la même taille que moi. Mes fantasmes sont un peu comme un feuilleton, que je reprends là où je l'ai laissé la dernière fois. Parfois je finis par me lasser et je « change de chaîne », mais le nouveau « programme » inclut toujours cet homme. Il m'appartient.

Donc, quel que soit le cadre de l'action, je lui donne généralement un rôle d'esclave, de serviteur, d'inférieur. Quand je le trouve, ou que je l'achète, il est dans un piteux état : il a été battu, violé, affamé, prostitué, humilié pendant une longue période, jusqu'à ce que j'apparaisse dans sa vie. Je fantasme rapidement sur une scène où il est brutalement violé en chaîne par un groupe de femmes, et sodomisé avec de longs objets. Je ne m'y attarde pas trop, parce que je déteste voir la souffrance et la peur déformer son visage. Ce que j'aime, c'est avoir le dessus. Il est encore tout tremblant quand je le ramène à la maison. J'essaie de le consoler et de le rassurer en lui parlant doucement, en le touchant délicatement quand je lui donne un bain et bande ses plaies. Il me supplie en criant de ne pas lui faire de lavement ni de lui toucher les organes génitaux car il a été violé si cruellement, mais je sais qu'il faut absolument le lui faire. Donc je le prends très tendrement sur mes genoux et j'enfonce lentement le tuyau dans son cul. Il sanglote, se débat, mais je le maintiens et il doit se soumettre. Quand le flacon est vide, je l'installe sur les toilettes et il s'accroche à mes jambes lorsque l'eau se met à sortir de lui. Toute la nuit, je le nourris, le couvre, le caresse jusqu'à ce qu'il s'endorme dans mes bras. Tout cela est très détaillé, je peux passer des heures à m'occuper ainsi de lui, pour qu'il finisse par avoir confiance en moi. Il est obéissant, mais au début il hésite parce qu'il a encore peur de moi.

Les jours qui suivent, je lui achète des vêtements, je l'emmène chez le docteur, etc. Les médecins sont toujours des femmes, et il déteste ces rendez-vous, surtout quand elles lui examinent le rectum ; mais moi, cela me permet à nouveau de tenir son corps tremblant dans mes bras et de le calmer. Je n'essaie pas tout de suite de faire l'amour avec lui car je sais que ses récentes expériences, la prostitution, le viol, continuent à le tourmenter. Je le mets en condition pendant plusieurs jours, d'abord en le caressant et en le prenant dans mes bras, puis en l'embrassant et en le cajolant. Une nuit, je commence à lui faire des avances en le mettant au lit, il croit que je vais m'arrêter comme d'habitude, et quand il voit que non il se met à pleurer et à me supplier de ne pas lui faire « ça ». Je continue, mais il devient hystérique, alors j'arrête et je le rassure en lui disant que j'attendrai qu'il soit prêt. La nuit suivante, à moitié en larmes, il m'annonce qu'il est à ma disposition si je le veux toujours. En vérité, il est mort de peur, mais il sait que je peux lui faire tout ce que je veux, et, comme j'ai été si gentille avec lui, il se sent coupable, il sent que j'ai fait passer son bien-être avant mes propres besoins. Et donc je commence à lui faire l'amour, même s'il est encore terrorisé.

Pendant un long moment, je me contente d'embrasser et de mordiller son visage, son cou, ses oreilles et sa poitrine, je me risque aussi à planter ma langue dans sa bouche, en la remuant tout doucement pour ne pas le troubler. Il continue à pleurer en silence, puis il avoue qu'il a peur d'avoir mal, mais aussi qu'il a peur de ne pas être capable de me satisfaire. Je le rassure à nouveau, je lui dis que je serai très gentille, que je serai satisfaite s'il se détend et s'il fait ce que je lui dis de faire. Je lui enlève son caleçon et son T-shirt, je l'embrasse partout. Derrière ses sanglots, j'entends maintenant de petits soupirs sortir de ses lèvres. Il est étendu sur le dos, crispé, je me mets sur lui en léchant son cou et l'intérieur de son oreille, tout en tirant sa tête en arrière. Je descends le long de ses côtes, de son ventre, j'arrive entre ses jambes que j'écarte au maximum pour lécher l'intérieur de ses cuisses et ses couilles, puis je prends sa queue déjà tendue dans ma bouche et je la suce doucement mais fermement. Il gémit, il n'arrête pas de murmurer mon nom, «Beatrice, Beatrice, non, s'il vous plaît»... Je veux qu'il me prévienne quand il va jouir, parce qu'à ce moment je veux être en train de le baiser. Quand il me prévient entre deux soupirs, je me place sur lui en enfilant mon con trempé sur sa queue, je monte et je descends et je le pompe en rythme. Nous nous roulons une pelle encore une fois, et tout en jouissant à plusieurs reprises je le sens se tendre encore et se presser contre mon corps. Sa respiration s'accélère, ses gémissements aussi. Quand il se met à hurler de jouissance, je m'empare de sa bouche, mon con se referme sans merci sur sa queue pour la vider jusqu'à la dernière goutte, et il me donne tout ce qu'il a. A nouveau nous jouissons, je passe toute la nuit à l'aimer. Dans la lumière de l'après-midi, il repose nu entre mes bras, et il se sent enfin en sécurité.

Après cette première nuit de sexe, je continue à m'occuper de lui, mais moins patiemment. Je lui apprends à se retenir d'éjaculer jusqu'au moment où je veux qu'il se répande, parfois je dois lui donner une fessée pour qu'il reste bien dur. Il devient expert en la matière, de même qu'il se met à me sucer les seins et le clitoris comme je le lui ai appris. Il est encore timide, mais il veut à tout prix me faire plaisir. Nous baisons dans toutes les positions possibles, et à toute heure du jour et de la nuit : en déjeunant, dans la piscine, dans le jardin, dans la baignoire, même dans le dressing-room où il essaie ses nouveaux vêtements. Quand je le veux, je le prends. Parfois il a du mal à bander, et il pleure, tout honteux. Dans ce cas, je lui dis que je l'aime de toute façon et nous passons au sexe oral et à la masturbation réciproque, toujours sous mon contrôle. Finalement, il adore être dominé par quelqu'un en lequel il croit, il adore mettre son existence à ma merci puisqu'il sait combien je le veux pendant que nous faisons l'amour, mais il n'est sûr de rien pour après. Il sait très bien que je ne lui ferai jamais de mal, mais parfois il désobéit et alors il reçoit une petite correction sur le cul, bien forte. Nous apprécions tous les deux encore plus le sexe une fois qu'il a été fessé.

Parfois, je le baise vraiment fort, je cogne contre ses couilles trop violemment, mais après je fais en sorte d'être un ange et je les lui suce comme dans un rêve. J'aime aussi lui enfoncer un doigt dans le cul, ou lui serrer les couilles dans la main quand nous jouissons ensemble. Il m'arrive aussi de lui enfoncer un vibromasseur dans le cul et de le garder là pendant que je le baise à fond. Au début, la taille de l'engin le terrorise, il se ferme et me supplie de ne pas le forcer, mais j'attache ses poignets à la tête du lit, je remonte ses genoux jusqu'à sa poitrine et je l'enfonce centimètre par centimètre, après l'avoir bien lubrifié. Des fois, je le « prête » à d'autres femmes ou à un ami, mais prends toujours garde que personne n'abuse de lui.

Voilà, c'est seulement un exemple de ce que je peux faire avec mon homme préféré. Il n'y a pas à cacher que certaines femmes rêvent de dominer un homme sur le plan sexuel, exactement comme certains hommes rêvent d'être dominés. Je n'ai jamais eu de fantasme de viol. Le viol m'effraie, même si je comprends les raisons psychologiques pour lesquelles hommes comme femmes peuvent avoir de tels fantasmes.

Maud

J'ai trente ans, je suis célibataire, et je suis tout simplement folle des hommes. Il y a quatre ans environ, j'ai eu un petit ami qui aimait porter mes chemises de nuit quand il se mettait au lit. Je l'ai encouragé avec plaisir, en lui achetant même un modèle assez grand pour qu'il s'y sente à l'aise. Cette envie a aussi réveillé en moi une attirance latente pour le « déviant » — c'était nouveau, différent, excitant ! —, et j'ai commencé à lui acheter d'autres éléments de l'attirail féminin. Bientôt, j'ai découvert que j'étais plus attirée par le fait qu'il se travestisse que lui ne l'était, et quand nous nous sommes séparés je me suis mise à rechercher activement des travestis « pour de vrai ». Je ne pouvais les trouver qu'au moyen de petites annonces dans des publications « spécialisées », mais j'y suis parvenue ; la plupart d'entre eux désespéraient de pouvoir trouver une femme qui accepterait leurs penchants vestimentaires, sans parler d'une femme que cela exciterait. Après quatre ans de petites annonces, je me suis fait un réseau d'amis cultivant toute sorte de déviances, d'un bout du pays à l'autre et même à l'étranger. J'ai découvert le sado-maso (dans la variante où c'est la femme qui domine) grâce à des contacts avec des travestis pratiquant la soumission. J'ai eu besoin d'un certain temps pour me faire au rôle de la dominatrice, car j'ai été élevée dans l'idéal de la femme passive traditionnelle, mais je m'en trouve aujourd'hui parfaitement bien, et sous mon « nom de code » je suis maintenant très connue dans le monde sado-maso.

Une autre de mes activités favorites est de « jouer à la maman ». Je n'ai moi-même pas d'enfants, mais je ne demande qu'à exprimer mon instinct maternel. Beaucoup de travestis adeptes de la soumission sont disposés à ce jeu, et ce mélange de tendresse mère-bébé et de domination absolue me comble à chaque fois.

Je classe mes fantasmes habituels en deux catégories : les fantasmes éclairs et les histoires plus élaborées. J'ai tendance à recourir aux premiers quand je me masturbe — je me concentre alors sur une ou deux images —, tandis que les autres sont pour les longs moments de rêverie, et mon imagination leur fait subir sans cesse des transformations et des rebondissements. Dans cette catégorie, j'en ai choisi un, qui n'est pas le seul de ce genre (tendance vampire !) mais qui est sans doute le plus érotique.

Les membres de ce chœur masculin d'enfants s'étaient installés dans une maison spacieuse et confortable, non loin de la cathédrale où ils donnaient une série de concerts. C'est là qu'un mois auparavant je m'étais entichée d'un garçon au doux visage qui allait bientôt être à moi. Il était soliste et, dès que j'avais entendu sa voix enfantine résonner comme du cristal, j'avais décidé de le posséder. Grand et mince, il était sur le point de devenir un jeune homme, mais sans aucun des traits physiques déplaisants qui caractérisent habituellement cet âge. Il avait un visage d'ange, encadré par des vagues de cheveux blonds, et ses immenses yeux gris reflétaient l'émerveillement avec lequel il considérait le monde qui l'entourait, le monde vénéneux de Vienne fin de siècle. Je recherchais toutes les occasions de l'apercevoir, en le croisant « par hasard » dans la rue, avant ou après les concerts donnés par le chœur. En le fixant dans les yeux, je sus qu'il était tombé sous ma coupe — les simples mortels ne peuvent rien contre la force de mon regard — et que son sommeil d'enfant était déjà troublé par des rêves étranges. Je commençai donc à lui rendre visite la nuit, pendant que toute la maison dormait.

Il partageait une chambre au dernier étage avec un autre des garçons plus âgés. Par ma seule volonté, je maintenais son compagnon dans un profond sommeil, tandis que je m'asseyais sur le lit de mon favori pour le regarder dormir. Je le laissais se réveiller un moment, et il avait rêvé de moi si souvent qu'il n'était aucunement effrayé de me trouver là. Je lui parlais doucement, caressais son visage, embrassais ses tendres lèvres. Il en fut ainsi plusieurs nuits, jusqu'à ce que le temps de l'accomplissement soit arrivé.

Cette fois, je me tins au pied de son lit pour la dernière fois, et tout ce qui s'était passé auparavant défila dans mon esprit : désormais, je n'aurais plus à hanter les rues à sa recherche, désormais il allait devenir une partie de moi-même, il allait vivre par moi et pour moi. Je m'approchai de lui, et il s'étira dans son sommeil. Ses lèvres formèrent à demi un son que je ne pus interpréter. Je m'assis à la tête du lit étroit, caressant sa joue et sa gorge. Ses cils, beaucoup trop longs pour un garçon, se mirent à battre et ses yeux immenses s'ouvrirent. Ses traits exquis exprimèrent d'abord une certaine confusion, puis il plongea son regard dans le mien et alors il laissa aller sa tête contre l'oreiller et toucha ma main qui restait posée sur sa gorge palpitante. Comme il ne détournait pas son regard du mien, cet échange accéléra les pulsations de sa gorge, un feu envahit son visage, qui était pour lui un mystère mais auquel il s'abandonna. Il retira ma main de son cou et la posa sur ses lèvres. Je l'attirai vers moi, je lui déboutonnai sa chemise de nuit, et à ce moment il y eut le sentiment de sentir le contraste entre ce vêtement amidonné, strictement ajusté, et la délicatesse de sa peau, de sa minceur androgyne. Les pupilles si dilatées qu'on pouvait en oublier la couleur de ses yeux, il se jeta en avant pour toucher mes épaules, mon visage, mes cheveux, d'abord hésitant puis affamé. Il était devenu fou de ce qu'il ressentait, aucunement une « victime » mais un être communiant avec un rite dont il ne pouvait qu'à peine connaître le sens.

La frontière entre rêve et réalité s'est déjà estompée pour lui, en même temps que les images troublantes qui le hantaient depuis longtemps se sont concrétisées, et maintenant il entre totalement dans mon univers, là où nous ne faisons qu'un. Il n'a pas peur de ma chair glacée, ni de mes dents acérées. La naïveté confondante de cet enfant était telle qu'il ne comprit pas ce qui pouvait suivre un baiser, et qu'il accepta sans s'interroger ce qui aurait terrorisé un adulte.

Sur mes seins je sentais ses doigts errer, comme une brise légère. En fixant la paleur bleutée de la peau de sa gorge, je m'arrêtai sur ses veines, j'entendis sa respiration se précipiter. Moi aussi, je fus envahie par la passion, et je me juchai sur lui en l'embrassant à pleine bouche. Il gémit en lançant ses bras autour de moi et en se décidant à me rendre mes baisers. J'enlevai les épingles qui retenaient mes cheveux en arrière et ils tombèrent sur son visage, sur l'oreiller. Après en avoir rêvé tant de nuits, il put se perdre dans cette masse d'un blond roux, en murmurant : « Je suis à vous, prenez moi ! » Je le sentais durcir contre ma cuisse. Ma bouche glissa sur son cou soyeux, dont je léchai la tendre chair jusqu'alors demeurée vierge, je respirai profondément le parfum de ce jeune corps. Quand mes canines aiguës percèrent sa gorge, son corps se tendit et il gémit à nouveau, un gémissement profond et rauque suivi d'un silence complet, seulement rompu par sa respiration de plus en plus calme. De plus en plus lente. Et moi aussi, après avoir bu avec empressement, je me fis plus calme, plus lente. Sa vitalité passa dans mon corps, réchauffant mes membres, entraînant mes sens dans un tourbillon, jusqu'à l'extase. Mais je ne l'aspirai pas au point de le tuer : j'achève rarement les victimes, et puis je ne voulais pas me contenter de me nourrir de sa jeunesse.

Je le serrai contre moi, contre mes seins qui avaient perdu leur pâleur froide pour devenir chauds et palpitants. Il essaya de dire quelque chose, mais je posai doucement un doigt sur sa bouche et il renfonça sa tête dans l'oreiller, sans force. Son corps gracile était maintenant détendu, ses boucles collées au front par la sueur. Je savais que, même dans cet état à moitié inconscient, il ressentait ses propres réactions et ma présence avec une intensité encore jamais éprouvée durant sa courte existence. Il était solide, et il allait vivre pour connaître ce drame avec moi encore et encore, jusqu'à ce qu'il soit prêt à être initié lui-même à la vie éternelle. Comment cet enfant aurait-il pu savoir de quoi il parlait lorsqu'il avait gémi : « Prenez moi ? » Extase, souffrance, perte de l'existence humaine, éternité, qu'est-ce que cela pouvait signifier pour un garçon de quatorze ans ? Mais une fois qu'il deviendrait lui-même un vampire, il comprendrait, il saurait.

Ses yeux se fermèrent lentement, il tomba dans un sommeil sans rêves. Je reboutonnai sa chemise de nuit, rajustai mon corsage et refit mon chignon. L'enveloppant dans une lourde couverture, je soulevai le garçon de son lit pour l'emporter dans la nuit d'automne. Je sentais à peine son poids tandis que je le serrais sous ma cape, il était à moi, à moi corps et âme et pour toujours !

Le beau Christopher est avec moi. Assumant désormais son allure féminine, il a attiré beaucoup d'hommes de choix dans notre repaire. Habillé de satin noir et de dentelles, ses grands yeux gris lourdement maquillés, du rouge sur ses joues pâles et les lèvres peintes d'écarlate, il continue à affoler mes sens pourtant blasés. Physiquement, il aura toujours quatorze ans, avec sa voix cristalline et son halo de cheveux dorés. Mais il est aussi un vampire presque centenaire, mon compagnon de voyage à travers une nuit sans fin...

Carol

On m'a déjà dit que j'étais une énigme et, même si cela me place sur la défensive, je pense que c'est vrai. Pas de doute, je suis une femme sacrément compliquée, et qui n'en fait qu'à sa tête. Je n'y vois rien de mal, mais cela stupéfie les gens qui m'entourent, et je comprends leur étonnement. A trente-quatre ans maintenant, je me suis enterrée pendant près d'une décade. Quand cette comédie a fini par me donner des envies de suicide, j'ai commencé à faire de petits écarts pour m'en sortir, puis je me suis enhardie, jusqu'au jour où j'ai eu le courage de dire à mon mari : «Je hais cette existence de femme au foyer. Je hais les sacrifices. Je hais la façon dont nous vivons. Ce mariage est une catastrophe, depuis des années. Nous ne partageons rien d'important, et nous nous taisons. Ça suffit. Je vais trouver un travail à mi-temps. Je vais reprendre des études. J'ai ma part de responsabilités là-dedans, d'accord, mais en tout cas cette merde a assez duré. Tends-moi la main, ou bien je te dirai au revoir.» Il m'a fallu un an et demi, et des douzaines de livres, pour franchir à nouveau le seuil de ma maison. Je suis revenue. Je ne sors pas, je reviens chez moi. C'est à la maison que s'épanouit ma sexualité, et tous les autres aspects de ma vie y sont enracinés.

J'ai toujours aimé les hommes, et j'ai eu la chance d'avoir deux amis intimes dans ma vie. Le premier était un copain qui passa au statut de petit ami sans que nous ayons approfondi autrement que platoniquement notre relation. Nous étions à peine adolescents, l'histoire dura quatre ans. Quand nous avons fini le lycée, j'ai refusé de le revoir. C'est la plus grosse erreur que j'ai faite de ma vie : nous étions faits l'un pour l'autre, c'est clair. Le second était devenu un ami au moment où je rejetais le premier. Nous avons partagé d'innombrables expériences, dans une relation elle aussi platonique. Malheureusement, il disparut de ma vie lorsque je me mariai. Il n'apparaît plus aujourd'hui que dans une image chérie et estompée : celle de deux jeunes assis côte à côte dans une salle obscure, exposés comme dans une projection. Le public croit qu'ils forment une image créée, de l'art. Il y a peut-être encore des gens qui pensent que nous étions de l'art. Moi, je le crois.

Quant au premier, je pense que si je le revoyais je l'aimerais pour lui-même, comme je le fais dans mes fantasmes. Nous nous sentons attirés l'un vers l'autre pendant une soirée au lycée, mais ce n'est pas qu'une attirance physique. Nous en sommes où nous en étions alors, à l'éveil du désir sexuel. Pendant la soirée, nous irons cette fois jusqu'au bout, et c'est moi qui prendrai l'initiative.

Tandis que nous dansons ensemble, je lui raconte qu'il est

dans mon lit pendant que mon mari me pénètre, mon fantasme préféré. En entendant cette confidence, il perd la tête, je sens ses genoux fléchir et son érection manquer de faire craquer la braguette de son pantalon. Quand je pose ma main sur son cou, il a un rire gêné. Je lui demande s'il est toujours aussi sensible à cet endroit. La tension monte. Je passe un ongle dans ses boucles épaisses, juste au-dessus du col. Il frissonne, pose mes mains sur ses épaules et me serre plus fort par la taille. Mes longs cheveux reposent sur sa joue, son odeur d'eau de cologne, d'homme, de sexe, m'électrifie. Son cou a l'air si vulnérable en comparaison de ses larges épaules de nageur. Il est à la fois familier et nouveau pour moi. Nous nous éclipsons.

Dans la voiture, je reste près de lui pour garder mes doigts dans son cou, et lui a posé une main sur mon genou. Je ne le laisserai pas aller plus haut, pas pour l'instant. A un feu rouge, il essaie de m'attirer vers lui, mais je ne le laisse pas faire non plus. Je lui caresse doucement la joue et il a juste le temps de poser un baiser dans ma paume avant que le feu ne passe au vert. Je dois lui dire de démarrer. Le motel est à un bloc de là. Il signe le registre et nous marchons vers la porte de la chambre côte à côte. Il a l'air de savoir que c'est moi qui commande. J'entre la première. Il reste debout avec la clé dans la main, faisant tinter le métal contre le porte-clés en plastic. Je branche le chauffage, je lui suggère d'aller chercher un seau de glace et quelque chose à boire. Il a l'air hypnotisé. J'embrasse légèrement ses lèvres sensuelles et le lui demande une nouvelle fois. «On n'en a pas besoin», rétorque-t-il. Je lui murmure dans l'oreille : «S'il te plaît.»

Quand il revient, je me suis débarrassée de mes chaussures et de mon manteau. Je porte une robe-chemisier très moulante dont j'ouvre encore un bouton, je ne suis plus une petite fille sage mais je ne veux pas non plus avoir l'air dévergondé. Aguichante. Il dépose la bouteille et le seau de glace, desserre sa cravate. «Enlève-la, chéri.» Il obéit, elle glisse sur sa chemise avec un petit sifflement et tombe en silence sur la commode. «Et ton manteau?» Il s'en dépouille et le pose à côté de la cravate. Je m'approche de lui et passe mes mains sur ses épaules. «Qu'est-ce que j'aime tes épaules.» Je prends une de ses mains et lui suce un doigt pendant que je déboutonne une manche, puis l'autre. Ensuite je lui fais poser ses mains sur mes hanches pendant que je lui caresse la poitrine, que je lui ouvre sa chemise, que je palpe son ventre. Il veut se rapprocher de moi, mais je lui dis d'attendre. «Enlève ta chemise. Ton maillot.» J'avale ma salive. Ses épaules sont larges, ses bras tendus par de longs muscles. Il bouge avec la grâce d'un danseur, son corps harmonieux n'est plus celui d'un garçon, c'est un corps d'homme. Au-dessus de la ceinture se voit une traînée de poils, et sous ses vêtements j'imagine le tendre chemin vers sa bite.

Je salive. Je veux qu'il se déshabille pour moi. Mon ventre est pris de contractions douloureuses. Nous sommes à égalité. Je fais un pas en arrière pour m'asseoir sur le lit. Son pantalon est tendu par son érection. Quand je pose ma main dessus, il fait un bond. «Viens», me dit-il. Il le faut. «Je viens», et je suis dans ses bras, et il m'embrasse. Mon visage est en feu, mon con en eau. Pendant qu'il me déshabille avec assurance, j'ouvre la ceinture de son pantalon; il tombe pour découvrir son maillot de bain qui contient à peine son membre. C'en est assez, je ne peux plus me contrôler. Je me jette sur lui mais il ne me laisse pas lui retirer son short. Il ouvre le lit, son membre pointant sous la ceinture élastique du short. Je commence à enlever mon bikini mais il ne me laisse pas faire. «Tu n'es pas encore prête», me dit-il en se serrant contre moi. Il s'allonge. Il introduit un doigt sous le tissu, dans mon con trempé, le retire et le suce. Tout en m'empêchant de bouger, il referme sa main par-dessus ma culotte et pose sa bouche à la hauteur de mon clitoris. Je ne peux pas bouger, mais je le dois car je tremble des pieds à la tête. Je me force à me calmer. J'attrape une couverture pour masquer la lumière trop forte sur la table de nuit.

Je lui dis : «Je veux ta queue. Je veux la voir.» Je me mets à genoux sur le lit près de lui, et tire son short vers le bas. Son membre congestionné se prend dans l'élastique, puis jaillit en dehors. Qu'est-ce qu'il est gros, et long, à se damner! Avec déjà des gouttelettes de sperme au bout. «Mon petit homme en sucre, murmuré-je en tombant entre ses jambes et en le léchant de bas en haut. Maman aime les gâteries. Donne-m'en encore...» Il s'assoit, retire son short coincé sur ses cuisses où il a laissé une marque, ma marque. J'enlève ma culotte et, sans le laisser bouger, je me mets sur lui pour le chevaucher frénétiquement. A chaque fois que je m'empale je jouis, puis il jouit à son tour, je le sens me remplir entièrement avec son sirop brûlant qui s'écoule ensuite sur ses couilles. Je regarde son visage envahi par cette extase si proche de la douleur, si libre… Mais ce n'est pas fini. Nous nous racontons tout ce qui nous passe par la tête, nous nous demandons réciproquement de baiser, de sucer, de jouir, de bouffer, tout ce que nous voulons. Le monde s'est réduit à cette chambre, à cette chambre où règne une odeur de sexe et de sueur, et que je ne voudrais jamais quitter. Nous prenons des glaçons dans la bouche avant de nous lécher, ce qui rend nos corps encore plus chauds. Nous décidons que lui est un esquimau glacé et moi une banana-split. Et ainsi de suite… Avec lui, il n'y a pas de fin.

Le plus génial, c'est que tout cela pourrait arriver : si l'attraction se faisait aussi forte dans la « vie réelle », je pourrais faire de ce fantasme une réalité. Car en fait il est très proche de ce que j'aimerais vivre pour de bon. Séduction, romantisme, agressivité, égalité, puissance féminine, tout cela fait partie de moi. Je veux continuer dehors ce que je rêve dans ma chambre, je veux baiser sans aucune restriction, je veux de l'humour et de la tendresse, en un mot je veux beaucoup plus que ce dont je dois me contenter aujourd'hui.

Gale

J'aurai vingt ans le mois prochain, et je crois que j'ai des fantasmes depuis que j'ai six ans. Pendant une courte période, à la fin du lycée, j'ai eu une sorte de crise mystique, une envie de consacrer ma vie au Christ, et il n'a vraiment pas été facile de concilier mes aventures nocturnes « coussin entre les jambes » avec cette recherche spirituelle. Alors, j'ai décidé d'abandonner tout sentiment de culpabilité : je suis sûre que la masturbation et les fantasmes appartiennent à la vie humaine, qu'ils ne m'empêchent aucunement d'aimer mon prochain comme moi-même, et qu'au contraire ils me rendent certainement moins intolérante.

Les premières années de lycée, je buvais de l'alcool à certaines occasions (soirées sans chaperons), mais toutes les autres drogues (herbe, LSD, etc.) faisaient naître dans mon esprit un énorme « Non ! », et c'était la même chose pour le sexe. Je considérais celles qui n'étaient plus vierges comme des « filles faciles », de même que je trouvais que la consommation de drogue ne convenait qu'aux faibles. J'attendais le mariage parce que c'était «chrétien», «moral», de faire ainsi. Pour moi, tout était ou noir ou blanc. Ensuite, j'ai continué à boire sans rien toucher d'autre. J'ai toujours été très indépendante, disant toujours ce que je pense, n'essayant jamais de dissimuler mes pensées ni ma personnalité : ainsi j'étais «forte», et fière de l'être. Quand je voyais des filles faire l'amour pour montrer qu'elle étaient «dans le coup», ou parce qu'elles avaient besoin d'être valorisées par un petit ami, ou parce qu'elles voulaient prouver qu'elles étaient adultes, je les trouvais minables, je trouvais nul de faire l'amour pour se rassurer plutôt que pour satisfaire un désir. Puis j'ai dragué et, comme cela n'allait jamais plus loin que sa bouche sur mes seins ou ma main sur son pénis, je pouvais me regarder en face dans le miroir le lendemain matin.

Je suis noire, alors que la plupart de mes amis à cette époque étaient blancs ou asiatiques. Je ne suis pas mal physiquement, mais trop grosse. Et donc à chaque fois que je draguais un mec vraiment mignon et que je réussissais, c'était pour moi un triomphe. J'aurais voulu frimer devant mes amis, du genre : «Hé, je ne suis pas un canon mais regardez un peu ce que j'ai attrapé!» J'allais avec ces mecs pour prouver que je pouvais les attirer, non par pur désir. Et je me jugeais faible d'agir ainsi. A dix-huit ans, mes copines qui avaient déjà fait l'amour n'arrêtaient pas de me dire que c'était «si différent», que le sexe oral, les caresses, le frotti-frotta, tout cela était bien joli mais que sentir quelqu'un en vous était si intime, si spécial... Moi je voulais attendre et ne me donner qu'à celui qui serait mon mari, ne laisser que lui regarder cet endroit spécial à l'intérieur de moi, au propre et au figuré. Puis je réalisai que tout ce qui conduisait au sexe n'était pas à placer au même niveau que le sexe lui-même, et cette illumination dissipa ma culpabilité à propos de ce que je faisais avec des garçons, me permit de prendre plus de plaisir avec eux tant que nous n'allions pas jusqu'à baiser ensemble. Mais, même dans ce nouvel état d'esprit, je savais que je n'étais pas prête pour la fellation, ni pour recevoir un cunnilingus.

Depuis cette époque, je n'ai sucé qu'une foie une queue, celle d'un de mes amis qui vit dans le même immeuble que moi. Cela s'est passé le plus facilement du monde : nous sommes vraiment très amis, il comprenait que je ne voulais pas faire l'amour, et donc je n'avais pas à me crisper pour l'empêcher d'aller trop loin. Je savais aussi que, quoi que je fasse avec lui cette nuit, je ne me sentirais pas coupable le lendemain : j'étais libre de prendre avec mon ami autant de plaisir que je le désirais. Et surtout, j'étais prête : à ce niveau de mon initiation, je voulais faire une fellation au premier mec que je lèverais, j'en étais curieuse car une de mes amies, une des rares à dire qu'elle l'avait fait pour d'autres raisons que le plaisir du mec, m'avait raconté que cela lui avait donné une incroyable sensation de pouvoir. J'étais totalement prête, et quand je l'ai sucé j'ai fait tout ce qu'elle m'avait dit avoir fait, et j'ai éprouvé exactement la sensation dont elle m'avait parlé. J'étais chaude, et incroyablement décidée : je pouvais me mettre à sucer plus doucement qu'il ne le voulait, et le conduire ainsi à me supplier d'y aller plus fort et plus vite. L'entendre me supplier ainsi m'excita follement. Je me suis arrêtée avant qu'il jouisse, il s'est remis sur moi et a remué comme un fou. C'était si bon que je n'arrêtais pas de penser : « Qu'est-ce que ce doit être de baiser pour de vrai ! Le paradis... »

Mais c'est là le problème. Je me sens prête maintenant à faire l'amour, assez mûre, mais je ne suis pas mariée, ni même amoureuse. Donc je me contente pour l'instant de ces relations. Depuis cette première fellation, j'ai découvert que je fantasmais particulièrement sur le pouvoir. Étant donné ma propension à être une forte tête, cela ne me surprend pas. Je vous raconte mes deux fantasmes préférés à propos du pouvoir.

Fantasme numéro un : peut-être parce que les hommes ont traditionnellement plus de pouvoir que les femmes, je prends parfois mon pied en imaginant que je suis un mec. Quelquefois un mec connu, Sting, David Bowie, etc., quelquefois une totale invention, mais toujours les femmes sont à mes pieds, et elles doivent faire tout ce que je leur dis de faire.

Fantasme numéro deux : le pouvoir absolu, bien sûr, ne peut être que divin. Alors je suis une déesse de l'une de ces sociétés archaïques matriarcales, comme dans la cité d'Anatolie. J'apparais en chair et en os et inspire le respect aux citoyens. Je me manifeste dans le temple dédié à mon culte, où se trouve mon trône de marbre. Je me lève et impose le silence : « Je suis venue à vous pour vous dispenser ma sagesse. Je vivrai parmi vous, comme l'une d'entre vous, mais vous devrez respecter mon enveloppe humaine et lui éviter toute atteinte. Mon premier don, c'est la possibilité de recueillir mes eaux vitales. Les hommes qui manquent de force en boiront de mon corps. Que chaque maîtresse de famille s'approche, suivie par ses maris. » Ce que j'ai sur moi, en fait, est une drogue puissante, une poudre mélangée à une crème qui n'agit que si elle est humidifiée, et contre laquelle je suis immunisée. Un hallucinogène, mais qui ne provoque pratiquement jamais de « mauvais trip ». Et très puissant. J'ai enduit ma vulve de cette crème, et posé la jarre près de mon trône, hors de vue.

Les femmes s'avancent, et le premier homme est l'époux de la grande prêtresse, tellement séduisant que je le choisis pour la démonstration. Je le fais monter sur le trône. Je pose mes mains sur ses épaules pour le faire s'agenouiller. Ma robe, boutonnée par devant, est ouverte depuis le ventre. Je me place bien devant lui et attire brusquement sa tête contre ma vulve. Il l'embrasse et reçoit aussitôt la drogue dans sa bouche : immédiatement, le plaisir monte en lui et il se met à lécher plus vite. La drogue fait son effet, et quand il plane tellement qu'il se met à bredouiller en racontant ses visions, j'ordonne à la grande prêtresse de le faire redescendre du trône et de l'embrasser. Elle absorbe ainsi la drogue et entre dans le même *trip*. Tout le monde observe, avec effroi et respect. Les femmes poussent leurs hommes en avant pour qu'ils partagent la révélation, en me suppliant de laisser leur mari goûter à mes eaux. Très arbitrairement, je choisis les plus jeunes et les plus beaux. Le second est le jeune époux d'une ancienne de la cité, qui s'en trouve très honorée : elle s'incline jusqu'à terre devant le trône pour me remercier, et l'homme l'imite. Quand je l'appelle, il monte les marches en rampant, et je le félicite pour son humilité. Arrivé à la dernière marche, il me baise un pied en disant : « Ceci pour vos bénédictions sur mon épouse », puis l'autre en disant : « Ceci pour vos bénédictions sur les enfants de mon épouse. »

Puis il se redresse et s'agenouille. Il ne perd pas de temps : dès que je me lève, il avance sa tête et plonge furieusement sa langue en moi. Il parcourt chaque crevasse, chaque vallée, chaque promontoire. Je frémis et laisse ma tête partir en arrière. Il renifle, grogne, gémit en me léchant avec encore plus d'intensité. La drogue agit en intensifiant encore son désir pour moi. Les femmes, plus que jamais, me prient de prendre leur mari.

J'étale un peu de crème sur mes seins et mon *yoni**, puis j'appelle à moi deux femmes debout derrière la foule. Leurs époux et elles se mettent à genoux aux pieds du trône et commencent à monter en rampant les marches. Tous me baisent les pieds en attente de bénédictions. Ils s'agenouillent devant moi. Je comprends que les femmes espèrent me lécher elles-mêmes, sans l'intermédiaire de leurs maris. Je leur souris. D'un pied, je fouille le pagne du plus mignon des hommes. Il se penche pour m'embrasser, mais je ne le laisse pas faire, et je continue à l'exciter ainsi. Il est bien vite érigé quand il me voit passer sensuellement ma langue sur mes lèvres. L'autre mari a aussi une érection en me voyant exciter le premier époux. Je me lève, et le plus mignon se penche vers mon yoni. Il commence à le lécher en me caressant les fesses et les cuisses. J'attape l'autre mari sous le menton et le tire vers mes seins, je prends ses mains et dispose ses doigts sur mes tétons. Il les caresse doucement, puis les suce et absorbe la drogue. Sa langue est merveilleuse, mais il n'en a qu'une, alors j'attire de mon autre main sa femme contre moi, conduis sa bouche sur mon autre sein, et lui dit de se relayer dessus avec la seconde femme. Les deux aiment bien mordre, elles sont adorables.

Le premier époux jouit sur mes pieds. Je me dégage, me dirige vers l'autel sacrificiel sur lequel je m'étends. Je permets ainsi au second de s'occuper de moi par en bas, et à sa femme de prendre mon autre sein. Il se met à embrasser l'intérieur de mes cuisses, puis descend et darde sa langue entre les lèvres de ma vulve pendant que la femme du premier me titille le clitoris d'un doigt. Il s'arrête pour embrasser ma chair douce et chaude, puis repart chercher au plus profond la crème au bout de sa langue. Je me cambre, projetant encore plus mes seins dans les bouches avides des épouses. Elles les prennent, agacent mes tétons en faisant rouler leur langue autour et en les tirant avec leurs dents. Le second mari se hisse alors sur l'autel, retire son pagne et dévoile une énorme bite incirconcise. Les femmes s'emparent chacune d'un de mes genoux et m'écartent les jambes au maximum. Alors il me pénètre, sur un rythme lent, en retirant sa bite presque entièrement et en la replongeant à fond. Son épouse me frotte le clitoris de haut en bas, sur le même

* Ancien nom indien du vagin.

rythme. Elles recommencent à me lécher les seins. A ce moment, la déesse et moi éprouvons un orgasme dévastateur.

Samantha

Dix-huit ans, célibataire, vierge, étudiante, vivant chez son père : on peut dire que j'ai eu une enfance protégée, mais pas stricte pour autant. Ma mère est morte quand j'avais six ans, et c'est mon père seul qui nous a élevés, mes frères, ma sœur et moi. Il n'a jamais été particulièrement sévère, mais nous avions chacun nos tâches ménagères à accomplir. Je suis quelqu'un de plutôt calme, popote, et un peu timide. Mais, même si c'est contradictoire, il m'arrive d'être tranchante et très sûre de moi. Sexuellement, comme je l'ai dit, je suis «intacte». Mais dans mes fantasmes c'est tout le contraire. J'ai pris conscience de la sexualité assez tard, vers les quatorze ans. Mon père ne m'a jamais rien dit quand j'ai atteint la puberté, sans doute parce que cela l'embarrassait. J'ai donc appris dans les livres et les journaux : j'étais trop timide pour interroger mes amies et on ne nous a rien appris à l'école à ce sujet. Je me souviens avec amusement et un peu d'amertume de mes premières règles : j'ai cru que j'allais mourir, et j'ai même écrit un testament. Quand j'ai finalement pris conscience de ma sexualité, j'ai commencé à me masturber, toujours le clitoris, sans pénétration dont je n'ai pas besoin, et avec des fantasmes appropriés.

Celui que je préfère est issu d'une expérience réelle. A la bibliothèque, un jour, je suis allée dans les rayons les plus retirés pour chercher un vieux livre que je voulais lire. Pendant que je le cherchais, j'ai entendu quelqu'un haleter. Par curiosité, j'ai avancé encore de quelques travées et j'ai aperçu un homme assis par terre, avec un magazine érotique* étalé devant lui, en train de se masturber. J'ai rebroussé chemin à toute vitesse, les joues en feu. Mais je continue à fantasmer sur cet homme. J'imagine que je m'approche de lui et que je le masturbe moi-même, ou que je prends sa queue dans ma bouche et la suce de haut en bas. Pendant ce temps, ma main masse et presse ses couilles, j'enfonce un doigt dans son cul. Il saisit ma tête, enfonce sa queue

---

* Un «magazine pour hommes», dit-on en français, alors que l'anglais, finalement plus objectif, appelle ce genre de presse : «magazine avec des filles». *(N.d.T.)*

dans ma gorge et finalement s'effondre, il gémit en jouissant. Je continue à le sucer, j'avale son sperme salé et chaud jusqu'à la dernière goutte. Quand je l'ai essoré, j'enlève mon chemisier et mon soutien-gorge, mes seins se dressent en avant, les tétons bien tendus. Il me contemple en respirant lourdement, et sa queue se redresse. Il tend la main pour presser mes seins, puis il en prend un dans la bouche pour le sucer comme un bébé. Il me vient un rire du fond de la gorge, et je serre sa tête encore plus fort contre moi. Il se bat avec ma culotte et je l'aide à la faire descendre. Son doigt trouve mon con déjà gonflé. Je baisse les yeux sur la queue, cramoisie, dure, tendue vers mon con. Je me baisse un peu pour la serrer doucement dans ma main. Il gémit encore, tremblant de plaisir. Impatient, il me saisit par les fesses et m'attire d'un coup sur sa queue. Nous soupirons de plaisir tous les deux quand il commence à entrer. Empalée sur ce membre magnifique, je me mets à le pomper. Mes doigts s'enfoncent dans ses épaules, je jette la tête en arrière et me mords les lèvres pour ne pas crier — après tout nous sommes dans une bibliothèque, nous sommes censés ne pas faire de bruit. Mon corps se tord de bonheur quand je sens sa queue envoyer sa crème tout au fond de moi. Nous nous écroulons tous les deux. Je me redresse encore tremblante mais il reste là, étendu par terre, les yeux fermés, la queue maintenant exsangue et flasque. Je me rhabille rapidement et je le quitte au moment où il se rasseoit, l'air stupéfait. Je vais chercher le livre que je voulais, signe ma fiche et quitte la bibliothèque avec un sourire de contentement sur les lèvres, pour que tous ceux qui m'aperçoivent comprennent que j'ai trouvé ce que je cherchais!

Judith

J'ai dix-sept ans, je suis en dernière année de lycée. Mes parents ont divorcé quand j'étais toute petite. Je vis avec ma mère. Quand j'avais treize ans, je suis allée en pension où j'ai eu des relations homosexuelles avec une fille de mon âge. Nous n'étions pas du tout «amoureuses», c'était purement sexuel, même si nous ne faisions pas grand-chose finalement : l'une contre l'autre, nous nous frottions le vagin en nous embrassant sur tout le corps, mais nous ne sommes jamais allées jusqu'à nous sucer mutuellement. Un an après, je suis entrée dans un internat de filles entouré par deux lycées de garçons, et j'y suis toujours.

Je suis devenue une vraie «fille à garçons», et je suis donc très connue dans les deux écoles voisines. J'ai perdu ma virginité à quinze ans. Depuis, je n'ai plus eu de relations sexuelles complètes, d'abord parce que je n'ai absolument rien ressenti cette fois-là — je ne pense pas qu'il ait été très doué —, et ensuite parce qu'après il m'a littéralement «jetée», alors que je suis très romantique et que je rêve d'une «relation durable». En fait, je cherche encore la bonne occasion.

Je suis physiquement très volontaire, j'ai tendance à être très agressive et dominatrice quand je «m'envoie en l'air» avec un mec. J'adore pratiquer le cunnilingus réciproquement avec un garçon*, c'est tellement sexy. Je peux aussi être très dure et rendre fou un mec jusqu'à ce qu'il me supplie de faire quelque chose pour lui. J'aime être entièrement maîtresse de la situation. Je n'ai jamais eu d'orgasme, mais cela ne m'inquiète pas. Je ne me masturbe pas très souvent : d'habitude, c'est dans le bain ou au lit. Je me contente de me frotter le clitoris, de fermer les yeux et de rêver...

Je suis d'une beauté à couper le souffle. A l'école, tous mes professeurs m'adorent. Je ne suis pas tellement populaire parmi mes camarades de classe, mais j'exerce un pouvoir indéfinissable sur elles. Je me prépare à ouvrir le premier «centre sexuel» au monde. Pour y entrer, garçons et filles doivent apprendre comment faire l'amour le plus passionnément, le plus érotiquement possible, et c'est moi l'initiatrice. Il y a un bâtiment pour les mecs, un autre pour les nanas, ils n'ont pas le droit de se rencontrer, et l'apothéose du fantasme survient quand ils peuvent finalement faire l'amour. Dans ce rêve, je n'enseigne à baiser qu'aux filles. Pour être accepté dans ce centre, il faut passer certains tests. Je les fais s'aligner dans la classe. Je choisis systématiquement les plus gourdes et nunuches. Généralement, elles sont très mignonnes. Elles doivent se déshabiller pour que je les examine, mais pas intimement. Une fois que j'ai choisi les filles, une dizaine, elles peuvent entrer dans le centre, en n'amenant avec elles que leur soutien-gorge et leur culotte.

Dans cet établissement, tout est blanc. C'est une sorte de clinique. Les filles entrent dans une pièce et s'asseoient pour que je leur énonce le règlement. Elles ne doivent sortir sous aucun

* Sic. (N.d.T.)

prétexte. Elles doivent aller les seins nus, sans éprouver aucune gêne. Il est préférable de ne pas porter de culotte, mais celles qui y tiennent absolument peuvent enfiler des strings en plastique transparent qui leur seront fournis. Le saphisme et la masturbation sont vivement encouragés. Si deux filles veulent faire l'amour ou se masturber, elles peuvent le faire n'importe quand, à condition que cela se passe dans le couloir, afin que celles qui désirent les regarder puissent le faire. Quand les filles se rencontrent dans le couloir, elles doivent impérativement s'arrêter, se saluer en s'embrassant ou en se caressant les seins. Elles dorment à trois par lit.

Les cours de sexualité sont très variés. Chaque fille doit passer un examen où toutes les autres sont juges. Elles regardent des films porno, lisent des livres, apprennent à jouir de la douleur. J'enseigne l'art de baiser sous diverses formes, avec des godes, des brosses, des bouteilles, les doigts, etc. Je leur fais aussi des cunnilingus pour leur montrer comment il faut s'y prendre. Celles à qui je fais l'amour sont extrêment honorées. Quand il le faut, elles sont punies. En général, cela consiste à leur faire boire un aphrodisiaque, puis la coupable est conduite dans une pièce froide et sombre, attachée sur une table sans pouvoir bouger. Elle est tellement torturée par le désir qu'elle ne peut plus se contrôler, et mes élèves se relaient pour l'exciter. Comme je l'ai dit, l'apogée du fantasme survient quand elles peuvent finalement faire l'amour avec un garçon que j'ai choisi pour elles. Tous dans une seule chambre. Je me tiens debout à côté, observe et leur donne des conseils.

Kay

J'ai vingt et un ans, célibataire. A cause de mon éducation, j'ai toujours été intimidée — et je le suis encore — par les hommes, et par la liberté (apparente) dont ils disposent dans la vie. C'est récemment que j'ai compris les similitudes et les différences qui existaient entre ma mère et moi. Elle et sa sœur aînée ont élevé leurs enfants dans l'idée qu'on devait les voir mais pas les entendre, surtout les filles. Avec une telle mentalité, et avec le fait que tous mes cousins sont des garçons à deux exceptions près, il m'a été sacrément difficile de trouver une identité de femme. J'étais un garçon manqué, méprisant ce qu'aiment les « quilles » — jouer à la poupée, etc. —, m'amusant avec mon frère aîné et ses copains. Enfant, j'étais extrêmement timide, jusqu'à ce que j'aille à l'école. J'étais grande et plutôt formée pour mon âge, et j'en avais bien conscience. Les garçons n'arrêtaient pas de me charrier avec ça, avant que j'apprenne à me défendre grâce au fameux « mur d'indifférence ». Je suis reconnaissante à mes parents de l'éducation qu'ils m'ont donnée, mise à part la froideur émotionnelle. Il était rarissime qu'on me câline ou qu'on m'embrasse, sauf quand des parents nous rendaient visite. Alors, on me disait d'embrasser mon oncle, ou ma tante, ce qui ne me plaisait pas, parce que je n'étais pas habituée aux contacts physiques, mais je le faisais tout de même parce que « maman l'avait dit ». J'ai grandi dans l'idée que les hommes étaient des crétins finis qui ne pouvaient rien faire de leur peau à part s'amuser comme des irresponsables, sans aucune des émotions qu'une fille peut éprouver. Dans ma famille, ce sont les femmes qui ont toujours tout contrôlé.

Adolescente, je rêvais d'avoir un homme à moi, un bel homme brun et grand avec lequel je m'entendrais comme s'il était mon double masculin. Je tirais son apparence physique des romans sentimentaux que je lisais à l'époque, mais en réalité j'ai toujours imaginé que l'homme avec qui je ferais l'amour pour la première fois était *aussi* un complet étranger, que je ne reverrais plus jamais après avoir couché avec lui. Ainsi, il ne pourrait pas se moquer de moi parce que j'étais vierge et vulnérable, il ne pourrait pas apercevoir derrière mon apparence de femme du monde décidée la petite fille terrorisée que j'étais, une petite fille qui, parce qu'elle se trouvait trop grande, avec des pieds affreux, et trop loin de l'image « mannequin », pensait que personne ne voudrait jamais d'elle.

Je suis tombée amoureuse pour la première fois à l'âge de vingt ans. Il ne m'impressionnait pas outre mesure, je me sentais en sécurité, nous étions arrivés à nous connaître en tant que personnes avant de coucher ensemble. La première fois, je sentis toutes mes anciennes peurs et inhibitions remonter en moi. Je craignais qu'en faisant l'amour avec lui je perde à ses yeux tout intérêt et qu'il me laisse seule, comme avant. Alors j'ai commencé à me raisonner. Il me fit sentir qu'il me désirait, qu'il me trouvait séduisante et digne d'amour, ce qui me bouleversa. Il me parla du désir, me montra des parties de mon corps dont je ne connaissais rien. Et il ne m'abandonna pas. Je suis tombée

111

amoureuse, mais j'ai aussi découvert que si mon cœur s'impliquait je perdais ma spontanéité. L'autre devient trop pesant, je n'ai plus le contrôle, je suis « engagée » ! Alors tout va mal et j'ai l'impression que l'autre me tient au bout d'un poignard pointé vers mon cœur. La méfiance se met à déformer mes actes et mes paroles. Je ne voudrais pas qu'il me touche, mais en même temps je le veux, lui. Et je n'arrive pas à expliquer, ni à lui ni à moi, qu'une véritable guerre se déroule à l'intérieur de moi. Je veux le toucher, je veux diriger notre relation sexuelle. C'est toujours moi qui prends l'initiative ; quand il essaie de le faire, lui, je le repousse, car il est trop proche et je ne veux pas le laisser voir cette partie de moi, j'ai peur qu'il s'éloigne s'il la découvre. Il ne peut pas contrôler, donc ne s'investit pas si moi je peux avoir le contrôle. Je ne fais pas tomber les barrières, je ne laisse pas les choses aller. J'ai peur. Je suis vulnérable.

Quand cette relation s'est terminée l'an dernier, j'étais dans un état proche de la dépression nerveuse. Pendant longtemps, je ne pus même pas supporter d'évoquer son simple nom. Je voulais l'effacer de ma mémoire, j'ai essayé de toutes mes forces, mais je n'y suis pas arrivée.

Depuis, je crois cependant que je suis parvenue à mieux me connaître. Toute ma vie, j'ai été dominée par les hommes, et c'est seulement maintenant que je réalise qu'ils peuvent eux aussi avoir leurs faiblesses, leurs problèmes ! Tout se passe comme dans un match, il faut toujours montrer qu'on est sûr de battre l'adversaire. On est invincible, on n'a besoin de personne. Soi-disant. Moi, je voudrais « partager » dans ma vie, m'occuper de moi sans pour autant m'isoler des autres parce qu'ils ont leurs propres sentiments, eux aussi. L'essentiel est là, ce besoin de confiance, de savoir que vous pouvez être vous-même et vous sentir vous-même sans craindre que quelqu'un soit en train de vous espionner et vous poignarde dans le dos.

Maintenant, mes fantasmes varient selon mon humeur : si je suis en paix avec moi-même, détendue, je rêve d'une relation avec un homme qui n'a pas besoin d'être en compétition, qui assume ses sentiments et sait les faire partager. Si je me sens en danger, je fantasme que je suis une « séductrice », celle qui commande. Mais à chaque fois l'homme est plus âgé que moi, et me voue un amour absolu. Il ne garde rien pour lui, il n'est pas « ailleurs » quand nous faisons l'amour, et je m'abandonne entièrement, de tout mon corps, au plaisir d'être touchée, embrassée, aimée par lui. Je suis plus sensitive que sensuelle. Être totalement avec un homme, sans redouter aucune intrusion, voilà mon idéal. Mais l'idée de faire l'amour avec plus d'un homme à la fois m'excite beaucoup dans les moments où mes vieilles peurs ressurgissent. Nous prenons tous un pied incroyable sans nous impliquer sentimentalement, il est bien entendu que nous ne recherchons que le plaisir physique, rien de plus. La vérité, c'est que je désire un homme qui m'attire aussi bien sur le plan physique qu'émotionnel, qui ne craigne pas de s'abandonner à son désir sans que ni l'un ni l'autre ne pense à prendre ses distances. Un total engagement sexuel et affectif.

Louellen

J'aime beaucoup relire vos livres avant d'aller me coucher : je me détends totalement, et parfois cela m'inspire des rêves très agréables. J'ai vingt ans, je suis célibataire. Issue d'une famille catholique, je vais encore à la messe quand je peux, même si je n'adhère pas à toutes les positions de l'Église catholique, comme sur les mères porteuses, l'insémination artificielle, etc. Mon petit ami et moi n'arrêtons pas de faire l'amour. J'adore. Parfois il m'attache et je fantasme que je me fais violer : on ne peut pas en vouloir pour ça à une bonne petite catholique ! Mais voici mon fantasme préféré : je suis une femme avec une bonne carrière, je travaille de neuf à dix-sept heures, j'ai une supervoiture de sport et une jolie maison dans un quartier bien fréquenté. Mes amis et ma famille se demandent pourquoi je sors si peu le soir, ils croient que je travaille si dur que je m'effondre dès que je rentre à la maison. Mais pas du tout ! Ce qu'ils ne savent pas, c'est que j'ai chez moi quinze serviteurs mâles. Des blonds, des bruns, un Italien, et même deux Noirs. Ils sont tous différents mais tous très beaux, bien bâtis et bien montés. Ils ne portent sur eux qu'une cravate noire. Ils ont du mal à attendre mon retour à la maison, car ils se sont préparés pour moi toute la journée. Quand j'arrive, ils se mettent en rang pour m'accueillir, je passe devant eux en les embrassant et en frôlant de mes mains leur corps. La plupart sont déjà durs et tendus. Chacun me supplie de le choisir pour cette nuit : voyez-vous, j'en prends trois chaque nuit pour mon plaisir, et les autres doivent retourner à leurs tâches ménagères. Le premier des trois me sert à dîner, le second me fait un massage et me distrait, et le troisième partage mon lit.

Quand je les ai choisis, les douze serviteurs restants se préparent à retourner au turbin, sous les moqueries des élus tout contents : « Avec un peu de chance ce sera votre tour demain ! » Lorsque le dîner est prêt, le premier homme vient me chercher et me fait asseoir à table. Nous sommes seuls dans la salle à manger seulement éclairée par des bougies. Je grignote pendant que « ma soubrette » se tient debout derrière moi, bandant comme un phoque et attendant mes ordres. Parfois je lui demande de s'allonger sur la table pour manger mon dîner sur lui, parfois je m'assois sur ses genoux pour sentir sa virilité à travers ma robe, et il me caresse les seins pendant tout le dîner. D'autres fois encore, je me contente de le provoquer : je me plonge dans un journal, feignant l'indifférence devant sa nudité, et il finit par tellement perdre la tête qu'il déblaie la table d'un revers de main et m'allonge dessus, puis me pistonne si dur que toute la maisonnée suspend ses occupations pour écouter comme je crie fort cette nuit-là. Car, quand je ne suis pas là, ils comparent leurs performances pour savoir qui me donne le plus de plaisir. Ils se livrent à une véritable compétition entre eux, du genre : « Oui, eh bien moi je l'ai faite jouir cinq fois cette semaine ! »

Après le dîner, je monte au salon pour suivre le bulletin télévisé. Mon second serviteur me déshabille entièrement — le sexe au dîner est seulement un coup rapide, je n'enlève jamais tous mes vêtements —, et me masse partout, commençant par mon cou et mon dos, descendant sur mes fesses, frôlant le haut de mes cuisses. Quand il voit que je frissonne déjà, il passe à mes mollets et à mes pieds. Il me retourne et sourit quand il commence à masser les seins — j'ai de très gros nénés. Il ne les pétrit pas comme de la pâte à pain, ainsi que beaucoup d'hommes le font avec les gros seins, mais commence par doucement les caresser en rond autour des tétons, puis élargit les cercles jusqu'à les tenir entièrement dans ses mains, tout en suçant, léchant et mordillant. Mon masseur ne me pénètre jamais, il sert en quelque sorte de mise en forme pour mon troisième partenaire, mais je dois pratiquement « courir » jusqu'à ma chambre pour être pleinement satisfaite.

C'est là que le serviteur numéro trois entre en jeu. Il est déjà dans le lit, à boire du champagne en m'attendant avec impatience. Parfois, je me précipite dans le lit, m'empale sur lui et le baise comme une furie tellement je suis excitée. Mais en général, il a le temps de s'enquérir de mes ordres : « Que désirez-vous pour ce soir, madame ? » Alors je lui ordonne de me bouffer jusqu'à ce que je jouisse, ou bien je me sens en train pour un 69. Mais parfois le troisième homme n'est pas d'humeur à recevoir des ordres, et il me cloue tout bonnement au lit en disant : « Ce soir, on le fait comme ça, parce que c'est ce que je veux ! » Et certaines fois, il m'enfourne sa queue au fond de la bouche, et il sait parfaitement que je ne peux rien y faire. Oui, ils savent tous que je ne vais pas les renvoyer !

Jenne

J'ai quarante-cinq ans, je vis un mariage heureux depuis vingt-deux ans, et j'ai deux enfants de dix-neuf et quatorze ans. Mon mari a été le premier et le seul homme avec qui j'ai eu des relations sexuelles. J'ai été frigide toute ma vie ; il m'a fallu de longues années pour en arriver à cette conclusion et, quand j'ai fini par rassembler assez de courage pour l'avouer à mon mari, il y a seulement quelques mois, c'est lui qui est allé à la bibliothèque chercher des livres de sexologie pour tenter de surmonter toute une vie de mauvaises habitudes. Jusque-là, tous les orgasmes que j'ai pu ressentir se produisaient au moment où je sortais du sommeil et d'un rêve, et je ne me souvenais jamais de mes rêves. Mon mari et moi nous efforçons maintenant de faire au mieux, avec quelques succès, mais je crois que je resterai toute ma vie dans ce manque érotique pour avoir commencé ma vie sexuelle aussi tard, à vingt-trois ans. Adolescente, j'ai essayé de me masturber, surtout parce que j'avais entendu dire que tous les enfants le faisaient même si on le leur interdisait. Comme je n'en retirais aucun plaisir, je me suis arrêtée. Je ne me rappelle pas que mes parents aient été particulièrement sévères et rigoristes, mais je me souviens parfaitement d'une instructrice de camp d'été qui avait dit à quelques-unes d'entre nous que nous attraperions le cancer si nous « dégradions » notre corps.

Je vous remercie pour vos livres car ils m'ont non seulement appris que je n'avais pas à m'inquiéter d'avoir une vie fantasmatique très riche, mais aussi que mon type de fantasmes était plutôt rare chez les femmes, parce que je ne rêvais jamais que quelqu'un me faisait l'amour. La plupart de mes fantasmes racontaient la même histoire : je sauve la vie d'un homme, beau et viril, et pour cela il veut me faire l'amour. J'ai été particulièrement attirée par les astronautes, et chaque lancement d'une fusée, d'une navette spatiale, d'une capsule, est pour moi un moment d'intense production de ces fantasmes. J'imagine qu'à bord je suis très attirée par un des hommes de l'équipage, très bien proportionné, brun, plutôt musclé. Il se produit un accident, un court-circuit ou une fuite, et il se trouve que c'est moi qui risque ma vie, avec des brûlures ou autres à la fin, pour sauver celle de tous les autres. En conclusion, le gentleman qui me plaît est si reconnaissant qu'il veut me faire l'amour.

FEMMES EN COLÈRE : TENDANCES SADIQUES

Dans ce chapitre, les voix sont en colère, une colère longtemps retenue, et je salue l'apparition de ces femmes qui expriment leur amertume, oui, même jusqu'au sadisme. Il est temps que nous reconnaissions enfin que certaines femmes sont aussi cruelles et brutales que certains hommes. Le mythe selon lequel toutes les femmes sont tendres et tous les hommes des « mauvais garçons » dessert plus qu'il ne sert la condition féminine. Nier l'agressivité chez les femmes est aussi perturbant pour les hommes d'aujourd'hui, de plus en plus entourés de femmes agressives qui sont leurs égales au travail et qui en plus veulent entrer dans leur cœur.

Il y a vingt ans, on ne pouvait trouver ne serait-ce qu'un soupçon de colère féminine, ce qui prouve comme les défenses psychologiques fonctionnaient. Les femmes de *My Secret Garden* croyaient qu'elles n'avaient aucun contrôle sur les images qui leur traversaient l'esprit, elles étaient comme une feuille blanche sur laquelle l'inconscient gribouillait ses messages. Pourquoi tant de leurs fantasmes étaient-ils liés au viol et à l'agression ? La réponse dépassait leur capacité d'entendement, ou plutôt leur volonté de changer.

Puis les femmes ont compris qu'elles pouvaient, sans rien perdre de leur féminité, reconnaître en elles des sentiments comme l'hostilité, la colère, l'envie d'être brutales, voire la haine. Et que ces sentiments pouvaient renvoyer à leur mère, comme aux hommes. Se refuser à ces émotions, c'est se priver d'une grande partie du plaisir sexuel qui provient de ce qu'on se sent le partenaire le plus en demande, le plus agressif des deux. La colère n'est pas incompatible avec le sexe, au contraire. Mais si elles ne reconnaissent pas leur colère, ne font que la projeter sur des hommes, les femmes ne peuvent encore que se sentir des victimes passives de la relation sexuelle. Après avoir fait des hommes les « mauvais garçons » du sexe, elles en sont venues à goûter les assauts fascinants du pénis comme une attaque, à les assumer comme tels. Pourquoi donc rester en dehors de ce plaisir tellement agressif ? Les femmes ne sont pas que des « trous », des réceptacles du pénis, sauf quand elles choisissent de se considérer elles-mêmes ainsi. C'est la quantité et la diversité des émotions dont nous parons la sexualité, de la tendresse au sadisme, qui détermineront le degré de passion que nous éprouvons.

Linda

J'ai vingt-six ans, célibataire. J'ai été élevée par des parents qui pensaient que le sexe n'était pas pour les filles bien. Mon expérience sexuelle est limitée, et je ressens une certaine agressivité à l'égard des hommes. J'aime beaucoup regarder des photos d'hommes nus, ou en prendre moi-même. Dans mes fantasmes, je domine toujours mon partenaire. D'abord, je l'appelle au téléphone et lui dis d'arriver. Il doit porter seulement un cache-sexe, rien d'autre. Je lui dis aussi l'heure à laquelle il doit venir. Comme il est cinq ou dix minutes en retard, je le force à s'incliner en se tenant au dossier d'une chaise, son derrière en l'air. J'enlève ma ceinture et lui en administre quinze coups pour son retard. « Mets-toi à genoux et demande-moi pardon, lui dis-je, ou tu en reçois quinze autres. » Il obéit, et je le laisse s'excuser un moment avant d'être satisfaite. Je l'attrape par les cheveux, rejetant sa tête en arrière : « Tu m'appartiens. A partir de maintenant, tu restes ici, tu n'es qu'à moi. » Et il répond : « Oui, Madame. »

Je le traîne par les cheveux jusqu'à la salle de bains. Pendant qu'il se déshabille, j'ouvre l'eau chaude à fond. Il grimpe dans la baignoire, mais se tient loin du jet bouillant. Je me mets nue, j'entre aussi dans la baignoire et le pousse sous la douche. Il hurle : « Mais c'est bouillant ! » Je lui dis : « Il le faut. Pour te laver de toutes ces autres femmes. » Je prends une brosse pour le frotter en ignorant ses plaintes. Je frotte la main droite et les doigts, la paume, le bras de bas en haut, l'aisselle, puis je redescends, je passe à l'autre bras, à son visage, à son cou, son ventre, son dos et ses épaules, enfin ses jambes. Finalement, j'étrille son pénis et ses bijoux de famille, je frotte si fort qu'il n'arrête pas de hurler. «Accroupis-toi.» Je me rapproche de lui, pressant mes jambes contre son dos pour que son corps soit entièrement replié sur ses cuisses. J'attrape le pommeau de la douche, me penche, ouvre ses fesses et pousse le pommeau dans son derrière. Il crie, j'enfonce plus loin pour que l'eau chaude nettoie bien son anus. Comme il essaie de se relever, je le prends par les cheveux et maintiens sa tête baissée. Je lui ordonne d'ouvrir la bouche, je lui fourre le pommeau dedans et le remue pour bien la nettoyer.

Pendant qu'il se sèche, je lui répète qu'il est à moi et rien qu'à moi, que s'il s'avise de seulement regarder une autre femme je le tuerai lentement, très lentement. Il me jure qu'il m'appartient, qu'il aime être dominé. Je le tire par le pénis jusque dans la chambre. «Sur le ventre.» Je l'attache écartelé, et je le fouette. Je n'arrête qu'au moment où le sang apparaît, puis je lui donne encore cinq bons coups, seulement sur le haut des cuisses, les fesses et le bas du dos. Je le détache et lui dis de me faire l'amour. La douleur l'a fait bander, il obéit avec empressement. Je gémis de plaisir quand il se met à m'embrasser et me caresser. Il est fou de moi, et finalement, quand je suis prête à exploser, il me pénètre. Je prends un godemichet à taille variable et l'enfonce dans son derrière au moment où il entre en moi. Il geint quand je l'enfonce jusqu'au fond, mais la douleur le pousse en avant, je pilonne son derrière avec le godemichet tout comme il me pilonne avec son pénis. Le mouvement s'accélère encore quand nous atteignons l'orgasme. Quand il se tend sur moi, je le pénètre le plus loin possible. Je bouge un peu pour que sa tête retombe sur mon sein, je pose une main dans ses cheveux et nous nous endormons.

Dans un autre fantasme, il y a un homme viril, très fort, que je veux mater. Je braque un pistolet sur lui et lui ordonne de se déshabiller. S'il essaie de m'attaquer, je tire sur lui, mais la plupart du temps il obéit. Je l'enferme dans un placard, nu, et je le laisse là trois jours, sans boire ni manger. Le troisième jour, j'ouvre la porte et je lui annonce qu'il peut avoir un bon steak s'il suce ma foufoune d'abord. S'il refuse, je referme la porte ; s'il accepte, je le laisse sortir et je tiens ma parole. Après, je le remets dans son placard trois jours encore, et la scène se reproduit. Je continue jusqu'à ce qu'il s'effondre et accepte de faire tout ce que je voudrai, et je n'ai donc plus à l'enfermer. A ce moment, il est entièrement à moi, et le pied commence.

Erma

Je me présente rapidement : vingt-sept ans, célibataire (mais plus pour longtemps), trois années d'études supérieures, blanche, catholique, travaillant dans le secteur médical. Je suis née à San Francisco, mes parents sont des immigrés. Mon père est mort quand j'avais trois ans, ma mère ne s'est jamais remariée, elle ne sort pas non plus. J'ai fréquenté une école catholique de filles pendant quatre ans, puis une école catholique mixte, puis je suis allée dans l'enseignement public au lycée. J'ai une sœur plus âgée, elle comme moi avons reçu une éducation très stricte : interdiction de sortir jusqu'à l'âge de dix-sept ans, ce qui ne me gênait pas du tout car je n'aimais pas les garçons de mon lycée, et à l'école ils me faisaient peur... Peut-être à cause de l'absence de l'image du père pendant mon enfance ?

Ma mère ne nous a jamais ouvertement parlé de sexe, sinon en négatif : au lycée, j'ai eu des cours d'éducation sexuelle, mais la seule théorie de maman sur le sexe était qu'il était réservé au mariage, et seulement à votre mari, et seulement quand lui le voulait. A en croire ses descriptions, ça ne devait en effet pas être brillant. Ma sœur a eu « la chance » (?) de se marier vierge, et elle est restée « une fille bien ». Mais moi non, et je ne suis pas fâchée de dire que j'ai perdu ma virginité à dix-huit ans, avec quelqu'un dont je croyais être amoureuse. Ma mère était dans tous ses états quand elle l'a découvert. Elle m'a dit que je ferais mieux de faire semblant d'être toujours vierge si je voulais un homme bien, autrement mon futur mari penserait que je suis une prostituée. Alors, pendant des années, rencontre après rencontre, j'ai joué la comédie — en fait, je savais que ces types n'étaient pas pour moi. Et puis j'ai arrêté d'être idiote et de mentir : à vingt et un ans, j'ai décidé d'envoyer balader ma pseudo-virginité. Si un garçon pouvait avoir des aventures ici et là, pourquoi pas moi ? Je suis devenue convaincue que maman pouvait se tromper, puisque les garçons ne pensaient pas du tout comme elle.

Ma mère a aussi tenté de m'imposer ses propres idées sur la masturbation, la fellation, le rapport anal, etc. Elles étaient en fait très simples : «Seules les prostituées font des choses pareilles!» Pourtant, j'adore positivement m'occuper ainsi d'un homme. Aussi, elle disait que je devais me sentir coupable quand je me masturbais, et me faire jurer que c'était bien la dernière fois. Mais c'était si bon, surtout quand j'ai découvert comme les massages du dos exécutés par ma mère agissaient sur moi. Même en travaillant longtemps sur moi pour me dégager du sentiment de culpabilité qui me prenait quand je faisais l'amour ou que je me masturbais, il a fallu attendre l'an dernier, quand j'ai rencontré l'homme avec lequel je vais me marier, pour réaliser que je faisais bien, qu'il n'y avait rien de mal à jouir ou à fantasmer. Il aime sincèrement que je lui raconte mes fantasmes, que j'avais du mal à assumer jusqu'à ce que je lise votre livre. Je ne pensais pas du tout que *mes* fantasmes pourraient autant troubler quelqu'un d'autre que moi, j'ai toujours cru qu'ils paraîtraient stupides à n'importe qui. Au début, j'ai hésité à lui parler ouvertement, mais, grâce à ses encouragements, à sa compréhension et à sa capacité de m'aider à explorer de nouveaux sujets, j'ai parcouru beaucoup de chemin. Je peux maintenant me rappeler de fantasmes que j'avais à l'âge de onze ans, sans rien de la honte que j'éprouvais alors.

Maintenant, je voudrais partager mon fantasme favori avec vous. Je m'en sers quand j'ai des difficultés à jouir, et il me fait jouir presque sur le champ. Je chevauche un homme (sans visage précis) qui, je le sais, croit qu'ils se sert de moi. Il a plaqué ses mains sur mes fesses et me manœuvre selon ses désirs. Au fond de mon esprit, il me suffit pour jouir de le regarder et de penser : «Tu crois que tu te sers de moi, toi, un baiseur aussi minable, tu ne sais même pas que c'est moi qui me sers de toi.» Aussitôt, je jouis.

Je suis persuadée que notre éducation peut avoir des effets traumatisants sur notre vie. Ce qu'il faut, c'est faire le premier pas pour être vraiment soi-même. Les femmes sont des êtres humains, elles aussi ont des besoins sexuels. Ne laissons aucun homme nous raconter des histoires, nous avons besoin d'être nous aussi épanouies sexuellement!

Mandy

J'ai vingt-trois ans, je vis seule depuis deux ans après m'être séparée de mon amant. Je n'ai aucun souvenir sexuel de mon enfance. J'ai perdu ma virginité avec mon meilleur ami, et lui de même, à l'âge de quinze ans. Nous avons passé des moments fabuleux à découvrir la baise, et j'ai souvent l'idée maintenant de séduire un écolier de cet âge : comme j'habite à côté d'une école, cela se fera peut-être un jour. Étant donné que je n'ai pratiquement pas fait l'amour durant ces deux dernières années, ce sont les fantasmes qui m'ont conservée en vie. Mon préféré fait intervenir un chanteur-compositeur du nom de Peter, dont je suis une fan depuis huit ans environ, et que j'évoque depuis en me branlant.

Donc, Peter et moi sommes des amis et, quand il est dans ma ville, il vient dîner et bavarder avec moi. Il n'écrit pas des chansons d'un genre particulier, comme des chansons d'amour, mais se laisse guider par ses émotions. La conversation arrive sur un article qu'il a lu dans le journal à propos du viol. Il me dit que ça le remue beaucoup, mais qu'il ne peut pas écrire dessus parce que lui-même n'a jamais été violé, et ne peut pas l'être puisque c'est un homme. Puis nous parlons d'autre chose, et quand il se fait tard il me souhaite bonne nuit et s'en va. Pendant tout ce temps, moi, j'ai médité un plan.

La nuit suivante, quand je suis sûre qu'il est dehors, je me glisse dans sa chambre d'hôtel et je me cache dans un placard. Quand il arrive, j'attends qu'il soit dans la salle de bains pour sortir du placard et le guetter quand il sortira des chiottes. Je me faufile derrière lui quand il passe, pose un couteau sur sa gorge et lui annonce que tout se passera bien s'il fait ce que je lui ordonne. Je le fais s'étendre sur le lit, je l'attache aux quatre montants. Je suis habillée tout en noir, avec une cagoule de ski, il ne peut pas me reconnaître. Au début, il pense à une plaisanterie, puis se rend compte que mes intentions sont vraiment mauvaises. Il commence à se débattre et à crier, en m'avertissant que je ne pourrai rien faire avec lui parce qu'il ne bandera pas. Je le déshabille lentement, mordant chaque nouvelle partie de chair découverte. Je le lèche de la tête au pied, m'arrêtant sur les endroits les plus délicieux mais évitant toujours sa queue. Je vais chercher une serviette et lui bande les yeux avec pour pouvoir retirer entièrement mon masque et mieux le bouffer.

Puis j'attrape un oreiller et le place soigneusement sous son petit cul. Je repars dans l'autre sens, le léchant des doigts de pied jusqu'au visage, en mordillant ses tétons, sa gorge, ses oreilles et ses lèvres. Je me mets à lui souffler des obscénités dans l'oreille, je lui raconte en détail tout ce que je vais lui faire. Je m'asseois sur lui près de son visage, et lui ordonne de me sucer. Il plonge sa langue brûlante dans mon con et la remue rapidement, c'est un suceur de première ! Après plusieurs orgasmes, je me déplace pour lécher mon jus sur ses lèvres et son visage, ce qui le rend fou. Puis je descends en léchant et je commence à mordre son petit cul, qui me plaît tant ! Je prends une de ses couilles dans ma bouche en la titillant avec ma langue et en la relâchant pour prendre l'autre. Puis je fais remonter ma bouche sur le côté de sa tringle, tout en caressant d'une main mon con inondé. Il essaie toujours de ne pas devenir dur, mais j'en fais mon affaire. Je lui dis de me sucer un doigt, et qu'il doit être le plus mouillé possible car je vais le lui enfoncer dans le cul. Il s'accomplit, je glisse doucement mon doigt dans le trou et quand je touche son gland il devient instantanément dur comme la pierre. Je n'ai jamais vu encore une aussi belle colonne de chair ! Vite, je noue une fine lanière de cuir autour de la base de sa queue, pour la garder dure aussi longtemps que je voudrais. Je suce ses couilles et ses fesses encore un moment, et du coin de l'œil je peux voir une goutte de nectar perler au bout de son gland. Je la cueille du bout de la langue, continue à lécher et, quand je n'en peux plus, je me mets sur lui et m'empale lentement sur son bâton tout raide. En roulant des hanches, je le prends de plus en plus en moi, et je m'aperçois qu'il se tend un peu vers moi en gémissant discrètement. Ce son me bouleverse, j'adore sa voix rauque. Je parviens, et qui ne le fait pas dans ses fantasmes, à un orgasme dévastateur. Après quelques minutes, je descends du lit et reste debout à regarder son beau corps baigné de sueur. Il me dit que je suis sans pitié de ne pas le laisser jouir lui aussi, et que ses couilles lui font mal tant il en a envie. Alors je détache sa queue et lui fait une pipe, en avalant tout quand nous jouissons ensemble. Je me demandais depuis si longtemps quel goût avait son sperme, et croyez-moi je ne suis pas déçue ! Quand je suis sûre qu'il est endormi, je le libère avec précaution et je quitte la pièce.

Le jour suivant, il m'appelle pour me dire qu'il doit me voir tout de suite. Quand il arrive, il me raconte ce qui lui est arrivé la nuit précédente, comme il s'est senti en danger. Je ne peux m'empêcher de regarder la grosse bosse qui naît sous son pantalon pendant qu'il me fait son récit, et je me mets à mouiller : résultat, nous baisons là où nous sommes, comme des prisonniers en permission, pour ce qu'il croit être la première fois. Après, il a une drôle de lueur dans le regard qui prouve qu'il a compris, mais nous ne disons rien ni l'un ni l'autre.

Je suis artiste et, aussi loin que je puisse me souvenir, j'ai toujours peint en écoutant la voix de Peter. Je me maintiens dans une sorte de perpétuelle excitation érotique puisque j'écoute ses cassettes au travail, le matin quand je m'habille, le week-end, et quand je reviens du bureau à la maison en voiture. Et pourtant chaque chanson de lui reste neuve pour moi, et c'est pourquoi j'aime tellement son travail. Un de mes amis le connaît personnellement et m'a promis de me le présenter la prochaine fois qu'il passerait par ici. Vous ne me croirez peut-être pas, mais ce n'est pas moi qui l'ai proposé : mon ami pense que nous pourrions sympathiser tous les deux car nous avons les mêmes goûts. Il doit venir dans pas très longtemps et donc je croise les doigts, mais je ne pense pas que je le baiserai tout de suite, sans faire plus ample connaissance. Je pense que c'est une manière de m'arranger avec ma peur d'être rejetée par quelqu'un dont la musique compte tellement dans ma vie.

Kelly

J'ai deux fantasmes que je mets à part. Mais, avant de les raconter, je dois vous dire que j'ai seize ans, que je suis vierge et fière de l'être. Une de mes amies a « donné » sa virginité à une sous-merde, et je ne suis pas prête à faire de même ! Mais il y a un garçon avec qui j'aimerais la perdre, et bientôt... Dans mon fantasme, je surprends mon petit ami dans son lit avec une fille. Je suis habillée comme une dompteuse d'animaux au cirque, chemise à paillettes, grandes bottes et fouet. Je m'empare de la fille et je l'attache sur le lit, bras et jambes écartées. J'attrape mon petit ami, lui attache les bras dans le dos et le fais s'étendre à côté d'elle : il pourra ainsi voir comment je traite sa petite putain. Je me sangle d'un godemichet et me mets sur elle, en frottant le bout de mon engin sur sa chatte affamée. Elle en veut vraiment, mais je la provoque ainsi un bon moment avant de

123

m'enfoncer d'un coup, puis de ressortir sans qu'elle ait pu comprendre ce qui lui arrivait. Elle se met à crier. Je fouette ses jambes, et tourne la tête pour constater que mon petit ami est pas mal retourné par cette scène : vu la taille de son érection, il est prêt lui aussi à recevoir sa punition. Je mets un petit sac à ordures sur son membre et l'attache solidement à la base. Il a l'air au bord de l'évanouissement. Je m'installe sur son visage en plaquant ma chatte contre lui, et en la retirant à chaque fois qu'il essaie de lécher. Puis je le tourne vers sa pute de copine et j'ordonne à la fille : « Vas-y, suce-le, bouffe-le, maintenant. » Je détache le fil en plastique pour enlever le sac, attrape son membre et le tiens juste au-dessus de sa bouche ouverte, mais le sperme jaillit en la manquant. Ils demandent pardon, je les libère, je me mets à baiser mon petit ami pendant qu'elle se fait sucer par lui. Et nous le refaisons ainsi souvent.

Paloma

J'ai vingt-neuf ans, je suis mariée et j'ai quatre enfants, âgés de deux à neuf ans. Je n'ai jamais parlé de mes fantasmes à personne, pas même à mon mari. Je considère qu'ils ne sont qu'à moi, qu'ils sont mon petit univers personnel, à côté de la réalité. Si je les partageais avec mon mari, j'ai l'impression que je ne pourrais plus les contrôler ni les utiliser à ma guise. Avec vous, c'est différent.

J'ai eu une aventure avec un homme pendant ces dix ans de mariage. C'était une relation épisodique, avec quelqu'un qui était un bon ami à moi dans le temps. Je pense que nous nous sommes lancés dans cette histoire pour essayer de retrouver l'insouciance de notre jeunesse, ou pour nous prouver que nous pouvions encore attirer d'autres personnes que nos époux respectifs — il est lui aussi marié depuis dix ans. Il n'a pas beaucoup de résistance, il n'est pas très bien pourvu, il n'est pas aussi romantique que mon mari, et il n'a pas une imagination débordante : alors, je ne sais même pas pourquoi je me suis embarrassée de lui — seuls les débuts furent amusants — au risque d'être découverte et de mettre en danger ma stabilité. Tout ça pour quoi ? Pour un mauvais coup !

Je crois que mes fantasmes me servent à m'échapper. Je ne m'en sers pas quand je me masturbe, mais j'aime bien le faire quand mon mari s'occupe de moi. J'aime aussi être simplement allongée dans le lit le matin avant de me lever et en choisir un bon, ou bien la nuit quand je ne peux pas dormir, avec le corps tout chaud de mon mari contre le mien et la tête pleine de situations des plus érotiques. Évidemment, s'il voulait faire l'amour, alors je serais plus que partante ! L'un de ces fantasmes fait apparaître un homme d'Église, dans les cinquante ans, plutôt secoué. Il arrive chez moi quand je suis seule, pour confesser qu'il rêve de mettre sa queue dans ma bouche et de jouir dedans. Il me supplie de lui pardonner en ajoutant que je devrais le punir. Il me dit que je devrais lui donner une fessée cul nu, et il baisse son pantalon. Il bande déjà comme un phoque, je le regarde avec un sourire en coin. Il se met en travers de mes genoux et je commence la correction, en le frappant vraiment fort à plusieurs reprises, ce qui le fait gémir. Quand je lui annonce qu'il est pardonné, il se relève et, comme sa queue se tend juste devant mon visage, je ne peux m'empêcher de refermer mes lèvres dessus. Il explose presque immédiatement. Je lève les yeux vers lui et me contente de sourire. Il m'embrasse tendrement et s'en va.

Quand j'étais adolescente, le pasteur de mon église avait un faible pour moi, sans doute parce que j'étais une petite jeune. Sa femme était insupportable, et moche comme un pou. A chaque fois qu'il le pouvait, il me tripotait et chahutait avec moi. Il me ramenait souvent en voiture à la maison : après avoir fermé la porte nous allions vers sa voiture ; tout en parlant et en s'amusant un peu (caresses, bourrades), il m'attirait à lui ou se collait contre moi, si bien que je pouvais sentir la bosse de son pantalon. Je pense qu'il serait allé plus loin si je l'y avais encouragé. Dans mes fantasmes, je développe cette scène : il me coince contre sa voiture, relève ma robe, glisse ses mains dans ma culotte, pétrit mon cul, mes hanches, puis sort sa queue. Il est tellement excité qu'il a du mal à respirer, il en a le souffle presque coupé. Il me dit qu'il va me baiser puis me sucer à fond. Il enfonce sa grosse queue en moi et se presse contre moi, en grognant et en gémissant. Dès qu'il a joui, il se met à genoux par terre pour me sucer et avaler nos sécrétions mêlées. Cela m'excite encore plus, je le prends par les cheveux pour l'attirer plus profond, et je n'arrête plus de jouir.

J'adore me faire enculer, c'est une sensation incroyable, mais nous ne le faisons pas très souvent. Comme Jeff n'aime pas qu'on joue avec son rectum, je fantasme qu'il est violé par une femme (moi?) qui l'a ligoté sur le lit. Elle le déshabille, se met nue, frotte ses seins contre lui (ce qu'il adore) et rapidement il bande. Elle le suce et, quand il est bien excité, elle enduit sa queue et son cul d'huile, caresse sa queue d'une main et enfonce les doigts de l'autre main au fond de son cul. Il essaie de s'échapper, mais n'y arrive pas. Il implore sa pitié, mais elle part chercher son vibromasseur, qu'elle introduit lentement (branché) dans son trou du cul. Puis elle se place sur sa queue, dure comme l'acier. Il a perdu tout contrôle maintenant, il jouit dans des spasmes désordonnés.

Anna

Je suis lycéenne de vingt et un ans, dont les parents viennent du Vieux Monde. Ma mère n'accepte pas que je sorte avec un Américain, même un étudiant, c'est pourquoi je n'ai jamais eu de relations avec un mec, je n'en ai même jamais fréquenté, et je me demande parfois si je serais capable de le faire.

Au cours de chimie, il y a un Américain assis derrière moi, plutôt petit, très séduisant. Depuis la première fois où je l'ai vu, j'ai eu envie de lui mettre la main au panier. Je ne suis pas très séduisante moi-même, je ne pense pas avoir une seule chance avec lui ; aussi, dans mes fantasmes, j'en viens à le violer. Je le rencontre un après-midi, assis tout seul au pied d'un arbre, et je vais vers lui pour parler, l'air de rien. Nous bavardons un moment, puis nous partons dans le sous-sol désert de l'immeuble le plus proche pour étudier ensemble. Après une demi-heure penchés sur nos livres, je lui dis : «Steve, tu veux me rendre un grand service?» Il répond sans se méfier : «Bien sûr! — Alors baisse ton pantalon.» J'insiste, mais il résiste, alors je me jette sur lui, plaque ses bras au sol, bloque ses jambes de tout mon poids et parviens à ouvrir sa braguette pour sortir son pénis déjà dur. J'enlève mon short en me tortillant, me remets sur lui pour m'empaler sur son pénis. Je le baise et le rebaise, en obtenant plusieurs orgasmes, je l'épuise jusqu'à ce qu'il demande grâce, et je le quitte dans cet état, effondré par terre.

Susie

Je vais avoir dix-sept ans le 14 octobre. J'ai perdu ma virginité il y a deux ans : puisque tout le monde «faisait ça», je voulais que mon premier mec soit quelqu'un que je ne connaissais pas, quelqu'un qui n'irait pas se vanter ensuite partout d'avoir été « le premier ». Et donc celui que j'ai choisi était un *marine*, que j'avais rencontré une fois avant. Il m'a beaucoup parlé de lui, et n'a pas arrêté de me demander si je n'avais pas changé d'idée. Je n'arrivais pas à comprendre : il voulait me dissuader de le faire, mais de toute façon il ne pouvait pas me faire changer d'idée, et je pense qu'il s'est dit que si ce n'était pas lui ce serait un autre... Et donc il m'a fait entrer dans le monde des adultes. Nous étions vraiment très proches, je sais qu'il m'aimait... Et maintenant il me dit que j'ai juste été sa petite pute pendant six mois.

Oh, je sais ce que vous pensez. Vous pensez exactement la même chose que les autres adultes : « Mais que peut bien savoir de l'amour une petite de seize ans ? » Vous pensez que nous, les jeunes, nous sommes fous. Vrai ? Ne dites pas non, c'est ce que vous pensez tous, vous, les adultes. Pourquoi les adultes ne comprennent-ils pas que nous pouvons ressentir exactement la même souffrance qu'eux ? Que nous pouvons aimer quelqu'un de la même manière qu'eux ? Je n'ai pas une très haute opinion de moi. Je me suis dit que si tout le monde pensait que j'étais une salope... eh bien, c'est que je pouvais l'être. Mais ça fait mal. J'ai l'impression d'être piégée, maintenant je ne me sens pas le droit de dire non à un mec. Pourtant, je veux changer, j'ai envie de pouvoir éprouver du respect pour moi-même à nouveau. Je dis à toutes mes amis de rester vierges jusqu'à ce qu'elles aiment vraiment « le » mec, mais cela me rend triste parce que tant de gens me l'ont dit et que je ne les ai pas écoutés. Ils avaient raison de dire : « Une fois que tu l'as fait, tu ne peux plus revenir en arrière, et en rester à simplement se donner la main. » Alors, l'autre jour, je me suis mise dans tous mes états et finalement j'ai dit à ce mec que je n'avais pas envie de me mettre au plumard avec lui comme ça, et j'ai été surprise de voir qu'il ne me détestait pas pour autant.

Maintenant, j'attends que quelqu'un de spécial revienne dans ma vie. Je reconnais que j'éprouve encore le besoin de simplement partir à la recherche de quelqu'un pour le baiser à mort. C'est dur, c'est dur de changer. Mais je n'ai que seize ans, et je ne peux pas continuer à baiser tout ce qui passe. Le plus dur, c'est d'apprendre à exister au-delà du sexe.

127

Voici un de mes fantasmes. J'étais revenue des toilettes pour rentrer à nouveau dans le tourbillon de la danse. L'endroit était excitant, des pinceaux de lumière colorée dansaient sur les visages, la plupart des gens bougeaient dans le rythme de la musique. Je portais une robe bleue à mi-cuisses, qui scintillait dans la lumière disco. Mais le mieux, c'était ce que je ressentais et ce que je me préparais à faire, car mon cerveau torturé tramait certaines manigances et je me sentais des plus perverses. J'étais la seule à savoir qu'en dessous de cette robe bleue il n'y avait rien, ni culotte, ni soutien-gorge, rien, et cela me rendait folle d'excitation, je me voyais comme une fille dévergondée, je savais qu'au moindre faux mouvement n'importe qui pourrait avoir un fantastique aperçu de ma nudité.

Je me suis assise à une table d'où je pouvais observer un groupe de mecs appuyés au mur, qui regardaient les filles qui dansaient. Je les ai passés en revue, et j'ai décidé de me lancer à l'attaque de celui qui paraissait le moins intéressé par le spectacle, en me demandant comment attirer son attention. Ma robe avait remonté sur mes cuisses, découvrant presque entièrement mes jambes. Je l'ai fixé du regard. J'avais lu quelque part que, si on regarde fixement quelqu'un, il finit par le sentir et regarde à son tour... Est-ce que ça allait marcher ? Comme par hasard, ses yeux sont tombés sur moi et il m'a regardée. J'ai laissé un soupçon de sourire apparaître sur mes lèvres, et j'ai glissé un peu sur ma chaise. Tandis que ses yeux suivaient les ondulations de mon corps, j'ai ouvert mes jambes pour qu'il puisse apercevoir le haut de mes cuisses. J'ai observé sur son visage la trace du choc qu'il avait reçu, puis il s'est contenté de fixer mon minou comme s'il n'en croyait pas ses yeux. La manière dont ses yeux plongeaient droit en moi a fait palpiter ma chatte et il a reporté son regard sur mon visage. Je lui ai adressé un sourire charmeur, je pouvais imaginer combien il devait être excité : après tout, vous ne rencontrez pas tous les jours une fille qui montre sa chatte en plein milieu d'un endroit public !

Je me suis levée, je suis allée vers lui pour lui proposer de danser. Il a accepté. Il y avait tellement de monde que nous nous cognions contre les autres danseurs si nous nous écartions trop l'un de l'autre ; alors, nous avons dansé serrés, nos corps pris par la musique. Après quelques morceaux, il a passé un bras autour de ma taille, et je me suis mise à me frotter contre lui. J'ai poussé mon ventre contre sa queue bandée, et nous nous sommes balancés en rythme. Il a dû se rendre compte que personne ne faisait vraiment attention à nous; l'endroit était noir de monde, chacun prenait du bon temps de son côté. Il avait toujours une main sur mes hanches, mais j'ai senti l'autre remonter centimètre par centimètre entre mes cuisses. Il était comme un lycéen puceau qui est vraiment troublé et n'arrive plus à se contrôler. Enfin, il a risqué un doigt dans mon minou, il a commencé à le faire entrer et sortir, et j'ai mouillé de plus en plus. Il a enfoncé son doigt, l'a retiré, en a mis deux, les a ressortis, en a mis trois. Il avait de grandes mains et des doigts solides; avec trois, j'avais l'impression qu'une bite très courte mais très grosse allait et venait dans ma chatte. Je me suis mise à remuer de haut en bas, m'enfonçant moi-même sur ses doigts au rythme de la musique. J'ai posé une main sur la bosse de son jean pour sentir comme il était dur à travers le tissu. Je le voulais tout entier dans ma chatte maintenant, plus que ces doigts qui m'excitaient mais ne pouvaient pas me combler entièrement. J'ai dégrafé son jean et me suis mise à branler cette superbe bite. Je trouvais dingue que tous ces gens qui dansaient autour de nous ne se rendent pas compte de ce que nous étions en train de faire.

Je mourais d'envie de la sentir me pénétrer jusqu'au bout, et rien qu'à cette idée ma chatte s'est mise à goutter et à brûler. J'ai posé une main sur son cou et de l'autre je me suis fourré cette énorme queue dans le minou. A ce moment, je ne me souciais plus du tout qu'on puisse nous voir ou pas. Je me suis placée face à lui, les jambes écartées, et j'ai commencé à descendre et à monter vigoureusement sur sa queue. J'ai pompé de plus en plus fort, et il est entré de plus en plus profond. La présence des autres autour de nous ne faisait qu'ajouter à notre excitation, et elle était presque à son comble! Je pouvais sentir sa queue poursuivre sa route jusqu'au fond de moi, prendre possession de mon conduit et, vraiment, c'était si bon, si bon. J'ai pressé sa queue avec les muscles de mon vagin et j'ai senti qu'il était prêt à s'évanouir sous ce massage. Il a fait descendre sa main pour me masser le clitoris, la musique couvrait mes gémissements étouffés, et il s'est mis à me défoncer si sauvagement que j'ai cru qu'il allait me déchirer, mais le plaisir l'emportait sur la douleur. J'ai cavalcadé sur cette queue de béton, il plongeait en moi si fort que ma chatte s'est contractée au maximum, s'emparant de cette queue, la malaxant... En plein milieu de cette piste de danse, j'étais en train de jouir, et personne ne le savait !

Il a continué à bourrer ma chatte toujours en convulsion, et bientôt je l'ai senti gicler tout son sperme en moi. Il a bloqué mes hanches pour que je reste bien en place jusqu'à ce que le flot s'arrête. Puis il s'est retiré, j'étais trempée. Son sperme a commencé à s'écouler le long de mes cuisses. Je l'ai regardé, je lui ai souri gentiment, je lui ai donné un tendre baiser sur les lèvres, je lui ai tourné le dos et je l'ai laissé là, sur la piste, avec sa braguette grande ouverte...

Debby

Je suis une femme mariée de vingt et un ans, issue d'un milieu peu aisé. J'ai passé trois ans et demi au collège avant d'avoir une courte expérience professionnelle dans un bureau. Je suis maintenant sans emploi, mais je suis enceinte de sept mois et demi. Il s'agit de mon premier enfant. J'ai grandi dans un environnement où toute forme de sexualité était réprimée sans que rien ne soit jamais «dit». Je me retrouve donc dans cette catégorie, hélas traditionnelle, de femmes qui ont appris à tracer un trait d'égalité entre sexe et amour, et qui n'ont jamais considéré le sexe comme la source de plaisir qu'il peut être. Cela m'a conduit à douter pratiquement en permanence de ma propre sexualité, alors que pourtant mon mari est un homme très tendre, aimant et passionné.

Jusqu'à l'âge de vingt ans, je n'ai connu aucune forme d'activité sexuelle. J'ai perdu ma virginité dans un viol. Durant les mois qui ont suivi cette «expérience», et sans que je m'explique vraiment les sentiments qui m'ont poussée à le faire, j'ai fréquenté les bars en compagnie d'une amie qui se considère elle-même comme une nymphomane. Elle levait des hommes à la moindre occasion et, même si je le faisais aussi, à contre-cœur pourtant, je n'ai finalement jamais eu le courage de coucher avec l'un d'entre eux.

Quand j'ai commencé à travailler, j'ai eu une liaison avec un homme marié, qui redoutait de s'impliquer émotionnellement dans une relation sexuelle. Je me suis lancée encore plus en sortant avec deux hommes, avant de commencer une relation sexuelle avec celui qui allait bientôt devenir mon mari. Toutes

mes expériences sexuelles avant mon mari avaient été du genre :
«Toc toc, bonjour mademoiselle, au revoir.» Comme il était
puceau quand nous nous sommes connus, nous n'avons pas eu
de mal à nous adapter chacun aux besoins sexuels de l'autre.
Notre relation amoureuse nous satisfait l'un et l'autre, même
si je n'ai pas encore obtenu d'orgasme de ses stimulations. Il
se donne beaucoup de mal pour me faire plaisir, mais sans que
je parvienne jusqu'à l'orgasme, et cela ne fait qu'accentuer son
manque de confiance en lui. Il était déjà peu sûr de lui quand
je l'ai connu, il pensait que la taille de son pénis ne pourrait
jamais satisfaire une femme. J'ai fait de grands efforts pour le
rassurer, même si je n'ai jamais feint d'éprouver un orgasme
grâce à lui.

Inutile de dire que cette incapacité a créé chez moi une certaine ambivalence à l'égard du sexe. Je suis capable de jouir merveilleusement et plusieurs fois quand je me masturbe, mais j'ai
l'impression de ne pas pouvoir me laisser complètement aller
en présence de mon mari. Je vous raconte un de mes fantasmes : je rentre à la maison d'une visite plus tôt que prévu, pour
trouver mon mari au lit avec l'amie nymphomane dont j'ai parlé
avant. J'arrive juste au moment où il jouit violemment en elle.
Je l'arrache de lui avec une telle force qu'elle vole littéralement
à travers la pièce. Puis je leur annonce à tous les deux que je
vais leur montrer ce qu'est une femme digne de ce nom. Je me
dépouille de mes vêtements et je m'asseois sur le visage de mon
mari, frottant d'avant en arrière mon minou rasé dessus, tout
en attrapant fermement sa bite dans ma bouche pour la lécher
et la sucer pendant que je lui pétris les couilles d'une main et
l'encule avec un doigt. Bien sûr, puisque c'est un fantasme, je
jouis à répétition, pendant que mon amie nous regarde, tétani-
sée. Quand je l'ai conduit assez près de l'orgasme pour que ce
soit pour lui une torture d'arrêter, je décide de continuer en lui
ordonnant de mettre sa queue dans mon con par-derrière, avec
une de ses mains passées au-dessus de mon ventre pour me masser le clitoris (une position que dans la réalité nous appelons
«faire minou»). Je lui dis de me baiser lentement jusqu'à ce que
je sente que je suis au bord de l'orgasme, puis il y va fort et vite
et profond et nous jouissons tous les deux dans le délire.

Je ne cherche cependant pas à réaliser ce fantasme, d'abord
parce que je dois auparavant parvenir à éprouver un orgasme

avec mon mari, ensuite parce que la seule idée de l'adultère m'est insupportable. Je dois dire aussi que mon « amie » a des vues sur mon mari, mais que lui prend ses responsabilités conjugales très au sérieux et ne serait jamais prêt à répondre à la moindre de ses propositions.

Terri

J'ai toujours craint que mes fantasmes — dont je n'ai eu pleinement conscience qu'une fois atteints mes vingt ans — ne correspondent pas à ce que je m'imaginais être « habituel » chez les autres. La raison : quatre-vingt-quinze pour cent de mon excitation sexuelle dérivent de celle de « l'homme », et non de mes propres sensations. La plupart de mes fantasmes tournent autour de la vision d'un homme, en général quelqu'un que je connais, qui devient de plus en plus excité sexuellement jusqu'à oublier toutes ses inhibitions et à parvenir à un orgasme tumultueux. C'est sans doute que j'aime l'idée d'être capable d'exciter un homme à un tel point qu'il perde tout contrôle sur lui-même. Mes fantasmes ne me servent qu'à atteindre la jouissance quand je me masturbe : quand je fais l'amour avec quelqu'un, je n'éprouve pas l'envie de fantasmer car cela distrait mon attention de la personne avec qui je suis et réduit l'intensité du moment. Je n'ai jamais réellement recherché à « vivre » mes fantasmes avec quelqu'un d'autre, sans doute parce que je ne suis pas du tout certaine qu'ils se révèlent satisfaisants dans la réalité.

Habituellement, ils se concentrent sur les thèmes suivants : 1) être séduite par un homme très sûr de lui, très sexué, très sensuel, et plus âgé que moi, qui finalement « perd le contrôle » et « s'abandonne » à moi ; 2) écouter un homme séduisant et excitant me raconter tout ce qu'il aimerait faire avec moi, ressentir sa propre excitation, le regarder et l'entendre parvenir à l'orgasme en se masturbant ; 3) imaginer que je suis une call-girl de haut niveau qui excite des hommes mûrs et réservés jusqu'à les faire jouir.

Je fantasme aussi beaucoup sur les gémissements, les cris et les paroles des hommes quand ils font l'amour. Comme je l'ai dit, c'est surtout ce qu'éprouvent les hommes qui me fait fantasmer, mes propres émotions ne sont que dérivées, et cela me préoccupe beaucoup. C'est d'autant plus étrange que ma mère a toujours été une femme très sensuelle et très active, qui n'a jamais laissé sa condition de mère interférer sur sa sexualité. Elle a eu une vie sexuelle épanouie avec chacun de ses quatre maris, considérant sa propre satisfaction comme une priorité. Le sexe n'a jamais été un sujet de conversation habituel dans notre vie familiale, mais il n'a jamais été un tabou non plus. J'ai souvent entendu des bruits caractéristiques parvenir de la chambre de ma mère et de mes beaux-pères, ce qui explique sans doute pourquoi ils sont tellement importants dans mes fantasmes. Un autre facteur peut-être capital dans mon expérience passée est d'avoir reçu les avances sexuelles et les outrages physiques de mon premier beau-père (celui qui «dura» le plus longtemps, d'ailleurs) entre dix et treize ans. Même si, à l'époque et durant plusieurs années ensuite, cette expérience se révéla traumatisante et produisit en moi une grande hostilité et une grande méfiance à l'égard des hommes, jusqu'à ce que je devienne adulte et jusqu'à sa mort, son souvenir a acquis par la suite une qualité tout érotique. Il m'arrive maintenant de fantasmer sur mon beau-père me séduisant (mais non me molestant), et sur la sensation de pouvoir que je prends sur lui en l'excitant et en lui faisant perdre la tête. C'était un homme extrêmement autoritaire, dominateur, enclin aux punitions sadiques, qui en même temps pouvait se montrer charmant et chaleureux. Je suis persuadée qu'il a eu beaucoup d'influence sur le développement de ma vie sexuelle et fantasmatique, mais j'aimerais apprendre à mieux goûter mes réactions au lieu d'être tellement focalisée sur celles des hommes.

Je suis une WASP de vingt-neuf ans, célibataire, jamais mariée. Je suis diplômée en psychothérapie, je travaille à plein temps et je gagne dix-huit mille dollars par an. Je vous remercie de votre attention, cela m'a fait du bien de coucher tout cela sur le papier.

PS : Je devrais préciser que, fondamentalement, je n'éprouve que de la défiance à l'égard des hommes en général, voire du dégoût et du mépris, mais que la lecture de votre livre *Les Fantasmes masculins* m'a aidée à dissiper beaucoup de ces préventions à leur égard. J'ai trouvé très réconfortant de voir qu'ils ne semblaient pas autant mépriser les femmes que mon expérience personnelle me l'avait fait croire.

Chere

J'ai lu des livres érotiques depuis l'âge de treize ou quatorze ans. Je n'ai jamais vraiment cherché à faire l'amour avec quelqu'un — pensant que je ne trouverais personne qui le veuille — jusqu'à l'âge d'environ dix-sept ans, quand j'ai rencontré un garçon à qui je plaisais et qui n'était pas comme les autres. Même si je suis vraiment très jolie, je ne suis jamais sortie avec des garçons au lycée. Maintenant, j'ai vingt ans, je suis blanche, et je viens à nouveau de me faire jeter. Oui, c'est bien d'être une femme qui aime faire l'amour avec quelqu'un qu'elle aime et en lequel elle a confiance, mais ce n'est pas ce genre de femme que les hommes épousent. Moi, j'ai cru dans ces livres dont l'héroïne est indépendante, active sexuellement et finit toujours par se faire épouser. Mais maintenant nous savons toutes que les hommes se serviront d'elle puis la jetteront comme un jouet.

Voici mon fantasme : je suis une belle Américaine en voyage en Angleterre. Je charme tout le monde par ma franchise et mon honnêteté, jusqu'aux sommets de la noblesse locale. Un grand dadais, blond aux yeux bleus, fantastique, commence à s'intéresser à ma beauté et à ma réserve inhabituelles. J'ai vingt ans, des cheveux bruns et de merveilleux yeux noisette. Je suis fière de ma sexualité, même si toutes mes relations se sont mal terminées pour moi, mais pas pour mes amants, qui se sont servis de moi. Cet homme, Jason, pourrait avoir toutes les plus belles filles d'Angleterre, mais j'ai des qualités qu'elles n'ont pas : je suis attentionnée, aimante, et sincère. Il vient vers moi quand je suis entourée d'un foule d'admirateurs et m'invite à le suivre. Il me propose de venir visiter son bateau. A bord, il y a une alcôve spacieuse dans laquelle nous nous asseyons pour parler. Je suis sidérée par l'hypocrisie de notre société, lui dis-je : tout va bien si une femme aime le sexe, mais dès qu'il s'agit de mariage les hommes ne veulent que des vierges, ou des filles asexuées. Moi, je trouve que les hommes et les femmes peuvent être également beaux qu'ils soient habillés ou non.

Jason propose du vin. Nous buvons une bouteille ou deux, je sais parfaitement qu'il veut que je m'enivre, mais je ne suis pas saoule et je lui lance : «Si tu veux me faire l'amour, dis-le ! Je ne suis pas une pucelle, et je n'aime pas jouer la comédie !»

A son air surpris, je vois bien qu'il voulait me saouler puis me séduire. Au contraire, c'est moi qui le déshabille lentement, qui le bouffe tendrement pendant qu'il m'enlève mes vêtements. Il me prend dans ses bras, caressant chaque partie de mon corps. Il s'assure que je suis prête en me suçant tandis que je le regarde droit dans ses beaux yeux. Ensuite, il me demande comment je voudrais faire l'amour — je déteste les hommes qui ne vous traitent pas en partenaire mais en objet. Je me hisse sur lui, je lui fais l'amour avec une passion sauvage, en appréciant ses soupirs. Il me cherche et, malgré les décharges de plaisir que je reçois, il sait me faire rire : j'adore rire et m'amuser au lit, le sexe n'est pas une affaire aussi sérieuse qu'on le croit, et c'est sans doute pour cela que les couples mariés ne font en général l'amour qu'une fois par semaine ! Il explose quand je m'écrase sur lui en étant secouée par plusieurs orgasmes — la véritable preuve qu'on aime, c'est que la plupart des femmes qui se sentent détendues et aimées parviennent à l'orgasme. Puis il m'emmène à l'église la plus proche, en jurant de ne jamais me délaisser ni perdre mon amour.

Ruth

J'ai vingt et un ans, je suis étudiante et je donne aussi des cours. Je n'ai qu'un merveilleux fantasme réalisé : l'un de mes élèves les plus insupportables est un garçon de quinze ans. Il rend la vie impossible aux filles, n'arrêtant pas de les draguer et de flirter avec elles. Je ne l'ai jamais aimé, j'ai dû souvent lui faire des remontrances, mais pour quelque étrange raison il m'attire sexuellement. Ce n'est peut-être pas si étrange : il est androgyne, il ressemble à un tout jeune Mick Jagger. Je me suis aperçue que j'aimais le punir quand il importune les filles, comme si j'étais justement une fille qui ne se laissait pas faire, que j'éprouvais alors une grande tension sexuelle, que j'adorais l'humilier devant les autres et sentir la rancune qui l'envahissait à mon égard. C'est la première fois que je me suis sentie attirée physiquement par quelqu'un que je n'aimais pas. J'ai réalisé qu'une fois chez moi je perdais la tête en imaginant le pousser à faire l'amour avec moi. Ces derniers temps, je n'ai pas eu de relation suivie, et la masturbation m'a beaucoup aidée. Donc, j'ai décidé de vivre mon fantasme. Un jou où il avait été particulièrement vicieux, je l'ai ramené chez moi après les cours — mes parents sont souvent en voyage à l'étranger. Il faisait le petit coq avec les filles, mais je sentais qu'il était terrifié par une vraie femme. A la maison, je me suis mise en tenue d'aérobic et je lui ai donné du travail à faire pendant que je m'activais. Puis j'ai commencé à flirter avec lui, il ne savait pas comment réagir : il n'avait jamais connu un tel rapport de soumission. Je lui ai fait la leçon, je lui ai dit que j'allais lui montrer à quoi ressemblait d'être traité comme un objet sexuel. Je lui ai dit qu'il avait un derrière très mignon, qui méritait une bonne fessée.

Je lui fais descendre son jean et s'étendre sur mes genoux en caleçon. Il a un cul charmant, que j'adore claquer. Il a bientôt une terrible érection ; je me moque de lui, puis je lui dis que j'ai un remède pour cela, mais qu'il doit d'abord me satisfaire. Je m'assois sur le canapé en tenue d'aérobic et lui ordonne de m'embrasser partout où je le lui dirai. Je le fais commencer par mon dos : c'est fantastique, je l'ai entièrement sous ma domination et il fait tout ce que je veux. Finalement, quand je suis bien mouillée, je lui dis de me faire un cunnilingus à travers le tissu, j'attire sa tête tout contre moi et j'obtiens enfin un violent orgasme. Puis, pour son plus grand trouble, je le conduis à me faire jouir plusieurs fois encore, de plus en plus fort ! Je n'ai jamais été aussi déchaînée dans ma vie. C'est merveilleux parce que c'est moi qui ai le contrôle, qui fais tout ce que je veux. Quand je suis comblée, je lui ordonne de mettre ses mains derrière son dos et les attache avec l'un de mes bas. Puis je joue avec son pénis, le provoque jusqu'à le faire jouir quand je le désire, moi. Enfin je lui tends son pantalon, et je le préviens de ne plus jamais m'importuner et de laisser les filles tranquilles à l'école. Quand il s'en va je m'étends sur le canapé, triomphante.

Nina

J'ai dix-sept ans. A l'âge de six ans, j'ai été molestée par deux hommes, tous deux voisins et « amis de la famille ». Quand mes parents l'ont découvert, ils m'ont cruellement punie. Pendant longtemps, cette expérience m'a terriblement bloquée : les hommes m'effrayaient, et j'avais l'impression d'être la seule responsable de ce qui s'était passé. Pendant longtemps, la seule idée du sexe m'a répugné, et je me jurais de ne jamais « le faire ». Ensuite, j'ai eu une expérience de masturbation réciproque avec une amie, puis une rencontre sexuelle avec une autre. J'avais quatorze ans, je me masturbais régulièrement mais je ne jouissais pas. Les premiers hommes dont je me sois sentie proche étaient des homosexuels, de même que mes premiers amants. Le premier homme que j'ai touché, sucé, et avec qui j'ai ensuite couché était extrêmement doux et attentionné. Je me considère très « bonne » au lit, surtout pour le sexe oral que m'ont enseigné les homosexuels, mais je déteste qu'un homme refuse de me sucer lui aussi. Par défi envers moi-même, j'ai pris l'habitude de prendre des partenaires d'une seule nuit : je me sentais intérieurement trop fragile et peureuse, alors je suis devenue atrocement agressive pour me prouver que j'en étais capable, que je ne me laissais pas dominer par ma peur. Aujourd'hui, je me sens plus à l'aise avec moi-même. Cela fait un an que je n'ai qu'un seul amant (et un seul amour), c'est l'homme le plus merveilleux que j'aie rencontré. Grâce à lui, j'ai connu mon premier orgasme. Ensemble, nous cherchons à nous réaliser pleinement en faisant l'amour ; nous avons essayé beaucoup de choses, y compris le bondage (tous les deux), le sexe oral et anal. Il a dix-neuf ans et il n'avait jamais embrassé une fille avant de me connaître.

Avec lui, j'ai découvert que la plupart de mes fantasmes pouvaient être réalisés. Nous avons un jeu dans lequel nous jouons chacun un personnage : par exemple, un jour, il a joué le professeur et moi j'étais l'étudiante qu'il séduisait. Mais il existe des fantasmes qu'il ne peut pas vivre avec moi : une fois, j'ai couché avec deux hommes, ils s'occupaient tous les deux de moi, c'était délicieux et j'adorerais recommencer. Je rêve aussi de séduire des puceaux qui meurent d'envie de me voir m'empaler sur leur queue bandée. Je me demande aussi ce que ce serait d'être un homme et de faire l'amour à un autre homme. Je sais que j'aurais pu conserver un de mes amants gays si seulement j'avais eu un pénis. Mais j'aime mon corps, mes seins gros et fermes, ma moule à l'odeur enivrante, et j'en veux aux hommes (et aux femmes) qui ne voient pas toute cette beauté. Mon amant a un fantasme que j'aimerais l'aider à accomplir : il aimerait voir deux femmes faire l'amour entre elles. J'ai vraiment envie de le satisfaire, mais les lesbiennes que je connais prennent le sexe très au sérieux, et je les aime pour leur esprit, pas pour leur corps. J'ai l'impression que ce serait une sorte d'affront que de leur faire une proposition érotique.

Quand j'étais plus jeune, mes parents étaient pour moi une

source de contradictions : ils voulaient me faire croire que le sexe était sale, mais l'un comme l'autre avaient des liaisons de leur côté. Maintenant qu'ils sont divorcés, c'est un peu moins hypocrite. Je me demande souvent si ma mère jouit, et quel plaisir elle retire de sa vie sexuelle. Elle n'en parle jamais avec moi, et quand j'essaie de le faire, elle se trouble et change de sujet.

J'ai souvent le fantasme d'être attaquée par un violeur. Dans ce cas-là, je riposte toujours et je le laisse pratiquement sur le carreau : la colère que je peux éprouver envers les hommes s'exprime dans cette violence, et d'ailleurs je pourrais faire du mal à quelqu'un qui essaierait de m'en faire. Est-ce que beaucoup de mes fantasmes portent sur le fait de dominer un homme ? Plusieurs d'entre eux m'ont déjà dit que j'étais très « virile » dans certains de mes actes, on me l'a parfois reproché mais on me l'a dit aussi comme un compliment. Je me suis aussi fait traiter de salope, de pute, de nympho, d'obsédée... J'aimerais bien que les hommes arrêtent de me juger. Ceux qui emploient de tels termes sont eux-mêmes très portés sur le sexe. J'adore les hommes, corps et âmes, mais souvent ils rendent cet amour très difficile. Le sexe, c'est littéralement de « faire l'amour » pour moi, ce qui implique de la douceur, de la tendresse et de l'attention. Ce sont les hommes qui y voient en général de la domination, de la possession, de la violence ; or je ne veux être dominée, possédée ni battue par quiconque !

Je précise que j'ai de très bons résultats scolaires, et que je viens d'être acceptée par un collège privé du Midwest pour la rentrée prochaine. Ma famille est pauvre, mais j'ai poursuivi toute ma scolarité*. Je vous raconte cela pour que vous notiez que je ne suis pas stupide, et que l'éducation est pour moi quelque chose de très important.

« REGARDE-MOI » : LA FORCE DE L'EXHIBITIONNISTE

Un chapitre consacré au pouvoir des femmes sur les hommes ne saurait être complet s'il ne mentionnait pas le cas de l'exhi-

---

* L'enseignement secondaire et supérieur est payant aux États-Unis, et les meilleures écoles sont aussi les plus chères. C'est pourquoi la situation financière de la famille et les études suivies sont si souvent mises en relation dans ce livre. (N.d.T.)

bitionniste : la femme qui attire le regard des hommes sur son corps et le garde prisonnier, en contrôlant leurs émotions jusqu'au moment où elle seule décide que le spectacle a assez duré.

Quand j'ai commencé mes recherches, il y a vingt ans, l'idée « scientifique » dérivée de l'étude du comportement voulait que les hommes soient les voyeurs, et les femmes les exhibitionnistes. Ayant toujours été pour ma part une voyeuse, d'abord prudemment dans mon adolescence puis d'une manière plus assumée quand le féminisme se mit à bouillonner, je me mordis d'abord la langue, tout en étant sûre qu'il devait bien exister d'autres femmes comme moi. Je me souviens du premier débat télévisé auquel je pris part, en 1973, et de la manière dont le présentateur, David Susskind, faillit avaler son micro quand je déclarai, parlant de mon nouveau livre, que j'étais une incurable « mateuse » : à l'époque, je savais bien que je n'étais pas « la seule » à aimer regarder les hommes dans leurs jeans moulants, la chemise ouverte jusqu'au nombril. Dans les années soixante-dix, les hommes commençaient à apprécier le plaisir et le pouvoir d'être admirés non pour leur compte en banque et leur carrière, mais pour leur beauté physique. Alors que les femmes entraient de plus en plus hardiment sur le terrain habituel des hommes, le travail, l'équilibre des pouvoirs entre sexes se rétablissait en conséquence. Les hommes se mirent à tâter de l'un des pouvoirs traditionnels des femmes : avoir un bon « look ». Et les femmes se mirent... à regarder.

En 1972, *Cosmopolitan* publiait sa première double page de nu masculin (c'était Burt Reynolds), et en 1973 *Playgirl* fut le premier magazine érotique pour femmes. Au départ, les experts grommelèrent que les femmes n'étaient absolument pas excitées par la vue d'un corps masculin, et certes les débuts tâtonnants de *Playgirl* ne leur inspirèrent que de l'ennui. Les femmes avaient besoin de temps pour apprendre à regarder, à se relaxer assez pour laisser le courant électrique entre le sens de la vue et l'excitation sexuelle circuler naturellement. Aujourd'hui, nous sommes voyeuses, nous contemplons sans détour la beauté d'un corps masculin, et nous en sentons toutes chaudes.

Et tandis que notre société de consommation réalisait combien d'argent on pouvait faire avec la beauté, les médias, l'industrie de la mode et des cosmétiques, les publicitaires commencèrent à encourager les hommes à rechercher la beauté physique comme une fin en soi pour eux aussi. C'était là une saine évolution : le narcissisme et l'exhibitionnisme font partie intrinsèque de l'existence. Ils motivent certains à devenir célèbres, d'autres à poursuivre des œuvres philanthropiques. Au niveau le plus instinctuel, nous éprouvons le besoin de sentir que nous « existons » par le regard de ceux qui nous importent. Mes propres livres sont de type exhibitionniste, et la majorité des femmes qui m'ont envoyé leur contribution pour celui-ci l'ont signée de leur nom, car elles voulaient exister réellement pour moi. Même si je n'avais utilisé que des pseudonymes, elles auraient montré le leur aux amies en disant : « Regarde, c'est moi ! » Ainsi, elles ont l'impression d'exister et même d'être admirées dans le monde au-delà de leurs limites conventionnelles. Face à l'indifférence existentielle de l'univers, l'exhibitionnisme nous donne le sentiment que, finalement, nous ne sommes pas là « pour rien ».

Bien avant qu'un enfant n'accède à la parole, il sent le regard aimant de ses parents sur lui, aussi réconfortant que les rayons du soleil. Plus nous nous voyons réfléchis avec adoration dans les yeux de nos parents, plus nous en éprouvons la conscience et l'intégrons à notre personnalité. De nos parents, nous apprenons dès l'enfance à nous aimer et à nous admirer, et en grandissant nous ne perdons pas ce sentiment. Chez les femmes, cette reconnaissance initiale de sa propre valeur sera ensuite un atout face aux revers inévitables que l'ego féminin subit parfois dans la comparaison, elle aussi inévitable, avec les autres femmes, dans la compétition que les milliards de dollars brassés par l'industrie de la mode et des cosmétiques savent entretenir et stimuler. Il y a toujours « quelqu'un » de plus beau que soi ; cependant, si son narcissisme a été satisfait durant l'enfance, une femme pourra se sentir quelquefois envieuse, mais n'en éprouvera pas pour autant un dépit dépressif ou un sentiment de totale vacuité. Les fantasmes exhibitionnistes sont là pour répondre à cette incertitude : ils nous disent que nous sommes belles, que nous sommes dignes d'être aimées.

J'éprouve une grande affection pour les femmes qui apparaissent dans ce chapitre : à beaucoup d'égards, elles font preuve d'une saine détermination à se prêter une attention que, pensent-elles, le monde ne leur manifeste pas assez, elles refusent de se laisser sombrer dans l'apitoiement sur soi-même en raison de frustrations passées, de se sentir diminuées ou niées parce que le visage qu'elles voient tous les jours dans leur miroir n'est pas aussi beau que celui de leur voisine. Dans leurs fantasmes, elles sont réellement leur meilleure amie.

Si vous êtes persuadée que vous êtes belle, les gens qui vous entourent seront enclins à penser de même. Certes, ce n'est pas facile : notre culture est l'héritage d'une tradition anglo-saxonne qui valorise l'effacement de soi, la minorisation de ses qualités, qui sanctionne sévèrement la vantardise, le fait de « ne pas se prendre pour n'importe qui ». Quand l'un de nos politiciens veut gagner les faveurs des électeurs, il commence par lancer des plaisanteries sur son propre compte ; quand une femme enfile une robe neuve qui lui va bien, elle s'empresse de repousser les compliments qu'elle souhaiterait pourtant, cherchant à émousser la jalousie des autres en assurant qu'il ne s'agit que d'« un vieux chiffon ». Dans les fantasmes exhibitionnistes d'une femme par contre, tout est permis. Son talent à choisir une robe dans la réalité n'est surpassé que par la manière experte dont elle saura l'enlever en fantasmant. Si le monde réel l'a sacrée Grande Prêtresse de la fanfreluche, son inconscient sait parfaitement que l'essentiel est ailleurs : l'habit ne fait pas le moine, et encore moins la femme. Dans ses fantasmes, elle est appréciée et encensée pour la façon dont elle « est » vraiment : nue, cul et con à l'air, jouissant *al fresco*.

Il n'est pas étonnant que tant de femmes rêvent d'exhiber leur nudité à l'approbation générale : nous passons notre vie à calculer ce qu'il faut montrer et ce qu'il faut cacher ; si la balance s'incline un peu du côté de l'exhibition, nous voici au bord du « trop » ; encore un peu plus, et nos maris se fâchent. Si la mode est si puissante, c'est qu'elle dispense l'approbation de la société à celle qui montrera autant d'elle-même que les autres femmes cette année-là, et qui en cachera autant. Dans leurs fantasmes, les femmes ne demandent plus la permission, et oublient toutes leurs anxiétés.

Quand le féminisme est monté en puissance, il y a une vingtaine d'années, la beauté fut mise hors la loi : les féministes pensaient que si les femmes devaient se constituer en armée, la rivalité esthétique ne pouvait y avoir sa place. Mais, même au plus fort de la révolte contre la mode et le business de la beauté, le besoin vital de se montrer, d'être regardée et reconnue comme quelqu'un de « particulier », n'a jamais disparu, et la compétition a continué, seulement avec d'autres règles, d'autres critères : ça devint une question d'honneur (mais aussi une manifestation de sa jeunesse) de mépriser le maquillage, de porter un vieux jean ou une robe informe, bref de refuser en bloc le principe selon lequel une femme ne vaut que par son plumage. Si la beauté selon les canons de *Vogue* était « *out* », l'étrange, le bizarre, le *funky*, l'affreux, tout cela devint « *in* ». Mais, en tournant le dos aux concours de beauté, les femmes n'en continuèrent pas moins de lutter, exigeant que l'on prête attention à leur esprit derrière leurs affreuses lunettes cerclées de fer, que l'on discerne leur vraie valeur derrière ces détails soi-disant « futiles » que sont des fossettes, des cheveux bouclés, la courbe des seins. Et d'ailleurs, les soirées de cette époque, hantées par des femmes qui s'habillaient de manière à relativiser l'importance de la chair, finissaient généralement par les voir enlever ces mêmes vêtements afin d'exhiber beaucoup plus de chair que la loi ne le permet.

Avant de pouvoir être aimées, nous devons être vues. Si l'« Homme invisible » existait réellement, il finirait par devenir fou, en ne croyant même plus à sa propre existence.

Il existe fondamentalement deux types de fantasmes exhibitionnistes. Le premier consiste à s'exhiber soi-même, afin d'obtenir l'approbation et l'admiration des autres. Dans le deuxième, c'est la femme qui est observée, à son insu ou non, durant l'acte sexuel, et alors c'est l'approbation de ses désirs et de ses émotions qu'elle recherche. Sa capacité à exciter un public lui permet de montrer qu'elle est une « vraie femme ». Prenons le strip-tease féminin, un spectacle généralement désapprouvé par les femmes dans la réalité mais pourtant très apprécié dans les fantasmes. Une strip-teaseuse, plus que de réaliser un acte sexuel, entraîne les spectateurs dans son propre narcissisme. La plupart des hommes qui fréquentent les établissements spécialisés dans ce genre sont d'authentiques voyeurs : ils ne cherchent pas à faire l'amour, mais à regarder, ils veulent « le plaisir de l'œil ». Ils apprécient cette sorte de stimulation prégénitale que leur donne la femme qui se déshabille, et elle apprécie leurs regards admiratifs. Elle n'attend pas un contact sexuel avec eux, et eux non plus : c'est la règle du jeu.

Les féministes en colère, qui font signer des pétitions contre les « sales mecs » dégradant les femmes à travers les films et magazines dits pornographiques, voudraient nous faire croire à leur propre fantasme : aucune femme ne serait prête à exposer ses parties génitales devant une caméra sans y avoir été contrainte et forcée par les hommes. Mais ces femmes pleines d'amertume rendraient un plus grand service à la société en réservant leur révolte aux véritables discriminations contre le sexe féminin : pourquoi, par exemple, ne vont-elles pas à Washington exiger une meilleure prise en charge sociale des enfants ? Certes, ce n'est pas là le fantasme qui les émeut. Je ne nie pas qu'il existe, dans l'industrie du sexe, des hommes sans scrupules qui exploitent les femmes. Mais toute branche d'activité a sa part de brutes qui ne savent qu'humilier les autres, de pervers qui s'acharnent sur leurs inférieurs. Les « sales mecs » qui transforment les femmes en « objets sexuels » peuvent se trouver aussi bien dans un bureau d'informatique que dans un studio photographique de *Penthouse*. Ce qui n'est généralement pas reconnu, c'est que la grande majorité des femmes qui apparaissent dans une boîte de strip-tease ou dans les pages de *Playboy* ont choisi d'elles-mêmes de le faire. Ce sont des femmes qui aiment se déshabiller et écarter les jambes devant des spectateurs. On n'a jamais vu de femmes dotées d'un buste impressionnant et de jambes superbes se joindre à leurs sœurs qui manifestent devant les cinémas X et crier : « On m'a forcé à le faire ! » Car personne ne les y a forcées, et c'est sans doute ce qui exaspère les féministes pures et dures : leur fureur n'a pas pour objet les marchands de sexe, mais ces femmes nues qui osent violer les commandements contre l'exhibitionnisme inculqués à toutes dès leur enfance. Comment osent-elles ! Comment osent-elles user de ce pouvoir que toute petite fille, à genoux devant sa mère, a juré de ne jamais utiliser : le pouvoir des seins nus, de ce qui se cache sous la robe sage, entre les jambes soigneusement croisées ? Oui, comment ces exhibitionnistes osent-elles se servir de leur pouvoir d'exciter et d'asservir les hommes, et donc de se montrer plus « femmes », plus fortes que les autres filles ? Ce que font ces femmes nues et souriantes, bouche offerte et cheveux dénoués — que

Dieu leur pardonne ! —, c'est ouvrir la porte à la compétition, inciter les autres femmes à montrer elles aussi « ce qu'elles ont ». Insoutenable ! Intolérable ! Mais ces féministes en colère s'en prennent-elles directement aux femmes exhibitionnistes ? Aucunement : elles ont trop peur de leur furie, de libérer les flots enragés. Et, comme toujours, elles se rabattent sur la cible la moins dangereuse, la plus facile : les hommes.

Les femmes qui assument leurs fantasmes exhibitionnistes refusent la condition asexuée qui leur est traditionnellement assignée. Elles ont des besoins qui dépassent celui d'être approuvées par les autres femmes. Elles veulent être admirées pour leurs fesses charmantes, leurs seins superbes, leur vagin qui rend les hommes fous, pour leur moi le plus vulnérable, le plus nu. Certaines d'entre elles projettent leurs fantasmes dans l'endroit le plus fréquenté possible, afin de flirter avec le risque délicieux de scandaliser le plus grand nombre. On attendrait alors des hurlements de protestation, des cris de honte : mais, au lieu d'être dénoncée comme son éducation le laisserait penser, la femme sent que les gens qui la regardent ne sont aucunement choqués, ne la désapprouvent pas. Elle devient leur héroïne à tous, si splendide qu'ils l'applaudissent et même la rejoignent.

En défense du voyeur, tout comme de l'exhibitionniste, j'ajouterai encore que, pour chaque femme qui se crispe quand des ouvriers travaillant dans la rue sifflent à son passage, il y a aussi une femme qui anticipe ce moment depuis déjà plusieurs dizaines de mètres avant et qui se sentirait humiliée si elle ne les faisait pas se retourner alors. Bien sûr, il n'est pas agréable de s'entendre crier des obscénités, bien sûr aucun homme ni aucune femme n'apprécie d'être observé(e) trop longtemps et avec trop d'insistance. Mais c'est aussi un jeu intellectuel très prenant que de savoir attirer le regard des autres, captiver leur attention, et même contrôler leurs réactions par le seul pouvoir de son corps. Les femmes de ce chapitre éprouvent de grandioses orgasmes en imaginant qu'elles excitent les autres par leur nudité, et parfois ce fantasme est si délectable qu'il se mue en réalité.

Si les femmes de mon livre précédent aimaient, elles aussi, caresser le fantasme de l'exhibition, elles n'avaient pas la conscience du pouvoir qu'elles peuvent en retirer, comme ces nouvelles femmes qui s'y réfèrent constamment. Il s'agissait alors de l'attrait de l'interdit plutôt que du plaisir de se savoir en train de créer une situation où la femme exerce son contrôle. Ce sont là des motivations fort différentes. Je ne suis pourtant pas certaine que cette nouvelle conscience du pouvoir de leur beauté qu'ont les femmes s'étende jusqu'à une pareille assurance devant l'engrenage érotique qu'elles mettent en branle lorsqu'elles attirent l'attention des autres sur elles. Si j'en crois mes propres observations, le temps n'est pas encore venu où les femmes seront capables de reconnaître tranquillement : « OK, maintenant que j'ai passé deux heures à me préparer, je peux aussi assumer généreusement le choc que je vais créer en faisant mon entrée. »

Traditionnellement, une femme pouvait passer le même temps devant son miroir, noter la transparence de son chemisier, apprécier comment sa jupe moulait ses fesses, mais en se faisant siffler dans la rue elle se sentait mal à l'aise, effrayée, voire choquée. Éduquée à prendre soin de sa beauté, à attirer les yeux des hommes sur elle pour que l'un d'eux finisse par la choisir et devenir son chevalier servant, elle était aussi enjointe de ne pas en faire étalage, de s'en méfier. « C'est la beauté intérieure qui compte », lui avait répété sa mère, qui pourtant ne cessait de lui lisser sa jupe, de lui recoiffer les cheveux, de lui débarbouiller la figure.

Quand la Méchante Reine s'en prend à Blanche-Neige parce que son miroir lui a appris qu'elle n'était pas « la plus belle », le conte de fées met en garde les petites filles, aujourd'hui encore, contre le danger qui réside dans la beauté. Les contes sont les vecteurs d'une sagesse séculaire, c'est pourquoi ils perdurent et se transmettent de génération en génération. Tant que la plus belle femme méritait l'homme le plus puissant, tant que les hommes étaient l'unique source de pouvoir des femmes, le rôle de la beauté était trop crucial pour être débattu. C'est seulement depuis que les femmes ont trouvé d'autres sources de sécurité économique et d'identité que ce sujet tabou, le pouvoir que confère la beauté, a pu commencer à être étudié. Puisque désormais les femmes peuvent acheter leurs produits de beauté avec leur propre salaire, elles peuvent aussi se regarder dans le miroir avec plus d'honnêteté. Elles « en veulent pour leur argent » et, parce qu'elles paient pour leur beauté, elles sentent qu'elles peuvent s'en servir. Cette idée n'est pas « comme il faut », je dirais même qu'elle est antiféministe, et il y a encore beaucoup de forces sociales qui s'opposent au concept de la femme usant de sa beauté sans détours. Nous vivons aujourd'hui non seulement un combat entre femmes, mais aussi un combat au sein de chaque femme : jusqu'à quel point peut-elle assumer consciemment sa beauté et le fait de s'en servir pour obtenir ce qu'elle veut ?

La question sera peut-être résolue maintenant que les hommes eux aussi sont entrés dans l'arène de la compétition esthétique. Je lisais récemment une enquête selon laquelle la grande majorité d'entre eux reconnaissent ouvertement qu'ils utilisent leurs avantages physiques à leurs fins. N'ayant pas eu, comme les femmes, à passer par le déni du pouvoir de la beauté, ils ne voient dans leur apparence que bénéfice. « Ne me détestez pas si je suis belle », dit la superbe femme d'une publicité connue. Si nous sommes prêts à vendre des produits de beauté en reconnaissant explicitement la jalousie qui existe à ce propos entre femmes, nous ne sommes peut-être pas loin d'admettre aussi que la vieille compétition entre femmes pour captiver l'attention n'est pas un sport stupide inventé par la perversion masculine dans le but de diviser les femmes, mais un puissant ressort de la sélection naturelle, qui assure la perpétuation de l'espèce. Ce qui a toujours rendu la compétition si cruelle, c'est le refus des femmes à reconnaître qu'elle existait.

Et il faut bien alors se demander si les motivations des féministes en colère devant les « lieux de scandale » ne renvoient pas à un choix personnel qu'elles ont fait : ne pas se soucier de leur apparence, éviter la compétition. Peut-être maman ne les a-t-elle pas adorées quand elles étaient petites, peut-être leur sœur était-elle plus jolie, peut-être papa ne leur a-t-il pas dit qu'elles étaient mignonnes quand elles devinrent des adolescentes. Et peut-être aussi ont-elles été un jour si belles qu'elles ont fini par ne plus supporter la jalousie des autres filles, et qu'elles ont décidé de ne plus faire attention à leur ligne, de garder les cheveux sales, de passer à l'ennemi plutôt que de se battre. Quelle que soit la raison de leur fureur, il est en tout cas certain qu'elles n'ont pas cette vision « intérieure » d'une beauté irrésistible, cette vision que les femmes nues des magazines déshabillés savent partager quand elles font l'amour avec l'objectif, tant elles sont convaincues que l'œil de celui qui les regarde ne peut que les adorer.

J'ajoute ici une réflexion qui n'a rien d'une remarque marginale *a posteriori*, mais porte au contraire sur un point important : le double critère appliqué à l'exhibitionnisme me paraît particulièrement déplacé, et même dangereux, depuis que le statut des hommes et des femmes a si radicalement changé. Prenons l'homme qui s'exhibe publiquement, qui ouvre son pardessus et montre son sexe : on le qualifie de pervers et on le jette en prison. Mais quelles règles, quelle loi s'appliquent à la femme qui décide de laisser sa culotte à la maison et qui ouvre ses jambes dans l'autobus, ou qui se met nue devant sa fenêtre et se masturbe ?

Dans ce livre, les femmes évoquent l'exhibitionnisme non seulement en fantasmes, où elles ne risquent rien, mais aussi dans la réalité, comme si aucune responsabilité ni aucun danger n'en découlaient. Elles en parlent sans culpabilité, innocemment, car elles pensent être protégées ; elles se conduisent ainsi comme des enfants, parce que c'est durant leur enfance que l'on a commencé à les induire en erreur sur la réalité du pouvoir de la beauté féminine.

La nudité féminine, le chemisier déboutonné, les seins découverts, les fesses et la vulve bien apparentes sous un body moulant sont des appels puissants qui déclenchent souvent des conséquences peut-être irréversibles. Les hommes sont éduqués à y voir le signe indubitable d'un intérêt sexuel, voire un appel explicite au sexe. Et ils se soucient peu de savoir ou non s'il s'agit de la « dernière mode ». La femme, de son côté, suit servilement le courant, en profitant de la permission de montrer plus d'elle-même que l'année précédente. On lui a appris à nier le pouvoir qu'exerce son corps, même si elle sait s'en servir. Elle flambe, elle excite et, quand la réponse de l'homme dépasse ce qu'elle considère être « les limites », elle crie à l'agression. Elle se sent sincèrement humiliée, violée, mais que sait-elle de sa propre responsabilité, de l'importance de son pouvoir d'attraction dans les relations entre hommes et femmes ?

Le double critère appliqué à l'exhibitionnisme a été tacitement adopté dans une société strictement patriarcale, quand les femmes n'avaient pas grand-chose d'autre que leur beauté pour manifester leur existence. A l'époque, l'agressivité des hommes envers les femmes était plus contrôlée, d'abord parce qu'ils exerçaient le pouvoir économique sur l'existence des femmes. Ils pouvaient traiter de haut les «allumeuses» parce qu'après tout les «filles» étaient ainsi : de jolies petites choses qui avaient besoin d'un homme pour les tenir, pour s'occuper d'elles. Mais la grande majorité des femmes de ce chapitre n'attendent plus cela des hommes, et pourtant elles aiment encore, comme dit l'une d'elles, «montrer ce que j'ai sans être obligée de baiser». Et si un homme s'empare de leurs seins ou essaie de glisser son pénis dans leur vagin exposé au regard de tous, elles crient au viol.

Je suis évidemment contre le viol, et il existe certainement bien des cas d'agression qui ne s'expliquent aucunement par l'apparence physique ou par l'exhibitionnisme féminin. Mais, justement parce que ce crime est si vil, ne devons-nous pas impérativement essayer de comprendre le rôle que l'exhibitionnisme peut jouer? Les signaux contradictoires, le cérémonial complexe de la séduction et de la rencontre qui plonge ses racines dans la prime enfance peuvent souvent conduire à cette terrible manifestation de fureur adulte, surtout dans le cas si fréquent de ces viols commis par quelqu'un connu de la victime. La beauté féminine et l'exhibitionnisme occupent une place majeure dans le rituel de l'accouplement. Il est temps d'assumer pleinement la fonction et l'importance de la beauté dans la vie des femmes, d'y voir non un «complot des mâles», mais une force que poursuivent les femmes dès que commence la compétition entre femelles. La force de l'exhibitionnisme, si nous choisissons d'en user, relève de notre propre responsabilité.

Susan

J'ai vingt-huit ans, je suis diplômée mais actuellement femme au foyer et mère de deux enfants. Mariée depuis six ans. Mon expérience sexuelle a commencé quand j'avais seize ans et un mois, et ce fut un complet désastre : Mark n'avait qu'un an de plus que moi, et n'était pas plus expérimenté. Il avait à peine enfoncé son pénis qu'il a joui. J'étais vraiment déçue, je m'étais dit que si je me lançais vraiment cela «vaudrait le coup», mais alors je me suis sentie seulement manipulée et frustrée. Finalement nous nous sommes séparés, et j'ai enfin rencontré «l'homme qui m'a fait découvrir le sexe». Nous passions des moments merveilleux au lit : quelques mois après, je pouvais parvenir à l'orgasme par la seule stimulation de son pénis, alors qu'auparavant je n'arrivais à jouir qu'avec un vibromasseur.

J'ai toujours pensé que ma rencontre avec cet homme avait été le grand tournant dans ma vie. Avec lui, mes orgasmes (« Regarde, maman, sans les mains ! ») me firent tant d'effet que je n'ai plus pu m'en passer. Pourtant, je me suis masturbée jusqu'à la jouissance depuis la toute petite enfance, je me souviens de l'avoir fait quand j'étais encore au jardin d'enfants : ce n'est donc pas que je n'avais jamais été satisfaite, mais j'ai tellement aimé que l'homme soit capable de me donner du plaisir, plutôt que de tout faire moi-même...

Mon mari, Jim, a toujours été fasciné par les strip-teaseuses, et il m'a raconté qu'une fois, quand il était au Viêt-nam, pendant une permission à Saigon, lui et plusieurs officiers avaient bu des bières, fumé des joints, et avaient fini dans un bar à strip-tease (et même à un peu plus). A un moment de son numéro, la strip-teaseuse faisait des pipes et se laissait sauter par des mecs. Jim m'a dit qu'un des officiers l'avait mis au défi d'aller encore plus loin que ce qu'ils étaient en train de regarder. Jim a arraché la fille au mec qui était en train de la baiser, l'a allongée sur la table qu'ils occupaient, et s'est mis à lui bouffer la moule, en avalant tout.

Cette nuit-là, nous sommes passés devant un bar à strip-tease, je l'ai fait arrêter et nous sommes entrés. Nous avons bu quelques bières — nous avions déjà fumé des joints —, et j'ai demandé au directeur si je pouvais monter sur scène et tenter ma chance. Quand il a donné son accord, j'ai presque mouillé ma culotte d'excitation et/ou de peur. Jim bandait tellement que j'avais l'impression que sa fermeture Éclair allait craquer. Je suis montée et j'ai commencé à danser sur *Queen of the Silver Dollar*, un air de country, tout en enlevant mes vêtements un par un. Les hommes de l'assistance applaudissaient, j'avais du jus qui coulait le long de mes jambes, Jim avait l'air d'être sur le point de tout lâcher dans son jean ! Je ne m'étais jamais sentie aussi forte ! Quand la musique s'est arrêtée, il y avait vingt-cinq dollars de pourboire sur le bord de la scène : pas mal pour trois minutes et demie de travail ! Après ce numéro, Jim a eu le plus grand mal à me faire sortir de là, et sur le chemin du retour nous avons dû nous arrêter deux fois pour qu'il puisse me sucer et me baiser. Nous n'avons pas arrêté jusqu'au petit matin, c'était fantastique ! Nous avons parlé de cette nuit-là pendant des mois après, et depuis je fantasme dessus quand je me masturbe.

Donna

Un soir, pendant que j'étais en train de lire votre livre *Les Fantasmes masculins*, mon mari m'a demandé ce qui me captivait tellement. Je pense qu'il avait remarqué le sourire qui me venait et la lueur qui s'allumait dans mes yeux quand je lisais le récit d'un fantasme qui me plaisait particulièrement. Nous avons saisi l'occasion pour parler de notre vie sexuelle, et de la manière dont elle s'était évaporée ces derniers mois — il ne pouvait durer assez longtemps pour me satisfaire, c'était toujours la même chose, alors à quoi bon ? Après des heures passées à trouver la raison de sa désaffection, il est finalement passé aux aveux : il fantasmait beaucoup sur le fait de reproduire une expérience avec un homme qui lui était arrivée quelques années auparavant — j'étais déjà au courant avant de me marier avec lui, et cela ne me faisait rien. En fait, il avait l'impression d'être en train de devenir homosexuel tant ce souvenir l'obsédait. Il a beaucoup parlé du sentiment de culpabilité qu'il éprouvait pour « avoir fait ça ». Alors je lui ai fait lire *Les Fantasmes masculins*, et vous ne pouvez pas savoir quel soulagement il a éprouvé en voyant que son cas n'était pas unique. Il a réalisé qu'il s'agissait d'un fantasme, et non d'une expérience qu'il voulait réellement reproduire.

Depuis, il a amélioré son endurance et s'est montré capable de me demander de lui faire des choses qu'il n'avait pas le courage d'évoquer auparavant, des choses aussi simples que de lui sucer les couilles ou de lui mettre un doigt ou un gode dans le cul quand je lui fais une pipe : à mon avis, il craignait jusqu'alors que je trouve ça bizarre ou « pas normal ».

J'ai vingt-trois ans, je ne travaille pas. Tout de suite après le lycée, j'ai servi quatre ans dans la marine. Je viens d'une famille plutôt stricte où l'on ne parlait pratiquement jamais de sexe — j'ai même entendu mon père employer l'expression de « viol mensuel ». Adolescente, je me suis développée plus vite que les autres filles de mon âge, passant en un an d'un bon 36 B au 38 D que j'ai encore maintenant : vous auriez dû voir les marques d'élastique sur ma peau ! Notre société est tellement obsédée par les seins que j'ai toujours été très fière de ce que la nature m'a donné, et j'ai commencé ma vie aventureuse en les exhibant : je portais des pulls très moulants ou des chemisiers échancrés qui rendaient ma mère hystérique. Aussi, quand je me suis engagée dans la marine à dix-huit ans et que je me suis retrouvée libérée de ce poids de culpabilité, je suis devenue vraiment dingue. Tous mes vêtements mettaient en valeur mes nichons, j'en montrais le plus possible, jusqu'à la limite de l'outrage à la pudeur. Les bleus de travail que je portais dans la salle des machines avaient une grande fermeture Éclair devant ; j'avais l'habitude de porter dessous un soutien-gorge très échancré et je laissais la fermeture Éclair ouverte jusqu'à la bande de tissu qui soutenait mes deux globes. J'aimais beaucoup l'effet que je produisais ainsi.

Inutile de dire que je n'ai jamais passé un instant sans amant à cette époque : à deux cents contre une, comment aurais-je pu perdre ? C'est aussi dans la marine que j'ai développé un petit travers : j'adore rêver qu'on me regarde quand je fais l'amour ou que je me masturbe. Au départ, c'est né de la situation concrète que j'ai vécue pendant près de deux ans : quand vous vivez dans un casernement avec des centaines d'autres personnes, vous apprenez à vivre votre sexualité là où vous pouvez. Bien sûr, le règlement interdit que deux personnes de sexe opposé se retrouvent dans la même chambre après l'extinction des feux, mais personne ne s'en souciait, et cela arrivait tout le temps. Mon amant et moi avions l'habitude de dormir sur des coussins par terre dans la chambre d'un ami, dans le quartier des hommes. Il y avait toujours d'autres mecs avec nous, habituellement des amis en escale. La chambre était prévue pour deux personnes, mais cette nuit-là il y en avait encore deux de plus, sans compter mon amant et moi : deux dans le lit, un sur le canapé et un par terre. Tous des hommes, bien sûr. Après une longue soirée passée à faire la fête, nous avons éteint les lumières. Tout le monde s'est couché après s'être déshabillé — malheureusement, je vois assez mal la nuit ! Je n'ai jamais vu un marin dormir en pyjama.

En tout cas, mon amant (Bobby) et moi ne sommes pas vraiment fatigués. Je reste étendue en essayant vainement de trouver le sommeil. Je me rapproche de Bobby qui est couché de son côté et qui me tourne le dos, je presse mes seins contre son dos et tends la main vers sa queue, dure comme la pierre. Il n'est pas plus endormi que moi. Il se retourne et m'embrasse longuement, profondément, tout en descendant ses mains jusqu'à mon entre-jambes et en commençant à jouer avec mon clito. Nous rejetons la couverture, il fait chaud. Nous ne parlons pas, nous restons étendus un moment, à nous caresser et à nous tripoter. La bouche de Bobby quitte la mienne pour se porter sur mes seins, dont elle s'empare. Il passe d'un téton à l'autre, faisant courir sa langue autour puis les suçant et les mordant, ils sont érigés vers lui.

Puis il descend sur mon ventre et mes cuisses sans cesser de me lécher et de m'embrasser, se met entre mes jambes grandes ouvertes. Je sais ce qui va suivre, je suis terriblement excitée : pour sucer une chatte, Bobby n'a pas son égal, je l'ai surnommé « la langue la plus rapide de l'Ouest ». J'adore qu'il me bouffe, je ne m'en lasse jamais. Il se met à me provoquer en léchant l'intérieur de mes cuisses et les abords de ma motte. Je n'en peux plus d'attendre, j'attrape sa tête et l'attire contre mon con mouillé. Il lèche mon clito, ne s'arrêtant que pour glisser sa langue, dure et longue, dans mon vagin, puis revient au clitoris qu'il suce et mord, ce qui me met hors de moi. Pendant ce temps, je joue avec mes seins, je tire sur mes tétons et les pétris — si je veux, je peux en prendre un dans la bouche, peut-être qu'un jour je le ferai pour que mon mari me regarde. Je me suis tellement abandonnée à ce que me fait Bobby que j'en ai oublié la présence des autres dans la pièce. Ma respiration s'emballe, je gémis, je soupire, et finalement je crie de bonheur en étant secouée par un orgasme fabuleux.

Avant que je retrouve mes esprits, Bobby se met sur moi et fourre sa queue dans mon con palpitant. Il me baise comme jamais encore il ne l'a fait. Peut-être sait-il quelque chose que je ne sais pas : à son comportement, on a l'impression qu'il est en train de se donner en spectacle. Soudain la lumière se fait dans mon esprit, je parviens à ouvrir les yeux et à regarder autour de moi : trois des mecs sont en train de nous observer, le quatrième a les yeux fermés mais on voit qu'il écoute très attentivement. En regardant mieux, je m'aperçois qu'ils profitent tous de la vue, des sons et de l'odeur que nous produisons Bobby et moi, et qu'ils sont en train de se branler. Le sentiment de puissance que j'éprouve alors est incroyable, à savoir que je peux faire un tel effet sur tous ces hommes en même temps. Penser qu'ils aimeraient tous que ce soit avec eux que je jouisse, que ce soit leur queue qui parcoure mon con accueillant...

Mon attention revient alors à ce que je suis en train de faire, baiser mon amant, et j'en tire encore plus de plaisir parce que je sais qu'ainsi j'en satisfais tant d'autres. Finalement, en entendant des soupirs et des gémissements monter de tous les coins, j'atteins mon dernier orgasme, le meilleur dont je puisse me souvenir. Mon corps tout entier est secoué de spasmes, je sens le fourmillement naître dans mon épine dorsale et se propager partout. Je suis prise de vertige, ma tête s'en va, c'est merveilleux. Bobby connaît lui aussi un orgasme comme il n'en a jamais connu : il décharge ce qui me semble être des litres de sperme, que je sens me remplir puis s'écouler sur mes cuisses et dans mon cul.

Donc, quand j'ai besoin d'un coup de pouce pour jouir avec mon mari ou en me masturbant, je m'imagine à nouveau dans cette chambre en train de baiser comme une folle devant cette assistance comblée. A propos, je dois vous dire que mon mari, c'est Bobby. Comme le temps passe, n'est-ce pas ?

Toby

J'ai vingt-quatre ans, je suis encore vierge, non parce que je l'ai choisi mais parce que les circonstances l'ont ainsi voulu. N'ayant pu trouver un emploi stable d'enseignante et manquant d'argent, je vis toujours chez mes parents avec mes deux sœurs plus jeunes que moi. En ce moment, je n'ai pas de petit ami, mais je sors de temps en temps avec des gens. J'attribue la pauvreté de mes relations amoureuses au fait que je suis un peu enveloppée, et je suis peut-être sexuellement frustrée mais je trouve que je suis quelqu'un de très sexué. J'ai besoin d'une relation régulière car j'ai toujours envie. Quand j'étais au collège, je voyais mon petit ami tous les soirs et je ne m'en lassais jamais. Nous faisions absolument tout, sauf la pénétration, et ce n'est pas qu'il n'ait pas voulu : il n'arrêtait pas de me le demander, arrivait à m'exciter terriblement, mais je n'ai jamais pu me débarrasser de cette idée de petite idiote qu'une « fille bien » doit attendre le mariage, et j'ai toujours été une « fille bien ». Maintenant, je regrette de ne pas avoir suivi mes envies, d'autant qu'à ce rythme je risque bien de ne jamais trouver de mari.

Comme je l'ai dit, j'ai de grands besoins sexuels, je pense beaucoup au sexe et je mouille à la moindre occasion. Je me masturbe au moins une fois par jour, parfois trois ou quatre. Je n'ai pourtant commencé qu'au collège, je ne sais pas si c'est parce que je ne savais pas comment m'y prendre avant, mais en tout cas jusqu'alors je n'avais jamais essayé. Je me suis toujours servie de mes doigts, mais récemment j'ai remarqué qu'un appareil de massage que j'avais acheté avait un bout qui ressemblait à l'extrémité d'une queue, et je l'ai essayé en moi. J'ai joui presque instantanément, et depuis je l'utilise sans cesse, le seul bourdonnement du moteur m'excite. Je ne me suis jamais servi de rien d'autre. Je n'évoque pas mes fantasmes quand je suis au lit avec un homme, seulement quand je me masturbe, et alors ils me sont indispensables pour parvenir à l'orgasme.

Beaucoup d'entre eux se réfèrent à des hommes que j'ai connus au travail, à d'anciens professeurs ou à des connaissances qui me troublent sexuellement, que je séduis ou que j'excite. J'ai de très très gros seins, ce qui m'a longtemps ennuyée (rien ne me va, etc.) jusqu'à ce que je comprenne que c'était un avantage car beaucoup d'homes adorent les gros seins et, croyez-moi, je surprends souvent leurs regards sur les miens ! Mon nouveau patron est dans ce cas, ce qui m'excite terriblement. Il invente sans cesse des prétextes pour venir dans mon bureau, et en raison de cet intérêt évident je porte toujours des décolletés, je me penche en avant près de lui quand il est assis, je me presse contre son dos quand j'en ai l'occasion... Comme sa femme travaille aussi avec nous, il n'essaiera probablement rien, mais de sentir qu'il observe mes seins à longueur de journée me rend folle. A mon avis, il regarde plus mes tétons (qui sont en général durcis quand je lui parle, parce que je sais qu'il les reluque) que mes yeux. Je n'arrête pas de fantasmer que je le surprends dans son bureau pendant qu'il tripote sa grosse queue — j'ai remarqué que sous son pantalon elle a l'air d'être de bonne taille ! Puisque je ne porte pas de culotte, il me suffit de grimper sur cette belle trique et nous baisons sur son fauteuil pendant qu'il me suce les nénés. J'ai du mal à garder mon calme en sa présence, avec cette envie permanente d'attraper sa queue et de lui régler son compte, mais je ne peux pas, parce qu'il adore sa femme. Mais si jamais il essaie de toucher un seul de mes seins, je ne l'en empêcherai certainement pas ! Chaque jour, je rentre vite à la maison pour me masturber et j'éprouve ainsi deux ou trois merveilleux orgasmes.

Dans un autre fantasme, mon « mari » (en fait un homme qui m'attire beaucoup en ce moment), un de ses amis et moi nous trouvons dans un petit restaurant très intime, dans un coin tranquille. Mon mari et moi nous tripotons sous la table, je caresse sa queue pendant qu'il me met un doigt (je ne porte pas de culotte). L'ami de mon mari part aux toilettes — j'apprendrai ensuite qu'il est allé se branler tant il est excité par mes gros seins, que je n'ai pas arrêté de lui montrer en me penchant avec mon décolleté très profond, et par ce que nous faisons sous la table. Je fais tomber ma serviette par terre, et en me penchant pour la rattraper je tombe de la banquette et me retrouve sur le sol. Juste à ce moment, il revient à la table. Il demande où je suis passée et mon mari lui dit que je suis allée aux toilettes. Il demande à mon mari s'il peut lui poser une question qui le démange, d'homme à homme. Il lui raconte que je l'ai tellement excité qu'il est allé éjaculer, et se propose au cas où nous aimerions avoir une partie à trois. Enfin, il lui demande si je suis bonne au lit, et si je suce bien (ce que j'adore, en effet). Avant que mon mari n'ait eu le temps de répondre, j'ai ouvert la braguette de son ami et, en guise de réponse, je commence à sucer son énorme queue. Il essaie de réfréner ses gémissements car après tout nous sommes en public. Bien sûr, pour que mon mari ne se sente pas en reste, je m'occupe aussi de lui, de la manière qu'il apprécie. Tous très excités, nous payons la note et partons à la maison pour une soirée endiablée.

Monica

Je suis une célibataire de vingt-six ans, étudiante en médecine de seconde année. Je me suis dit que je ferai une pause dans mes révisions ce soir pour vous raconter une de mes rêveries sexuelles les plus fréquentes.

Les faits tout d'abord : il y a environ un an, je suis tombée dans une soirée sur un homme qui s'appelle Ron. Je ne le connaissais que très peu, et ce soir-là j'ai pris plaisir à bavarder avec lui. L'alcool coulait à flots, et les joints circulaient. Quand je me suis décidée à partir, Ron m'a proposé de me raccompagner en voiture, même si j'habitais tout près de là. Arrivés à la maison, je lui ai proposé un verre, et nous nous sommes assis sur le canapé pour boire et continuer à parler. J'étais assez partie pour me sentir capable d'être très directe et, tout en parlant, je lui ai dit que j'avais chaud, puis j'ai enlevé mon sweater. Il a souri, m'a attirée vers lui, m'a retiré mon soutien-gorge et s'est mis à me sucer les tétons pendant que je dégrafais mon

155

jean. Il a passé les mains dans ma culotte, l'a fait glisser par terre, m'a prise dans ses bras et m'a portée dans ma chambre. Nous nous sommes sucés et baisés pendant toute la nuit, jusqu'au lever du soleil. J'ai des orgasmes très facilement, ce qui l'a beaucoup excité. J'aime aussi me masturber devant un homme en lui disant sans détours ce que je veux qu'il me fasse et ce que je vais lui faire. Eh bien, ces «manières» ont tourneboulé Ron, qui n'arrêtait pas de répéter : «Dieu, je n'ai encore jamais entendu une femme parler comme ça!», de me dire comme j'étais belle, comme mon clito se gonflait et comme il aimait baiser mon con bien juteux.

Maintenant, mon fantasme. Je suis assise dans le living quand j'entends frapper à la porte. En allant ouvrir, je découvre Ron accompagné d'un solide et beau Noir. Ron porte ce qui a l'air d'être d'une caméra. Je me sens un peu nerveuse, mais je les invite tous deux à entrer. Ron me dit qu'il a parlé de moi à son ami, et que celui-ci a manifesté son envie de m'essayer. Je commence à protester, mais le nouveau venu vient vers moi et m'annonce qu'il a décidé de me défoncer avec sa bite, que je le veuille ou pas, et qu'il se pourrait bien que cela me plaise. Aussitôt dit, il m'emporte sur le lit de ma chambre et sort sa queue pour me la montrer : «Toi et elle allez passer un bon moment ensemble», me déclare-t-il. Elle est énorme, bien dure, il commence à me déshabiller en ne cessant de me complimenter sur mon corps. Je m'aperçois que Ron est avec nous, sur le lit, en train de nous filmer. Il est aussi sérieux et direct qu'un réalisateur de cinéma, commandant à son ami : «Ouvre-lui bien les lèvres», «Suce-la à fond», «Metz-lui ta bite dans la bouche», et ainsi de suite. L'idée de baiser ce bel homme noir tout en «jouant» pour Ron et sa caméra m'excite terriblement. J'aime que les hommes soient très dominateurs au lit. Le Noir reste dur très longtemps et me fait jouir coup sur coup, me prenant par derrière, sous lui, me faisant le chevaucher, etc.

Faith

Il y a déjà plusieurs années que j'aime me déshabiller juste devant ma fenêtre. En face, un homme plus âgé emploie des garçons entre seize et vingt-huit ans à des petits boulots, ils ne cessent d'aller et venir, et donc je suis sûre qu'ils m'ont remarquée.

A dix-huit ans, j'ai une silhouette très correcte. Mes mensurations sont 38-25-38, ce qui a l'air bien, même si j'ai toujours pensé que mes cuisses étaient trop grosses, surtout à cause de ce problème typiquement féminin qu'est la cellulite. Je suis en première année de collège.

«Techniquement», je suis vierge puisque je n'ai jamais laissé quiconque me pénétrer, mais mon petit ami et moi avons exploré toutes les autres ressources de nos corps, et je ne suis donc absolument pas frigide : je veux simplement être sûre d'avoir trouvé celui avec lequel je pourrai tout partager.

Je fantasme souvent que je suis dans ma chambre, avec les rideaux grands ouverts. Je viens juste de rentrer d'une soirée. En me déshabillant pour me mettre au lit, j'enlève lentement ma jupe pour découvrir mes jambes si douces et mes dessous en dentelle. Sans me presser, je déboutonne mon chemisier et laisse apparaître mes seins bien emplis que je contemple dans le miroir. Mon ventre est très plat, car je fais partie d'une troupe de danse depuis des années ; il est blanc comme neige, doux comme du satin et tendre comme du velours.

Mes mains caressent doucement mon ventre de haut en bas. Je joue avec mon nombril, si doux et si profond, puis mes mains remontent pour trouver mes seins. Je sens la dentelle de mon soutien-gorge entre mes doigts, je cherche la fermeture et bientôt il tombe sur le sol. Mes tétons sont longs et roses, pas encore érigés. Je suce mes doigts et pince un téton entre le pouce et l'index. Comme mes doigts ne sont pas assez lubrifiés, je les glisse sous ma culotte que mon jus a déjà trempée. Je peux sentir la présence d'un homme en train de m'observer de l'autre côté de la fenêtre.

Je suis si belle dans le reflet du miroir. En faisant glisser ma culotte, je révèle mes poils sombres et denses, doux comme un nuage au-dessus de mon paradis. Je me mets à genoux et, sans cesser de me regarder dans la glace, j'écarte mes lèvres des doigts pour trouver mon clitoris, que je caresse en allant et venant. D'une main je joue avec mes tétons maintenant tendus, et de l'autre je parcours tout mon minou, si chaud. Je rêve de sentir un homme en moi tandis qu'un de mes doigts pénètre mon paradis tout humide. Quand je suis au bord de l'orgasme, un homme entre dans ma chambre, le bel homme qui me regardait par la fenêtre. Il a un regard intense qui me transperce jusqu'à l'âme.

Il est un peu sale, trempé de sueur car il arrive du travail, mais il est si séduisant! Ses muscles sont bien visibles. Il vient tout près de moi, tombe à genoux derrière moi. Quand il enlève sa chemise, je peux voir que ses tétons sont aussi durs que les miens, il les presse contre mon dos en commençant à caresser mes seins, de ses mains si grandes et si puissantes. Je ne peux m'empêcher de respirer plus fort, car il m'excite incroyablement.

Ses lèvres frôlent mon cou, trouvent mon oreille. Il respire lui aussi rapidement, et sa langue vient mouiller le fond de mon oreille. Je tourne la tête pour chercher ses lèvres. Elles sont douces comme des pétales de rose. J'ouvre son jean, je découvre son sexe, pas très long mais épais, que j'aurai tant de plaisir à prendre dans mes mains. Nous nous allongeons tous deux sur le sol et je sens maintenant la chaleur de tout son corps. Mes jambes se glissent entre les siennes pendant que mes mains parcourent sa poitrine, puis descendent vers sa queue. La peau en est follement douce, je touche le bout sur lequel perle un peu de sperme. Je lèche mon doigt, je sens un goût un peu sucré. Puis je reprends sa queue dans ma main et la glisse dans mon minou.

Il est si bien, je sens les battements de son cœur dans tout son corps. J'ai des fourmillements dans les doigts. Il tremble comme un enfant. Soudain, je sens qu'il atteint l'orgasme. Je suis comblée de plaisir. Il me presse contre lui, couvre mon visage de baisers, puis ses lèvres trouvent mes seins qu'il lèche tendrement. Quand il suce mes tétons, je n'en peux plus, j'appuie très fort sur ses épaules pour le faire descendre tout en soulevant mes reins. A la recherche de mon minou, sa bouche trouve d'abord mon nombril qu'il embrasse. Puis il embrasse mon minou en parcourant ma toison de ses doigts, avec lesquels il pétrit ma chair. Il ouvre mes lèvres et sa langue explore ma fente. Je la sens se contracter quand il se met à sucer. Sa langue pénètre mon vagin, je n'en peux plus; quand il atteint mon clitoris, je balance mes hanches d'avant en arrière pour écraser mon minou contre son visage, et il adore cela. Je l'aime. Quand je jouis, mon jus couvre son visage, il le lèche, et je le fais remonter vers moi pour goûter la douceur de mon con sur ses lèvres.

Cette expérience est pour moi inoubliable, et depuis je laisse toujours mes rideaux ouverts en exécutant devant ma fenêtre une danse qui n'est destinée qu'à lui.

2.
Femmes entre elles

«SEULE UNE AUTRE FEMME PEUT SAVOIR...»

Il existe une satisfaction unique que peut procurer le corps d'une femme et que nulle ne trouvera auprès d'un homme. Aussi élégant et érotiquement stimulant que puisse être un corps mâle, il lui manque les attributs physiques évidents de la première source d'amour de notre vie : la mère. Et il ne s'agit pas que des seins, mais aussi de la texture de la peau, de l'odeur, de toute cette aura mystérieuse qui entoure ce corps contre lequel nous nous sommes serrés la première fois, qui nous a nourris, réchauffés, et écrasés de son pouvoir. Nous avons aimé le pouvoir de la mère, nous l'avons enviée pour son pouvoir, car c'était elle et elle seule qui décidait à tout moment de donner ou de reprendre. Comment un seul d'entre nous, homme ou femme, pourrait-il oublier une telle relation ? Personne ne le fait, et dans nos souvenirs nous en recherchons sans cesse l'écho, si important encore pour notre bien-être.

Que nous l'ayons été ou non jadis, nous rêvons d'être aimés, confortés, choyés. C'est un besoin si primitif et tellement lié à la petite enfance que beaucoup d'entre nous refoulent pourtant cette nostalgie, en l'associant à un infantilisme honteux. Un «vrai homme» pourra se dissimuler les ressorts qui le conduisent à poser sa tête sur le sein d'une femme, à sucer ses tétons et à explorer ce mystérieux endroit entre ses jambes dont il est issu, il sera cependant toujours à même de recréer la satisfaction primordiale de la relation mère-enfant, quand il s'agit de se coucher auprès d'une femme. Les hommes n'ont pas besoin de savoir que ce qu'ils veulent est encore le sein de la mère,

159

ils n'ont pas à mettre un nom sur leur frustration, car elle est satisfaite (sans culpabilité ni honte, aisément, sans même avoir à le demander) à chaque fois qu'ils prennent une femme dans leurs bras. Leur développement psycho-sexuel est plus linéaire que celui des femmes puisque, si le « premier amour » maternel est le même pour les deux sexes, les garçons continueront à aimer le sexe de leur mère, féminin, tout au long de leur existence. Les filles, elles, sont tenues de « passer le pont », et cette nouvelle inclination pour le sexe masculin constitue une rupture dans leur histoire personnelle, la perte de contact avec les gratifications de ce chaleureux premier amour vital. Au fond de l'inconscient de chacun, il y a la nostalgie d'un paradis perdu : le corps et le sein de la mère.

Quel que soit le plaisir qu'une femme peut trouver auprès d'un homme, elle n'en recevra pas cette satisfaction primale. On a pu reprocher aux hommes de n'être pas assez tendres et attentionnés dans leur comportement sexuel : mais même le plus tendre des hommes ne peut donner la satisfaction incomparable que dispense un corps de femme, et il serait vain de le lui demander. Quand une femme essaie de transformer l'intimité masculine-féminine en une relation de type mère-enfant, elle n'en retire que de la déception.

La facilité avec laquelle les femmes peuvent se toucher, s'embrasser et se câliner entre elles a toujours suscité la tolérance, voire l'approbation souriante de la société : peut-être ce libéralisme s'explique-t-il parce que nous savons que les femmes ne sont pas les gagnantes dans le partage des sexes. Le pénis peut seulement offrir sa puissance, son volume, mais pas ce que le sein dispense. Et donc nous voyons des femmes couchées côte à côte sur les plages d'été, marchant enlacées, nous admirons les innombrables tableaux de maître représentant des femmes nues en groupes languides, voire suggestifs, et nous les acceptons sans broncher. Mais il y a toujours eu des femmes qui ont désiré et demandé plus que ces attouchements occasionnels et, si j'en crois mes recherches, elles sont aujourd'hui plus nombreuses qu'elles ne l'ont jamais été dans l'histoire moderne. Leur voix a commencé à se faire entendre dans les années soixante-dix, lorsque les femmes furent encouragées à cultiver les relations entre elles en vue de mieux se connaître, de mieux s'accepter, et cela parfois en excluant les hommes. Nous n'avons pas tout gardé de cette époque, loin de là : à mesure que d'autres thèmes ont accaparé les gros titres des journaux, le souvenir des groupes de « sensibilisation des femmes » et de l'exaltation physique de la condition féminine s'est estompé, comme l'engouement pour les mouvements féministes radicaux. Mais les femmes qui prennent la parole dans ce chapitre et dans ce livre témoignent de ce que cette découverte sentimentale et sexuelle de l'*alter ego* féminin s'est poursuivie depuis vingt ans.

Le spectacle de deux femmes en train de s'embrasser m'est tellement familier que, jusqu'au présent travail, je n'avais pas saisi ce qui se passe sous la surface des choses, cette manière chaleureuse de partager désirs et besoins qui, d'après tant de femmes d'aujourd'hui, ne peut se retrouver que chez les autres femmes. Cela dépasse l'homosexualité. Les hommes déçoivent les femmes, la société les déçoit, elles se déçoivent elles-mêmes après s'être attribué de nouveaux rôles dans lesquels elles se sentent moins épanouies en tant que femmes que ne le furent leurs mères. Elles se sentent dures, froides, incapables de dispenser la chaleur propre à leur sexe et tout autant incapables de trouver auprès des hommes la tendresse, l'amour réconfortant qu'elles n'ont jamais cessé de désirer. Dans une chanson de Dory Previn, celle-ci demande instamment à l'homme qu'elle vient de rencontrer de passer la nuit avec elle et de lui « sauver la vie ». Semble-t-elle n'avoir en vue que le sexe, alors ? Pense-t-elle à un orgasme apocalyptique ? Je ne le crois pas. Les femmes de ce chapitre savent qui, mieux que quiconque, peut leur « sauver la vie » ; elles veulent du sexe, bien sûr, mais elles gardent aussi en secret le souvenir d'avoir perdu une certaine qualité de contact physique, de douceur : seins, odeurs, intonations de voix, toute une manière d'être tendrement enlacé et transporté.

Il y a certainement une part de revanche prise sur les hommes dans ces fantasmes de femmes qui valorisent une expérience sexuelle avec une autre femme. La plupart d'entre elles ne l'évoquent pas explicitement, mais le message est là : « Puisque aucun homme ne me donnera ce que je veux, je vais m'adresser à un "expert", à quelqu'un qui sait vraiment ce que veut dire satisfaire une femme. » Couchée dans les bras d'une autre, une femme riposte contre les hommes en leur usurpant leur position : elle aussi, elle « aura » une femme. Elle aussi, elle recevra une part de cette chaleur féminine dont les hommes se croient seuls à pouvoir bénéficier. Elle imagine faire l'amour à une femme, et elle s'en tire plutôt bien sans homme. Plusieurs d'entre elles m'ont raconté avoir rêvé de faire l'amour avec une femme pour laquelle un homme les avaient quittées. Dans ces fantasmes, l'homme est sommé d'assister à leurs ébats : les deux femmes ne sont plus des ennemies mais des amantes, et c'est lui qui est hors du coup.

Dans ce chapitre, même les femmes qui aiment sans réserve les hommes comprennent qu'un homme ne peut pas tout leur donner. Des années de passivité, d'attente du retour de l'homme, ont aussi conduit à une certaine agressivité. On peut dire qu'ainsi elles se vengent, mais un ressort plus contemporain de l'attirance pour d'autres femmes est le simple désir de se faire plaisir : « Moi, agressive ? diront-elles. Pas du tout ! Tout simplement, une femme peut me donner le plus fabuleux orgasme qui soit, tandis que lui non. » Ces fantasmes indiquent aux hommes à quelle place les femmes les situent dans l'échelle du « meilleur amant » : en bas.

Durant les années pendant lesquelles les femmes de ce livre m'ont parlé et écrit, une abondante littérature a été produite pour reprocher aux hommes de ne pas donner aux femmes ce qu'elles attendent. Ce thème reste en vogue depuis les années soixante-dix, et face à ce désenchantement vis-à-vis des hommes s'est affirmée la sororité, c'est-à-dire le besoin de se sentir comprise à un moment où l'existence des femmes a connu des changements sans précédent. Les manifestes des nombreux groupes de femmes ressemblent à un gigantesque menu proposant tout ce que la plupart des femmes ont toujours voulu, et il était facile de penser : Voilà, tout est là, exactement, et dire que je ne m'avouais pas que c'est cela que je voulais, ou qu'il n'y avait rien de mal à le vouloir...! L'image de la carte gastronomique n'est pas fortuite, car ces fantasmes prouvent l'importance de la sexualité orale chez ces nouvelles femmes. Si elles sont fatiguées d'attendre les hommes, elles le sont encore plus de voir leur satisfaction sexuelle toujours différée. Et le plus exaspérant est pour elles de la feindre. Le débat sur les mérites respectifs de l'orgasme clitoridien ou vaginal continue, et, sans porter de jugement sur son importance pour la sexualité en général, il faut lui reconnaître au moins un énorme mérite : celui d'avoir convaincu les femmes que l'orgasme, quel qu'il soit, existe, que d'autres femmes l'éprouvent, non seulement sans honte mais en tant que dû. Pensez, «les autres» sont tellement comblées dans leur sexualité qu'elles peuvent se payer le luxe de se demander quel type d'orgasme elles préfèrent ! Avec, au bout du compte, cette conclusion : l'orgasme clitoridien, lui, est «garanti» si seulement vous êtes avec quelqu'un qui connaît son affaire. Ou «quelqu'une»...

La plupart des hommes ne savent pas où se trouve le clitoris d'une femme. Cela n'a rien de surprenant si l'on se rappelle que la plupart des femmes ne le savent pas plus — je veux parler de ce point précis dont la localisation varie selon la constitution physique de chacune. Une femme pourra désespérer de la capacité des hommes à trouver ce «bouton magique», mais elle restera persuadée qu'une autre «doit» savoir où il est. Les «autres femmes» savent toujours tout. Et quand une femme renonce à son rêve d'un beau chevalier à l'armure étincelante trouvant le Saint-Graal, elle fantasme qu'une autre saura le faire.

Mais j'allais négliger l'essentiel : tous ces fantasmes débutent et finissent par la tendresse. Deux femmes entre elles ne se ruent pas sur l'assouvissement sexuel. Même si leurs ébats peuvent devenir violents, ils débutent toujours par une lente et tendre séduction. Et même si les hommes sont ici laissés de côté, ils peuvent apprendre beaucoup de ces femmes, de leur attirance pour une certaine manière d'exprimer amour et désir. Voyez par exemple l'importance accordée par Paula aux prémices de la séduction, au cadre de la rencontre, à l'ambiance. Il s'agit d'abord de gagner la confiance de l'autre par la parole, et seulement après peut survenir la gratification sexuelle, le plaisir oral (décrit avec une telle précision et une telle justesse), la passion, l'épanouissement du plaisir «mutuel», la satisfaction de chaque partenaire avant même le dénouement. Vient ensuite le *coda*, le retour toujours si important dans ces fantasmes, au moment où les deux reposent dans les bras l'une de l'autre, sans aucune crainte, sans comparaison avec ce qui suit souvent le coït : le dos tourné, la fuite égoïste dans le sommeil en laissant la femme redescendre seule sur terre, abandonnée, les yeux perdus au plafond. Ces subtilités romantiques ne sont pas toujours la tasse de thé des hommes, mais elles en disent long à ceux qui veulent véritablement mieux connaître les besoins sexuels de la femme.

Certes, bien des hommes ne peuvent surmonter les incontestables limites physiques et mentales propres à leur sexe face au goût des femmes pour de longs jeux amoureux : physiquement, ils ont l'impression que leur pénis est tendu depuis déjà des heures, et mentalement ils trouvent plus viril de foncer que de câliner, d'éviter ce qui leur rappelle trop les bras maternels, dont ils se sont échappés pour assumer leur virilité. Mais je voudrais inviter les hommes à se soustraire aux mythes selon lesquels on ne doit pas s'abandonner trop longtemps entre les bras d'une femme. Si ces fantasmes ne sont pas dépourvus d'agressivité à l'encontre des hommes, ce qu'ils expriment est le dépit de voir que les hommes ne tentent même pas de comprendre les besoins sexuels et affectifs des femmes. Je sais bien que toutes les femmes ne sont pas non plus des amantes parfaites mais, si j'étais un homme qui aimait les femmes, je me sentirais concerné par ces fantasmes et leurs splendides agencements. Pareillement, les femmes auraient tout à gagner à mieux comprendre les angoisses sexuelles des hommes, et en partie leurs crispations depuis qu'ils voient leur monde, celui de leurs pères, autant chamboulé. Un homme passe sa vie à devoir prouver sa virilité. « Conduis-toi comme un homme ! » ordonnera son père à un garçon de quatre ans, pas moins sèchement qu'un sergent lui commandera vingt ans plus tard de faire des pompes. Une femme, elle, n'a jamais à prouver sa condition de femme.

En fantasme, les femmes peuvent se montrer avec d'autres femmes sexuellement attirées, désireuses d'amitié, pleines de passion, tendres ou tout simplement à la recherche d'émotion érotique. Alors que ces rêveries homosexuelles déclenchent une terrible anxiété chez les hommes, les femmes peuvent n'y voir qu'une preuve d'affection, de curiosité, de désir de mieux se connaître. Elles, elles n'ont rien à perdre. C'est-à-dire que, si une femme ne parvient pas à l'orgasme durant un acte sexuel « classique », elle n'en conclut pas pour autant qu'elle doit être lesbienne, alors que, si un homme ne parvient pas à obtenir une érection chaque fois qu'il le faut et quand il le faut, il se sent immédiatement menacé par l'impuissance, la faiblesse, et surtout l'homosexualité. Je suis convaincue que les femmes ont un sens plus sûr de leur identité sexuelle que les hommes.

Enfin, il faut souligner que les femmes ne peuvent comprendre les fantasmes sexuels d'autres femmes sans reconnaître que le sexe féminin demeure une énigme pour elles-mêmes, plus que pour les hommes. Après des siècles passés à ne pas se poser de questions sur la féminité, les yeux des femmes se sont ouverts sur ce mystère qu'est la femme, et elles se rendent compte qu'elles ne se connaissent pratiquement pas les unes les autres. Elles se regardent comme dans un miroir, où l'on peut se voir mais pas se toucher. Si la femme est fondamentalement hétérosexuelle, comme la plupart de celles qui apparaissent dans ce livre, elle a très certainement observé et connu de plus près plus de corps masculins que de corps de femmes autres que le sien. Mais l'attrait de l'inconnu est aussi l'essence d'une histoire d'amour.

Brett

Je suis vraiment heureuse et soulagée de savoir que je ne suis pas la seule femme à éprouver des fantasmes scandaleusement érotiques et à se masturber très souvent en les évoquant. J'ai vingt et un ans, je suis mariée depuis près d'une année à un homme que j'aime énormément, et suis — Dieu merci — sans enfant. Je suis mannequin, on dit que je suis très jolie, j'ai un QI élevé et j'ai la chance d'avoir des hobbys aussi divers qu'écrire, dessiner, jouer du piano, peindre. Je suis une fonceuse, j'ai une envie folle de tout connaître et de tout expérimenter dans la vie, de réaliser tous mes fantasmes, d'accomplir tous mes rêves. Mon père s'est séparé de ma mère quand j'étais encore petite, et j'ai grandi avec elle et avec ma sœur. Je me trouve plutôt libérée, et sans inhibition.

Je crois que ma fascination pour les organes génitaux mâles a débuté quand j'avais cinq ans. A cet âge-là je lisais déjà bien et je consultais fiévreusement *How and Why Wonder Book of the Human Body* (les secrets du corps humain expliqués). J'avais déjà compris que le sperme doit rencontrer l'ovule pour créer un enfant, et tout le reste, mais j'étais dans le brouillard en ce qui concerne la manière de faciliter cette rencontre. Je n'arrêtais pas d'y penser, sans pouvoir trouver par moi-même une réponse satisfaisante. J'en parlai donc à ma mère, moi, une gosse de cinq ans. Évidemment, elle me répondit en termes précis : pénis, vagin, tout ça — mes parents n'ont jamais été «gnan-gnan» avec ma sœur et moi. Je demandai à maman à quoi ressemblait le pénis de papa, et elle lui proposa de me le montrer. Je me rappelle alors avoir découvert un énorme appendice, rouge foncé, raide, émerger de dessous la serviette. *A posteriori*, je réalise que l'organe paternel n'était pas au repos quand je l'ai vu, mais bien sûr à cette époque je ne pouvais pas le savoir ! J'étais fascinée : waouh, alors c'est comme ça qu'on fait les enfants ! Incroyable. Ensuite, vers huit-neuf ans, j'ai pris l'habitude de lui dérober ses exemplaires de *Penthouse* ou de *Forum*. Ma mère, catholique très stricte, mettait un tabou absolu sur la masturbation, ce qui ne m'empêchait pas de me caresser. Les conséquences de tout cela n'ont été visibles que plus tard.

Ce qui me plaisait le plus dans les journaux de papa, c'étaient les lettres de femmes et d'hommes décrivant des corps féminins, et les réponses. Je pris l'habitude de regarder pendant des heures les corps lascifs de ces femmes sur papier glacé, et cela finissait toujours avec ce picotement terrible dans ma chatte, qui semblait ne plus devoir me quitter. Je me retrouvais tellement excitée que je poussais ma sœur à s'allonger sur moi et à presser son pelvis contre le mien. C'était délicieux. C'est tout ce que nous avons jamais fait, cependant ; nous ne sommes jamais allées plus loin, sans doute parce que pour le reste nous étions les typiques frangines archi-rivales. Avec ma cousine, par contre, nous ne manquions pas la moindre occasion de nous branler mutuellement.

Justin, mon mari, est un époux très aimant, très attentionné. Sur le plan sexuel il est super, mais la pénétration ne m'a jamais excitée. J'ai toujours eu des problèmes de femme à cet endroit, c'est peut-être la raison. Par contre, je jouis vraiment quand il me suce, mais seulement si je fantasme en même temps. A seize ans, je me suis mise à fantasmer beaucoup plus sur les femmes que sur les hommes, ce qui me procurait des orgasmes délirants. Mes mains sont le meilleur amant que j'aie eu. Seule la stimulation du clitoris me fait jouir. Mes fantasmes étaient fabuleux, faisant intervenir plusieurs femmes du même genre, en général noires et vraiment «dégueu», qui me forçaient à bouffer leur con baveux et à sucer leurs énormes nibards érigés. J'en ai d'autres encore, quand une blonde d'une beauté renversante me séduit et que je la séduis. Le seul fait de penser aux femmes me fait bander.

Et voilà que, finalement, je suis sur le point de me retrouver avec «ma» première femme. Elle ne ressemble en rien à celle de mes fantasmes : c'est la gouine typique, qui m'a poursuivie pendant des mois à coup de lettres et d'appels téléphoniques (je l'ai rencontrée il y a quelques mois). Elle vit à environ trois heures d'ici, et elle m'a totalement séduite. Je dois la voir dans un mois, je ne pense qu'à elle. J'aime mon mari et notre vie conjugale est extra, mais cette femme m'excite à un point inimaginable.

Et maintenant, un fantasme. Il est construit sur une femme que j'ai connue au temps où je vendais des produits de beauté en faisant du porte-à-porte : elle était une cliente. Alors que nous nous connaissions depuis à peine deux heures, elle m'avoua qu'elle était bisexuelle et qu'elle adorait sucer des femmes. Si seulement je l'avais encouragée ! Mais j'ai été retenue par mon amour pour mon mari, j'ai senti que ce serait lui rendre un mauvais service, pour ne pas dire plus.

Je m'approche de la porte et frappe doucement. Il fait très frais, et la brise crispe mes tétons jusqu'à en faire deux petits pics. Je n'ai pas de slip sous ma jupe, seulement des bas et un porte-jaretelles. Et pas de soutien-gorge non plus sous mon chemisier sagement boutonné. Une Noire bien bâtie, bien en chair, avec de grosses lèvres, plutôt jeune et très jolie, vient m'ouvrir. Nous plaisantons un peu, et elle me fait entrer. Je commence ma démonstration, et je remarque qu'elle est en train de fixer mes seins d'un blanc laiteux qui se distinguent sous le chemisier. Elle me propose de fumer un joint avec elle. Nous prenons un bon *trip*, nous nous sentons détendues. Je regarde ses lèvres brillantes, et entre elles sa langue toute rose, ce qui me rend tout chose. Elle porte un haut très décolleté, qui me donne une bonne vue sur ses adorables nibards. Je me redresse pour mater ses tétons. Pas de chance : son gros berger allemand arrive en bondissant du dehors et se jette sur moi. Comme le font la plupart des chiens, il fourre sa tête sous ma jupe, commence à renifler le parfum prenant de ma toison, et passe dessus quelques coups de sa longue langue bien glissante. Je me tortille (je suis chauffée à blanc !) mais j'essaie de faire passer ça pour une réaction de gêne. La femme le rappelle à l'ordre et il bat en retraite, mais je peux voir que mon odeur lui a fait de l'effet car sa grosse pine rouge est distendue. Je fais tout pour paraître calme alors qu'en fait je suis excitée comme une folle. Je reprends ma démonstration. Elle me dit qu'elle ne m'entend pas bien à cause du bruit qui monte de la rue, et elle vient s'asseoir à côté de moi sur le divan. Maintenant je peux apercevoir la sueur entre ses seins, un grain de beauté sur sa nuque, la douceur de ses jambes d'ébène qui viennent d'être épilées. Elle se penche un peu en avant comme pour mieux m'entendre, en passant un bras sur le dossier du canapé — je suis le genre de femmes qui aiment chercher quelqu'un très, très discrètement, si bien qu'à la fin c'est l'autre qui croit m'avoir trouvée, et je crois que c'est important dans mes fantasmes. Je lui dis que j'ai la bouche sèche et elle part me préparer un grand verre de sangria glacée. Pendant qu'elle est dans la cuisine, le chien en profite et revient commencer à lécher mon clito brûlant. Je me laisse aller en arrière et j'écarte un peu les jambes pour lui laisser la voie libre. Maintenant il lèche plus doucement, paresseusement, comme s'il était expert dans l'art délicieux de titiller une femme.

Je me tends contre lui, en lui demandant mentalement d'aller plus vite. Je me colle à lui, haletante, les dents serrées, je sens les premières vagues de l'orgasme s'approcher. Sous mon chemisier je me caresse les seins et ma jupe est remontée jusqu'en haut de mes cuisses, laissant mon con à découvert. J'entends un cri de surprise et lève les yeux pour découvrir, horrifiée, qu'elle se tient là, bouche bée, en train de me regarder me faire bouffer par son clebs. Je me redresse et bondis sur mes pieds, frénétique. Soudain elle crie : « Assieds-toi ! » Trop stupéfaite pour répliquer, j'obéis. Elle s'agenouille entre mes jambes encore écartées, et ouvre les lèvres de mon vagin brûlant en versant dessus de la sangria : « Je vais t'apprendre à essayer de baiser mon chien, connasse ! » Elle commence à lécher ce qui coule sur mes cuisses, et à nouveau je suis comme une folle. J'attrape ses cheveux soyeux et attire son visage contre ma chatte. Oh, s'il te plaît, suce-moi, bouffe-moi, fais moi jouir ! Elle se relève brusquement, me laissant sur ma faim. Elle relève sa jupe et attire ma tête vers son con trempé. Je plonge ma langue dedans, savourant sa crème épaisse. Elle jouit presque sur le champ. « Maintenant, on va passer aux choses sérieuses», dit-elle en m'attrapant par le poignet et en me tirant hors du canapé, vers sa chambre.

Elle m'attache, écartelée sur son immense lit à baldaquin. Je suis toujours habillée, avec ma jupe roulée sur la taille et mon chemisier à moitié ouvert. Elle se déshabille lentement, ravie de me voir à sa merci, et s'accroupit sur ma figure. Elle ordonne : «Encore!» Je me remets à la bouffer, léchant comme une perdue, sentant ses muscles se resserrer contre moi quand elle est secouée par l'orgasme. Son jus coule sur mon visage. Je sens le chien à nouveau entre mes jambes, retournant à son affaire. Quand je suis sur le point de jouir, elle lui commande d'arrêter. Elle arrête de me chevaucher et change de place avec le chien. Elle me dit de le laisser me baiser dans la bouche. Il enfourne son pieu entre mes lèvres. Je respire son odeur de mâle, je sens ses couilles noires et poilues battre sur ma figure. Pendant ce temps, elle me suce, mais elle ne me laisse pas jouir! Je suis tellement frustrée, tellement allumée! Le chien s'active furieusement contre mon visage et son sperme me remplit soudain la gorge, puis il rebande. «D'accord, putasse, tu vas baiser mon chien!» Je ne peux pas répondre, ma bouche est toujours pleine de son sexe. Oui, oui, oui. Elle rappelle le chien entre mes jambes. «Maintenant, dis-lui de te baiser.» Je le lui dis, je le lui demande, je l'en supplie. Il se met lui-même en place sur moi et plonge en moi des coups de boutoir déments, j'ai l'impression qu'il veut se glisser tout entier jusqu'au plus profond de moi. Les seins de la femme dansent au-dessus de ma figure, je suce ses tétons voracement, lubriquement, et brusquement je me mets à jouir, et à jouir, et à jouir.

Là où nous habitions avant, il y avait une piscine publique. J'avais dix ou onze ans, et je me rappelle avoir remarqué une belle femme qui passait en été presque toutes ses journées au bord de ce bassin. Comme les filles que je fréquentais étaient de véritables pipelettes qui savaient toujours tout sur tout le monde, je me souviens d'un jour où j'étais devant le distributeur de Pepsi et où l'une de ces cinglées me certifia que la beauté en maillot de bain était une lesbienne, confidence faite sur un ton horrifié, avec raclement de gorge et tout le cinéma. Il n'en fallut pas plus pour que je l'observe des heures durant, fascinée par l'idée que cette splendide créature était lesbienne. Je n'ai jamais vérifié si cette allégation était vraie ou fausse, mais, depuis, la belle dame est restée dans mes fantasmes. Je me demande même si elle était en réalité aussi fabuleuse que ma mémoire l'affirme, ou si c'est simplement le temps qui a embelli l'objet d'un de mes plus anciens et plus troublants fantasmes.

Si ma première réaction vis-à-vis d'elle est puérile, la manière dont je fantasme sur elle est très adulte. C'est peut-être dû au fait que j'étais si jeune quand je la vis pour la première fois... Enfin, je raconte.

Je suis allongée par terre près de la piscine, et je bronze. Il fait chaud, si chaud. Je me souviens des lieux avec une précision incroyable. Donc, elle arrive à la porte, moulée dans un bikini à la française, si réduit qu'il révèle presque toute la perfection de son corps ondulant : oui, ondulant. J'ai toujours adoré ses jambes, longues, dorées, bien moulées. Sexy, quoi! La piscine est bondée, elle veut prendre un peu de soleil et la seule place encore disponible se trouve à côté de moi, évidemment. Comme tout s'arrange bien dans les fantasmes, c'est génial, non?

Elle étend sa serviette, s'allonge sur le dos et ferme les yeux. Je la regarde à la dérobée. Elle a même un petit duvet doré sur le ventre, sous son nombril. Je me sens nerveuse, et pour m'occuper je commence à me passer de l'huile solaire sur les jambes. J'essaie d'en faire autant sur mon dos, en vain. Elle s'en rend compte, et propose de m'aider. Mon Dieu! sa voix est si basse, voilée. J'accepte, je m'étends sur le ventre. Ses longs doigts se mettent à masser ma peau en petits cercles, lentement. Je sens que je commence à mouiller. Ses mains montent et descendent le long de mes flancs, effleurant parfois mes seins gonflés. Je n'y vois pas une invite, c'est peut-être un geste fortuit! Maintenant, elle me masse le bas du dos et les jambes, avec la même lenteur affolante. Les cuisses, l'intérieur des cuisses. Ses doigts passent légèrement mais sans hésitation sur le tissu de mon maillot, à l'endroit où bombent les lèvres de ma chatte. Une fois, deux fois, encore. A essayer de faire semblant de ne pas remarquer ce contact délibéré, je deviens folle.

«Maintenant c'est ton tour!» Elle me sourit en me tendant la bouteille d'huile. Ses yeux verts lancent des éclats espiègles. Elle s'allonge sur le ventre et je commence ma délicieuse mission, la toucher comme elle m'a touchée. Je voudrais me pencher et l'embrasser dans le cou, dans le creux de ses genoux, passer ma langue sur ses cuisses, sucer son clitoris, mais en apparence je demeure calme et impassible. Soudain je remarque que le bas de son bikini, au niveau de l'entre-jambes, est trempé. Je suis en train de devenir dingue tant j'ai envie. Elle dit qu'il fait chaud et m'invite à prendre chez elle un thé glacé. Je dis : « Oh oui », et nous partons ensemble.

Sa maison est fraîche, bien aérée, et mes tétons se durcissent aussitôt. Les siens aussi. Je ne peux m'empêcher de les lorgner. Nous nous asseyons sur un canapé en bavardant. Elle se lève pour aller chercher le thé, je propose mon aide. Elle sourit comme les chats savent le faire. Je la suis dans sa petite cuisine. Elle se penche en avant pour prendre quelque chose et son cul superbe tend la jupe de son tailleur. Je suis ensorcelée. Elle se redresse, croise mon regard et sourit encore. Nous revenons d'un pas incertain au salon, l'atmosphère est chargée de tension, électrisée par deux chattes brûlantes.

En me tendant le verre de thé, elle laisse doucement ses doigts se poser sur les miens. Quelque part, je sais qu'elle est plus âgée que moi, à cause de son assurance et de l'aisance de ses maniè-res. Je me sens aussi nerveuse et confuse qu'une fillette et elle, elle se tient là, suave, sûre d'elle. En tout cas, elle a son sourire énigmatique et s'incline pour m'embrasser doucement, comme si elle ne voulait pas m'effrayer. Ses lèvres sont tellement dou-ces, tellement érotiques. Ma bouche s'entrouvre et nous nous embrassons « à la française », légèrement mais passionnément. Et puis elle se met à faire l'amour avec moi, encore et encore. Dans mon fantasme, je suis bouleversée par son visage, son corps, ses seins. Elle est si belle, d'une beauté presque surnaturelle.

Vous direz que mes fantasmes tournent autour des femmes et des chiens. Avant cela me gênait, surtout parce que je crai-gnais l'idée qu'auraient les gens de moi si j'étais une lesbienne, ce que je ne suis pas. Les hommes me fascinent, et j'aime mon mari à la folie.

Mais, au cours des six derniers mois, cette femme dont j'ai parlé plus haut m'a relancée à plusieurs reprises. Évidemment je prétends que je ne suis pas vraiment disponible, mais je vais la rejoindre dans un mois, quand mon mari va partir quelque temps pour son travail en Californie. Il va me manquer terrible-

171

ment, mais en même temps j'attends avec impatience ma rencontre avec cette femme. Après pas mal d'introspection, je me rends compte que je suis bisexuelle, et je désire très fort cette première expérience avec une autre femme. Maintenant encore, je découvre que j'ai toujours été attirée par certaines femmes, et que ma conscience morale trouvait des prétextes pour me retrouver en leur compagnie. Et aujourd'hui ma conscience sexuelle me le fait payer, en me bottant le train.

Natalie

J'ai vingt-huit ans, célibataire mais fiancée (je dois me marier en septembre), hétérosexuelle en pratique du moins, car en rêve... Je suis originaire de la côte Est, mais je vis à Saint-Louis depuis trois ans. Je suis diplômée de Sweet Briar, j'ai fait une année de psychologie à l'université du Michigan, où j'ai obtenu aussi une licence de droit. En ce moment, je travaille au département juridique d'une multinationale, mais je devrai bientôt abandonner ce travail pour rejoindre mon fiancé à Denver. David aussi est juriste, il a cinq ans de plus que moi, il est divorcé (sans enfant), c'est un homme et un amant merveilleux. Physiquement, je suis ce qu'on appelle «potable», peut-être un peu mieux (disons six et demi sur dix?) : un mètre soixante-cinq, mince mais pas osseuse, châtain foncé, les yeux gris, bien faite, un joli sourire, bref bien portante et agréable à voir mais pas vraiment un «canon». J'ai eu pas mal d'amants au collège et après, mais je ne recherche pas le sexe pour le sexe. J'ai vécu seule de mon plein gré et je me marie de mon plein gré, d'autant que je me débrouille assez bien pour m'en tirer seule. A part les histoires habituelles d'adolescentes, sans conséquences, je n'ai jamais eu de réelle expérience sexuelle avec une femme. Je ne suis pas fondamentalement contre, mais il aurait fallu que l'occasion se présente, ce qui n'a pas été le cas.

Sans doute toutes les femmes pensent-elles qu'elles sont trop «sexuées», mais cette idée a eu chez moi une conséquence directe sur le choix de ma carrière. Elle ne m'a pas conduite à choisir le droit, mais certainement à abandonner la psychologie : je m'intéressais décidément de trop près aux cas cliniques étudiés. Je pense être ce que vous appelleriez une «voyeuse psychologique».

La masturbation paraît quelque chose de, disons, «secret».

C'est certainement l'une des choses les plus intimes que l'on puisse raconter, des plus révélatrices de son « moi » caché. Mes fantasmes se basent sur la masturbation : regarder, être regardée, ou le faire avec quelqu'un en même temps. Très souvent, généralement dirais-je, ils évoquent d'autres femmes, que je connais, ou que j'ai vues sans faire connaissance, ou que j'ai connues dans ma vie. Je me masturbe environ deux à trois fois par semaine, toujours la nuit pour tomber endormie quand j'ai joui, mais *jamais* au travail. Au collège, j'étais moins sourcilleuse quant aux lieux et aux heures, et plus tard j'ai vraiment perdu toute mesure. Mais, en tant qu'avocate de société, je dois être plus réservée, ce qui ne m'empêche pas d'aimer autant le faire. Je suis sûre que je n'arrêterai jamais. David aime bien me regarder quand je me masturbe, et j'aime bien qu'il me regarde, mais ce n'est qu'un jeu sexuel, qui ne prendra jamais la place de la masturbation « privée ». Mes fantasmes sont à moi et je veux les garder pour moi, même si je suis plus qu'un peu excitée à l'idée de vous les raconter.

Un de mes fantasmes préférés, que je convoque plutôt souvent, est lié à mon passé de psychologue. Je suis allongée sur le divan d'un psychanalyste et vous, ou quelqu'un comme vous, psychologue ou analyste, me fait raconter en détail mes fantasmes sexuels. Elle est assise derrière moi, un carnet à la main, et note tout ce que je lui dis. Je ne peux pas l'apercevoir, mais je sais qu'elle porte un tailleur et observe une attitude très professionnelle, les jambes croisées, attentive au moindre mot. Je suis gênée et en même temps étrangement excitée tandis que j'évoque le détail de mes rêveries et de mes masturbations. Je sens que je commence à mouiller et je réalise que j'éprouve un désir incontrôlable de me masturber, ici, tout de suite. Je demande à l'analyste si elle y voit un inconvénient et elle me dit : « Non, bien sûr que non. Allez-y, je vous en prie ! » Au début je suis très intimidée, je me contente de déboutonner mon pantalon et de glisser ma main dessous, mais bientôt je suis tellement partie que j'enlève pantalon et slip pour me masturber comme si j'étais seule. En fait, je me mets un peu en scène, même. Pendant tout ce temps, je continue à raconter mes fantasmes en étant persuadée que l'analyste les prend en notes. Pourtant, sur une intuition, je regarde par-dessus mon épaule et m'aperçois qu'elle (ou vous) a retroussé sa jupe et se masturbe activement elle aussi. Quelque part autour de ce moment, je jouis, si bien que ce fantasme ne va jamais jusqu'à une scène de vrai lesbianisme. Je ne pense pas refouler une homosexualité secrète, mais il y a sûrement une part de cela dans ce fantasme. Le principal est de confesser que je me masturbe, et d'être observée pendant que je le fais, et de regarder moi aussi. Il n'y aurait qu'une chose encore pour rendre ce fantasme absolument complet : savoir que vous vous masturbiez en lisant ces lignes.

Cette fascination pour la masturbation en général, et la mienne en particulier, remonte à certaines expériences de mon adolescence qui interviennent encore aujourd'hui dans mon activité fantasmatique. Je vais les décrire puisque mes fantasmes ne sont que des variations autour d'elles.

La première remonte au temps où j'avais treize ans, j'étais en septième et avec mon amie Cindy nous avions l'habitude de dormir tantôt chez l'une tantôt chez l'autre, et de parler de garçons et de sexe, deux sujets sur lesquels nous étions également ignares. Je me rappelle comment nous nous déshabillions rapidement l'une en face de l'autre en jetant de petits coups d'œil réciproques sur nos cons, pour voir celle qui avait le plus de poils (c'était moi). Ensuite nous poussions nos lits l'un contre l'autre et nous passions des heures à délirer sur ce que nous avions entendu dire à propos du sexe, car aucune de nous n'avait là-dessus une seule information de première main. C'est au cours d'une de ces nuits que j'ai découvert la masturbation. Cindy avait vu sa première bite en érection, et elle était en train de m'en faire la description. Je me rappelle avoir senti que ça me « démangeait » en l'écoutant, et j'ai porté instinctivement la main à mon entre-jambes pour finalement, à ma grande surprise, me mettre à jouir dans un grand concert de gémissements. Cindy était ébahie, elle m'a demandé de lui raconter quelle impression j'avais eue, et comment s'y prendre. Comme je n'arrivais pas à le lui expliquer, elle m'a fait rallumer la lumière, remonter ma chemise de nuit et lui donner une démonstration. Je me souviens comme d'hier de ce moment où j'étais assise sur le lit, les cuisses ouvertes, à essayer de retrouver ce point précis pour montrer à Cindy comment faire. Personne n'avait jamais scruté mon con avec autant d'intensité que cette fille, et personne d'autre ne l'a fait non plus jusqu'à ce jour. J'ai pris sa main et je l'ai placée sur mon clitoris (mon bouton d'amour, comme je l'appelais à l'époque) pour qu'elle comprenne ce qu'il fallait chercher, ensuite elle a écarté les jambes et nous avons tâtonné jusqu'à trouver son clitoris à elle, qui s'est avéré plus grand que le mien. Elle était mouillée, à ce stade, mais nous ne savions rien à propos de cela (qui nous l'aurait expliqué ?), et en la regardant je me suis masturbée jusqu'à mon deuxième orgasme — une vraie « pro » désormais ! — tandis qu'elle atteignait bon gré mal gré son premier. En tout, je crois que nous nous sommes masturbées six ou sept fois cette nuit-là, y compris deux séances de masturbation réciproque que nous avons toutes deux follement appréciées, mais qui nous ont laissées un peu honteuses. Et il y a eu plusieurs soirées de ce genre pendant un an, jusqu'à ce que Cindy déménage dans une autre ville.

La deuxième expérience durant mon adolescence, sur laquelle j'aime tant fantasmer, s'est produite lors d'un camp d'été de filles dans le Vermont, où j'étais monitrice junior. La monitrice qui me dirigeait était une étudiante suisse venue dans le cadre d'un échange universitaire, elle s'appelait Uta et étudiait à Bennington. Elle avait vingt ans ou à peu près, moi seize. Uta, qui était notre idole à toutes, était grande, bien bâtie, athlétique mais pas trop musclée, et très européenne, jusqu'aux poils de ses aisselles qu'elle refusait de se raser (mais elle s'épilait les jambes). Mon lit de camp était juste en face du sien, si bien qu'en plus de toutes les occasions habituelles de la voir nue (aux douches, etc.) je pouvais la regarder s'habiller et se déshabiller tous les jours. Jusqu'à présent, je ne crois pas avoir vu un corps plus parfait ou tout au moins plus érotique. Uta était un splendide animal femelle avec toutes les odeurs, tous les poils, toutes les sécrétions qui sont l'apanage de la féminité. A l'évidence, elle aussi aimait son corps, pour ce qu'il était capable de faire, pour les plaisirs qu'il lui donnait, pour le goût qu'il avait, pour tout. Elle était faite pour le sexe, mais malheureusement il n'y avait guère d'opportunités dans un camp de filles perdu au milieu des forêts du Vermont, car Uta était farouchement hétérosexuelle. En partie pour se soulager mais aussi, je crois, parce qu'elle aimait la sensualité en soi, Uta pouvait se masturber à tout moment ou toutes les nuits, à partir du moment où elle pensait que nous étions endormies. C'était peut-être le cas des autres, mais pas le mien, même si je faisais semblant de dormir.

Je restais étendue sur le ventre, ma tête tournée vers Uta, ma main entre les jambes en desous de moi, et je passais ce qui me semblait des heures à attendre qu'Uta veuille bien commencer. Elle dormait toute nue mais en général sous un drap, aussi tout ce que je pouvais apercevoir était la forme de ses jambes écartées et légèrement relevées, et le mouvement de son bras entre elles. Uta s'était entraînée à rester aussi discrète que possible, à mon avis pas parce qu'elle éprouvait un quelconque embarras à se masturber — je suis sûre qu'elle n'en éprouvait aucun — mais parce qu'il ne lui semblait pas possible que des fillettes de huit ans soient au courant. Aussi calme qu'elle demeurait, elle ne pouvait cependant pas empêcher son corps d'être pris de légers spasmes quand elle jouissait. J'avais appris à suivre son rythme, et à faire coïncider dans le temps mon orgasme avec le sien. Les meilleures nuits étaient celles où il faisait si chaud qu'Uta rejetait son drap et restait nue dans le clair de lune. Avec son corps argenté par la lumière et luisant de sueur, elle ressemblait à une déesse du plaisir. Ces nuits-là, elle remuait plus librement aussi, et parfois elle se tournait sur le côté (dans ma direction !) et levait sa jambe gauche si bien que tout son con apparaissait dans la lumière de la lune. Son buisson, blond foncé au jour, ressemblait alors à des fils d'argent.

Ces nuits étaient aussi un martyre pour moi : je voulais la regarder mais je craignais en même temps d'ouvrir les yeux car elle aurait compris que je ne dormais pas. J'avais peur aussi qu'elle surprenne mon bras en train de s'agiter sur moi. Ces moments m'ont appris à regarder à travers les paupières presque closes, et à me conduire à l'extase par le travail le plus délicat, le plus indiscernable, de mon index sur le clitoris. Dans mes fantasmes, je change un peu le scénario de ces nuits en m'attribuant un rôle plus énergique. Moi aussi je rejette mon drap et je me tourne vers Uta en relevant ma jambe droite, et nous nous masturbons toutes les deux en nous regardant. Quelquefois, pendant les nuits d'été où je suis seule, je fais revivre ces instants en inclinant le miroir de ma coiffeuse face au lit : je m'observe dedans pendant que je me masturbe voluptueusement tout en imaginant que je suis Uta en train de me regarder, ou moi-même en train de regarder une autre femme. Le clair de lune rend la scène magnifique, irréelle, et innocente. Je suis certaine que si l'occasion s'en présentait je ferais de ce fantasme une réalité.

Parfois une de mes amies y prend la place d'Uta, ou de temps à autre une actrice du genre de Dominique Sanda ; avez-vous vu *Voyage en douce* ?

Le fantasme qui suit est, en ce moment, mon favori. Mon amie Ann et moi nous promenons en vélo dans la forêt. C'est une superbe journée de juin, nous avons emporté un pique-nique et une bouteille de vin, nous avons emprunté un sentier très peu fréquenté. Tout se passe très bien, mais au retour nous sommes prises d'un besoin urgent d'aller aux toilettes. Il y a encore plus de trois kilomètres à faire, mais par pudeur je décide d'attendre. Ann, elle, dit qu'elle n'en peut plus et donc nous nous écartons du sentier pour trouver un endroit discret. Elle fait quelques pas devant moi, baisse son jean et sa culotte et s'accroupit par terre pour pisser. Elle me tourne le dos, et quand je m'allonge sur le sol tapissé d'aiguilles de pin je peux voir le jet couler de la source secrète entre ses jambes. Je ne l'ai jamais vue nue auparavant, et je m'aperçois, agréablement surprise, qu'elle a un très joli cul.

Le flot se tarit peu à peu et je me relève pour repartir, mais Ann me demande d'attendre encore une minute. Elle rapproche ses fesses du sol et se voûte un peu. Je vois son anus s'ouvrir et se refermer et s'ouvrir encore, tandis qu'une grosse merde descend vers le sol. Ann me regarde par-dessus son épaule et me demande avec un petit rire d'excuse : « J'espère que je ne te choque pas. » Je ne réponds pas, je suis sans voix. Je n'aurais jamais pensé pouvoir être aussi troublée à la vue de quelqu'un en train de déféquer, d'autant qu'il s'agit d'une femme. Mais c'est un fait : je suis tout à fait hors de moi. Je sens mon entre-jambes se mouiller — du même coup, j'ai de plus en plus de difficultés à écrire maintenant. Ann se crispe encore et deux nouveaux étrons tombent par terre. J'ai très envie de me toucher mais je crains qu'Ann ne se retourne. Je ne crois pas avoir jamais été aussi chamboulée. Ce n'est pas une fantaisie scatologique, je n'éprouve pas le désir de nettoyer Ann, d'ailleurs dans mon fantasme elle est parfaitement propre, pas de traces, pas d'odeurs. Non, c'est l'intimité créée par mon regard sur elle qui m'excite. Ce qu'elle fait est tellement « privé » : d'habitude elle est seule, entre quatre murs, et non ici, dans la forêt, en plein soleil.

Quand elle a fini, Ann remet sa culotte et son jean. « On y

va ? » demande-t-elle. Mais maintenant c'est moi qui dois le faire, ou plutôt qui le veut. Je veux qu'Ann me voie. Je veux m'ouvrir au soleil, à la forêt. Je lui demande d'attendre, je me place face à elle et, en faisant glisser mon slip, je surprends son regard se poser sur mon nombril, puis sur ma toison, puis sur les lèvres de mon con. Nos yeux se croisent, elle rougit un peu. Je m'accroupis, toujours face à elle, et me mets à pisser. Son regard revient sur mon con, cette fois sans aucun embarras, on n'y lit que la curiosité et le désir. Elle dit en souriant : « Ça ne t'ennuie pas que je regarde ? » Elle tombe à genoux à quelques centimètres de moi et, pour toute réponse, j'écarte encore plus les jambes, j'ouvre mon con avec les doigts pour qu'elle puisse tout voir. Mon clitoris est tendu, comme il l'est en ce moment, j'adorerais qu'elle avance la main et le touche, mais elle ne bouge pas. J'ai terminé, mais je reste accroupie. « Ce n'est pas fini, hein ? » murmure Ann et je lui réponds : « Non. » Je tends mes muscles, je pousse, mes entrailles se vident entièrement, triomphalement, sur le sol de la forêt. Ann vient se placer derrière moi et demeure là une minute ou deux. Je me rappelle l'allure qu'elle avait, vue de derrière, et je suis excitée de la sentir à son tour me regarder ainsi. Un spasme, tel un léger orgasme, parcourt mes reins. (Bon, je n'en peux plus. Maintenant, je me masturbe un peu entre chaque phrase. J'aurais bien aimé être de celles qui ne savent taper à la machine qu'avec une seule main...)

Ann revient en face de moi, se penche un peu et me dépose un léger baiser sur les lèvres. Puis elle se déshabille jusqu'à être nue de la taille aux pieds. Elle s'assoit par terre à l'indienne. Les lèvres de son con sont béantes, et à travers ses poils châtain je peux voir son clitoris et le reflet de sa mouille. « Il y en a encore ? » demande-t-elle. Je hoche la tête. « Si je me masturbe en te regardant, ça ne te dérange pas ? » Je souffle que non, mais c'est loin d'exprimer mon véritable état d'esprit. Ann frotte son clitoris du bout des doigts, en mesure, lentement. Puis elle les tend vers moi pour que je puisse les sentir. Je retiens sa main contre mon nez et mes lèvres, et mon anus s'ouvre à nouveau. Cette fois c'est fini, mais je ne fais aussi que commencer. Je la supplie : « Oh, Ann, fais-le-moi, à moi aussi ! » Elle repose sa main droite sur son clitoris tout en tendant la gauche pour trouver le mien. Je gémis quand elle me touche enfin. Elle est sur le point de jouir maintenant, et je suis suspendue à chacun de ses mouvements, à chacun de ses soupirs. Sa bouche est entrouverte, ses yeux à moitié fermés. Elle se frotte le clitoris plus vite. Je suis presque au bout moi aussi, et je pose ma main sur la sienne pour lui donner le rythme qu'il me faut. Nous nous rapprochons encore l'une de l'autre, à nouveau nos lèvres se rencontrent, nos corps ne font plus qu'un quand nous plongeons toutes deux dans l'orgasme, pressées l'une contre l'autre. A la fin nous ne nous servons plus de nos mains, nous sommes en ciseau l'une dans l'autre, con contre con, clito contre clito.

Bien, maintenant je dois en rester là et aller me finir. C'est incroyable que j'aie pu me retenir aussi longtemps. Je me demande si c'est parce que cela m'a tellement plu de décrire mes fantasmes, et je me sens un peu coupable.

Marla

Je suis une lesbienne de vingt-quatre ans, actuellement installée au Japon. Je suis diplômée de langue japonaise et de civilisation orientale, travaillant en ce moment pour une grosse société japonaise en tant qu'interprète-traductrice. J'ai su que j'étais lesbienne depuis l'enfance, mais ce n'est qu'au collège que j'ai eu mes premières relations sexuelles avec une femme. Tout ce que l'on raconte à propos des lesbiennes est stupide : j'ai, par exemple, eu une enfance très heureuse, et mes parents s'entendaient très bien. Je suis très fière d'être lesbienne, même si je ne l'affiche pas trop, pour des raisons professionnelles mais aussi parce que je pense que la vie sexuelle est une affaire privée.

Mon amante se trouve aux États-Unis. Nous prévoyons de vivre ensemble, pour toujours. Je n'ai jamais vraiment été intéressée par personne d'autre.

La plupart de mes fantasmes tournent autour du pouvoir. Dans l'un de mes préférés, je règne sans partage sur un petit royaume du Moyen-Orient où les femmes ont tous les pouvoirs, où les hommes ne font que les servir. Les femmes qui le désirent sont libres d'épouser des hommes. J'apprécie les grands festins où la viande de mouton, les plats épicés et le vin sont en abondance. A la suite de l'un d'eux, je tombe éperdûment amoureuse d'une artiste très douée de notre royaume, qui est venue me présenter mon portrait officiel. Je la prends par la main, je l'embrasse avec passion et elle me répond, en un long baiser. Nous buvons encore du vin, et j'ordonne à un serviteur de jouer de la harpe tandis que nous faisons l'amour. Elle baise la moindre partie de mon corps, et je lui rends la pareille. Après, nous buvons à nouveau et je caresse tendrement son corps magnifique nu.

Un autre de mes fantasmes se déroule au Moyen Age. Cette fois je suis cardinal dans une Église catholique dont les prêtres sont exclusivement des femmes — d'ailleurs, dans la réalité, je suis jusqu'à ce jour catholique. Si le mariage leur est interdit, les femmes sont autorisées aux aventures les plus passionnées, et c'est seulement s'il n'existe pas de véritable amour que ces dernières sont considérées comme un péché. Après une cérémonie au cours de laquelle j'ai procédé à la décapitation d'un homme coupable d'avoir essayé de s'emparer du pouvoir au sein de notre Église, je suis ramenée à mon château sur une litière portée par un groupe de très belles femmes, toutes bien bâties et portant leurs cheveux blonds taillés court. Elles me conduisent dans une pièce remplie de coussins couverts de soie, sur lesquels elles me déposent lentement. Le son d'un luth et d'une viole me parvient de loin. La plus belle des femmes se dépouille lentement de ses vêtements, ensuite elle me retire mon manteau et ma capuche tout en me caressant les cuisses et les seins, puis en les embrassant. Un souper est apporté — volailles, raisins, mouton —, elle découpe la viande et nous mangeons sans cesser de nous caresser et de nous murmurer des mots d'amour. Après le souper, nous nous embrassons passionnément, je m'étends sur elle et me frotte contre elle jusqu'à la faire jouir, et elle en fait de même avec moi.

D'autres femmes nous rejoignent, nous faisons l'amour toutes ensemble, nous festoyons. Un aveugle entre pour nous apporter de nouveaux plats. Je trouve que manger est très stimulant sur le plan sexuel : après un bon repas, c'est toujours merveilleux de faire l'amour. Deux artistes (des femmes) me présentent les derniers manuscrits enluminés qu'elles ont créés pour moi. La première a produit un travail chargé d'érotisme, qui parle de Sappho et de sa communauté poétique. Je la récompense d'un sac de pièces d'or, elle se met à genoux et baise ma bague en signe de gratitude. La deuxième m'offre un calice d'or orné d'une croix formée de rubis. Je lui donne un sac de pièces d'argent. Soudain elle m'avoue l'amour qu'elle me porte et nous nous retirons toutes les deux dans une autre pièce pour parler longuement d'art, et de l'amour des femmes, avant de finalement faire l'amour. Je lui caresse le dos, puis couvre de baisers son cou et ses épaules. Embrasser dans le cou m'excite toujours. Sa chevelure est longue et soyeuse, elle me couvre le visage quand la femme s'allonge sur le flanc. Elle murmure qu'elle n'a encore jamais couché avec une autre femme, et je suis trempée à la seule idée d'être la première à lui faire l'amour.

Voilà, il existe bien des variations sur ces deux thèmes, mais en tout cas j'adore les mœurs du Moyen Age et du Moyen-Orient. Paradoxalement, je n'ai jamais eu de fantasmes qui se déroulaient au Japon. Les femmes d'ici ne m'attirent pas du tout, il n'y a rien de piquant dans leurs yeux, pas de passion.

Je crois que les hommes n'imaginent même pas combien l'amour entre femmes peut être merveilleux. Ils sont sûrs que toutes nous ne rêvons que d'être dominées par eux ! En fait, mes amies lesbiennes et moi rêvons souvent de prendre le pouvoir sur le monde entier tout en restant douces et aimantes dans nos relations entre femmes. Je ne cherche pas les « coups » faciles, je n'aime pas tellement le sexe oral, j'apprécie avant tout l'intimité, la chaleur qui peut exister quand je suis avec une autre femme, le simple fait d'avoir une longue et belle discussion avec elle me bouleverse. Sans complicité intellectuelle, l'amour ne vaut rien.

J'ai rarement vu un homme et une femme amoureux l'un de l'autre être capables de soutenir entre eux une réelle conversation. Les hommes se contentent d'amener les femmes à les écouter et à les admirer. Même mes amies « normales » — les rares dignes de savoir que je suis gay — me confient parfois qu'elles envient les lesbiennes de pouvoir être aussi proches d'une autre femme. Elles me disent que, même quand elles aiment un homme, il subsiste toujours une distance entre eux, qu'il n'y a pas d'égalité. Un jour, il faudrait que toutes les femmes découvrent le bonheur et la paix que procure l'amour d'une autre femme. C'est seulement lorsque nous aurons appris à nous aimer et à nous faire confiance entre nous que nous serons capables de renverser les vieilles structures patriarcales.

Même si, à mon avis, vous avez essayé dans vos livres de la considérer avec honnêteté et ouverture d'esprit, je sens toujours en vous une anxiété profonde à l'égard de la sexualité des lesbiennes. Mais si vous considérez bien la violence que les hommes font subir aux femmes — les écraser sous eux pour forcer leur pénis dans un petit trou —, sans doute comprendrez-vous que cette sexualité est peut-être plus humaine. Quand les femmes apprendront à vivre en se passant des hommes, nous serons plus libres et plus confiantes. Tant que nous couchons avec eux, nous les confortons dans leur position, nous les aidons à maintenir leur pouvoir. Je suis sûre que si les femmes pensaient aux implications politiques de l'hétérosexualité, elles s'y reprendraient à deux fois avant de se mettre au lit avec les hommes!

Stacy

Je suis une fille de dix-neuf ans, collégienne, célibataire, d'un milieu relativement aisé et, je crois, hérérosexuelle. Je suis très portée sur le sexe, j'y pense sans cesse et passe à l'action à chaque fois que je le peux. J'adore me masturber, même quand j'ai un partenaire régulier. Souvent, je me dis que je suis du genre nymphette : les hommes ont l'air d'être attirés par mon innocence apparente et, quand ils découvrent que je suis une vraie tigresse au lit, ils adorent. Moi, ce que j'aime, c'est porter des pantalons en cuir noir ultra-moulants, laisser mes nénés menacer à tout moment de sortir de ma chemise, et regarder les mecs me dévorer des yeux et essayer de m'emballer.

Ma première expérience sexuelle s'est produite avec ma cousine. Nous avions toutes les deux environ sept ans, et dès que nous pouvions le faire nous jouions «au docteur» : elle s'étendait sur le ventre pour que j'explore son cul et sa chatte sans poil, et ensuite elle me le faisait à moi. Plus tard, j'avais à peu près treize ans et l'une de mes amies, âgée de dix ans, m'a demandé si je connaissais le baiser «à la française». Elle s'étendait sur moi et nous pouvions «jouer» ainsi des heures durant. Une fois, pendant que nous nous embrassions comme ça, je me suis masturbée sous les couvertures.

A mon avis, tous mes fantasmes actuels découlent de ces expériences lesbiennes précoces. C'est étrange, mais si l'idée d'un contact érotique «réel» avec une fille me rebute, je n'arrête pourtant pas de fantasmer dessus. A chaque fois que je me masturbe, j'ai des fantasmes de ce genre : je fait du stop sur une route déserte et je suis prise par une fille magnifique et très sexy. J'ai le plus grand mal à détacher mon regard de ses seins tendus, de ses lèvres pleines et douces. Elle me propose de nous arrêter un peu chez elle. Nous arrivons quelques minutes après. Elle me prête un maillot deux-pièces, me dit d'aller nager, ensuite elle me rejoindra. Le slip du bikini couvre à peine ma chatte et mon cul, quelques poils dépassent à l'intérieur de mes cuisses, quant au soutien-gorge il est à peu près inexistant. J'entre dans la piscine chauffée et porte la main à mon con. Il est tout poisseux. Ensuite la fille apparaît, elle porte un maillot comme le mien. Après avoir nagé ensemble assez longtemps, je m'aperçois qu'elle n'est pas dans le même *trip* érotique que moi, et je m'efforce de penser à autre chose. Finalement, elle arrive vers moi et, en m'effleurant, me propose de me passer de la crème pour bébé sur le corps. Elle commence par mes épaules. C'est un massage des plus sensuels qu'elle m'offre. Ensuite ses doigts descendent doucement le long de mon dos, en frottant et en malaxant ma peau avec délicatesse. Ses mains descendent encore, vers mes cuisses. Dieu sait si je voudrais me retourner et lui faire face, mais j'ai trop peur qu'elle s'arrête si je bouge. Je sens ses mains pratiquement sur mon cul, et puis un de ses doigts se glisse dans la fente. Ses lèvres se posent doucement dans mon cou. Je n'en peux plus, je me retourne lentement, et elle me dit : « On sort, et on se sèche, OK ? » Je la suis, en me demandant si je n'ai pas tout gâché en bougeant. En allant vers sa chambre, elle attrape deux draps de bain moelleux, puis elle me dit : « Étends-toi sur le lit, et laisse-moi te sécher. » Bientôt, je sens à nouveau le contact délicieux de ses doigts qui défont mon soutien-gorge. Malgré sa douceur, c'est une véritable torture qu'elle m'inflige de ses mains et de ses lèvres avant de me demander de me retourner. Ses lèvres glissent jusqu'à l'intérieur de mes cuisses et se mettent à jouer avec les lèvres de mon con. Je désire sa langue, à la folie. J'attrape ses cheveux blonds et je presse sa tête contre moi. Oh, que c'est bon ! Arrivée à ce point du fantasme, je jouis comme une folle.

Priscilla

Je suis élève de terminale, venue d'Angleterre au titre d'un programme d'échange scolaire, dans ce que j'imagine être le lycée typique de la bonne banlieue américaine. C'est très différent de mon école « publique » de filles, dans le Sussex ! Ma famille appartient à la moyenne bourgeoisie du sud de l'Angleterre.

Mon père comme ma mère travaillent dans le business du théâtre.

Comme je suis attirée par les filles depuis le début de mon adolescence, je suppose que je dois être bisexuelle, mais je me moque des étiquettes. A mon avis, la plupart des gens fantasment sur des personnes de leur propre sexe, même s'ils passent rarement aux actes.

Je voudrais d'abord décrire une expérience sexuelle qui remonte à l'époque où j'avais quatorze ans. J'étais partie avec ma meilleure amie et sa famille pour des vacances dans leur maison de campagne, au sud de la France. Elle avait un frère et une sœur plus petits, et une grande sœur, Mary, dix-neuf ans environ. Un soir, toute la famille est partie au cinéma, mais Mary et moi avons décidé de rester à la maison. C'était une nuit de pluie, il faisait froid. Nous nous sommes installées devant un grand feu de bois dans le salon de cette vieille ferme. Nous avions chacune notre livre, puis Mary s'est levée pour aller chercher du vin. Elle est revenue avec deux verres, les a remplis, et nous avons repris notre lecture. Après un moment, en levant les yeux, j'ai eu la surprise de voir que Mary avait l'air très triste. Je suis allée vers elle, et elle m'a raconté que ce qu'elle venait de lire lui avait rappelé son ex-petit ami, qui venait juste de la laisser tomber. Elle était toute retournée, et je l'ai prise dans mes bras.

Elle a commencé à me décrire ce mec, à me raconter comme il était sympa et plein d'attention avant. Il faisait vraiment bon devant ce feu, le vin m'était un peu monté à la tête, et je sentais son souffle dans mon cou car elle se laissait aller sur mon épaule. Elle m'a raconté comme c'était bon quand ils couchaient ensemble, tout ce qu'il lui faisait. Ses seins étaient pressés contre mon bras, et brusquement j'ai réalisé que j'avais envie. C'était une sensation géniale, mais, comme vous l'imaginez, je me demandais ce qui était en train de m'arriver : je n'arrivais pas à comprendre mon émotion, mais je sentais pour de bon la chaleur et la pression monter entre mes jambes.

Mary s'est levée pour aller remplir nos verres, puis elle est revenue s'asseoir tout contre moi. Sa jupe remontait et j'ai vraiment été envahie de désir quand j'ai aperçu sa culotte. Sans arriver à discerner ce qui se passait en moi, je savais que j'étais attirée par elle. Elle n'avait pas de soutien-gorge, je pouvais voir ses seins sous sa blouse légère. Instinctivement, j'ai tendu la main vers eux et je les ai touchés. D'une voix miaulante, Mary m'a demandé si je savais quel effet cela faisait d'être vraiment embrassée.

Sans attendre ma réponse, elle s'est encore rapprochée et, quand sa langue chaude et humide a ouvert mes lèvres tremblantes, j'ai cru que je mourais de plaisir. C'était fabuleux. Notre baiser a duré, duré, puis elle a déboutonné mon chemisier, elle a caressé et embrassé mes petits seins. J'étais au septième ciel. Mary voulait aller encore plus loin, mais j'avais trop peur. Même si rien d'autre ne s'est passé, cette scène compte beaucoup pour moi et m'inspire jusqu'à maintenant un fantasme qui revient souvent : maintenant que je sais qui je suis et ce que je veux, je rêve fréquemment que je fais l'amour à Mary.

La plupart de mes fantasmes prennent pour objet des filles de mon âge, mais à mon école américaine il y a une prof que je trouve très séduisante. C'est la blonde américaine typique, très bien proportionnée, très jolie. Je me surprends souvent en train de me demander si elle accepterait de me faire l'amour. J'adorerais l'embrasser. Je crois qu'il ne se passera jamais rien, et pourtant je voudrais tellement qu'elle essaie de me séduire. Hier, j'ai fait exprès de rester assise avec les jambes un peu ouvertes pour qu'elle puisse voir par-dessous ma robe. J'imagine que cela a dû lui faire un peu perdre le fil de son cours. Je me demande si elle a été choquée. J'espère aussi qu'elle a été intéressée, parce que moi, de toute façon, je ne peux pas faire le premier pas.

J'ai de longues jambes et une belle silhouette. Je fais de la danse, et tous les jours de l'aérobic. J'aime beaucoup sentir ma tenue de danse bien ajustée sur mon corps. Je trouve très beau un corps de femme bien entretenu et modelé. Je joue régulièrement au squash, toujours avec un polo blanc et une jupe plissée très courte. J'adore le moment où la jupe vole un peu et découvre une culotte blanche bien tendue, c'est pourquoi je passe de longs moments à regarder les filles jouer au squash.

Les sous-vêtements me rendent folle, et la plupart du temps je mets des choses aussi soyeuses, aussi luxueuses que possible. Je me demande souvent ce que les filles en jean informe et en sweater trop large portent par en dessous, et si les sous-vêtements leur font le même effet qu'à moi. Quand je rencontre une fille qui me plaît, j'essaie toujours de deviner ce qu'elle a sur elle (je remarque toujours la ligne du slip sous les habits), puis je

185

m'imagine en train de la déshabiller lentement et de lui laisser essayer mes dessous en soie. Parfois cela peut être l'occasion de se caresser, de s'embrasser.

Pourquoi les vêtements me mettent-ils dans cet état d'excitation sexuelle ? Par exemple, quelquefois, quand je bouge sur ma chaise en classe, la simple pression du nylon sur mon vagin me donne du plaisir, surtout si c'est pendant le cours de la prof dont je vous ai parlé.

Je veux vous raconter une chose qui s'est produite il y a un an, et à laquelle je n'arrête pas de repenser depuis. Un soir, on a frappé à la porte de ma chambre. C'était l'une des filles de l'équipe de squash. Nous n'étions pas vraiment amies mais je l'aimais bien et, pour dire vrai, elle me plaisait assez. Elle voulait m'emprunter une jupe et un polo pour un match important qui devait avoir lieu le lendemain. J'ai sorti les affaires du placard et lui ai proposé d'enlever son uniforme du lycée pour les essayer tout de suite.

Elle a retiré son chemisier et sa jupe, ne gardant que sa culotte et un soutien-gorge en dentelle. Elle était superbe. Je lui ai proposé d'essayer un de mes soutiens-gorge de sport, elle m'a demandé de l'aider à enlever le sien et je suis passée derrière elle pour le dégrafer lentement. Quand il est tombé de ses épaules, elle s'est retournée et nous nous sommes regardées l'une l'autre. Elle avait d'adorables seins blancs comme la crème, et ses tétons pointaient en avant. J'étais réellement excitée, la bouche sèche, mais je ne savais pas quoi faire et c'est elle qui s'est lentement rapprochée de moi.

Avant même de réaliser ce que nous étions en train de faire, nous avons commencé à nous embrasser, d'abord avec un peu d'hésitation puis profondément. Mes mains sont descendues le long de son corps, je tremblais de sentir sous mes paumes la douceur de sa peau : elles ont parcouru ses cuisses, puis sont remontées dans son dos, puis redescendues sur ses fesses. J'ai caressé sa culotte, massant le tissu soyeux sur sa toison. Je la sentais devenir humide, j'entendais sa respiration se faire haletante. J'ai passé un doigt sous l'élastique et je l'ai entré en elle. Elle mouillait tellement... Rien qu'à l'écrire, je n'en peux plus, je tape à la machine d'une main, l'autre est déjà sous ma robe. A ce moment-là, mon autre main parcourait ses fesses. Je l'ai amenée jusqu'au lit, je me suis couchée entre ses jambes, j'ai soulevé son petit cul de mes mains et je me suis mise à lécher l'intérieur de ses cuisses. Très, très lentement, je suis remontée de plus en plus haut jusqu'à parvenir à son vagin. Ma langue a trouvé son clito, j'ai commencé à sucer, sucer, et elle a eu tant d'orgasmes que je ne pouvais plus les compter. Nous sommes amantes jusqu'à aujourd'hui.

Voici maintenant quelques fantasmes « express » :

Je suis surveillante en chef d'une école. J'ai été chargée de vérifier que les nouvelles portent bien les sous-vêtements prévus par le règlement. Quand je découvre que trois d'entre elles ont sur elles des slips ultra-sexy au lieu des boxers-shorts réglementaires, je les convoque dans mon bureau, les fait se déshabiller et me déshabiller, et me masturbe pendant que la plus jolie du groupe me pénètre avec ses doigts.

Je donne des cours d'aérobic. Dans la classe, il y a un garçon d'environ seize ans, d'une beauté féminine. Je lui demande de venir se mettre devant toute la classe. Très vite, en me regardant faire les exercices, il a une érection bien visible sous ses collants noirs. Je renvoie les autres élèves, amène le garçon chez moi, lui fait enfiler une culotte et une robe et le suce à fond. Ensuite, il essaie ma tenue de danse et, dans cette tenue, il m'encule.

Une amie et moi sortons avec deux garçons ennuyeux comme la pluie. Pendant le dîner, j'enlève mes chaussures sous la table et commence lentement à caresser du pied l'intérieur des cuisses de ma copine. Je remonte doucement et mes doigts de pied frottent son vagin. De toute évidence, elle apprécie beaucoup, mais ne se doute pas du tout qu'il s'agit de moi. Le lendemain, elle me raconte ce que son petit ami lui a fait, et comme elle a aimé ça. Je lui dis alors que c'était moi.

Je voudrais qu'une femme noire vraiment belle, à la peau pas trop foncée, au corps sculptural, me séduise. J'aimerais qu'elle me fasse l'amour sur la plage. Après, elle m'amènerait chez elle et me raserait la chatte. Elle se mettrait à califourchon sur moi, m'ouvrirait les jambes et se mettrait à me lécher avec sa langue rose et brûlante. Tout ce que je vois d'elle, ce sont ses fesses prises dans une culotte en nylon.

Paula

J'ai dix-sept ans, et d'après mes souvenirs j'ai toujours été gay.
Je dis «gay» parce que le mot «lesbienne» me déprime. Je viens
de finir mes études secondaires, avec mention.

Avec ce fantasme, quand je suis dans la douche, je parviens
à l'orgasme sans avoir à me toucher. Il implique une fameuse
chanteuse de rock, dont je ne citerai pas le nom parce que je
ne voudrais pas la mettre mal à l'aise si elle lit ce livre. Si l'on
peut parler d'amour à propos de quelqu'un que l'on ne connaît
pas personnellement, alors je suis follement amoureuse d'elle.
Je raconte :

Je sors d'un concert de rock où mon idole était la vedette.
En coulisse, je m'arrange pour la rencontrer et aussitôt nous
éprouvons un coup de foudre mutuel. Elle est exactement
comme je l'avais imaginée. Après lui avoir parlé pendant ce qui
me paraît une éternité, nous décidons que nous devons absolument nous revoir. Elle me dit qu'elle a une semaine libre dans
sa tournée, et qu'elle aimerait bien partir un week-end. Elle
décide de louer un chalet et d'aller à la montagne. Je suis surex-
citée quand elle me demande de partir avec elle. Nous faisons
une longue route jusqu'au chalet et, quand nous arrivons là-
bas, il neige : d'après moi, l'ambiance romantique idéale. Nous
déballons nos affaires après avoir découvert qu'il n'y a qu'un
seul lit — coup de chance pour moi. Après nous être installées
et nous être faites à l'idée de dormir ensemble (ce qui est très
loin de me déranger), je prépare un dîner grande classe, avec
du vin — vous aurez raison de penser que je voulais vraiment
la séduire. Après le dîner, toutes les deux un peu parties, nous
allons nous installer sur le canapé en face d'un feu ronflant. La
discussion dérive sur les expériences sexuelles. Elle découvre avec
étonnement que je suis toujours vierge (probablement la seule
fille de dix-sept ans dans ce cas). Nous buvons encore un peu
de vin, et je m'aperçois qu'elle est aussi chaude que moi. Assise
à regarder le feu, je suis (agréablement) surprise quand elle se
penche vers moi et m'embrasse passionnément sur la bouche.
Je souris, elle voit bien que j'ai adoré ça. Le second baiser est
initié aussi bien par elle que par moi. Nous nous allongeons
sur le canapé en nous serrant l'une contre l'autre, violemment
mais aussi avec une tendresse que je n'ai encore jamais connue.

Tranquillement, elle propose que nous allions dans la chambre. Au début, je suis anxieuse, parce que je n'ai encore jamais fait l'amour avec une femme. Elle me dit de ne pas avoir peur, qu'elle va me montrer ce qu'il faut faire pour lui donner le plus de plaisir. Nous entrons dans la chambre et commençons à nous déshabiller mutuellement, avec des temps d'arrêt pour nous caresser et nous embrasser. Nous nous glissons dans les draps froids, dans les bras l'une de l'autre. Elle est si tendre, si tendre que je n'en peux plus. Je l'embrasse, mais elle se fait plus agressive : elle écrase sa bouche sur la mienne et ouvre mes lèvres de sa langue. Décidée à faire confiance à mon intuition, je me mets à lui caresser doucement les seins et à les embrasser. Elle gémit. Je passe ma langue sur ses tétons, les prend dans ma bouche. La chaleur de mon souffle l'excite encore plus. Elle me demande de l'embrasser partout, et je suis trop heureuse de lui obéir. Je l'embrasse à pleine bouche, puis dépose de petits baisers mouillés sur ses paupières, sur son nez, lui mordille l'oreille. Je glisse le long d'elle, atteint son ventre que j'embrasse avant de descendre plus bas. Je survole son beau pubis et me retrouve à ses pieds que je couvre de baisers, je suce ses doigts de pied tout en lui caressant l'intérieur des jambes. Je lèche le contrefort de ses cuisses et finalement je lui écarte les jambes et commence à frotter son clitoris. Elle me supplie de l'embrasser, de la lécher. Je me mets à passer ma langue de haut en bas sur son clito. Elle prend une profonde aspiration, soupire, et jouit. Je continue à la lécher et à la découvrir de ma langue, tout en lui caressant un sein. J'excite d'un doigt son téton déjà crispé. J'accélère mes coups de langue, elle se tend en avant et atteint l'orgasme en même temps que moi. Elle se laisse aller sur le lit, vidée, et me tient serrée très fort dans ses bras. Elle passe doucement sa main dans mes cheveux et m'embrasse délicatement sur le visage et dans le cou. Puis ses mains me massent la nuque, emplissant tout mon corps de frissons. Elle se lève et va dans la salle de bains. Je l'entends faire couler la douche, elle revient, me prend par la main et me place sous le jet. L'eau est chaude, je commence à me détendre. Elle m'embrasse, me mordille les épaules. Elle prend un savon et me savonne tout le corps. Je suis terriblement excitée, et encore plus à l'idée que je vais le lui faire aussi : je la savonne de haut en bas, m'attardant longuement sur ses seins bien fermes, magnifiques. Massée par la douche, comblée par son corps, je jouis avec une intensité inégalable. Nous sortons de la douche, nous nous essuyons l'une l'autre. Puis nous nous glissons dans le lit et nous endormons enlacées.

Le plus important est de lui donner du plaisir, à elle.

Suzanne

J'ai vingt ans, je suis mariée depuis trois ans. Je suis sexuellement active depuis l'âge de quinze ans, mais je n'ai jamais pu éprouver d'orgasme pendant un coït. Seulement en me masturbant.

J'ai des tas de fantasmes homosexuels. Je n'ai jamais été sucée par une femme, mais je suis sûre que j'adorerais. Et que je jouirais, et comment ! En tout cas, j'ai déjà sucé une autre femme, et j'ai adoré la faire jouir. Je me souviens encore de son odeur, de son goût. J'aimerais vous le raconter, en espérant que cela plaira à d'autres !

Joan était venu me voir à la maison. Nous avons commencé à boire, Joan, mon mari et moi, et à la fin nous étions complètement saouls tous les trois. Joan m'a défié de sortir la queue de mon mari et de la sucer. Elle a même proposé son aide. J'ai accepté en riant. Avant de me rendre compte de ce que je faisais, j'étais en train de lécher et de sucer sa bite que Joan tenait dans sa main pour moi. Il a joui en couvrant de sperme ma figure et celle de Joan. Ensuite j'ai offert Joan à mon mari, et je les ai regardés baiser jusqu'à ce qu'elle se mette à hurler de plaisir. Puis il lui a sucé ses jolis nibards, et je ne pouvais détacher mes yeux de son con ravissant. N'y résistant plus, je me suis lancée : je lui ai écarté les jambes et les ai posées sur mes épaules, j'ai largement ouvert de la main les lèvres de son con et je me suis jetée sur elle. Je l'ai sucée exactement comme j'aurais voulu qu'elle me suce. J'ai parcouru son con avec mes doigts, d'abord un, ensuite deux, ensuite trois. Elle aimait ça, elle en redemandait ! Quand elle a joui, je me suis embrasée. Elle a serré ses mains derrière ma tête et s'est lancée en avant pour mieux prendre ma langue.

Ce trio a duré quelques semaines. Parfois mon mari me baisait pendant que je lui bouffais le con, ou bien elle suçait mon mari pendant que je la prenais. Elle ne me l'a jamais fait, elle n'a jamais pu aller jusque-là, mais, quand je me masturbe, j'imagine souvent qu'elle est en train de me bouffer le con.

Je feins d'avoir des orgasmes avec mon mari, je sais, c'est une erreur, mais je ne voudrais pas qu'il pense que c'est à cause de lui, qu'il n'est pas assez bon. En fait, je crois qu'il l'est, c'est certainement moi qui suis en cause. Je ne prends même pas mon pied quand mon mari me suce, parce qu'il est un peu trop brutal : et puis, zut, ce n'est pas la même chose!

Jennifer

J'ai vingt et un ans, je vis avec mon petit ami. Nous sommes super-bien au lit, mais je ne peux par parvenir à l'orgasme sans l'aide de mon génial vibromasseur, que j'utilise au moins une fois par jour. J'ai toute sorte de fantasmes, mais je n'y pense jamais quand je fais l'amour avec mon petit ami; dans ces moments je me préoccupe surtout de lui. Avec le vibromasseur, par contre, je me laisse partir dans mon univers personnel, dans le monde de mes fantasmes.

Je suis assez obsédée par les femmes, mais pas par une en particulier. Je suis très remuée par les journaux érotiques et les films pornos, surtout quand deux belles femmes sont ensemble. Les seules femmes qui m'attirent vraiment sont celles qui ont un corps exceptionnellement beau. Et donc un film porno avec deux femmes qui ne m'attirent pas ne me procurera aucun effet.

Un de mes fantasmes tourne autour d'une amie à moi qui est vraiment très belle, et qui m'attire beaucoup. Nous vivons chacune avec notre petit ami, et je rêve qu'un jour nous les perdons d'une manière quelconque toutes les deux — en fait, je ne voudrais pas du tout que cela arrive —, et qu'elle vient s'installer chez moi. Nous sommes obligées de dormir ensemble dans mon lit double, toutes les deux nues parce que nous avions l'habitude de dormir ainsi avec nos copains, et je lui demande si je peux dormir collée contre elle comme j'avais coutume de le faire avec lui. Elle reconnaît que nous avons besoin d'une certaine tendresse physique et je me rapproche d'elle, nous nous emboîtons l'une à l'autre parfaitement. Je suis derrière elle, les bras serrés autour de sa taille menue, et elle a passé ses bras dans les miens. Nous nous endormons, mais bientôt je me réveille en sentant qu'elle a pris mes mains et en parcourt son corps brûlant et si doux. Je touche ses seins et passe mes mains sur tout son corps, nous agissons avec la plus grande précaution, la plus grande douceur. Finalement, elle fait descendre ma main le long de son ventre, sur ses poils et jusqu'à ses lèvres tendres et humides. A ce moment, elle ne peut faire autrement que se laisser aller sur le dos, et je suis libre de faire ce dont j'ai envie. Je me mets sur elle, l'embrasse dans le cou et descends pour rester aussi longtemps que possible sur ses seins, qui sont parfaits. Je les embrasse, les suce, les pétris et enfouis mon visage entre eux. Elle creuse le dos, les mains dans mes cheveux, toute à son plaisir, et je continue donc mon exploration, son ventre, ses cuisses, tout en bas jusqu'à ses doigts de pied, puis retour à sa chatte. A ce point, je m'arrête un instant pour embrasser et lécher l'intérieur de ses cuisses, pour déposer un baiser léger sur sa fente. Je presse mon nez dans ses poils et respire à fond cette merveilleuse odeur de sexe. Ensuite, je n'arrête plus de lécher, d'embrasser, de sucer, jusqu'à ce qu'elle agonise de jouissance. Quand elle a joui, je continue à m'occuper d'elle, à frotter mon corps contre le sien, puis nous nous endormons.

Je dois vous dire que j'ai dû m'arrêter au milieu de ce récit pour passer quelques merveilleux instants avec mon vibromasseur : je n'en pouvais vraiment plus !

Gemma

J'ai vingt-trois ans, je suis catholique, issue d'une famille plutôt aisée. J'ai fréquenté l'école paroissiale de longues années et j'en suis sortie avec des idées et des principes bien arrêtés. Mais, malgré mon éducation assez stricte, il y a certaines choses qui me mettent en porte à faux. Par exemple, je me suis récemment sentie « portée sur les femmes » et, comme l'homosexualité n'est pas vue d'un bon œil par l'Église, cela m'a amenée à me poser beaucoup de questions. Un autre problème (qui me panique vraiment) est qu'on ne m'a jamais appris à me comporter devant n'importe quel type de preuve d'affection. Dans ma famille, les seules émotions qui se manifestent sont la colère et l'amusement. Je me demande souvent avec inquiétude si je ne suis pas un « colin froid », mais cette peur est certainement infondée, comme le prouve le fantasme que je veux vous raconter.

Pour le resituer : il s'agit de la première femme que j'ai connue qui m'ait jamais dit qu'elle était gay, Liz, et de son amante Camille. Liz et moi travaillions ensemble et, après m'être convaincue que je n'avais pas à me sentir coupable d'être homosexuelle, nous avions pris l'habitude de sortir ensemble toutes les trois dans les bars et ailleurs. (Maintenant, elles n'habitent plus ma ville.) Malheureusement, j'étais tombée complètement amoureuse de Camille. Toutes les deux étaient très conscientes de mes sentiments envers elle, mais cela n'a pas altéré nos relations. Elles en sont peut-être même sorties renforcées. Jusqu'à aujourd'hui, nous nous rendons visite. Enfin, voici l'affaire : je suis de passage chez Liz et Camille. Il se trouve que Liz est en train de partir, je n'ai jamais inventé de raisons pour cela, mais nous savons toutes les trois qu'elle ne sera pas loin longtemps. Bref, Camille et moi sommes assises sur le canapé, à regarder la télé ou à lire, rien de spécial. Camille se penche vers moi et me donne un bisou sur la joue. Je la regarde d'un air fâché qui signifie : « Qu'est-ce qui te prend ? » Nous reprenons nos activités, et après un moment elle m'embrasse encore. Au lieu de réagir comme avant, je lui rends son baiser sur la joue. Elle pose ses mains sur mes épaules et m'embrasse doucement sur les lèvres. En réponse, je passe mes bras autour de sa taille en l'embrassant aussi. Très vite, nous nous retrouvons allongées sur le canapé, à couvrir nos visages de baisers et de caresses. Nous nous sentons si bien, naturellement, que nous voulons encore nous rapprocher. Nous partons dans la chambre.

Après nous être déshabillées, nous nous allongeons à nouveau dans les bras l'une de l'autre. Je commence en dessinant doucement avec mes doigts le contour de ses sourcils, de ses yeux et de sa bouche. Je suis le même parcours avec les baisers les plus doux, insiste sur sa lèvre inférieure, explore ses épaules et ses bras du bout des doigts. Je place mes bras autour d'elle pour la serrer au plus près de moi, tant je veux que nous soyons inséparables. Je lui prends les mains pour passer ses phalanges sur ma figure, ses mains si menues et si délicates dont je baise chacun des doigts puis la paume. Après, je ne fais que survoler des mains ses cuisses, ses jambes et ses pieds, tandis qu'elle continue à m'embrasser et à me serrer dans ses bras. Pendant que ma bouche remonte sur ses seins, j'enserre doucement son vagin dans ma paume et, tout en accentuant sa pression, j'excite ses tétons jusqu'à ce qu'ils soient bandés. Ma langue descend vers son nombril, trace un cercle autour de lui, puis parcourt son ventre, en descendant encore sur les ourlets du vagin que j'écarte doucement. Ma langue est maintenant autour de son clitoris et dardée sur lui, et après l'avoir excitée de cette manière j'enfonce ma langue dans son vagin. Je commence à jouer avec, d'avant en arrière, et tout en accélérant la cadence je continue à effleurer ses jambes et son ventre de mes doigts. D'un seul coup, elle se met à jouir sous ma langue et je bois autant de ce qui coule d'elle que je le peux. Quand elle redevient presque immobile, je m'arrête, je reprends le chemin de sa bouche, elle m'embrasse tendrement et me mordille une lèvre, et de nouveau je l'enlace pour être le plus près d'elle. C'est dans cette position que nous nous endormons.

Comme je l'ai déjà dit, elles connaissent toutes les deux les sentiments que j'éprouve pour Camille, mais elles préfèrent appeler cela une «passade», alors je continue à certifier (seulement à moi) qu'il s'agit d'amour. Je suis sûre qu'elles seraient pareillement étonnées de découvrir l'intensité de mes fantasmes qui impliquent Camille. Je l'aime, vraiment.

Deidre

J'ai dix-neuf ans, je suis blonde aux yeux bleus, et bisexuelle, même si je n'ai eu qu'une seule expérience avec une femme. Je me masturbe depuis l'âge de onze ans, quand j'ai découvert les délices d'une «très longue» douche et le vibromasseur de ma mère. Elle et mon père ont divorcé quand j'avais dix ou onze ans, je ne me rappelle pas exactement. Ils ont toujours été plutôt cool, me laissant sortir et essayer la drogue dès l'âge de douze ans. Le sexe n'a jamais été un sujet tabou à la maison : j'ai entendu très jeune ce que ma mère expliquait à ma grande sœur à propos des oiseaux, et j'ai appris le reste de l'affaire dans la collection des magazines de papa, du genre *Playboy* et *Penthouse*, dans laquelle je piochais à la moindre occasion. Quand j'ai eu quinze ans, ma mère et moi avons commencé à parler vraiment de la sexualité, je veux dire des différentes choses faisables et de comment les faire, le sexe «normal», à deux filles, à trois...

Je n'ai donc jamais manqué de fantasmes, mais je n'ai commencé à être vraiment emballée par la description détaillée de fantasmes que la fois où mon premier mari m'en a écrit un. Je lui ai répondu sur le même mode, et depuis mes rêveries n'ont cessé de gagner en variété et diversité. Mon mari actuel adore m'entendre lui confier mes rêves érotiques, mais nous n'en avons mis en pratique que deux : une fois avec un autre mec, une fois avec une autre fille, mais le mec n'a pas été à la hauteur de mes attentes. Voyez-vous, je rêve de voir Mark sucer et/ou baiser un mec, et aussi qu'il se fasse sucer ou baiser, mais cela ne s'est pas réalisé. Il dit qu'il est plus naturel de le faire avec une autre fille qu'avec un autre mec, mais moi je ne vois pas en quoi ! Enfin, mon fantasme préféré se déroule de cette façon : il y a une chanteuse de pop-music dont Mark est devenu fou la première fois qu'il l'a vue. Il n'y a pas longtemps, j'ai écrit à Mark une lettre pour lui dire comme j'aimerais pouvoir être avec elle et lui donner un spectacle inoubliable pendant qu'il se cacherait dans un placard, de telle sorte qu'elle ignore sa présence. Voilà comment cela se passe dans ma tête :

Mark m'a rapporté un nouveau « jouet », un de ces vibrateurs. J'en ai toute une collection : des gros, des petits, des à double tête... Tout est prévu pour que Mark ait, depuis son placard, une bonne vue sur le canapé où elle et moi allons nous exhiber pour lui. J'ai aussi un magnétoscope et deux cassettes, une à propos de deux filles qui partagent un appartement avec un mec, l'autre avec deux filles qui se font lâcher par leur petit ami respectif. La chanteuse n'est pas encore arrivée, mais je mets la cassette avec les deux petites colocataires, j'ai mon « jouet » en main en regardant cette superbe Asiatique dévorer une adorable blonde de la tête aux pieds. Je mouille en la voyant sucer la blonde, alors je me mets à frotter ma chatte, j'enfonce deux doigts pour recueillir mon jus et je les lèche en regardant droit dans les yeux Mark, caché dans le placard. Il adore me voir faire ça. Puis je me mets à quatre pattes, le cul tourné face à Mark, je huile mon jouet et pose son bout vibrant au bord de l'orifice, je l'enfonce lentement, centimètre par centimètre, et le fait aller délicieusement d'avant en arrière, donnant à Mark le plaisir de le voir disparaître au fond de mon cul. Je me retourne, écarte bien les jambes et, pendant que l'engin continue à vibrer dans mon cul, j'écarte mon con trempé et lui montre comment j'enfonce deux doigts dedans tout en frottant un troisième sur mon clito. Juste au moment où je vais avoir un orgasme dément, on sonne à la porte. Je sais que c'est elle, et je dois faire en sorte qu'elle ne se doute de rien. Elle entre et me demande ce que je suis en train de faire. « Je me prépare à essayer à fond mon nouveau jouet. — Quel nouveau jouet ? » Je le lui montre. « Tu veux essayer toi aussi ? Je vais l'étrenner sur toi. » Elle me dit d'accord ; nous nous asseyons sur le canapé en regardant sur l'écran les deux filles s'envoyer en l'air avec un double gode. Elle est maintenant en soutien-gorge et en string de dentelle blanche. J'embrasse délicatement ses lèvres en caressant sa poitrine et son ventre. Je mordille son oreille, embrasse son cou et ses épaules en descendant plus bas, je dégrafe son soutien-gorge pour découvrir ses jeunes seins fermes et leurs tétons en bouton de rose. J'en prends un dans ma bouche, je le fais rouler sous mes dents et darde ma langue sur le bout du téton tout en pressant son autre sein dans ma main. Puis je glisse jusqu'à ses pieds que j'embrasse et dont je suce les doigts. Je parcours tendrement de ma bouche l'intérieur de ses cuisses, si doux ; elle se tord et lève son cul en arrière pour me tendre sa chatte à embrasser. Très doucement, je lui retire son string et l'installe au milieu du canapé.

Je passe mes pouces le long de sa fente et écarte ses lèvres intérieures, exposant toute son intimité rose et mouillée à Mark et me préparant à y goûter. Je titille ses lèvres du bout de ma langue, puis lui donne toute sa chaleur en la passant entièrement depuis son trou de cul jusqu'à son clitoris érigé. Je le cerne de lents coups de langue circulaires avant de l'attraper dans ma bouche, de le mordiller, de le sucer tendrement mais fermement, exactement comme j'aime qu'on me le fasse. Je commence à exciter ses lèvres et son cul de mes doigts et bientôt elle a passé ses jambes sur mes épaules en me suppliant de la baiser avec mon nouveau jouet. Je glisse deux doigts juste à l'entrée de son puits d'amour, juste assez pour la faire me supplier encore plus fort : « S'il te plaît ! Continue ! Baise-moi, je t'en prie ! » J'enfonce mes doigts plus avant, elle lance son bassin en avant pour rencontrer mes allées et venues, nous trouvons notre rythme. Ma bouche est toujours sur son clitoris, et avec un « Oooh ! » prolongé elle jouit sur ma figure et ma main. Mais je ne m'arrête pas, je continue à la pénétrer et à la sucer, et elle est vite sur le point de jouir encore. Juste au moment critique, je m'arrête, le temps de prendre mon jouet et de glisser sa tête en elle. Elle cambre les reins pour en avoir plus, mais je lui dis de rester tranquillement étendue, et doucement, centimètre par centimètre, je l'enfonce jusqu'au fond d'elle. Je lèche le jus qui suinte de son con, ma bouche remonte jusqu'à son oreille, je pose mes doigts entre ses lèvres pour qu'elle goûte ce qui sort de sa chatte. «Tu aimes l'avoir au fond de toi, ce jouet? — Oui, oh oui! Je t'en prie, ne t'arrête pas! — Attends un peu, tu vas voir ce qu'il peut encore faire.» Je mets le vibromasseur en route et elle crie de plaisir. «Tranquille! Ce n'est pas fini, tu vas voir.»

Je me remets à genoux entre ses jambes, je recommence à lécher son clitoris et à la baiser avec l'appareil, que je branche sur la vitesse maximum quand elle se débat sous les vagues déferlantes de plaisir. Elle a maintenant une grosse «queue» qui palpite et tourne en elle, et c'est moi qui l'enfonce dans son con ruisselant pendant que ma bouche donne à son clito un traitement mémorable. «Mon Dieu, c'est si bon d'être baisée et sucée en même temps! S'il te plaît, s'il te plaît, continue!» Non seulement je continue, mais j'accélère encore le rythme de mes coups de poignet, la faisant hurler : «Plus vite! Plus fort! Oh, baise-moi! Fais-moi jouir!» Je baise et je suce de toutes mes forces tout en me branlant la chatte. Soudain, elle se met à tressauter sur le canapé, pressant son con sur l'appareil et sur mon visage et criant : «Je jouis! Oh oui, je jouis!» Rien qu'à l'entendre, à sentir comme elle est trempée, je jouis moi aussi sur mes doigts. Nous nous reposons une minute, puis je l'envoie dans ma chambre voir si elle trouve un autre jouet qu'elle aimerait essayer. Je roule un joint et, quand elle revient, je l'entraîne à la cuisine pour laisser Mark sortir du placard et s'étirer un peu.

Quand nous revenons, je mets la cassette sur les deux filles lâchées par leurs mecs et j'allume le joint. Nous bavardons tranquillement et, quand nous avons fini le joint, elle me dit : «De toute façon, à quoi bon un mec? Nous, nous avons ça!» Et elle sort mon double gode. Elle me pousse sur le dos et passe ma robe par-dessus ma tête, puis elle s'asseoit pour caresser mes seins, mon ventre, et effleurer ma touffe. Elle se penche en avant pour embrasser mon sein droit; elle joue de la langue sur mon téton, avant de prendre tout dans sa bouche et de harceler le téton de la langue. Elle passe à l'autre sein, à mon cou, à mon oreille dans laquelle elle murmure : «Je vais te donner un orgasme que tu n'es pas prête d'oublier.» Sa bouche descend sur mon nombril, à l'orée de mon buisson, le long de mes jambes que j'écarte largement pour elle. Elle va très lentement, se rapproche de ma fente, ouvre mes lèvres de sa langue, suce et mordille mon clito en enfonçant un doigt dans mon trou bouillant. Parfois, elle darde sa langue loin dans mon cul. Ensuite elle saisit l'appareil et le fait vibrer, remuer, coulisser, pendant que sa langue me branle encore mon petit trou. Comme elle sait bien s'y prendre à cet endroit, d'après moi les femmes ont simplement un don pour cela.

Très vite, je me retrouve à lui demander de me baiser, fort, vite, profond, et puis je décharge sur son visage et sa main. Mais elle ne s'arrête pas. Elle retire le jouet et recommence à titiller mon cul, le lèche, glisse dedans son majeur en écartant bien mes fesses pour ne pas me faire mal. Ensuite, elle lubrifie le double gode et enfonce une de ses têtes dans mon petit trou, peu à peu, laissant mes muscles s'habituer à cette pénétration. Tout en poursuivant plus loin, elle caresse mon con de son autre main, puis elle met l'autre bout dans sa chatte, nos clitoris se frottent l'un contre l'autre, ses seins se pressent contre les miens tandis que nous nous embrassons. Ensuite nous nous mettons à quatre pattes, moi de telle façon que je puisse voir Mark dans son placard. Mes lèvres forment en silence la question : « Alors, qu'est-ce que tu en penses ? » Il me répond en ouvrant assez la porte pour me laisser le voir caresser sa queue tendue et prête à exploser sous la pression du sperme accumulé dans ses couilles. Je tends la main en arrière pour atteindre le clitoris de la fille et, au moment où je me mets à la caresser, Mark fait jaillir de longs jets de sperme crémeux en l'air. A cette vue, et à l'idée que c'est notre spectacle qui l'a mis dans un tel état, je jouis comme jamais encore, ce qui déclenche son orgasme à elle, nous sommes tous les trois trempés et follement contents. Nous nous endormons elle et moi, Mark se glisse dehors et appelle peu après au téléphone en disant qu'il sera « bientôt là ». Nous nous habillons, et elle ne se doute de rien quand il arrive, mais Mark et moi savons bien qu'elle sera toujours la bienvenue si elle veut « venir », et essayer mes jouets.

J'aimerais réellement me retrouver avec cette fille et vivre cette scène, sans forcément que Mark soit là pour regarder...

« EST-CE QUE JE SUIS LESBIENNE ? »

Freud a été le premier à établir l'existence d'une sexualité du jeune enfant, en gros de quatre à sept ans, les années de l'Œdipe.

Pour cette « découverte », il a à l'époque été littéralement mis à l'écart par la profession : jusqu'à lui, l'idée communément acceptée était que les premiers émois sexuels ne se produisaient qu'à la puberté, et personne ne voulait penser que des bambins de quatre ans puissent en connaître. Encore aujourd'hui, tout le monde est loin d'accepter ce fait, surtout lorsqu'il s'agit de ses propres enfants, qui ont pourtant un grand besoin de voir leurs expériences reconnues par l'autorité parentale. Les souvenirs de premières découvertes sexuelles menées avec une autre fille, qui reviennent si souvent dans ces témoignages, sont le germe des rêveries érotiques ultérieures, à l'âge adulte. De telles « aventures » initiatrices ne sont pas rares entre petites filles se fréquentant entre elles, mais elles sont souvent oubliées ou refoulées. Cependant, pour beaucoup des femmes de ce chapitre, elles demeurent une composante importante de leur identité sexuelle. Parce qu'elles constituent un premier pas vers une sexualité autonome et une prise de distance avec les lois parentales, elles acquièrent souvent l'aura de l'interdit et peuvent rester toute la vie en mémoire avec une force explosive. Souvent, rien n'est jamais plus fort que la toute première émotion sexuelle, et, quand elle s'est produite avec quelqu'un du même sexe, elle peut donner naissance à un souvenir rassurant et attendri, comme de nombreuses femmes l'évoquent ici, ou garder pour toujours sa « saveur de péché » originelle, comme l'écrit l'une d'elles plus loin.

Les femmes paraissent beaucoup plus à l'aise que les hommes avec le souvenir de leurs premières découvertes sexuelles en compagnie d'une personne du même sexe. Pour la majorité des hommes, ce genre de souvenir reviendrait plus comme un cauchemar que comme le fondement érotique de fantasmes adultes. Peu importe combien de femmes l'homme a pu séduire depuis cette expérience, ni combien d'années se sont écoulées : l'avertissement indélébile : « homosexuel » n'en reste pas moins gravé dans sa mémoire. Un jeune garçon prend très vite conscience de l'inclination homophobe de la société, et apprend à apposer des étiquettes sur lui et sur les autres. Voyez cet articles paru dans le *New York Times* en 1984, sous le titre : « Fantasmes sexuels, leur sens caché ». Il y est fait mention d'une communication devant l'Association américaine de Psychanalyse, où l'auteur affirme entre autres qu'« une personne non

activement homosexuelle mais ayant une production fantasmatique de type homosexuel est homosexuelle, même si ses
fantasmes homosexuels demeurent de l'ordre de l'inconscient ».
J'ai encore cette coupure jaunie devant les yeux, avec les gros
points d'interrogation et d'exclamation que j'y avais alors tra-
cés. Je suis atterrée, furieuse de voir quelqu'un qui se prétend
médecin écrire de telles aberrations. Comment étiqueter
quelqu'un d'« homosexuel » en raison de ce qui lui traverse
l'esprit ? On peut difficilement aller plus loin dans la logique
policière.

Il y a vingt ans, j'avais été étonnée de ne pas rencontrer dans
mes recherches plus de ces fantasmes de femmes entre elles. Je
savais que les hommes aimaient regarder faire et être avec deux
femmes en même temps, dans la réalité comme en fantasme,
et je savais que de nombreuses femmes avaient connu dans leur
enfance des expériences sexuelles avec d'autres femmes. Mais
il fallut attendre que les femmes commencent à ressentir la soli-
darité féminine dans la vie réelle, à aller vers d'autres femmes
pour y trouver réconfort, reconnaissance et tout le reste, pour
que des fantasmes de ce genre puissent émerger et prendre leur
essor. Je ne saurais cependant dire que toutes les femmes de ce
chapitre se sentent à l'aise avec de telles images. Notre culture
est obsédée par la manie de tout étiqueter — n'importe qui et
n'importe quoi. C'est une tendance fortement inhibitrice, qui
permet de dissuader d'aller plus avant ceux qui sont prêts à explorer tout ce qui peut élargir et enrichir le spectre de leur existence. Les étiquettes n'existent que pour faciliter la vie à ceux
qui se sont déjà résignés à une existence étroite et frileuse. Ce
genre d'individus ne peuvent mener leur morne vie, qui exclut
toute nouveauté, qu'en essayant d'empêcher les autres de démon-
trer par leur propre existence à quel point la leur est mortelle-
ment ennuyeuse. Les étiquettes, notamment quand elles sont
dépréciatives, permettent aux envieux de dormir en paix. Aussi
n'est-il pas étonnant d'entendre certaines de ces femmes s'en
apposer elles-mêmes pour échapper à la peur du qu'en-dira-
t-on. « Je me définis comme bisexuelle, dit ainsi Molly, mais c'est
surtout un "truc" destiné à cette société qui veut que tout le
monde porte son étiquette. Je préfère de loin les femmes, même
si les hommes peuvent aussi donner du bon temps au lit. Je suis

une romantique impénitente, et pour un grand amour, pour l'amour, les femmes me conviennent mieux. »

A mon avis, nous commençons tous notre vie avec un potentiel d'attraction sexuelle envers un sexe comme envers l'autre. Le temps passant, la plupart d'entre nous développent une inclination plus particulière pour l'un ou l'autre. Quand bien même je pense n'avoir jamais été attirée sexuellement par une femme, cela pourrait très bien se produire sous telle ou telle lune : croire autrement, c'est restreindre le champ de la vie. Nous sommes tous « latents ». Et c'est pourquoi je me suis refusée à classer ces témoignages en rubriques : « hétérosexuelles », « bisexuelles », « lesbiennes »... Ces femmes ne savent souvent pas elles-mêmes comment se définir : « Ce fantasme revient si souvent que je me demande parfois avec inquiétude si je ne suis pas une lesbienne refoulée ou quelque chose dans le genre », dit l'une d'elles. Puisqu'il y a déjà bien assez d'inquiétudes infondées en elles, je préfère employer le terme de « fantasmes de femmes entre elles » et les laisser parler pour elles. Et ce qu'elles disent à propos de leur vie réelle est que soixante-dix pour cent d'entre elles ont déjà eu une expérience sexuelle avec une autre femme, ou aimeraient en avoir.

Pour certaines femmes, il est capital de préciser dans leurs fantasmes quel rôle elles y occupent : celui de l'initiatrice sexuelle, ou celui du sujet passif. Ainsi, chez celles qui redoutent secrètement de se voir étiquetées « lesbiennes » à cause de tels fantasmes, l'anxiété se dissipe comme par magie lorsqu'il est clair que l'autre femme est l'agressive initiatrice, celle qui est aux commandes : « Je veux qu'elle me prenne », dit Gwynne. Le propos d'un fantasme est de nous exciter, de nous faire surmonter toutes les barrières qui font obstacle à la satisfaction sexuelle. Notre cerveau, cette merveilleuse source créative, connaît déjà nos envies profondes et nos peurs primitives bien avant que nous ne les ayons acceptées consciemment. Ces femmes n'évoquent pas leurs fantasmes comme des histoires romanesques qu'elles ont décidé de créer délibérément et consciemment : comme les rêves nocturnes, leur ligne narrative est avant tout déterminée par leur inconscient. Quand elles ferment les yeux et se masturbent, ce qui remonte dans la conscience peut en partie provenir d'événements récents, de nouvelles rencontres, mais l'obstacle délicieux qu'il reste à surmonter, l'ingrédient interdit qui électrise l'atmosphère, provient habituellement d'un écho, très souvent inconscient, de la petite enfance.

Je serais évidemment trop optimiste si je tirais, comme conclusion de cette recherche, que désormais les femmes refuseront de porter les étiquettes homophobes imposées par la société. Les femmes de ce chapitre sont les plus jeunes de tout le livre, aussi ne savons-nous pas si elles conserveront leur assurance et leur ouverture d'esprit une fois passé le cap du mariage, de l'enfantement, de la réussite professionnelle. Et il serait intéressant aussi de vérifier si, comme il y a une vingtaine d'années, la vue de deux femmes entre elles, se dévorant, se possédant avec une furie propre à certifier qu'elles sont aussi sexuées que les hommes, demeure un des principaux fantasmes masculins. Avec la transformation radicale du statut social de la femme, avec ces femmes d'aujourd'hui qui rivalisent au travail avec les hommes et exigent aussi d'eux l'amour, le spectacle d'une femme conduisant une autre vers l'orgasme est-il destiné à exciter la libido des hommes, ou à les refroidir ?

Georgina

J'ai vingt-trois ans, je prépare un doctorat dans une grande université canadienne. Voilà pour la vie quotidienne. Quant au sexe et aux fantasmes : je n'ai eu que quatre partenaires, tous des hommes plus âgés, très conservateurs, très vieux jeu. Je n'ai découvert la masturbation et l'orgasme que dans les cinq derniers mois, et mes fantasmes sont alors très variables, depuis de simples rencontres avec des hommes que je connais et qui m'attirent, jusqu'à la domination par un homme imaginaire, ou plus souvent par une femme. Voici un fantasme habituel que je raconte ici dans son intégralité, même s'il me suffit en général de m'arrêter à une de ces scènes pour jouir.

Une lesbienne, d'allure très gouine mais très attirante, m'a persuadée de venir chez elle. En chemin, nous nous arrêtons dans un grand magasin où elle me fait essayer des dessous qu'elle choisit elle-même. Elle me regarde faire. Elle m'apporte une camisole beige très légère et me dit de l'essayer toute nue, sans soutien-gorge. J'obéis, elle est debout derrière moi alors que je me tiens devant la glace, et soudain elle m'entoure de ses bras, posant une main sur un de mes seins et l'autre sur mon pubis, tout en m'embrassant dans le cou. Puis elle m'ordonne de me rhabiller sans enlever la camisole : elle me force donc à la voler.

Elle habite tout en haut d'un gratte-ciel, nous prenons l'ascenseur et, dès que les portes se referment, elle plonge brutalement ses mains sous ma jupe, tripotant sans retenue mon con (elle m'a confisqué ma culotte au magasin) et m'enfonçant sa langue dans la bouche. Elle me cloue de tout son corps sur la paroi, je proteste : « Chris (c'est le nom que je lui donne habituellement), Chris, pas maintenant ! Quelqu'un peut monter... — Eh bien, il pensera que tu es une salope de gouine, comme moi ! Tout le monde sait que je le suis. » Elle m'entraîne chez elle par un bras ; une fois entrées, elle me plaque face contre le mur pendant qu'elle retire ses chaussures puis les miennes, et me pousse dans le living où elle me caresse et me tripote avant de se servir un apéritif et de s'asseoir sur le canapé. « Déshabille-toi » ordonne-t-elle, alors que je reste debout devant elle. J'enlève mes vêtements un par un, jusqu'à ne rester qu'avec la fameuse camisole. « Retourne-toi ! » lance-t-elle, et je m'exécute gauchement : j'ai sans aucun doute l'air timide et vulnérable debout devant elle, presque nue, mes longs cheveux bouclés retenus sur la nuque par un ruban. Elle fait des commentaires favorables mais obscènes à propos de mon cul et de mes jambes. « Maintenant, penche-toi en avant, attrape tes doigts de pieds. » Je ne sais plus où me mettre tant je me sens humiliée et faible, mais je m'exécute. Ensuite, je dois me retourner et me caresser devant elle, et après un long soupir j'obéis, toute honteuse.

« Viens par ici. A genoux. » J'obéis. Elle me lance un sourire pervers et me dit : « Tu ne sais pas que c'est vilain de se tripoter comme ça ? Non, tu ne sais pas ? » Elle m'attire sur ses genoux et commence à me donner une fessée ; de l'autre main, elle frotte mon clitoris, cette double action me met au bord de l'orgasme et elle m'insulte à ce propos — parfois elle m'attache les poignets avec le ruban, parfois elle me fait boire de force son verre et lèche ce qui a coulé sur mon menton et dans mon cou... Elle se lasse de me fesser avant que je puisse jouir, et me force à ramper jusqu'à sa chambre où elle me fait la déshabiller comme une esclave. Elle me passe un collier de chien autour du cou, des attaches aux poignets et aux chevilles, qui peuvent se connecter entre elles ou aux bandes passées autour des quatre montants du lit. Je suis agenouillée au pied du lit, les poignets attachés à un montant, elle se place debout devant moi et frotte son sexe sur tout mon visage, puis m'ordonne de la lécher. Elle me prévient que j'ai intérêt à bien le faire, sinon je serai punie. Je fais de mon mieux et elle s'arc-boute contre mon visage, elle jouit deux ou trois fois. Satisfaite, elle s'agenouille pour lécher sa bave sur ma figure. Elle m'annonce posément que j'ai fait de mon mieux mais que ce n'était pas encore assez, et que je dois donc être punie. Elle gifle ma figure couverte de la bave de sa bouche et de son con, et m'attache un poignet à chaque bout du lit. Je suis donc par terre, bras écartés, face au lit, elle coince une ottomane en cuir entre moi et le lit, prend une cravache en cuir rigide, me la passe sur le visage, me la fait embrasser, me masturbe avec un petit peu et me force à lécher mes sécrétions dessus. Je dois la supplier de me fouetter avec, ce qu'elle consent à faire, je suis forcée de lui demander d'y aller plus fort, et ses remarques humiliantes me font perdre la tête. Il y aussi que la vigueur de ses coups m'a obligée à plaquer mon con contre l'ottomane, et j'essaie de me frotter subrepticement sur le bord. Elle le remarque et me provoque cruellement : « Sale connasse ! Tu es en train de frotter ça ! Cette salope veut baiser même des meubles, quelle pute en chaleur celle-là ! Attends, je vais t'aider à baiser ton fauteuil chéri ! » Elle jette la cravache et plaque son con contre mes fesses. Tout en continuant à m'insulter et en pinçant mes tétons, elle me presse et me fait frotter contre l'ottomane. « Allez, connasse ! Montre-nous comment tu jouis ! Je veux t'entendre jouir en baisant ce fauteuil ! » Au ton de sa voix, je comprends qu'elle est au bord de l'orgasme elle aussi. Je voudrais protester et me dégager, mais il n'y a rien à faire. Je jouis dans de grands spasmes et elle colle son con tout contre mon cul quand elle jouit avec moi. Elle me laisse attachée pendant qu'elle se repose.

D'habitude, le fantasme s'arrête là, mais parfois je continue pour varier les plaisirs. Je l'imagine s'asseoir sur ma figure tandis que je suis attachée aux quatre coins du lit, écartelée. Ou bien je suis à quatre pattes et elle me conduit par une laisse devant les baies vitrées, puis elle me rattache au lit et me met au bord de l'orgasme de la façon la plus humiliante, avec le bout de son pied, avec son sein, encore avec la cravache, jusqu'à ce que je perde toute dignité et que je la supplie de me laisser jouir. Elle le fait enfin, en s'étendant sur moi et en frottant sa cuisse entre les miennes, ce qui la fait aussi jouir.

Ce qui me frappe, c'est que je ne suis autorisée à jouir que dans une situation humiliante et dégradante, pendant une punition corporelle ou après avoir supplié pour la recevoir. Je n'ai jamais rien fait dans la vie réelle qui s'approche même de loin de ce qui se passe dans ce fantasme, et je n'ai jamais essayé de le réaliser. Je suis vraiment quelqu'un de très fier et réservé. Je ne pourrais jamais me laisser «aller» de cette manière, surtout avec une femme !

Molly

J'ai vingt-trois ans, je suis célibataire et bisexuelle, diplômée. Fille unique, j'ai grandi dans une petite ville avec des parents chrétiens, conservateurs mais compréhensifs. Ils connaissent mes goûts sexuels mais cela n'a pas eu de conséquences sur nos relations. Je me définis comme «bisexuelle», mais c'est surtout un «truc» destiné à cette société qui veut que tout le monde porte son étiquette. Je préfère de loin les femmes, même si les hommes peuvent aussi donner du bon temps au lit. Je suis une romantique impénitente, et pour un grand amour, pour l'amour, les femmes me conviennent mieux.

Dans mon fantasme, il y a une jeune femme avec laquelle je travaille. Elle est très belle — des cheveux blond vénitien jusqu'aux épaules, des pommettes hautes, des yeux turquoise et une silhouette à se damner. Dans la réalité, rien que de la voir en jupe ample et chemisier bien coupé me fait battre le cœur et mouiller ma culotte. Elle est furieusement hétérosexuelle, mais bon, je raconte le fantasme : Karen me raccompagne parce qu'elle voudrait m'emprunter quelques livres. Il neige très fort, si fort que la rue finit par être impraticable : nous devons abandonner la rue et franchir à pied les derniers deux ou trois blocs.

Arrivées à la maison, nous nous débarrassons de nos manteaux, de nos chaussures et chaussettes trempées, j'allume des bougies et je nous verse du vin. Je n'essaie pas de la séduire en créant une atmosphère. Je sais qu'elle n'est pas homo, mais c'est ainsi que j'aime le mieux bavarder tranquillement avec un(e) ami(e). J'allume du feu dans la cheminée, nous nous asseyons devant, sur de grands coussins bien rembourrés, pour nous réchauffer et discuter. Je remarque qu'elle a l'air distraite, mais je mets cela au compte du mauvais temps, de la voiture en rade, et je ne fais aucune remarque à ce sujet. Soudain, elle arrête de parler et se contente de me regarder, ses yeux turquoise graves et hésitants. Je lui demande ce qui ne va pas, elle me dit : «Eh bien, je ne sais pas comment dire... Mais j'aimerais que tu me fasses l'amour. J'y pense depuis que j'ai découvert que tu aimais les femmes, et donc... Enfin, si tu ne veux pas... »

Elle baisse un peu la tête, je prends sa main dans la mienne, et de l'autre lui relève doucement le menton pour que nous soyons à nouveau les yeux dans les yeux. « Tu es sûre ? » Je l'interroge, parce que, malgré tout le désir que j'éprouve pour elle, je ne veux pas la brusquer ni la heurter (en réalité, elle est non seulement hétérosexuelle mais, aussi, vierge...). Elle fait oui de la tête, et donc je me rapproche d'elle, la prends dans mes bras et la cajole, lui caressant le dos. Après un moment, je recule un peu ma tête, plonge à nouveau mes yeux dans les siens et l'embrasse, tendrement mais résolument. Sans interrompre le baiser, nous nous déshabillons mutuellement et je la fais s'allonger sur les coussins. Tout en embrassant et en mordillant ses lèvres, ses oreilles, sa gorge, je parcours de mes mains son corps magnifique, je caresse ses tout petits seins fermes et ronds, je masse la douce motte au bas de son ventre. Mes doigts s'aventurent plus loin, pour découvrir qu'elle est chaude et mouillée. Ma bouche abandonne la sienne et musarde vers le bas, avec une pause pour mordiller ses tétons et pour mettre ma langue dans son nombril. Quand je suis entre ses jambes, j'ouvre ses lèvres et y enfouis mon visage, le nez dans ses poils, les lèvres sur son clitoris, la langue entrant et sortant. Elle se débat et gémit, de plus en plus, et finalement ses muscles se crispent, elle cambre ses reins, et j'enfonce encore plus mon visage dans son minou brûlant quand elle jouit.

Quand elle a retrouvé son calme, je lèche toute sa mouille et me glisse à ses côtés pour la prendre dans mes bras et la câliner. Elle me regarde dans les yeux, un léger sourire apparaît sur ses lèvres : « A ton tour », murmure-t-elle, et elle commence à me traiter de la même manière. Je sens des doigts délicats sur mes seins, des lèvres chaudes autour de mon clitoris, des cheveux soyeux caresser mes cuisses. Après ce qui peut être une éternité ou un éclair, j'ai un orgasme à couper le souffle. Puis elle se glisse à nouveau dans mes bras, nous nous blottissons l'une contre l'autre et nous nous endormons devant le feu tandis que la neige continue à tomber en silence dehors.

Quand je me masturbe en fantasmant sur ce scénario, j'obtiens toujours un merveilleux orgasme, puis je m'endors en me sentant bien au chaud et totalement en paix.

Robin

J'ai dix-neuf ans, je suis dans un collège pour filles. Je suis très timide, surtout en présence de garçons, pourtant je me trouve pas mal et les autres filles ont toujours envié ma minceur. Si les hommes et les garçons pouvaient seulement savoir les idées cochonnes qui peuvent passer par la tête de certaines filles, ils se sentiraient certainement plus à l'aise avec leurs propres fantasmes! Moi, je pense au sexe très souvent, aussi bien pendant un cours ennuyeux qu'à l'église ou en regardant (discrètement, bien sûr) les hommes dans une galerie marchande. Et évidemment quand je me masturbe. Je me masturbe au moins une fois par semaine, et souvent plus, depuis que j'ai quinze ans. Ma technique préférée est de me coucher sur le ventre dans mon lit et de frotter ma chatte sur le drap : c'est aussi pratique pour faire semblant d'être endormie si quelqu'un entre dans la chambre. Je peux atteindre des orgasmes très forts de cette manière, surtout si je ne le fais pas trop souvent et si je m'arrête plusieurs fois juste avant de jouir, avant de me laisser finalement aller. La première fois, à quinze ans, c'était en essayant une position que m'avait inspirée une carte postale aperçue à Boomingdale's* — je ne plaisante pas! Je me suis laissée aller en arrière sur les coudes dans la baignoire, les jambes ouvertes et passées de chaque côté du robinet, avec l'eau coulant droit sur mon clitoris. Je jouis fantastiquement de cette manière, et différemment que dans le lit. C'est différent aussi (moins fort) quand je me caresse avec un doigt lubrifié.

Je suis toujours vierge, même si j'ai frôlé le grand saut avec un garçon qui habite tout près, quand j'avais onze ans et lui un an ou deux de plus que moi. Après avoir «joué au docteur» à l'âge de six ou sept ans, nous étions passés au sexe oral et anal, puis nous avons «essayé» la pénétration vaginale quand nous avons atteint la puberté : nous étions tellement ignorants! Je frissonne encore à l'idée que j'aurais pu très bien me retrouver enceinte s'il m'avait «réellement» sautée. Bien sûr, nous étions tous les deux au courant de «comment ça marchait», mais ce

* Célèbre chaîne de grands magasins américaine. *(N.d.T.)*

n'était qu'une connaissance très vague. La première fois où j'ai eu conscience du plaisir sexuel, autant que je m'en souvienne, fut un jour où ce garçon léchait mon minou (je devais avoir dix ou onze ans) et où j'ai commencé à me sentir « vraiment » bien ; instinctivement, j'ai essayé de le guider en paroles sur le point où c'était le meilleur, mais je ne savais pas encore à quoi servait mon clitoris. Nous avions aussi l'habitude de faire pipi ensemble, l'un en face de l'autre, mais je n'ai pas le souvenir d'en avoir retiré une excitation érotique. Par contre, je me rappelle très bien avoir été très troublée par une photo que nous avions trouvée dans un journal porno : on y voyait une femme s'accroupir et faire pipi dans un long verre rempli de glaçons et avec une rondelle de citron sur le bord.

Ce qui m'amène au fait suivant : quand je me masturbe, je fantasme toujours sur des femmes en train d'uriner. Et je fantasme aussi beaucoup sur les lesbiennes. Je ne pense pas l'être puisque les femmes que je fréquente tous les jours ne m'excitent pas du tout. C'est seulement celles qui sortent de mon imagination qui peuvent le faire. Pourtant j'aimerais bien essayer un jour avec une femme : je suis peut-être bisexuelle, ce qui ne m'inquiète aucunement. En fait, je pense que ce pourrait être très bon. J'aime aussi fantasmer sur des hommes « normaux » séduits par des gays.

J'en arrive enfin à mon fantasme proprement dit. La femme était allongée jambes grandes ouvertes, les lèvres roses et juteuses de sa chatte béantes. Elle avait un buisson noir et fourni, d'énormes seins avec des tétons fermes et longs. Elle avait un porte-jarretelles en dentelle blanche, des bas de soie blancs, de longs gants blancs remontant jusqu'au coude et des escarpins à talon aiguille. Elle a posé sa main sur son buisson, l'a caressé, puis a passé un doigt ganté dans les lèvres de sa chatte. De l'autre main, elle caressait ses seins ronds et pleins, en insistant sur les tétons. Une fille jeune et blonde était agenouillée sur le lit à côté d'elle, seulement vêtue d'une culotte de soie blanche. Des poils dépassaient des bords de la culotte, qui dessinait distinctement le renflement de ses lèvres. Elle avait des seins hauts et durs, avec de petits tétons qui pointaient, humides.

« Pisse pour moi, a dit la femme. Je veux te voir mouiller ta culotte. Si tu le fais, je te laisserai avoir ça. » Et, tout en caressant son clitoris, elle a encore plus écarté les jambes pour que la fille puisse bien voir sa chatte. La fille s'est tortillée d'envie, mais elle s'est redressée sur ses genoux, les jambes bien ouvertes et le bassin en avant, sa motte gonflant la soie. Elle a uriné un tout petit peu, de quoi faire apparaître une tache. La femme a souri. L'autre a continué encore un peu, la tache s'est élargie. La femme a creusé ses reins, levé ses hanches pour tendre sa chatte vers la fille. « Plus ! a-t-elle murmuré. Trempe ta culotte ! Je veux voir ta pisse couler le long de tes cuisses. » La fille a continué à laisser couler des gouttes dans sa culotte jusqu'à ce qu'elle soit mouillée. Puis elle s'est arrêtée, regardant la femme frotter de plus en plus vite son clitoris rose et juteux. Elle était excitée à la fois par la vue de la chatte béante de la femme et par la sensation de chaleur humide que lui donnait sa culotte mouillée. Elle a recommencé, plus fort cette fois, et elle a senti l'urine imprégner complètement la soie et commencer à couler le long de sa cuisse. Mais elle en avait encore beaucoup, la pression restait très forte quand elle s'est retenue à nouveau. Elle a pris ses seins dans ses paumes, a pincé ses tétons érigés, puis ses doigts ont glissé le long de son ventre, et elle en a passé un sous l'élastique pour le plonger dans ses poils. La femme a eu un gémissement de plaisir, a encore relevé sa motte. « Oh, vas-y, vas-y, lâche tout ! »

Alors la fille s'est penchée un peu en arrière en avançant le bassin et a libéré un torrent d'urine. Elle a gémi quand le flot brûlant est sorti de sa culotte pour tomber sur l'édredon blanc qui couvrait le lit. L'urine est descendue en filets dorés le long de ses cuisses pour faire de petites flaques autour de ses genoux sur l'édredon. Quand elle a fini, elle a baissé sa culotte trempée et, les poils retenant encore des gouttes, elle a pressé sa chatte gonflée sur la bouche de la femme, pendant que sa bouche à elle se portait sur la chatte béante de la femme. Elles se sont léchées et sucées frénétiquement, se mordant mutuellement le clitoris, enfonçant leur langue, pinçant leurs tétons, jusqu'à exploser ensemble dans un orgasme incroyable. Elles sont restées étendues un moment ensemble, épuisées, et la fille savourait la chaleur de son urine, la vue de sa culotte jaunie, les picotements de sa chatte brûlante.

Heather

Ces derniers temps, je n'arrive pas à m'empêcher de me sentir honteuse, et je n'arrête pas d'y penser. J'ai vingt-deux ans, je suis mariée depuis seulement un mois, et j'attends un enfant. Je viens d'une famille désunie — mes parents ont divorcé quand j'avais seize ans — dont je suis fille unique. Ma mère était alcoolique, mon père, lui, se saoulait de travail, donc je ne peux pas dire que j'ai eu une vie de famille normale !

J'ai toujours fantasmé sur des expériences hétérosexuelles, et il en est toujours ainsi, mais mes fantasmes ont pris une nouvelle tournure qui me met en porte à faux avec mon existence quotidienne : ils sont d'inspiration homosexuelle. Je me rappelle avoir été en train de sucer mon petit ami quand j'avais seize ans, et d'avoir brusquement vu une chatte à la place de sa queue. Cela m'a tellement terrifiée que je l'ai renvoyé et que je me suis torturée pendant des semaines pour essayer de comprendre ce qui m'était arrivé. Ensuite, il n'y a plus eu d'« alerte ». Et puis, il y a environ huit mois, j'ai rendu visite à mon père pour faire la connaissance de sa fiancée. Elle est très belle et je sens encore comment je suis devenue nerveuse en me rendant compte que je n'arrêtais pas de la regarder. Après elle, je n'ai plus pensé à aucune femme, mais il n'en a pas été de même dans mes rêves ni dans mes fantasmes quand je me masturbe. J'en suis arrivée à regarder les femmes pendant la journée pour vérifier si elles me troublent ou non, car je ne sais plus où j'en suis. Je fixe leur entre-jambes en analysant ce qui se passe en moi. J'ai consulté des psychologues à ce sujet, et évidemment tout ce que j'en ai retiré a été la réponse : « Être homosexuelle est un choix conscient, cela ne peut pas se passer sans votre consentement. » Je suis totalement d'accord : je ne veux pas être homosexuelle, rien que l'idée me donne des envies de suicide ! J'en ai ouvertement parlé à mon mari, qui s'est toujours montré très rassurant. Il dit que c'est naturel, qu'il a lui aussi eu des idées pareilles mais qu'il sait qu'il ne pourrait jamais l'être. Mais moi, je me sens tellement honteuse que je n'arrête pas de retourner la question dans ma tête : « Qu'est-ce qui se passerait si j'étais gay alors que je suis mariée et que j'attends un enfant ? » Cela me paraît fantaisiste, mais je ne peux pas m'empêcher de penser parfois que c'est une possibilité.

Voilà, je trouvais seulement important d'expliquer que je

n'accepte aucunement mes fantasmes, et je pense que beaucoup de femmes se trouvent dans mon cas, qu'elles en retirent plus de honte que de satisfaction. Donc, voici mes fantasmes. Ils sont de trois genres.

Fantasme n° 1 :

Je suis dans le bureau de mon gynécologue, je l'attends, il doit me faire un frottis vaginal. Il entre avec son infirmière — ce qui n'est pas dans son habitude. Il est très détendu, me présente l'infirmière et, quand j'ai enroulé le linge autour de mes hanches pour me couvrir le plus possible, il me dit de m'allonger et de me relaxer. Il me demande de poser les pieds dans les étriers, braque la lampe droit sur ma chatte et fait rouler son fauteuil pour se rapprocher de moi. Il me demande de mes nouvelles pendant que l'infirmière le regarde travailler. Il pose délicatement un doigt sur mon clitoris, appuie et dit : « OK, d'abord vous allez sentir mon doigt. » Puis il commence à le masser avec des mouvements circulaires, m'expliquant qu'il vérifie juste si tout est normal. J'en suis déjà à crisper mes fesses et mes cuisses à la recherche de cette sensation que je me procure toute seule au lit. Je réalise que je suis mouillée, je ne comprends pas à quel examen il se livre mais je ne proteste pas, car c'est tout simplement paradisiaque. Soudain, la tête du docteur disparaît entre mes jambes emprisonnées, je sens un souffle chaud tout près de ma chatte quand il me dit qu'il doit se rapprocher pour examiner s'il y a eu des transformation depuis la dernière fois. En plus de sa respiration, je sens brusquement une caresse, douce et humide, le long de mon clitoris, si légère que je n'arrive pas à savoir s'il s'agit de sa langue ou seulement de son doigt. Ensuite, il n'y a plus aucun doute : une langue chaude et mouillée m'a pénétrée, il a ouvert mes lèvres et suce mon clitoris si délicatement — il sait comme il est sensible et il sait ce qu'il lui faut. Puis il demande à l'infirmière de se pencher et de regarder si tout lui paraît normal. Elle jette un coup d'œil et ne peut s'empêcher de poser sa bouche sur ma chatte trempée et de me sucer.

Juste avant de parvenir à l'orgasme, je gémis que c'est si bon, et je demande au docteur de me baiser. Il se relève, la queue pointe hors de sa braguette (il s'était branlé pendant ce temps, et lui aussi est prêt), il me l'enfonce dans ma petite chatte, me déchire et me fait crier de plaisir. L'infirmière va voir à la porte, la referme, se déshabille et vint s'installer sur mon visage, son corps mince cambré en arrière, les seins tendus, pour me faire lécher son minou. Je me sens tout bonnement au paradis, et cela se termine ainsi.

Fantasme n° 2 :
En fait, ce fantasme est l'un de ceux que mon mari m'a « inspirés » : il me parle toujours et me raconte des histoires pendant les préliminaires érotiques. Au début, il se trouve dans une chambre d'hôtel et moi dans celle d'à côté. Sur le mur mitoyen, il y a de son côté un miroir à travers lequel moi seule peux regarder. Il entend frapper à la porte, je le vois aller ouvrir et là se tiennent deux filles, une avec de longs cheveux blonds (bien sûr !) et une métisse aux longs cheveux noirs. Elles entrent, ils boivent du champagne tous les trois. Ensuite elles se mettent à le déshabiller, sa queue grossit peu à peu, je l'observe à travers le miroir transparent. Elles se relaient pour le sucer jusqu'à ce qu'il soit prêt pour elles, puis elles se déshabillent en ne gardant que leur soutien-gorge et leur culotte : c'est à lui de les enlever, ce qu'il fait, et il commence à lécher leurs tétons, chacun à son tour, leurs tétons durs comme la pierre. Ensuite, il les pousse en avant pour qu'elles s'appuient contre le mur au-dessus de la tête du lit, leur cul bien ferme relevé vers lui. Il écarte résolument les fesses de la première pour lui lécher le trou, elle gémit quand elle jouit, puis il passe à la deuxième, cette fois en lui branlant le clitoris tout en lui suçant le cul. Maintenant, les deux filles sont allongées sur le dos ; il prend tour à tour leur clitoris brûlant dans sa bouche et les suce toutes les deux jusqu'à l'orgasme. Moi je regarde et je mouille de plus en plus car je me masturbe en même temps. Bientôt je n'en peux plus, je vais à leur porte, je frappe ; il m'ouvre en me disant : « Je sais que vous étiez en train de regarder, venez et déshabillez-vous. »
Il me regarde comme s'il m'aimait déjà alors qu'il ne me connaît même pas. J'enlève mes vêtements, il attire ma tête sur sa queue gonflée et je le suce, presque jusqu'à l'explosion, mais pas tout à fait. Alors il me dit de m'allonger et d'ouvrir les jambes, et il ordonne aux filles de me sucer la chatte et les seins. Je suis couchée, en pleine extase. Il se place derrière la fille qui se tient entre mes jambes et pénètre son cul. Cette double sensation la fait crier de plaisir, et alors l'autre fille s'asseoit sur moi

et frotte sur toute ma figure son con trempé, que je lappe comme une chienne. Mon mari jouit sur mon visage couvert du jus de la fille, puis le nettoie et renvoie les filles chez elles. Ensuite il me fait tendrement l'amour, et nous nous aimons pour toujours.

Fantasme n° 3 :
Celui-ci n'est pas très élaboré, mais il me conduit à l'orgasme dès que je l'évoque. Mon mari et moi faisons l'amour lorsque arrive dans la pièce un homme, qui se branle en nous regardant. Il se rapproche de nous, passe ses mains brûlantes sur nos corps, tâte ma chatte et la trique de mon mari. Puis il se colle contre le dos de mon mari et le pénètre dans le cul. Au début, mon mari n'apprécie pas du tout, ensuite il se détend et nous lui disons qu'il n'y a rien de mal à être excité même par un homme. Puis l'autre vient par-devant et suce mon mari jusqu'à le faire jouir dans sa bouche. Je suis très troublée par l'idée de deux hommes prenant leur plaisir ensemble, sans doute parce que je voudrais que mon mari connaisse la sensation d'être pénétré.

Marybeth
C'est en lisant votre livre que j'ai commencé à me demander ce que quelqu'un comme moi pourrait bien avoir à dire à propos des fantasmes sexuels. Je suis travailleuse sociale diplômée, j'ai déjà une expérience professionnelle dans un home d'enfants en tant que puéricultrice, et dans un autre comme conseillère parentale. Je continue mes études à temps partiel. Je viens d'une réserve indienne, j'ai passé pratiquement toute ma vie dans des réserves, à part deux années en Californie. D'après certaines copines lesbiennes, je suis une « hétérosexuelle qui s'ignore », définition que je trouve tout à fait juste.
J'avais à peine dix-neuf ans quand j'ai connu ma première aventure homosexuelle. Pendant deux ans. Une Noire, rencontrée en Californie. L'histoire la plus sérieuse que j'aie jamais connue. A l'époque, nous étions engagées ailleurs, elle avait un petit ami et moi aussi. Je l'avais branchée sur un plan piscine un soir que je me sentais seule, et furieuse de l'être. J'avais dix-neuf ans, j'en ai maintenant vingt-quatre et j'en suis à ma septième femme. Je crois bien que six d'entre elles m'ont dit (et elles y croyaient

213

vraiment) qu'elles étaient «normales», mais je suis pratiquement sûre que trois d'entre elles avaient déjà eu une amante avant moi. Mais bon, elles se croient «normales»! Pour trois autres, j'ai été réellement la première. J'adore jouer avec une femme qui se dit «normale», attendre de voir si elle sortira avec moi ou pas. Un plan égocentrique, aussi. Je veux dire que cela me plaît vraiment, mais il y a tellement d'insatisfaction après. Il faut y aller graduellement. J'ai pu constater comment elles pouvaient flipper : la honte, tous ces trucs. Cela se voit de loin : les gens adorent se créer des problèmes. Quand il s'agit de «ça», les femmes ont vraiment besoin d'engagement, de promesses, de se sentir en sécurité. Celles que j'ai connues voulaient me faire confiance, me connaître mieux avant de passer au sexe, et je ne pense pas que les femmes puissent être aussi «directes» que les hommes. A mon avis, il faut vraiment être capable de partager leurs pensées, leurs émotions, avant qu'elles ne vous laissent faire l'amour avec elles. Beaucoup de parlotes.

Il existe une femme qui me fait vraiment fantasmer. Des amis communs me l'ont présentée, et par la suite je me suis dit que s'il existait une femme pour lui prouver qu'elle pouvait «franchir le pas», ce serait moi. Nous avons passé toute une première soirée à bavarder, moi je lui ai raconté mon travail avec les enfants et l'importance que j'y accordais. Je n'ai jamais essayé de la draguer. Environ sept mois plus tard, je l'ai revue : elle savait que j'étais de retour, et ma meilleure amie l'a appelée. Elle a dit avec plaisir, qu'elle viendrait volontiers prendre un verre avec nous. Elle est arrivée, si belle... J'ai un faible pour les blondes bien balancées, à vrai dire. Mon amie la désirait aussi, depuis plus longtemps que moi. Depuis, je rejoue ce qui s'est passé, dans un scénario entre fantasme et réalité. Toute cette soirée, mon amie et moi l'avons passée à essayer d'avoir Daisy. Je ris, je regarde, je suis dans tous mes états. Elle se conduit si bien. Toutes les trois, nous rions comme des folles, nous passons du bon temps. Pour l'instant, je n'ai jamais montré que je la désirais, mais je fonds littéralement. Nous nous retrouvons toutes les deux devant le juke-box pour choisir de la musique, elle se tient à côté de moi en regardant les titres. Maintenant je comprends ce que signifie l'attraction physique : sa présence est si forte, si puissante, et je me demande si elle en est consciente. Purement sensuel. Je ressens encore la force de ce moment aujourd'hui, un an après.

Nous invitons Daisy dans notre nouvel appartement. Mon amie essaie toujours de se la faire. Moi, je ne désire pas seulement son corps mais tout d'elle, tout. Mon amie doit se glisser par une fenêtre pour nous ouvrir la porte et, pendant que nous l'attendons dehors, je lui dit «elle n'est pas la seule à te désirer». Elle sourit, lève le verre de vin qu'elle tient toujours et dit : «Je bois à ça.» Quand mon amie nous fait entrer (il est déjà très tard), nous nous asseyons toutes les trois par terre. Pour la première fois, nous demandons à Daisy comment elle se sent avec nous. Nous sommes détendues, nous rions ensemble, mais en vérité mon amie et moi n'avons jamais rien fait de tel ensemble avec une femme, jamais. Daisy rit encore, elle nous dit que nous lui faisons penser à deux mecs en train de la draguer. Elle ajoute qu'elle s'y attendait en venant nous voir, qu'elle savait déjà comment nous étions et qu'elle se doutait qu'elle aurait à répondre à l'une ou l'autre. Elle dit qu'elle n'a jamais connu une telle situation auparavant.

Je dis à Daisy de ne pas s'occuper de ma meilleure amie, parce que c'est moi qui suis faite pour elle. Elle nous dit non à toutes les deux, mais son corps dit oui. Je suis sûre que le langage du corps est le plus parlant. Finalement, mon amie renonce et sort de la pièce. Seule avec Daisy, je continue à bavarder. Elle me dit qu'elle n'est pas certaine de savoir que faire dans une telle situation. Je saute dans l'inconnu : je lui dis que je voudrais la prendre dans mes bras, seulement la prendre dans mes bras. Elle se relève d'un bond, dit qu'elle doit y aller ; je vois bien qu'elle est effrayée. Je lui dis que je ne veux pas qu'elle parte, mais qu'elle reste parler avec moi. Je lui demande de rester et, à ma grande surprise, elle se rassoit, alors que je ne l'aurais jamais empêchée de partir. Elle n'arrête pas de parler, nous sommes tout près l'une de l'autre, je meurs d'envie de la prendre dans mes bras, je le lui dis, je m'enhardis, je lui déclare que je voudrais l'embrasser. Daisy n'arrête pas de résister, sans agressivité, elle dit qu'elle n'a jamais fait ça... Quand je lui dis encore que je voudrais l'embrasser, elle me répond : «Non, ça pourrait me plaire.» Sa réponse me tue ! C'est un «oui» comme je n'en ai jamais entendu... Alors j'y vais, je sais que les mots ne servent plus à rien. Elle accepte mon baiser, elle y répond : c'est aussi bon que je l'espérais. Elle m'embrasse aussi et m'attire contre elle. Je ne me suis pas plantée, j'ai fait ce qu'elle attendait! Victoire! La seule certitude d'avoir gagné me suffirait : seulement la satisfaction de voir qu'elle m'a embrassée moi, et non mon amie.

Je dis à Daisy : «Je sais que tu as peur, et moi aussi.» Et ensuite plus de paroles, seulement des baisers. Seulement le plaisir. Seulement savoir qu'elle ressent si fort ce que je lui fais. C'est encore meilleur quand mon amie revient dans la pièce et voit Daisy en train de m'embrasser, de me serrer contre elle. Puis je regarde Daisy se dégager soudain, et se lever pour aller vers mon amie. S'il y a un fantasme que j'aimerais voir se réaliser, c'est bien celui-là, encore et encore. Exactement comme cela s'est passé dans la réalité. Seulement pouvoir approcher Daisy encore une fois de cette façon, toute sensuelle, purement physique.

Les choses auraient pu aller plus loin avec Daisy si les autres ne voulaient pas autant «profiter» d'elle. Je veux Daisy, mais je sais que les autres ont usé et abusé d'elle, l'ont maltraitée. Je souhaite qu'elle vive autre chose, que je me sens capable de donner : du respect, de la tendresse, de la douceur.

Avec toutes les autres femmes, j'ai surtout voulu vérifier si je pouvais les séduire. Pour l'ego, avant tout. Je me sens très fière de l'avoir fait, mais je sais que mon attitude n'a pas été très appréciée par les autres. Je n'arrive pas à supporter qu'une femme me domine, à part quelqu'un comme Daisy, et seulement un peu. J'aime savoir que je contrôle la situation, la femme. Je veux être le patron, celle qui donne rendez-vous, pas le contraire. J'ai connu trois femmes «sexuellement agressives», et cela n'a pas été facile de coucher avec elles, parce que je me sentais menacée quelque part. J'ai besoin d'espace, de garder une certaine distance pour ne pas être entièrement liée, ni blessée. Car les femmes sont dangereuses : elles peuvent abattre des murs pour obtenir ce qu'elles veulent et, si elles le veulent, elles peuvent bousiller n'importe qui. Les femmes sont si merveilleuses, et il y en a tellement, partout. Mieux vaut laisser aller les choses. Un jour mon fantasme deviendra réalité. Daisy, un jour.

Mickey

J'ai vingt-deux ans, je suis très active sur le plan sexuel. J'ai une relation avec un homme et je compte me marier avec lui quand j'aurai fini mes études (il a vingt-six ans). Mais avant cela, j'ai eu beaucoup de petits amis. On m'a toujours dit que j'étais bonne au lit, et même «la meilleure», donc je me sens à l'aise sur ce plan, même si j'ai des fantasmes que je n'ai jamais été capable de réaliser. L'un d'eux, qui me vient quand je me masturbe — je ne fantasme jamais en faisant l'amour —, est que je couche avec une autre femme.

Ce n'est pas quelqu'un que je connais. En général, elle est mince, à la peau sombre, d'allure très exotique avec des cheveux noirs en cascade et de tout petits seins. Je suis seule chez moi, je paresse, vêtue d'un short très suggestif et d'un T-shirt échancré, sans soutien-gorge — j'ai des seins gros et fermes. On frappe à ma porte, c'est une femme que je connais, je la fais entrer et nous nous mettons à bavarder. Elle sort un joint que nous fumons, et je me plains d'une douleur dans les épaules et dans le cou. Quand elle propose de me masser, j'accepte. Je suis sur le ventre, elle perchée sur mes fesses, les doigts dans ma chair, je me sens très stimulée, je lui dis que c'est si bon, que je me sens tendue de partout, que mes seins me font mal. Aussitôt, elle me retourne, enlève mon T-shirt, et commence à les masser en s'asseyant à califourchon sur mon bassin. Fabuleux! Ses mains sont magiques, je me sens mouillée d'en bas. Très sûre d'elle, elle écarte mon short (sous lequel je suis nue) et introduit un doigt dans ma fente glissante. Je me mets à remuer mes hanches au rythme de son doigt, et à gémir. De l'autre main, elle fait rouler mon clitoris sous un doigt et ne s'arrête qu'au moment où je suis sur le point de venir. Nous sommes hors d'haleine toutes les deux. Elle continue à me pénétrer d'un doigt et à jouer avec mon clitoris, puis elle enfonce quatre doigts qu'elle fait aller et venir jusqu'à ce que je sois prise par un orgasme tumultueux.

Mais nous n'avons pas fini. Elle descend mon short et se déshabille, plonge sa tête entre mes jambes et m'envoie sa langue juste au fond. Dieu, je n'en peux plus! Elle passe son cul et sa chatte sur mon visage pour que je la dévore comme une furie... Je dois m'arrêter là pour me masturber, j'en ai tellement envie!

Je n'ai jamais eu d'aventure homosexuelle, ce qui m'étonne beaucoup : si je pouvais rencontre une belle lesbienne comme dans mon fantasme, je n'hésiterais pas à essayer. C'est sans doute que je suis bisexuelle, mais je ne m'en inquiète pas : l'idée m'excite et me fait jouir, c'est le principal, non?

Maya

J'ai vingt-deux ans, je suis célibataire et indépendante. J'ai eu une liaison avec trois femmes (dont deux uniquement homosexuelles) et un homme, que je fréquente en ce moment. Je ne me considère pas moi-même homosexuelle, parce que je ne préfère pas les femmes aux hommes, je pense que je les aime autant et, même s'il peut sembler que j'aime mieux les femmes, c'est que les choses en ont voulu ainsi. Je préfère dire que je suis bisexuelle car, si j'en avais l'occasion, je pourrais très bien avoir encore une lisaison avec une femme.

Mon fantasme préféré se déroule avec une femme, une romancière pour être exacte, Rita. J'ai lu tous les livres d'elle que j'ai pu me procurer, et elle m'enchante positivement. Dans mon rêve, je suis plus âgée, plus riche, plus assurée, j'ai du succès et je suis belle. Je suis toute seule dans un ascenseur quand elle arrive, nous nous parlons à peine car je ne l'ai pas reconnue. Soudain, l'ascenseur tombe en panne et nous nous retrouvons bloquées entre deux étages. C'est ennuyeux pour nous deux puisque nous avons chacune des rendez-vous. Par le téléphone d'urgence, on nous apprend que la panne risque de durer, et naturellement, pour prendre notre mal en patience, nous commençons à faire connaissance en parlant. Nous conversons ouvertement et chaleureusement, comme si nous étions des amies de longue date. Peu à peu, la conversation prend un tour intime, et nous décisons de dîner ensemble le plus vite possible.

Le temps passe, nous dînons ensemble et, comme je suis en voyage d'affaires, je l'invite dans l'appartement de ma société où je suis descendue. Elle accepte ; une fois là-bas, nous nous retrouvons dans une conversation des plus suggestives, il ne fait aucun doute que nous sommes attirées l'une par l'autre. Finalement, quand elle tend la main et qu'elle me touche, elle déclenche un courant électrique incroyable dans tout mon corps. Elle se rapproche, je touche son visage, prête à défaillir. Nos lèvres sont toutes proches, nous nous embrassons, délicatement d'abord puis avec une passion qui confine à la furie. Je passe mes doigts dans ses cheveux, les crispe sur sa nuque comme si je voulais l'empêcher d'interrompre notre baiser. Ses mains commencent à caresser doucement mes seins et descendent entre mes cuisses. Quand elle reprend son souffle, je la conduis dans ma chambre et nous commençons à faire l'amour, explorant le corps de chacune de nos yeux, de nos mains et de notre langue. Elle me donne un orgasme avec ses seuls doigts, mais c'est sans comparaison avec ceux que j'éprouve quand elle me suce. Puis c'est à mon tour, et nous continuons tard dans la nuit jusqu'à tomber épuisées dans les bras l'une de l'autre et à nous endormir.

Bizarrement, le moment que je préfère dans ce fantasme est lorsque nous nous quittons le lendemain, en nous promettant de rester en contact. Elle me tend alors une enveloppe qu'elle me demande d'ouvrir plus tard, et quand je le fais je trouve un magnifique poème qu'elle a écrit pour moi, plein de tendresse et d'émotion. Je suis au bord des larmes. Je voudrais relire ses poèmes «réels» en me disant qu'ils ont été inspirés par moi, mais malheureusement je n'arrive pas à trouver un seul de ses livres en librairie. Alors, si par un drôle de hasard, vous lisez ces lignes, Rita, sachez qu'une femme, quelque part, meurt d'envie de savoir où se cachent vos livres!

Meg

J'ai vingt et un ans, je suis mariée depuis environ un an, femme au foyer, contente de mon sort. J'ai eu mon premier orgasme il y a à peu près six mois. Auparavant, j'étais déprimée, je me croyais incapable de parvenir à l'orgasme, je n'aimais guère faire l'amour. Finalement, j'ai décidé d'essayer pour de bon de me masturber. J'ai choisi un jour où je serais seule à la maison sans être dérangée. Je me suis entièrement déshabillée et, étendue sur le lit avec un miroir, un pot de vaseline et quelques objets qui pourraient à mon avis convenir à ma jolie chatte. J'ai chipé à mon mari quelques-uns de «ses» magazines, je les ai feuilletés en regardant les filles et leur jolie chatte, puis j'ai pris le miroir et j'ai observé la mienne. J'ai étendu de la vaseline sur mon minou. Pour la première fois, j'ai trouvé mon clitoris, la vaseline l'avait rendu très glissant, j'ai passé mon doigt dessus encore et encore, j'ai découvert que les muscles de mon vagin se contractaient et que je mouillais beaucoup : le plus important sans doute, c'est que je prenais mon temps, que j'étais parfaitement détendue. J'ai enfoncé un concombre par le petit bout dedans, en continuant à frotter le bouton de mon clitoris. J'ai roulé sur le ventre, ressentant le besoin de l'enfoncer plus loin et plus fort, et j'ai joui pour la première fois.

Depuis ce jour, j'ai appris que j'aimais mon corps, et que la masturbation était un acte naturellement beau. J'ai réalisé que, moi aussi, je pouvais avoir des orgasmes tant qu'on s'occupait de mon petit bouton, et toute ma vie sexuelle s'en est trouvée bien mieux. J'ai une foule de fantasmes quand je me masturbe, mais voici celui que je préfère : une de mes amies me parle d'une femme, une de ses connaissances plus âgée que nous, mariée, mais qui n'a jamais appris à se masturber et à jouir, et qui en souffre beaucoup. Moi qui aime tant le corps des femmes, j'accepte aussitôt de l'aider. Elle vient me voir, nous bavardons un moment. Je lui effleure la cuisse, elle sourit, je me dis qu'il est temps de l'emmener dans la chambre. Après lui avoir demandé de se déshabiller et de s'étendre, je la rejoins sur le lit. Je lui fais regarder ma jolie chatte et je lui explique que c'est beau, que c'est une source de plaisir intense. Puis je lui suce ses tétons et lui caresse les cuisses, avant de passer à sa chatte : je lui écarte bien les jambes, la complimente sur la beauté de celle-ci, la lubrifie un peu avant de glisser un doigt dedans. Elle se tord un peu, je passe doucement la langue sur son clito et la chérie gémit. Je lèche plus fort, plus vite encore. Elle me dit qu'elle se sent vraiment bien. Je lui annonce que j'ai une surprise pour elle : je sors mon gros vibromasseur, l'enduit encore de vaseline et titille son clitoris tout en introduisant lentement le vibro, qui vrombit follement. Elle adore, et finalement, après une pénétration énergique et le traitement que reçoit son clito, la chérie jouit puis m'embrasse avec reconnaissance.

Je dois préciser que je n'ai jamais couché avec une femme, que j'aime profondément mon mari, mais que, depuis que j'ai appris à me masturber, je rêve de faire tendrement jouir une femme qui en a besoin. En attendant, je me masturbe avec mon vibro — à mon avis il n'y a pas mieux pour une femme — et, quand vous pouvez frotter d'un doigt votre clitoris tout en fourrant un gros godemichet dans votre gentil minou, c'est le meilleur orgasme qui soit. Je rêve alors qu'une femme arrive et me laisse la faire jouir. Je veux que les femmes apprennent de moi, qui suis comme toutes les autres, qu'il n'y a rien de mal à se masturber, que se sentir satisfaite de son corps rend la vie bien meilleure.

Lilly

Timide comme je suis, je me dis que, s'ils connaissaient le fond de mes pensées, mes parents me jetteraient dehors et mes amis me tourneraient le dos. Au temps où je voyais un psy, je lui en avais parlé et il m'avait dit que «c'était un stade» à passer, et que «tant que cela restait au niveau des fantasmes, il n'y avait pas à s'inquiéter». Comme tout le monde, j'ai des fantasmes sexuels, mais chez moi ils portent en général sur l'amour avec une autre femme que je connais et qui m'attire, ou avec une belle inconnue. C'est un rêve si fort que j'en viens à me demander quel sexe je préfère, d'autant que, depuis onze ans que je sors avec des hommes, je n'ai jamais fantasmé sur eux ni sur des étrangers.

Habituellement, je suis passive et ma partenaire s'empare de mon corps. Elle fait tout ce qu'un homme me ferait (à part me pénétrer), mais mieux, parce qu'elle est très douce et très aimante. Je n'ai jamais pris l'initiative dans les relations sexuelles. Mes petits amis m'ont toujours «aidée» (en me déshabillant, en me caressant les seins, etc.) parce que je suis timide et peu démonstrative, même si j'aime témoigner de mon affection à quelqu'un auquel je tiens. Je ne suis pas totalement passive, je ne me contente pas de «me mettre sur le dos», mais j'aime qu'on savoure mon corps pendant que je me laisse aller, jusqu'à l'orgasme ou non.

Ces fantasmes, par contre, me font toujours jouir. Ils ne se sont jamais réalisés pourtant, car : 1/ je n'arrive pas à aller assez loin avec mes amies ou avec une inconnue qui me plaît pour satisfaire ma curiosité et mes désirs ; 2/ j'ai peur que cela me plaise trop et de choisir pour de bon cette façon d'être ; 3/ j'ai peur, tout simplement. Le monde de mes fantasmes me rassure, personne d'autre que moi ne peut y entrer. J'aimerais les réaliser, mais je crains trop de passer à l'acte. A propos, j'ai vingt-six ans, célibataire, en ce moment je sors avec des hommes qui me plaisent, mais auxquels je n'ai jamais raconté tout cela.

L'AUTRE FEMME, LE MIROIR

Après avoir suggéré aux hommes d'apprendre de ces fantasmes «ce que femme veut», il me faut ajouter que ce n'est pas par hasard que les femmes ne donnent aucune place aux hommes dans ces scénarios. Dire que ces femmes se tournent vers d'autres femmes tout simplement parce qu'elles sont déçues sexuellement par les hommes serait une rationalisation trop facile. La magie du fantasme, en fin de compte, c'est qu'il nous permet de décider de tout. Pourquoi ne pas évoquer en fantasme un homme qui aurait la bouche et la langue d'un ange, si c'est seulement la satisfaction orale qui est recherchée ? Pourquoi ceindre en rêve les hanches d'une femme d'un godemichet, si le seul but est de recevoir un objet phallique dans le vagin ou l'anus ? Non, selon des ressorts conscients et inconscients, le choix d'une femme plutôt que d'un homme pour partenaire fantasmatique renvoie au désir de quelque chose que seule une femme peut procurer.

Peut-être ces femmes se montrent-elles trop optimistes à propos de ce que les personnes de leur sexe sont désireuses et capables de leur offrir, peut-être sont-elles tout bonnement trop promptes à accabler les hommes de reproches. Il est trop facile d'affirmer que seules les femmes peuvent se contenter entre elles alors qu'en vérité chacune, depuis ses propres envies et sa propre individualité, conçoit en pensées « sa » propre femme fantasmée. C'est seulement avec cette femme précise, imaginée tandis qu'elle explore son propre corps de ses mains, que l'échange sexuel devient une expérience d'introspection, de découverte de soi-même et de sa sexualité. Les femmes ont toujours éprouvé ce besoin, mais dans le passé il était resté en général insatisfait. Qui pouvait regarder une jeune femme dans la réalité ou dans son imagination ? Comment pouvait-elle même penser à la regarder alors qu'on ne lui permettait pas d'être une voyeuse, de voir et de sentir un autre corps féminin qui aurait pu l'aider à mieux comprendre la sexualité de son genre ? Sur ce plan, la mère ne pouvait en aucun cas servir de modèle : même si la mère était relativement épanouie sexuellement, les tabous familiaux empêchaient de voir les parents en tant qu'êtres sexués.

Avant les années soixante-dix, la mère, avec sa féminité, pouvait au mieux présenter à sa fille le modèle d'une femme charmante mais asexuée. Et les dames du voisinage, les femmes « de la société », reproduisaient exactement la même image. Il y avait bien les Marilyn Monroe, les Elizabeth Taylor, et avant elles d'autres « femmes fatales », mais c'est bien ce qu'elles étaient, fatalement imparfaites, vouées par le destin à exciter les hommes mais à vivre dans la communauté des bannis, loin de la société des honnêtes femmes.

Les jeunes femmes de ce livre appartiennent à la première génération qui assume la sexualité comme partie intégrante de l'identité féminine. Elles ont donc à se construire d'elles-mêmes, à s'inventer. Et elles ne sont pas des modèles abstraits d'indépendance économique et sexuelle, mais aussi des êtres féminins qui peuvent être parfois épouses et mères. Aujourd'hui, la mère comme modèle est plus difficile d'approche que jamais. Si la mère bonne nourricière parce qu'elle a un travail au-dehors peut être reconnue utile, son image en tant que femme sexuée peut se révéler aussi inconfortable que par le passé : les vieux tabous familiaux sont toujours là. Et si elle se montre «trop sexuelle»? Beaucoup de ces jeunes femmes ont été élevées par des mères séparées ou divorcées : le problème de la compétition sexuelle entre mère et fille est donc plus concret que jamais, mais demeure l'un des aspects les moins explorés et les plus tabous de l'identité féminine.

Qui peut donc donner à cette jeune génération une image concrète de la sexualité féminine alors que, pour la première fois dans l'histoire, il est accepté qu'une femme soit sexuée, entre autres choses qu'elle se doit d'être aujourd'hui? Voici la femme du fantasme, souvent plus âgée, qui ouvre ses bras et dénude ses seins. Où mieux et plus sûrement qu'en fantasme explorer cette autre femme «qui a un corps comme le mien»? L'âge moyen des femmes de ce chapitre est de vingt-deux ans. Elles ont toujours été sous l'influence d'une culture, d'une vulgate médiatique qui feint d'applaudir la femme hypersexuelle. Nombre d'entre elles ont été éduquées par les féministes qui ont régné sur tant de campus universitaires. Elles ont appris à attendre beaucoup, non seulement de leur vie sexuelle, mais aussi de leur carrière professionnelle et de leur futur rôle de mère. Depuis le début des années quatre-vingt jusqu'à aujourd'hui, toutes les études sociologiques que j'ai consultées montrent que cette nouvelle génération de femmes croient fermement pouvoir réussir dans la carrière qu'elles ont choisie, gagner une masse d'argent et trouver des maris non machistes qui partageront avec elles la charge de la maison et de l'éducation des enfants.

Le réalisme a commencé à faire son chemin. Les garçons sur les campus peuvent certes choisir leur future épouse aussi bien pour sa capacité à trouver une situation bien rémunérée que pour sa grâce et sa beauté, mais un homme sera bien en peine d'exiger de sa femme qu'elle soit plus compétitive que lui ; si elle gagne mieux sa vie que lui, leurs relations en seront souvent altérées : beaucoup de ce que nous définissons comme la virilité a encore à voir avec le fait d'être un bon pourvoyeur, meilleur que la femme. Et quand bien même celle-ci atteindrait en partie le succès professionnel qu'elle a appris à espérer, ce pourra être un encouragement, mais il ne lui permettra pas de se sentir davantage femme. L'homme d'aujourd'hui doute tellement de sa condition d'homme qu'il a du mal à aider une femme à assumer son moi féminin, toute sa tendresse. Une autre femme, par contre, pourrait le faire, et mieux que lui...

Ce besoin de retrouver sa féminité sexuelle dans le corps d'une autre femme est devenu un thème fantasmatique très répandu à partir du début des années quatre-vingt, quand les femmes ont déguisé leur identité féminine sous le costume hommasse de « la femme qui réussit », prétendant devant les hommes qu'elles n'avaient plus rien de féminin — « Les gars, traitez-moi exactement comme l'un d'entre vous, d'accord ? » — mais se jouant à elles aussi la même comédie. Simultanément, elles apprirent à payer leur part au restaurant, à ouvrir toutes seules la porte devant elles et à entrer en compétition avec les hommes pour obtenir leurs places de travail. Comment, dans ces conditions, pouvaient-elles surmonter l'angoisse d'être en train de perdre l'essence même de leur identité féminine, qui elle ne demandait qu'à nourrir et à être nourrie ?

Entre alors en scène le sein, symbole et substance de ce chapitre. Quand les femmes qui apparaissent ici évoquent les seins, il est clair qu'elles recherchent plus qu'une satisfaction génitale dans d'intenses relations amoureuses avec d'autres femmes. Quoi qu'il arrive, le sein règne ici en maître. Lorsque j'ai commencé mes recherches, il y a vingt ans, les doctes savants béhavioristes m'expliquèrent que si nous sexualisons nos « envies enfantines », c'est parce que nous avons honte d'elles. Il est possible que cela soit vrai pour les hommes, qui doivent prouver leur virilité quasiment à chaque instant du jour et de la nuit. Mais ces femmes n'ont pas l'air le moins du monde gênées par l'idée de voir leurs «envies enfantines» satisfaites. Elles ne dissimulent aucunement leur besoin d'être nourries, et elles ne se cachent pas derrière des euphémismes pour cajoler et sucer les seins magnifiques qu'elles ont créés dans leurs fantasmes. Des fantasmes qui révèlent aussi combien profondément notre sexualité adulte s'enracine dans les premières années de la vie. Un grand nombre de problèmes féminins renvoient au temps difficile de l'apprentissage de la propreté, quand les filles apprenaient de leur mère à penser que leurs parties génitales étaient sales, intouchables. Se persuader que son vagin et son anus sont acceptables, et même beaux, c'est retourner à cette deuxième année de la vie, si complexe, si problématique. Et ces femmes le font, elles réécrivent leur histoire avec une autre femme.

J'ai toujours été persuadée que le développement sexuel d'une femme serait beaucoup plus aisé si un homme autant qu'une femme s'impliquait dans ces premières années de son existence, aussi bien pour discipliner que pour nourrir : les hommes se montrent moins cassants dans l'apprentissage de la propreté, moins rebutés par les «mauvaises» odeurs et le «vilain» spectacle que les femmes associent généralement aux fonctions corporelles. Il y a là un préjugé qu'il serait bon de combattre dans la structure familiale, car il explique le manque de chaleur et de tendresse non seulement dans les relations entre hommes et femmes, mais aussi entre parents et enfants. Si les femmes croient que les hommes sont incapables de témoigner d'une affection tendre et réconfortante, comment peuvent-elles croire que les hommes sont bienvenus et utiles dans la chambre d'enfants, où elles disent les attendre désespérément mais qu'elles considèrent encore comme «leur» territoire, un territoire qu'elles répugnent à partager ?

A certains moments d'anxiété, les femmes disent vouloir un réconfort de type génital-sexuel en se mettant au lit avec un homme; mais ce qu'elles désirent réellement, c'est d'être maternées, de sentir la proximité physique et la fusion corporelle qu'elles ont vécues dans leur prime enfance. Ce besoin, des psychanalystes dogmatiques et certaines femmes aussi rigides diront qu'il ne peut être assouvi que par une autre femme. Mais c'est là du sexisme déplacé : toutes les femmes ne sont pas la

« bonne mère ». Et ce dont elles ont besoin alors, c'est d'une « mère suffisamment bonne » : pas de la mère idéale, pas même de la mère réelle, mais de quelqu'un qui saura « assurer ».

Cela transcende la division entre sexes. Il existe une certaine qualité d'amour et de tendresse qu'en effet aussi bien un homme qu'une femme peuvent donner. Et ils peuvent la donner aussi bien à un bébé qu'à un partenaire de lit. Je crois qu'un homme capable de dispenser cette qualité d'amour et de tendresse sera plus à même d'élever un enfant qu'une femme qui n'a pas cette capacité. Et avec le temps, cet enfant deviendra un homme ou une femme nullement gêné(e) par l'idée qu'un homme peut être un amant à la fois tendre et viril. Le fardeau placé sur les épaules des femmes qui sont supposées être toutes des « bonnes mères » égale en absurdité celui placé sur le pénis, censé être toujours érigé, toujours en demande. Les cabinets de psychanalyse sont bourrés de gens qui se sentent inutiles parce qu'ils n'ont pas réussi à supporter ce poids d'airain : mais nous devrions plutôt nous demander s'il n'est pas au contraire fou d'imposer une telle charge.

Alors que la structure familiale continue à se modifier et à changer ses rôles internes, nous serons bientôt conduits à cesser d'utiliser le mot « materner » dans son acception étroitement féminine, ou à en inventer carrément un autre : il met les hommes hors du coup. Pour autant, je ne préconise pas du tout que les hommes essaient de ressembler aux femmes, ni que celles-ci essaient de ressembler aux hommes. Il y a un équilibre à trouver car, si les femmes vont trop loin dans le désir de voir leur homme passer son temps à réchauffer, réconforter, cajoler, éduquer, elles gagneront une mère mais auront perdu un homme.

La capacité à être un parent sensible et rassurant peut se trouver aussi bien chez les hommes que chez les femmes. Les uns et les autres, c'est évident, n'ont pas les mêmes attributs physiques, mais il est aussi des émotions qui ne se partagent pas selon le sexe de l'individu, et qui se retrouvent dans l'un comme dans l'autre. Un caneton retiré à sa mère avant qu'il n'ouvre les yeux recevra une « empreinte » du premier être qu'il verra, et pourra suivre sans peine un chat ou un chien : si un chien peut élever un canard, est-il impensable qu'un père émotionnellement ouvert puisse être une « mère suffisamment bonne » pour un enfant? Et encore pour une femme qui, à un moment précis, a besoin qu'il joue ce rôle?

Alors que nous acceptions mal, il y a encore vingt ans, l'idée que la sexualité féminine commence dans la relation mère/fille, les femmes de la présente génération l'ont intégrée, et ce savoir a été assimilé par la culture. Toute une littérature et une cinématographie produites par des femmes dans les années quatre-vingt s'épanouissent aujourd'hui pour vanter la chaleur de l'intimité entre femmes. La «découverte» des années soixante-dix selon laquelle les femmes devaient se rapprocher pour mieux se connaître et s'identifier avait commencé dans la camaraderie des «groupes de femmes» puis avait vite conduit au fait de coucher ensemble : «OK, même si tu es hétéro, avançait alors la ligne *politiquement correcte*, même si tu préfères les hommes sur le plan sexuel, les femmes ont aussi besoin d'une autre femme.» Les femmes qui ont besoin d'un tel encouragement peuvent aisément le trouver dans la culture contemporaine. Les femmes de ce chapitre se tordraient de rire si les behavioristes d'hier venaient leur expliquer catégoriquement que les femmes ne sont pas des voyeuses, ne sont pas remuées par la vue de scènes érotiques : elles évoquent sans peine leur excitation à la vue de films pornographiques ou de photos dans les magazines «pour hommes», et elles acceptent sans problèmes la masturbation qui accompagne ce voyeurisme. Elles sont la première génération à connaître l'orgasme garanti que procure la stimulation clitoridienne. Et lorsqu'elles ferment les yeux pour se masturber, comme il est plus doux, plus tendre, plus excitant pour elles d'imaginer que ce n'est pas leur main mais la bouche d'une autre femme qui les conduit à la jouissance...

Pour les femmes, la sexualité orale, dans la réalité et en fantasme, est apparue réellement à la fin des années soixante-dix et au début des années quatre-vingt. Toutes les études récentes proclament une préférence pour ce type de sexualité. Comme le temps passe, me dis-je en me rappelant les femmes de mes précédents livres, terrifiées à l'idée de perdre ainsi le contrôle d'elles-mêmes, et les hommes qui, au même moment, rêvaient et suppliaient qu'elles les laissent porter la bouche entre leurs jambes! Aujourd'hui, ces jeunes femmes voudraient que leurs hommes «réels» possèdent une langue aussi habile que celle des femmes de leurs fantasmes. Les hommes pourraient très bien apprendre des femmes ce qu'elles désirent exactement. Mais elles détestent donner des instructions à l'homme, lui dire ce qu'il faut faire, ce qu'elles attendent de lui : participer à l'entreprise de leur propre séduction les rend trop responsables, les empêche de se sentir «emportées». Alors, elles rêvent d'une femme qui n'a pas besoin d'être instruite, qui sort de leur imagination en «sachant tout».

Là encore, quand bien même elles acceptent qu'il soit «naturel» pour une autre femme d'être experte en sexualité orale, il est significatif qu'elles choisissent délibérément de «ne pas» créer en fantasme un homme pour remplir cette fonction. C'est que beaucoup de ces partenaires fantasmées leur procurent, en plus de l'orgasme, une image idéalisée d'elles-mêmes. La femme fantasmée incarne tout ce que la femme qui fantasme rêve d'être, elle est son moi idéal. Et dans une société comme la nôtre, où les gros seins sont adulés et où la minceur est de règle, on ne s'étonnera pas que ces femmes se voient, dans le miroir de leur «autre» fantasmé, avec des tailles de guêpe et une poitrine parfaite. Parfois ces fantasmes ont des allures de conte de fées, quand la femme ferme les yeux et imagine son moi «imparfait» se muer en belle princesse qu'elle se met alors à couvrir de caresses.

Au temps où les femmes trouvaient leur sécurité matérielle auprès des hommes, elles vérifiaient aussi leur identité et cherchaient leur image dans les yeux des hommes. «Parle-moi d'elle», pouvaient-elles dire à propos de celle qui les avait précédées, ce qui leur permettait ainsi de mieux le comprendre et, par là, de se comprendre elles-mêmes. Les femmes de cette génération sont plus au fait des choses et, même si elles n'accusent pas directement les hommes, elles laissent entendre, par leur refus de trouver en l'homme un partenaire fantasmatique valable, que la gent masculine les a déçues. Elles appartiennent à une génération charnière, dont les incohérences sont compréhensibles, qui se sent dépitée de voir que les hommes ne se montrent pas «à la hauteur». Et peut-être punissent-elles les hommes en les laissant à l'écart de leurs fantasmes, de même que, dans le monde réel, certaines femmes écartent les hommes de la procréation et préfèrent s'adresser à une banque de sperme que de s'accoupler à un mâle «insatisfaisant».

Les fantasmes qui suivent exaltent le pouvoir de la femme et, en les mettant en forme, je me suis demandée comment les hommes allaient réagir à cette démonstration de pouvoir sexuel féminin : seront-ils agréablement surpris ? Ou bien diront-ils : « Je le savais bien, toutes ces salopes veulent nous manipuler, se servir de nous, et ensuite nous jeter ! Mais quelles que soient les réactions masculines, c'est aux femmes de décider quelle complicité elles sont prêtes à accorder aux hommes. Nous sommes le sexe le plus fort, mais le refus manifesté par les premières féministes d'entendre même le point de vue des hommes a porté un tort considérable à leur cause : elles se sont aliéné le soutien de la majorité des femmes qui voulaient réellement vivre dans la compagnie des hommes. Il a toujours été plus facile pour les femmes d'en vouloir aux hommes qu'à leurs semblables, et je suis sûre qu'il leur est plus facile d'entrer en compétition au travail avec les hommes qu'avec d'autres femmes. Ce soudain enthousiasme érotique envers des personnes de leur sexe n'est-il pas une manière de déguiser la peur d'entrer en compétition avec elles ?

Assez ironiquement, nombre de ces fantasmes où il est question de faire l'amour avec une autre femme ont indubitablement pour origine cette angoisse. Il suffit de voir comment la beauté physique de l'autre, ce terrain infini de compétition entre femmes, y est examinée : faute de pouvoir la surpasser, il s'agit donc de l'amener à soi, sur le plan érotique comme spirituel. « Je ne lutte pas contre toi, disent ces fantasmes, en fait je t'aime, et je te demande de me laisser embrasser et lécher le moindre recoin de ton corps. » Il y a aussi ces fantasmes de femmes qui jouissent en imaginant leur homme en compagnie d'une autre femme : elles se mettent en dehors du jeu, de telle sorte qu'elles n'ont pas à se placer en compétition avec leur rivale potentielle, et finalement elles s'identifient totalement à cette dernière.

Malgré la permissivité sexuelle de notre époque, les femmes demeurent l'ultime « continent noir ». Dans leurs fantasmes, elles s'explorent mutuellement jusqu'au bout, elles veulent aussi mieux se connaître. De la même manière qu'elles observent soigneusement les femmes nues des magazines spécialisés, profitant de l'occasion pour satisfaire leur curiosité à l'égard de chaque composante érotique des autres femmes, dans ces fantasmes elles ouvrent les portes refermées devant elles depuis le jour où, enfants, elles avaient interrogé en montrant du doigt une partie du corps dénudé de leur mère : «Et ça, c'est quoi?» Finalement, ces images de femmes érotiques, impeccablement nues, deviennent une sorte d'idéal, de miroir dans lequel la femme s'aime sous l'apparence qu'elle aurait voulu avoir. Ce sont les images de son désir secret de féminité, des images que sa mère, dont jadis elle a tant voulu recevoir une approbation de son moi sexuel, a pensé devoir lui refuser. Souvent, même une femme sexuellement épanouie, assez sûre d'elle pour donner des conseils rassurants et pertinents à une autre jeune fille, ne se sentira pas libre de le faire avec sa propre fille.

Dans ces fantasmes, la femme est à la fois la mère et la fille, elle-même et sa rivale. Et toutes ces personnalités sont magiquement belles, magiquement semblables, magiquement en confiance. A travers ces rêves secrets, d'inspiration adolescente, la mère sourit à sa fille couchée sur son sein, et lui dit «oui», au lieu de froncer les sourcils devant les palpitations de la sexualité naissante; elle laisse apparaître sur son visage «les linéaments du désir gratifié» qu'évoquait avec des accents mystiques le poète William Blake, et sa fille espère grandir assez pour, elle aussi, les donner à voir un jour. Mais il y a évidemment ici plus que le fameux retour à la mère cher à la psychanalyse : je crois que l'un des désirs qu'expriment ces fantasmes est d'apprendre des autres femmes à mieux vivre la compagnie des hommes.

Élisabeth

Je suis une Noire de vingt-deux ans, vierge, et pourtant je meurs d'envie de sentir le sexe d'un homme aller et venir en moi. J'ai toujours été très timide, le fait que tout le monde me dise que je suis très jolie n'y change rien : comme je ne me sens pas sûre de mon apparence, je n'ai jamais eu beaucoup de petits amis malgré toutes les propositions que j'ai reçues. Je pense avoir commencé à être consciente de ma sexualité à partir de l'âge de six ans. Avec une fille qui jouait souvent avec moi, nous avions pris l'habitude de frotter nos chattes l'une contre l'autre et de nous exciter mutuellement. Environ quatre ans après, nous avons déménagé, je n'ai plus vu mes anciennes copines, j'ai cessé de me masturber mais j'ai commencé à regarder les journaux pornographiques que mes sœurs et mon frère cachaient sous leur matelas ou dans leurs tiroirs. Résultat, à seize ans j'ai recommencé à me masturber, mais cette fois en m'enfonçant des objets dans le vagin, goulots de bouteille, concombres, bananes, vibromasseurs, bougies... Je fantasme rarement pendant que je me masturbe, je le fais pour me mettre en condition. Pendant que je me masturbe, j'aime regarder des photos érotiques, et surtout celles de deux femmes en train de faire l'amour ensemble.

Je n'ai jamais couché avec une autre femme, mais c'est un de mes fantasmes préférés et j'adorerais pouvoir le réaliser un jour. Je fantasme surtout sur des femmes blanches, belles et minces — je me sens un peu trop grosse. Dans mon rêve favori, je suis avec deux copines qui habitent avec moi et que j'appelle Sherrie et Laurie. Toutes les trois, nous regardons *Mille et une nuits érotiques* sur la chaîne de télévision «Playboy», quand les trois filles du harem font l'amour ensemble devant le sheikh. Après cette scène, nous en parlons et nous découvrons que nous fantasmons toutes les trois là-dessus. Quand le film est terminé, nous montons dans ma chambre, continuons à parler de l'amour entre femmes, et décidons d'essayer.

Nous sommes toutes les trois assises sur le lit, nues, sans trop savoir par quoi commencer. Alors je prends les devants, je me penche sur la gauche et j'embrasse Sherrie sur les lèvres en prenant la main de Laurie, puis je me tourne à droite et Laurie et moi nous embrassons passionnément. Ensuite Sherrie et Laurie s'embrassent pendant que je suce les seins de Sherrie et branle sa chatte jusqu'à ce qu'elle vienne, et Laurie en fait de même avec moi. Nous nous déchaînons en nous léchant mutuellement la chatte toutes les trois, nous procurant une cascade d'orgasmes. Ensuite, je prends un gros pénis postiche que je cachais non loin, je l'accroche autour de mes reins et commence à baiser la chatte de Sherrie, pendant qu'elle gémit de plaisir en enfonçant sa langue dans la chatte de Laurie. Après qu'elle a joui, je passe à Laurie, la bourrant de plus en plus vite et de plus en plus fort, tandis que Sherrie se place sur sa figure et lui fait bouffer sa chatte. Elle et moi nous faisons face, nous nous mordons les lèvres et nous nous suçons mutuellement les tétons. Je les lui mords de temps en temps, elle adore et se met à jouir sur le visage de Laurie.

Je quitte les seins de Sherrie pour me concentrer sur Laurie. Je lance la bite de caoutchouc de plus en plus fort en la regardant entrer et sortir de sa chatte, trempée par sa mouille qui coule jusque dans son trou du cul. Elle est finalement au bout, je frotte aussi son clito et elle vient avec une violence que je n'aurais jamais imaginée. Puis c'est mon tour. Sherrie détache le gros pénis de mes reins et se l'harnache sur elle. Pendant qu'elle se prépare, Laurie me couvre de baisers, elle descend sur ma chatte, bouillante d'excitation, et se met à la lécher sans mettre sa langue dedans. Quand je n'en peux plus d'attendre, elle enfonce sa langue et la fait aller avec une passion que je n'ai jamais connue, elle me rend folle. Alors Sherrie se place entre mes jambes et m'enfonce d'un coup les vingt-quatre centimètres de sa queue, et commence à me baiser comme jamais aucun homme ne l'a fait. J'ai la tête relevée par des oreillers, il y a des miroirs au plafond et sur tous les murs, je peux donc la regarder sous tous les angles en train de me prendre.

Laurie quitte la pièce un instant et revient avec plusieurs jouets érotiques, dont un godemichet à deux têtes longues d'au moins dix-huit centimètres qu'elle s'installe sur elle, puis elle oblige Sherrie à me retourner : je suis donc maintenant sur Sherrie qui continue à me défoncer par en dessous, je crispe ma chatte sur la grosse queue qu'elle fait bouger avec ses reins, Laurie lubrifie la sienne, la pointe sur mon cul et la pousse lentement dedans. Je suis maintenant prise par deux superbes Blanches, et je suis au septième ciel. Comme nous approchons de l'orgasme, le rythme s'accélère, nous remuons si rapidement que je pense que je vais devenir folle de plaisir. Et je jouis pendant que Sherrie baise ma chatte et que Laurie m'encule. Si Dieu me foudroyait à cet instant, je mourrais le sourire aux lèvres.

Je suis diplômée, je travaille à la direction commerciale d'une grande chaîne de magasins dans le Sud.

Jenna

J'ai vingt-trois ans, j'ai reçu une éducation catholique très stricte. J'ai un très beau fiancé que j'adore. J'ai des centaines de fantasmes, dont beaucoup impliquent des femmes très féminines. Je ne crois pas être lesbienne car je me sens parfaitement bien avec mon mec, et je ne suis pas attirée par les femmes masculines, mais il est certain que ces fantasmes sur d'autres femmes me plaisent énormément. Je suis restée vierge jusqu'à vingt ans, ensuite j'ai donné mon corps sans compter à mon fiancé, qui est très expérimenté, qui a un corps de statue grecque et le cœur d'un saint. Mes fantasmes sont souvent très imagés et précis — je dessine et je suis aussi la fille d'un alcoolique, j'ai entendu dire que cela explique souvent une propension à créer un monde fantasmatique très riche, une sorte de refuge. J'adore regarder des photos de femmes se sucer les seins, se mettre tendrement les doigts entre les lèvres roses de leur sexe, des bouches de femmes bien maquillées enfonçant leur langue dans une intimité féminine.

Dans un de mes fantasmes, je suis dans un avion pour l'Irlande depuis l'Italie, avec une escale en Allemagne. Comme nous sommes bloqués à l'escale, la compagnie nous paie une nuit en Allemagne. Personne ne me connaît ici, je me sens très hardie et je me rends dans une boîte de lesbiennes. Dans la vie réelle, je suis mannequin, alors j'imagine l'effet que je produis quand j'arrive ! Je sais que dans un tel cas je me montrerais très timide, alors je me vois chercher de loin le contact avec une belle blonde, grosse poitrine et fesses bien rondes, jusqu'à ce qu'elle m'invite à la suivre. Nous entrons dans une arrière-salle pleine de femmes en train de faire l'amour entre elles. Étant donné que je ne parle pas la langue, elle me fait signe de regarder, s'assoit en écartant les jambes, et me prends les mains pour que je la déshabille. D'abord je caresse doucement ses seins sous son sweater, il est évident qu'elle ne porte pas de soutien-gorge car je sens les deux pointes se tendre sous mes doigts. Je lui retire son sweater, ses seins apparaissent, je ne peux pas les contenir dans mes mains tant ils sont gros, et les tétons pointent si haut qu'elle pourrait les toucher facilement de sa langue, qui est maintenant occupée à parcourir ma poitrine par-dessus mon chemisier de soie.

Elle prend le verre d'eau et de glaçons qui se trouvait près d'elle, le renverse lentement sur ma poitrine, mes tétons se durcissent, attendant sa bouche, mais elle me laisse dans cet état. Toutes les femmes sont venues nous entourer pour nous regarder en continuant à jouer entre elles, elles savent que je suis une novice et veulent voir ce qui va se passer. Elle me fait asseoir sur ses genoux et relève ma jupe pour que toutes puissent voir mes dessous blancs et sentir l'odeur de mon trou. Elle saisit l'index d'une autre fille et le passe juste sur mon clitoris par-dessus la culotte, maintenant mouillée. La fille est très jeune, environ seize ans, elle se lèche les lèvres de contentement. Sa chemise a été remontée au-dessus de ses jeunes seins, exposant leur rondeur et leurs tétons très apparents. Elle s'agenouille devant moi, écarte ma culotte d'un côté et place un de ses seins sur ma chatte, en l'excitant juste avec son téton. Une autre femme plus âgé lui enfonce dans la bouche son doigt qu'elle a auparavant mouillé dans sa bouche, et la fille lui suce tout en me « gamahuchant » avec son téton.

La blonde me retire mon chemisier, place ses mains en coupelle sous mes seins et les soupèse, les yeux fixés sur eux. Toujours assise sous moi, elle fait signe à deux sœurs jumelles, noires, de s'approcher et de me sucer et mordre les seins. On m'enlève ma culotte, je sens le doigt de deux femmes différentes plonger dans ma chatte, si trempée maintenant qu'elles doivent ajouter un troisième doigt. Un vibromasseur est posé sur mon clitoris, la blonde enfonce dans mon cul un de ses doigts avec lequel elle a auparavant parcouru la chatte d'une des filles, et qui est donc lubrifié par la mouille de ce joli con. Je jouis sans arrêt, puis me penche en avant pour sucer d'autres femmes. L'une d'elles me donne des claques sur les fesses en me traitant de vilaine fille, ensuite elle me fait s'agenouiller en face d'elle, les jambes tellement ouvertes qu'elle a une vue complète de ma chatte. Elle relève sa robe et me demande de décrire aussi précisément que possible ce que je vois. Je lui dit : « Je vois les lèvres de votre con, je les vois si bien, sous leurs poils blonds et fins qui me rendent folle, ils cachent et révèlent ces lèvres roses, moelleuses... » Elle pose chacun de ses genoux sur une chaise, ce qui lui fait ouvrir complètement sa chatte : « Maintenant, je vois tout votre con, vous ête toute rose dedans, avec un clitoris foncé qui se tend au-dessus. » Elle me dit de me pencher en avant et, avant de comprendre ce qui m'arrive, elle est là à me prendre par-derrière avec un énorme gode qu'elle a attaché autour de ses reins. Elle dit : « Tu voulais être baisée, hein, petite fille ! Tu veux que je baise à fond ton con, ton petit con de vierge qui est maintenant grand ouvert, hein, chérie ? Dis-leur à toutes que tu es une vilaine petite fille, dis-leur ! »

Jessie

J'ai vingt et un ans, j'ai reçu une éducation très stricte, je vis seule et je m'en porte très bien. Je suis musicienne et je chante, j'écris mes chansons. Mes parents sont très jeunes (pas encore la quarantaine) mais pensent que le sexe avant le mariage conduit aux « tourments de l'enfer ». Mais moi, je suis très sexuelle, et j'ai déjà couché avec une bonne vingtaine d'hommes. A dix-sept ans, j'ai perdu ma virginité à l'arrière d'un grand break Toyota avec un gars nommé Jim, dont je me souciais comme d'une guigne, mais je voulais à tout prix découvrir ce que serait la sexualité pour moi. Cela s'est passé comme le typique « coup vite fait », et après je me suis dit : « Alors, c'est ça ?! » Quand je suis allée le raconter à ma mère, elle m'a traitée de putain, de salope, de tout ce que vous voulez. Alors, depuis ce jour, je garde mes exploits sexuels pour moi, ou je n'en parle qu'à mes meilleures amies.

Je suis hétérosexuelle, mais quand j'ai envie de faire l'amour je fantasme presque toujours que je le fais avec une autre femme. Pourtant, si une fille me proposait d'aller « batifoler dans les foins » avec elle (et cela s'est déjà produit...), il est probable que je refuserais. Mais c'est tentant... Donc, voici mon fantasme.

Je me vois en train de me produire dans un night-club dont la plupart des clients sont des hommes friqués et des belles de nuit — j'ai toujours eu de l'admiration pour une femme qui se fait vraiment « payer » pour ça... Je suis en train de chanter *Burning Up* (« Je brûle ») de Madonna — et il se trouve en effet que j'ai le même style qu'elle et que je lui ressemble beaucoup, même si je suis moins mince — quand une magnifique créature à la Marilyn Monroe me fait passer un mot, avec son numéro de téléphone, disant qu'elle « brûle » de pouvoir me bouffer. Je finis rapidement mon spectacle, elle m'attend, nous quittons ce lieu de plaisir pour aller à la maison, et c'est chez moi.

Elle est superbe, cheveux platine, gros seins et taille très fine. Je ne peux m'empêcher de trembler, la seule idée de ses lèvres rouges sur celles de mon vagin me fait presque jouir sur-le-champ. Elle me dit : « J'ai faim de toi » et m'embrasse. Sa bouche descend dans mon cou, je commence à m'écouler entre mes jambes, j'arrache mon chemisier et mon jean, elle fait de même. Nous recommençons à nous embrasser, elle sort un de mes seins de mon soutien-gorge à balconnet et commence à le cajoler. Je n'arrête pas de soupirer de plaisir. Elle me fait presque tomber par terre, m'arrache ma culotte, découvrant ma chatte palpitante, juteuse : «Ah, le plat de résistance !», murmure-t-elle, et elle se jette dessus.

Elle sait exactement ce qu'il me faut, et je m'abandonne à elle, totalement ouverte, en criant : «Bouffe-moi, bouffe-moi !» Au début, elle m'excite encore en mordillant mon clitoris, puis elle me pénètre à fond de toute sa langue, qu'elle a incroyablement longue. Elle pompe de plus en plus vite, je suis secouée de décharges électriques, je hurle de tous mes poumons, je couvre de mon jus d'amour tout son beau visage et son cou de cygne. Mon jus goutte de son menton quand elle m'embrasse goulûment sur les lèvres pour me donner le goût de ma chatte, ce qui me fait jouir encore une fois. Je lui demande de se mettre à quatre pattes, elle s'exécute sans objection, j'entrouvre ses fesses en forme de poire et je me mets à sucer son clitoris comme si je n'avais fait que cela depuis des années. Je fourre ma langue dans son vase sacré, secouant la tête aussi vite que je peux. Quand j'enfonce un doigt dans son cul pour le branler, elle jouit immédiatement. Oh, quel goût, son jus coule le long de mon cou et sur mes seins en coupe. Je la nettoie entièrement, m'allonge sur le sol et nous faisons un 69 jusqu'à ne plus avoir la force de jouir. Plus tard, nous nous séparons mais elle me promet de revenir me voir «chanter».

Je suis toute mouillée maintenant. Si seulement ma mère savait... Ce soir, je rêverai encore à ma «Marilyn» et à la «Cène» que je lui offrirai.

PS : Je veux seulement préciser que j'ai une vie sexuelle très active et très saine avec les hommes, que je les aime énormément. J'adore sentir une queue en moi, j'adore faire des pipes, mais j'aime plus quand ils me sucent que l'acte sexuel lui-même. J'ai aussi dû avorter il y a quelques années, ce qui explique sans doute qu'il me plaît d'imaginer que je me fais sucer par une femme, parce qu'il n'y a aucun risque de se retrouver enceinte et qu'on peut entièrement s'abandonner au plaisir de voir sa chatte léchée, sucée, mordillée, etc.

Debbie
Mon seul fantasme est de type homosexuel. Elle s'appelle «Stevie», elle est belle. Elle est debout dans le living, tellement sexy avec ses longs cheveux blonds, serrée dans son jean et un body boutonné jusqu'en bas... En fait, il s'agit d'une très grande amie

à moi, elle ne se doute pas que je pense à elle de cette manière, mais c'est quelqu'un de si beau, physiquement comme intérieurement, que je la crois capable d'avoir ou d'avoir eu des inclinations lesbiennes ; pourtant, je ne veux pas mettre en danger notre relation juste pour «flirter».

Elle se retourne et me sourit. Je suis dans un coin de la pièce à la regarder. Elle me demande si j'aimerais prendre un bain à remous avec elle, j'accepte et nous y allons. J'allais passer un maillot de bain, mais elle me dit qu'il vaut mieux être nues. Nous nous mettons dans l'eau chaude, avec du vin et un peu d'herbe à portée de mains. Nous buvons un verre en fumant un joint, nous commençons à nous parler, si tendrement. Nous éprouvons le même désir l'une pour l'autre. Elle se penche, m'embrasse, j'essaie de dire : «Je n'ai jamais...», mais elle pose un doigt sur mes lèvres et me demande de ne plus parler. Elle me sort tendrement du bain pour me conduire dans la chambre, où il y a un énorme lit rond avec des draps en satin rouge. En fait, nous nous couchons et c'est elle qui veut s'emparer de moi, mais moi je désire lui faire l'amour. Je me rassois, je lui demande de rester allongée, la tête sur le coussin, et de me laisser seulement la regarder ; pour l'instant je veux seulement la découvrir. Elle accepte de se prêter au jeu.

Quand je commence à la toucher, je lui demande ce qu'elle ressent ici ou là, ce qui l'a conduite à s'intéresser sexuellement aux femmes, des questions de ce genre. Je dois dire ici que je me suis toujours sentie gênée par l'idée que je pourrais être lesbienne : parfois, pendant que je me masturbe, je m'arrête d'un coup parce que je suis en train de rêver à une femme ! Ensuite, nous échangeons un long et tendre baiser. Ma main descend lentement sur ses seins, dont je parcours la beauté avec le même plaisir que si c'était mon corps qui était en train d'être caressé ainsi. Après avoir embrassé son ventre, exploré tout son corps, je lui ouvre les jambes et découvre comme son «intimité» est humide. Je passe mon visage entre ses cuisses, sans lécher, juste pour regarder, et ce que je vois me donne envie de la toucher. Alors je la lèche doucement, découvrant la douceur d'un sexe de femme à la place de l'agressivité d'un pénis. Je passe mes doigts de haut en bas, de sa chatte à son derrière. Quand elle jouit, je goûte la douceur de sa crème au lieu de la «sauce» amère qu'envoie un homme.

J'adorerais qu'une femme me fasse l'amour, mais je pense que c'est impossible : je ne sais pas pourquoi, je ne peux tout simplement pas. Pourtant, après avoir relu ce que je viens d'écrire, je me rends compte qu'il ne s'agit pas seulement d'un fantasme : je désire une autre femme réellement, tendrement.

Eve

Vos livres m'ont permis de découvrir mon inconscient, moi qui avais toujours eu tendance à refouler mes désirs physiques en présence d'autrui. J'avais toujours pensé que j'étais la seule femme au monde à me masturber au moyen du jet de la douche... Quelle merveilleuse révélation cela a été pour moi !

J'ai vingt-trois ans, célibataire, parents séparés. Mon père en est à son troisième mariage, et ma belle-mère actuelle était tellement mal à l'aise qu'elle a pris pour de l'inceste le fait que papa et moi nous sentions si proches l'un de l'autre. Il n'y avait absolument rien de vrai là-dedans, elle a seulement été le jouet de sa jalousie et de son manque d'assurance, qui s'expliquent par le peu d'estime qu'elle a pour elle-même. L'inceste n'existait que dans son imagination : pour papa, j'étais sa «petite fille», et moi je voyais le monde à travers lui. Cependant, son intervention m'a remplie d'une étrange culpabilité au fur et à mesure que j'ai découvert ma sexualité.

Par ailleurs, je n'ai pas cherché à rejeter mes pulsions sexuelles les plus précoces. Dès l'âge de six ans, je me rappelle avoir frotté mon nounours sur la zone de mon clitoris, et avoir essayé d'en faire autant avec ma chienne quand elle se couchait sur moi. Personne ne m'avait jamais mis au fait de ce comportement, je faisais seulement ma propre initiation. A partir de onze ans, j'ai trouvé une méthode de masturbation qui m'a depuis toujours convenue : je m'étends dans la baignoire et place mon sexe juste sous le robinet pour laisser l'eau chaude tomber goutte à goutte, en filet ou à torrents (cela dépend de mon envie) sur mon clitoris et mon vagin. J'atteins alors des orgasmes bien meilleurs que ceux que j'ai pu avoir avec des hommes. Le seul moment où un pénis m'excite vraiment est lorsqu'il vient d'éjaculer, qu'il est brûlant et collant de sperme : alors j'aime parcourir de mes doigts les abords de mon vagin et masser mon clitoris en cercles, jusqu'à n'en plus pouvoir.

Quand je suis allongée dans la baignoire, je laisse l'eau chaude le faire pour moi. Mon fantasme vient participer au jeu. Je ne suis pas lesbienne, mais je ne laisserais pas échapper l'occasion si elle se présentait. J'imagine une femme séduisante, que j'admire (une personne célèbre, en général), en train de me faire un cunnilingus pendant que j'en fais de même avec elle. J'aime sentir le contact de son corps, et j'ai l'impression de mieux me sentir en tant que femme parce que je suis capable de l'exciter. Je me sens tellement féminine quand je pose ma bouche brûlante sur son clitoris durci et que je passe lentement dessus ma langue, verticalement et horizontalement. Sa langue accomplit le même fabuleux travail sur moi, et je monte de plus en plus haut. Nous sommes totalement lancées, il n'est plus question de s'arrêter maintenant. L'orgasme nous frappe de plein fouet toutes les deux en même temps, puis nous restons chacune la bouche posée sur le clitoris palpitant de l'autre, avant de laper délicatement les pourtours du vagin, en savourant la moindre goutte.

Alexis

Vous avez peut-être noté vous aussi que la plupart des jeunes femmes libérées tombent des nues quand elles découvrent que des femmes plus âgées et vivant seules pensent, rêvent, souhaitent connaître encore des expériences sexuelles, et même que certaines prennent toujours plaisir à se masturber, à lire *Playgirl* et Anaïs Nin, ou à regarder des films « pour public averti » sur les chaînes câblées. Pour me présenter brièvement : j'ai soixante et un ans, je suis veuve, je vis seule et je dirais que mon occupation est de « cultiver l'art de profiter de la vie ». Mon mari est mort il y a treize ans, après près de trente ans de vie commune. Nous nous sommes épousés en pleine époque des « mariages de guerre », j'avais dix-neuf ans et lui vingt-six. Sa seule expérience sexuelle précédente s'était bornée à une brève visite à une prostituée peu avant notre nuit de noces. Je suspecte ses camarades de l'Air Force de l'y avoir encouragé afin qu'il se sente plus à l'aise avec moi, car j'avais déjà été mariée à dix-sept ans, divorcée un an après, et j'avais un enfant.

Ce n'est qu'après sept ou huit années de mon second mariage que j'ai découvert l'existence de mon clitoris. Me disant que je devais certainement passer à côté de quelque chose, j'achetai le fameux manuel de Van de Velde, *Ideal Marriage* (Le Mariage idéal). J'appris alors rapidement que je pouvais avoir des orgasmes multiples, et le lit nuptial devint un théâtre encore plus passionnant ! A l'âge de quarante-huit ans, cependant, mon mari eut une grave crise cardiaque, ce qui mit fin à notre vie sexuelle qui avait été tellement idyllique. Il perdit l'envie de faire l'amour avec moi, devint renfermé, hostile, déprimé, et, depuis ce jour jusqu'à sa mort à la suite d'une maladie artérielle huit ans après, ma vie se transforma en enfer : je le désirais, je ressentais la disparition de son désir pour moi comme une forme de rejet, mais je lui restais fidèle parce que je l'aimais, et parce que j'avais fait le vœu de l'accompagner « pour le meilleur et pour le pire ». Je sais que cela paraîtra vieux jeu aujourd'hui, mais c'est ainsi que je voyais les choses alors.

J'avais été tellement blessée et frustrée par ce que j'avais interprété comme un rejet de moi (je comprends aujourd'hui qu'il y avait autre chose derrière) que je décidai après sa mort de ne plus laisser un seul homme entrer dans ma vie : assez de vulnérabilité, assez de souffrance ! Pendant douze ans et quelques, j'ai refoulé ma sexualité, je me suis protégée contre cet aspect de ma personnalité en m'absorbant dans diverses occupations, je me suis employée à devenir quelqu'un d'asexué. Et puis, au printemps dernier, il m'est arrivé quelque chose de merveilleux : la nature a comme toujours triomphé, je suis tombée amoureuse ! Cela a été un vrai choc, pour moi qui me pensais immunisée, de découvrir ma forte attirance pour un voisin bien plus jeune que moi (trente-sept ans), que jusqu'alors j'avais considéré comme un simple ami. Sur-le-champ, j'ai senti que tout le désir et toute la passion que j'avais su réprimer revenaient avec une telle impétuosité que je me sentais aussi « chaude » qu'à vingt ans !

Après quelques mois, on lui a proposé une meilleure situation dans une autre ville, et il est parti. Mais je m'autorise à nouveau à me vivre comme une personne sexuée, une femme à part entière. Ces années d'apitoiement sur soi, pendant lesquelles je n'étais qu'à demi-vivante (et même à demi-morte), sont passées et ne se reproduiront plus. Je n'ai pas de partenaire actuellement, mais je n'en suis pas moins sexuellement active car j'ai enfin, à mon âge, maîtrisé l'art de la masturbation, ce qui me rend fabuleusement consciente de ma valeur et de ma sexualité. Je me « juvénilise », comme dit Sondra Ray, au lieu de vieil-

lir : une de mes nouvelles amies a confié à ma fille que j'étais
« la personne la plus jeune d'esprit » qu'elle ait rencontrée depuis
qu'elle est venue vivre ici. Je ne me suis jamais sentie aussi bien
de ma vie !

J'ai commencé à avoir des fantasmes sexuels à l'âge de dix ans,
quand une de mes tantes et une cousine plus âgée, soupçonnant
ma mère (très puritaine) de ne rien me dire des « choses de la
vie », ont décidé de me repasser des liasses de magazines comme
True Story (Histoires vraies) et *True Confessions* (Confessions) :
une littérature plutôt innocente selon les critères d'aujourd'hui,
mais qui chatouillèrent alors délicieusement mon imagination
pendant tout un été, au cours duquel je m'identifiai au principal personnage féminin de mes histoires préférées. Pendant ma
scolarité et mes années professionnelles, j'ai fantasmé sur des
douzaines de garçons et d'hommes — camarades de classe, professeurs, collègues, bibliothécaires, prêtres... —, en me demandant toujours ce que « ça » pourrait être avec eux, mais en
demeurant fidèle à l'homme que j'aimais à l'époque. Je n'ai en
réalité fait l'amour qu'avec trois hommes (dont mes deux maris),
mais, dans mes rêves et mes fantasmes, ils sont des centaines.
Dernièrement, bien que je n'aie jamais eu d'expérience sexuelle
avec une autre femme, j'ai commencé à fantasmer sur mes nouvelles amies, qui sont toutes des lesbiennes plus jeunes que moi,
ou sur des jeunes femmes que j'ai connues à travers elles. Il n'est
pas facile pour une femme de mon âge, exigeante, de trouver
un partenaire mâle, et je me dis qu'une relation homosexuelle
peut se révéler une bonne solution, même si je n'ai rien perdu
de mon intérêt pour les hommes. En fait, peu importe le sexe
de l'autre pour établir des relations de tendresse et d'amour.
Ma fille est lesbienne, j'ai eu des amis gays (hommes et femmes) toute ma vie d'adulte, aussi n'ai-je aucune difficulté à envisager cette possibilité.
Je me demande combien de femmes ayant atteint la soixantaine se laissent aller à fantasmer comme moi, et combien
continuent d'être marquées par une enfance victorienne au cours
de laquelle leur imagination a été bridée par la peur du péché.

3.

Les insatiables

« J'ai toujours pensé que les femmes devaient avoir des fantasmes plus variés, plus fous... Les hommes ne font que commencer à percevoir la véritable nature de l'être féminin. Ils se sont forgé une fausse idée de la femme : ce n'est ni un ange, ni une salope en chaleur. Mais, si elle n'est plus désormais une énigme, elle n'en demeure pas moins une source intarissable de surprise, un trésor de possibilités inexplorées dans tous les domaines de la vie. »

Henry Miller, 1973

Quand Henry Miller écrivit ces lignes, dans une lettre qu'il m'adressa après avoir lu *My Secret Garden*, il faisait allusion à une hypothèse que la société patriarcale a essayé de masquer depuis ses tout premiers temps : l'appétit sexuel de la femme pourrait être prodigieux, aller bien au-delà de l'entendement de l'homme et de sa capacité à le satisfaire. Je regrette qu'Henry Miller ne soit plus de ce monde pour commenter les fantasmes qui vont suivre ici. Mon premier recueil révélait des désirs de « dames respectables » en regard de ces nouvelles femmes, dont la quête affamée d'une stimulation toujours plus érotique pose toute une série de questions, à commencer par celle-ci : que faire d'une femme qui ne se satisfait pas d'un seul homme, dont l'identité sexuelle est structurée par le refus des règles établies, la révolte face à l'autorité ?

Il ne s'agit là certes « que » de fantasmes, mais je voudrais souligner que nombre d'entre eux ont été mis en pratique, ou que bien des femmes disent ouvertement qu'elles aimeraient les réaliser. En écoutant toutes ces voix si hardies, dans un monde qui reste tellement méfiant à l'encontre de la sexualité féminine, je ne peux m'empêcher de me demander comment ces femmes s'arrangent de la contradiction culturelle qu'elles vivent si intensément. Même si elles parlent ouvertement de faire l'amour avec quatre hommes à la fois, elles doivent connaître aussi bien que moi le refus profond, structurel, de la société à accepter l'existence de femmes comme elles. Mais peut-être fait-elle partie de leur plaisir, l'idée excitante de se savoir la fille la plus délurée du quartier alors que tout autour les « filles bien » (la mère) pincent leurs lèvres asexuées en signe de désapprobation ! Il ne faut jamais sous-estimer l'attrait de l'interdit.

C'est ici que mes propres fantasmes ont tendance à achopper. Ils ont toujours tourné autour du sens de l'autorité, du risque énorme encouru lorsqu'il s'agit de s'écarter seulement d'un pas du rôle de la « fille bien », image par laquelle je continue à me définir jusqu'à aujourd'hui. Mes fantasmes jouent avec ma culpabilité comme avec une bobine de fil de soie, retenant mon plaisir et me plongeant dans une attente extatique. Je suis certaine qu'en transgressant les règles établies, en risquant de perdre mon statut de « fille bien », j'ai accompli un pas essentiel pour me séparer de ma mère et me trouver moi-même. Le fait que cette orientation fantasmatique soit restée la même toute ma vie — quelle que soit l'attitude que j'aie pu prendre dans l'existence — prouve à quel point nous restons toutes la fille de notre mère (et de la société comme mère collective), ou, pour dire la même chose sous une autre forme, à quel point la sexualité joue un rôle crucial dans l'épanouissement de l'identité, et donc à quel point elle devrait être acceptée et favorisée dès notre plus jeune âge. Si j'avais pensé, encore petite fille, que mon corps « sexué », mes organes génitaux étaient une source de beauté, qu'ils étaient aussi estimables que mes bonnes manières ou d'excellents résultats scolaires, si j'avais en particulier senti que la masturbation était acceptable, aurais-je eu (comme les autres femmes de ce livre) à me battre si dur, à transgresser tant de règles, pour surmonter la culpabilité et récupérer ce qui est nôtre, notre féminité ?

L'ATTRAIT DE L'INTERDIT

Mes fantasmes, comme celui de Cara, se passent souvent dans un endroit public. Alors, le temps est toujours compté, et il y a toujours le risque d'être surprise — pas après l'orgasme, évidemment. Le rêve masturbatoire de Cara se risquant à sucer un homme en plein restaurant renvoie clairement à un défi lancé à l'attitude parentale vis-à-vis du sexe. Cara n'a encore « rien fait » en pratique, elle a vingt-deux ans et elle est vierge, mais elle se sent coupable de ses envies sexuelles et se bat dans ses fantasmes pour les assumer. Certains hommes trouvent très excitant de réaliser ce genre de fantasmes, ils ne trouvent rien de plus attirant qu'une femme qui prenne des risques, qui se mette en jeu. D'autres, au contraire, ne la toucheraient même pas avec des pincettes : cela correspond si peu à ce qu'ils attendent d'une femme, ce n'est pas selon eux ce que ferait « une femme bien ».

Un sculpteur qui découvre en plein processus de création un défaut dans la pierre changera ses lignes si bien que le nœud ou la fissure, apparemment incontournables, trouveront leur place dans le dessin général de l'œuvre, et lui donneront même inopinément une touche supplémentaire de spontanéité. Les femmes de ce chapitre (comme beaucoup d'autres ailleurs dans le livre) sont assez ingénieuses pour tourner l'obstacle du risque sexuel et de la violence à l'avantage de l'excitation érotique. Les désirs que nous éprouvons face au tabou dérivent des émotions que nous avons éprouvées en entrant en conflit avec la première source d'autorité connue : la mère. Elle nous a appris à ne pas mouiller notre lit, à contrôler nos emportements infantiles. A l'époque, elle a gagné, mais ensuite nous entendons prendre notre revanche. Et même encore enfants, nos meilleurs jeux n'allaient pas sans le frisson de transgresser son autorité. Dans les fantasmes, ce frisson est d'autant plus excitant quand il s'agit de tromper ou d'ignorer quelqu'un qui détient l'autorité, et c'est souvent la mère et ses préventions à l'encontre du sexe. Mais pourquoi pensons-nous si souvent à notre mère comme à un bas-bleu et non comme à une femme, tout simplement ? Elle a tant dû s'efforcer de maintenir l'étouffoir sur nos pulsions sexuelles que nous avons fini par ne lui reconnaître qu'une vie végétative. Sans même le formuler consciemment, une jeune femme s'est déjà souvent posé la question, et a tranché dans son inconscient que la vie sexuelle de sa mère était terminée depuis longtemps : cela ne lui est pas arrivé depuis si longtemps que « maman » ne peut tout simplement pas se rappeler ni comprendre l'excitation électrique que connaît maintenant sa fille. A tout âge, il nous est extrêmement difficile d'imaginer nos parents en train de faire l'amour : si vous n'y croyez pas, fermez les yeux sur-le-champ et essayez de convoquer cette image.

L'attrait de l'interdit se fonde en partie sur le défi lancé à une autorité établie, et en partie sur le désir inverse de proclamer sa propre autorité. Obtenir ce qui est interdit est une façon de lutter pour grandir encore, pour parfaire son autonomie. Atteindre ce qu'on a toujours dit être hors de notre portée est un moyen de mesurer réellement nos possibilités. Et nous sommes décidés à tirer partie de tous nos moyens.

La rébellion de Sue Ellen contre l'autorité initiale s'exprime d'abord en faisant l'amour avec une femme, puis un chien, un homme, encore deux garçons, et enfin un prêtre et une religieuse. Les hommes se sont toujours sentis libres de faire apparaître des membres du clergé, par définition tabous, dans leur description littéraire d'aventures sexuelles : Sade évoque souvent des jeunes filles violées et dépucelées par des moines ou des curés, les récits de Casanova abondent d'intrigues sexuelles avec des pensionnaires de couvent. Au contraire, les femmes n'ont mentionné ces figures que dans les contextes les plus sacrés. Traditionnellement, elles ont eu besoin de l'autorité de l'Église pour les aider à dompter les hommes : mais nombre d'entre elles voudraient aujourd'hui se montrer elles-mêmes indomptables. Des fantasmes comme celui de Sue Ellen témoignent de ce nouveau désir de rejeter l'Église en tant qu'autorité sexuellement répressive. Sa fureur explique la cruauté avec laquelle elle imagine entraver le prêtre et la religieuse ; ensuite, elle les oblige à accomplir des actes érotiques contre leur gré, et lorsqu'ils découvrent qu'ils ne peuvent s'empêcher d'y prendre plaisir, Sue Ellen est d'une certaine manière « pardonnée » d'en tirer elle aussi jouissance.

La religion nous met en conflit avec nos propres désirs sexuels. L'instruction religieuse laisse la plupart d'entre nous dans l'idée que le sexe ne peut qu'être sale ou sacré, et que dans les deux cas nous devons l'éviter, ce qui rend beaucoup d'entre nous furieux. Des femmes comme Sue Ellen ne supporteront plus cela sans protester. Si son fantasme est un pied de nez adressé par une enfant à l'autorité établie, il est aussi l'expression d'une femme faite qui décide de ne plus laisser les autres lui dicter ce qu'elle doit faire de sa vie. Hier encore, les femmes avaient tendance à penser que, si les garants de la contingence sexuelle comme la religion et le mariage étaient balayés, si l'accès à la sexualité devenait psychologiquement et matériellement libre, elles perdraient toute leur valeur intrinsèque : notre sexe, notre virginité, étaient « notre plus grand trésor », et après le mariage le chantage à l'acte sexuel assurait notre plus grand pouvoir. Dans un univers de liberté sexuelle, où personne n'appartiendrait à personne, nous craignions de devenir invisibles, de perdre notre valeur. Mais la liberté sexuelle a au contraire été notre salut : nous avons appris que notre valeur est dans le monde et non contre lui, et certainement pas dans le rôle de l'inhibiteur sexuel.

Des écrivains comme Dostoïevski, Dickens ou Proust eurent la capacité de forcer intuitivement les barrières de la culpabilité et de parvenir jusqu'aux strates les plus profondes de l'inconscient. La majorité des femmes de ce chapitre n'éprouvent aucun dégoût, aucun effroi devant la jungle brûlante qu'elles y découvrent. Comme Dostoïevski pouvait regarder en lui-même et recréer les émotions du parricide ou de l'enfant molesté, ces femmes n'ont pas peur de regarder en face leurs désirs de domination sexuelle, d'inceste, de pédophilie. On s'est souvent demandé pourquoi si peu de femmes avaient créé des œuvres d'art de la portée des *Frères Karamazov*. La réponse est largement liée au conditionnement social : dans le passé, les préoccupations culturelles reconnues aux femmes excluaient l'exploration des violentes émotions dont la littérature tire sa matière. « *Anonyme* est une femme », avança Virginia Woolf en se demandant pourquoi les plus belles pages de poésie qui sont parvenues jusqu'à nous ne sont pas signées. Mais c'en est terminé : les limites économiques, intellectuelles, spirituelles et, oui, sexuelles, ont commencé à reculer, et nous sommes toujours plus nombreuses à accéder à la source infinie d'énergie qu'est l'esprit créatif.

J'ai déjà entendu dire que le carnet d'un écrivain était comme « une mère se tenant dans l'inconscient avec un crayon rouge à la main ». Elle s'y tient toujours, mais avec en face d'elle notre identité assumée, le fait que de plus en plus souvent nous pouvons la regarder dans les yeux et départager ce qu'elle-même trouve bien ou mal, vrai ou faux, et ce que nous-mêmes en pensons. Que l'on me comprenne bien : ces fantasmes ne sont pas de la littérature. Mais chacun d'entre eux est l'empreinte digitale d'une individualité féminine, un assaut d'énergie créatrice, une forme d'autoreconnaissance par laquelle toute création littéraire doit commencer.

Andrea

J'ai eu mon premier orgasme à deux ans et demi. Je le sais parce que nous avons déménagé peu après, et le fantasme qui m'a conduite à faire cette découverte se déroulait au temps de notre première maison, un petit appartement très sombre dans une ville industrielle. Un jour de promenade à la campagne, j'avais vu des vaches dans un champ et le fermier m'avait emmenée à la laiterie. J'avais regardé les animaux mâcher ce qu'on m'avait alors dit être du «gâteau pour vaches», j'avais senti leur souffle, humé l'odeur du lait, de la paille et de la bouse, je les avais écoutés ruminer avec satisfaction, j'avais entendu le sifflement des trayeuses électriques, baignée dans la chaleur de leur grand corps. Toute cette machinerie, l'acier brillant des trayeuses, les longs tuyaux en caoutchouc rose, la douce pulsation des pompes raccordées à leurs «mamelles»... rien que le mot me fait encore frissonner. Ces sacs doux comme du velours rose, ballonnés, avec leurs bouts pendants... Ils me troublent toujours. De retour à la maison, je me suis sentie excitée en repensant aux vaches dans la laiterie. J'ai pensé qu'il devait être bien agréable d'être une vache, et quand je me suis dit que moi aussi j'aimerais être «traite» mon excitation n'a fait que croître. J'ai dérobé des biscuits de blé dur que j'ai émiettés pour en faire du «gâteau pour vaches», je les ai cachés sous mon oreiller jusqu'à la nuit. Dans mon lit, je les ai mangés sans me servir de mes mains, en imaginant la succion du métal froid sur mes parties génitales. J'ai repensé aux odeurs, aux bruits, à la chaleur, et j'ai joui. Je ne me suis même pas touchée, me contentant d'osciller doucement comme une bête dans son étable.

Mon deuxième fantasme m'est venu à l'âge de quatre ou cinq ans, quand j'ai découvert et cultivé l'art de la masturbation. Ce sont les chevaux qui ont remplacé les vaches, et moi je suis devenue un jeune chevalier, séduisant, chevauchant bravement vers la bataille. Je m'imaginais habillé par mes pages, qui m'enduisaient d'huile et de baume, couvraient mon corps de sous-vêtements pareils à des bandages, et m'enfermaient sous le métal

248

froid de mon armure. Elle était lourde, solide, richement décorée avec des aigles et des griffons d'or et d'argent, elle protégeait et à la fois mettait en valeur mon jeune corps. Elle me rendait puissant, elle faisait de moi un héros. J'étais placé sur mon cheval de combat à la robe noire et luisante, avec ma lance, mon bouclier et mon glaive, et je partais, le tout premier de ma troupe. Les chevaux filaient, galopaient vers l'ennemi de plus en plus vite, j'étais emporté par la peur et l'excitation. Bien sûr, je tombais sous la première pluie de flèches, transpercé jusqu'au cœur, mon cheval s'écroulait près de moi, pris dans les convulsions de la mort. Je restais étendu, sentant mon sang s'écouler le long de mes bras et de mes flancs dans mon armure. Avant mon dernier souffle, un jeune chevalier s'arrêtait près de moi, ouvrait ma visière et dégrafait mon plastron de cuirasse. Il m'embrassait, pressait ses mains nues contre ma plaie, mais il était trop tard. La mort était l'orgasme.

Maintenant, fantasmer est devenu plus compliqué. J'ai essayé la violence, le viol, la prostitution, le strip-tease, et toutes les combinaisons de ces possibilités. Je m'en remets à mon imagination et à ses tours aussi imprévisibles qu'incontrôlables. C'est peut-être que j'en sais trop long, que j'ai connu trop d'expériences. Mais, si je me rends la nuit dans un endroit désert, un musée, une ancienne salle de classe, une bibliothèque, une salle de concert ou une maison vide, un endroit où il y a d'habitude du monde, alors je peux me masturber dans mon espace public-privé. Je suis là, en face de toute une salle de concert, cachée derrière les rayons d'une bibliothèque, devant mon tableau préféré ou devant un professeur que j'adore : c'est une affirmation rituelle de ce que nous possédons tous, mais qui ne demeure connu que de notre seul moi profond. C'est l'accord parfait.

J'ai maintenant quarante ans. Anglaise, née et élevée dans les brumes froides du Nord. Citadine, jusqu'à récemment. J'ai étudié l'histoire de l'art et le théâtre, me retrouvant dans la recréation de mises en scène médiévales avant de devenir conservateur, directrice de musée, puis experte en faux.

Sue Ellen

Mariée depuis trois ans, j'ai vingt-quatre ans. Comme la plupart des femmes de votre livre *My Secret Garden*, j'ai toujours gardé mes fantasmes pour moi mais, puisqu'ils constituent mon « jardin secret » personnel, je veux les partager avec vous. Après avoir lu votre ouvrage, je me suis sentie soulagée de ne me trouver ni perverse, ni trop différente : je ne me sens pas parfaitement au clair sur le plan sexuel, même si je n'ai eu que des relations hétérosexuelles. Voici mes fantasmes.

Ils commencent tous de la même manière : je suis seule au volant d'un camping-car, je descends la côte du Pacifique. Je prends toujours en stop la même femme, très belle. D'habitude, j'aime imaginer que je lui propose de faire un brin de toilette à l'arrière, de se dépoussiérer un peu. Elle y va et se déshabille entièrement, elle a un corps d'une beauté à couper le souffle (je la regarde dans le rétroviseur). Quand elle commence à se nettoyer le sexe, je n'en peux plus, je me mets à me masturber. Elle le remarque et me dit de ne pas perdre un orgasme toute seule, elle me dit qu'elle aimerait le partager avec moi. Je gare le camping-car sur le bord de l'autoroute et nous faisons toutes les deux la course jusque dans un champ de fleurs et d'herbe haute. Elle relève ma jupe, me dit que j'ai une chatte superbe et qu'elle a envie de la manger. Elle se met à lécher et à sucer mon clitoris. Toutes les deux nues dans l'herbe, nous nous plaçons en 69 pour nous dévorer l'une l'autre.

A notre insu, un jeune type, très beau garçon, accompagné d'un berger allemand, est en train de nous observer tandis que nous gémissons de plaisir. Il masturbe son chien jusqu'à ce qu'il soit sur le point d'éjaculer puis l'amène derrière mon amie, qui est au-dessus de moi. J'aperçois le bout rouge vif de la bite du chien quand le garçon le fait monter ma partenaire, qui n'a encore rien remarqué. Finalement, elle (l'auto-stoppeuse) se rend compte de ce qui se passe et frissonne de ravissement. J'enlève ma bouche de sa chatte mouillée et commence à lécher les couilles du chien qui se balancent devant mon visage. Pendant ce temps, le garçon a fait glisser son pantalon, révélant un énorme pénis. Il s'agenouille devant ma partenaire et l'enfonce lentement dans sa bouche avide. Le miracle veut que nous jouissions tous en même temps.

Dans un autre fantasme, je suis avec la même femme dans le camping-car, garé sur un parking. Après une masturbation mutuelle, elle dit qu'elle a besoin d'une bonne baise avec un homme, et donc nous regardons par la fenêtre, à la recherche d'une occasion. Deux garçons d'une vingtaine d'années arrivent de derrière une dune de sable, avec des planches de surf sous le bras. Nous les invitons à prendre un verre de vin, nous enlevons nos bikinis et commençons à nous toucher toutes les deux le plus naturellement du monde. Il est facile de vérifier l'état des garçons à la bosse qu'ils ont sous leur maillot. Bien vite nous avons chacune choisi «le nôtre», nous les faisons asseoir côte à côte et nous les suçons jusqu'à ce qu'ils explosent dans notre bouche. Peu après, ils emplissent notre chatte de leur sperme juvénile. Ils ont leur compte, ils veulent y aller, mais à ce moment ma copine leur annonce que la fête n'est pas terminée et que c'est à leur tour de nous amuser! A ma grande surprise, elle sort un pistolet et menace de les abattre s'ils ne coopèrent pas. Morts de peur, ils obéissent quand elle leur ordonne de se mettre en 69. Pour être certaines qu'ils ne nous tromperont pas, elle et moi les masturbons pendant qu'ils commencent à se sucer : de cette manière, nous sommes sûres qu'ils vont jouir chacun dans la bouche de l'autre. J'ai plusieurs orgasmes coup sur coup quand je sens la bite de «mon» mec palpiter et juter, et quand j'observe l'expression égarée du visage de son copain.

J'ai gardé le meilleur pour la fin. Il est question d'un prêtre et d'une religieuse que nous prenons en stop à un arrêt d'autobus où ils étaient bloqués. Sur l'autoroute, ma belle copine blonde sort son pistolet et leur menotte les mains derrière le dos. Arrivés sur une plage déserte, nous les dépouillons de leurs vêtements, le prêtre entièrement nu, la bonne sœur ne gardant que sa coiffe. Elle est forcée de s'asseoir sur une petite table, genoux relevés, talons contre les cuisses. Ses chevilles sont attachées à ses poignets derrière le dos, si bien qu'elle expose à tout le monde sa chatte de vierge. Mon amie lui fait un cunnilingus auquel la religieuse ne peut bientôt plus résister, pendant que je suce le prêtre pour le préparer. Quand sa bite est dure comme une barre de fer, nous le plaçons debout devant la table, je le guide à l'intérieur de la chatte maintenant trempée de la bonne sœur tandis que mon amie le pousse en avant dans le dos. La religieuse commence à gémir doucement, je suce ses tétons durcis et mon amie le fait aller et venir en elle en le poussant et en le tirant par les hanches. Il essaie de résister mais c'est impossible, et quand il a joui je la finis avec ma langue, tout en buvant la liqueur encore chaude qu'il vient de lui donner.

J'ai encore bien d'autres fantasmes à vous raconter, mais je dois m'arrêter maintenant parce que ma culotte est trempée (vous savez quel effet cela fait) et que je dois « m'occuper un peu de moi ».

Lititia

Je suis couchée sur mon lit un samedi après-midi plein de sensualité, parce que votre livre m'a agréablement troublée. J'ai trente et un ans, je suis blonde, grande avec de longues jambes. J'ai toujours eu une vie fantasmatique intense, mais j'ai du mal à trouver des hommes avec lesquels je prenne réellement mon pied. Mes amants ont en général été des étrangers, ou des hommes d'autre race. Je n'ai jamais été mariée, je n'ai pas d'enfants. Diplômée, je vis dans la banlieue d'une ville de la côte Est. Enfant, je vivais dans une famille de « culs terreux sympa », et j'étais plutôt pieuse, toujours réservée et correcte, fréquentant le catéchisme et l'école du dimanche, bien « protégée » puisque je suis restée vierge jusqu'à vingt-deux ans. A ce moment-là, je suis partie vivre en ville et j'ai demandé au premier type de la ville que j'ai rencontré de m'apprendre à faire l'amour. Il a accepté volontiers, et nous avons eu du bon temps ensemble. Ensuite, je suis sortie avec un de ces collets montés pratiquants, qui m'a reproché d'avoir perdu ma virginité ! Mais j'ai déployé toute mon énergie sexuelle — et j'en ai vraiment beaucoup, je suis née sous le signe d'Aphrodite... — à séduire ce ratichon, et j'ai évidemment réussi. Après lui, je me suis fait beaucoup d'hommes différents, j'ai vécu plusieurs relations. J'ai suivi une psychothérapie pour en finir avec mes réticences culturelles et les résidus de fondamentalisme religieux qui tourmentaient encore parfois ma conscience. Et aujourd'hui je m'accepte et je m'aime telle que je suis, en puisant dans mes années de bigoterie l'inspiration de mes multiples fantasmes.

Je me vois à quatorze ans environ, grande, élancée, avec de petits nénés haut perchés et une chatte si brûlante que je ne sais plus comment faire avec. J'appartiens à une petite paroisse hors de la ville. Aujourd'hui, c'est comme chaque année le nettoyage de printemps, donc je me rends à l'église et la jolie femme du ministre officiant me confie le placard du deuxième étage à nettoyer. Toute en rangeant les piles de vieux journaux et de livres, je me sens tellement chaude que je commence à jouer avec mes tétons pour les sentir durcir et que je masse mon clitoris à travers mon jean serré. Soudain, je réalise que la femme du ministre officiant est derrière moi, en train de me regarder faire. Je suis horrifiée, mais elle vient vers moi, pose une main sur mon épaule, et me dit : «Ne t'en fais pas, ma petite, nous savons comment faire avec ces problèmes de tentation.» Elle me demande de revenir le dimanche suivant à trois heures de l'après-midi, en précisant que je devrai absolument être toute habillée de blanc.

Au jour et à l'heure dits, j'entre dans l'église silencieuse, où peu de temps auparavant le ministre officiant a tonné son prêche promettant les feux de l'enfer à tous les pécheurs. Je porte une robe blanche très stricte, des gants blancs, un chapeau blanc, une culotte et un soutien-gorge en dentelle blanche, des bas blancs et des chaussures à talon haut également blanches. Mes longs cheveux blonds brillent dans la pénombre pendant que je cherche Natalie, la femme de l'officiant. Elle me dit bonjour. C'est une femme de haute taille, mince, un peu anguleuse, cheveux foncés, l'allure presque masculine. «Le révérend nous attend», m'annonce-t-elle, et je me dis : «Mon Dieu, elle lui a parlé de mon "problème"!»

Le couple a dans la trentaine. Natalie parle à Andrew de la manière dont la tentation me harcèle. Il fronce les sourcils et me demande si j'ai laissé des garçons me toucher. Je réponds : «Non, bien sûr.» Il m'explique que sa formation religieuse lui permet de soulager mon corps du poids de la tentation, mais que pour cela je dois l'aider corps et âme. Et il doit m'«examiner» pour vérifier à quel point le problème est sérieux. Il demande à Natalie de descendre la fermeture Éclair de ma robe tandis qu'il m'enlève mon chapeau. Natalie me retire ma robe, je reste debout devant lui en sous-vêtements. Ma respiration s'accélère quand ses yeux parcourent tout mon corps, s'arrêtant sur mes nénés puis descendant. Je sens ma chatte se réveiller, mon clito s'humidifier, mon trou s'embraser. Sous son regard, mes tétons durcissent et pointent à travers l'étoffe légère du soutien-gorge. «Enlève-lui son soutien-gorge» : Natalie s'exécute. Il pose ses doigts autour de mes tétons, rapproche sa tête pour les examiner, et finalement sa langue se pose dessus pour les lécher et les sucer. Natalie reste debout à regatder, son souffle se précipite. Il fait descendre ses mains le long de mes hanches et commence à faire rouler mes bas. Je me débarrasse de mes chaussures, puis de mes bas, ne gardant que ma petite culotte blanche. Il glisse ses doigts dedans, la tire un peu vers le bas pour poser un baiser léger juste sur mon pelvis. Je vois que Natalie s'est installée sur le canapé, la robe relevée, et qu'elle triture son clito comme une folle. «Tu vois, tu nous aides tous face à la tentation», croasse le prêcheur. Soudain, ses grandes mains robustes sont dans ma culotte, me palpant partout. Quand il enfonce un doigt dans mon trou, je gémis. Ensuite il frotte mon clito, qui est devenu dur comme un petit caillou. Natalie jouit en criant. Après, tout en m'enlevant ma culotte, il lui dit de s'approcher, il garde les yeux fixés sur ma chatte alors que je suis debout devant lui, les jambes écartées. Il se met à genoux, Natalie vient derrière moi, me prend dans ses bras pour caresser le bout de mes seins. Il lui demande d'écarter les lèvres de mon sexe pour qu'il puisse me voir, elle obéit, mon clitoris pointe encore plus en avant. Il se rapproche lentement et commence à me lécher en passant ses doigts dans mes poils blonds et raides, il en enfonce deux dans mon trou mouillé, les retire pour les planter dans mon cul. Natalie me fait monter et descendre sur ses doigts pendant qu'il me lèche le clitoris, j'ai pratiquement les jambes passées autour de son cou. Tout en continuant, il dit à Natalie de mettre sa langue dans mon cul en plus de ses doigts à lui. En la sentant s'enfoncer, je jouis si violemment que j'ai l'impression d'être propulsée au paradis !

Souvent, ce fantasme suffit à me donner un orgasme, mais il y a des variantes possibles : le ministre m'encule pour ne pas me déflorer ; il baise sa femme tout en me suçant ; il oblige un jeune garçon à «me délivrer de la tentation» ; il m'étend jambes grandes ouvertes sur l'autel et me lèche juqu'à ce que jouisse là ; il me possède sur son bureau ; il me demande de revenir quand Natalie ne sera pas là.. Et tout cela «au nom de la religion» !

A cause de tout le fatras religieux qu'on m'a inculqué, j'ai attendu l'âge de trente ans pour commencer à me masturber ! Quelle folie ! Toutes ces églises sont un repaire de frustrés, croyez-moi. Maintenant, je m'apprête à passer ma maîtrise en psychologie de la femme. Je garde l'espoir de changer les vieilles mentalités, en tout cas pour ma part.

Cara

J'ai vingt-deux ans, je suis célibataire, blanche et catholique. Après deux années de collège, je suis maintenant dans une école d'infirmières. Je préfère les hommes, mais les femmes me font beaucoup fantasmer, même si je n'en ai jamais connue sexuellement. J'aimerais bien que l'occasion se présente. Je dois aussi dire que je suis vierge : le plus loin que j'aie été a été de branler un type dans ma main et de rester sur ma faim. Ma famille est de la moyenne bourgeoisie ; j'ai pratiquement toujours eu ce que je voulais, j'imagine que vous pourriez me classer comme une petite peste trop gâtée.

Mon premier souvenir de contact sexuel remonte à l'âge de six ans : j'avais alors une amie avec laquelle il nous arrivait de nous déshabiller, de frotter nos corps l'un contre l'autre et de nous embrasser. Nous ne savions pas ce que nous faisions, seulement que c'était bon. A neuf ans, je faisais la même chose avec un garçon qui habitait dans le voisinage. Aussi loin que je m'en souvienne, j'ai toujours éprouvé de la culpabilité à cause de ces deux expériences, je priais pour ne plus jamais rencontrer ces amis tellement je craignais qu'ils puissent y faire allusion. Heureusement, je ne suis plus dans cet état d'esprit, et maintenant j'aimerais qu'ils m'en parlent pour savoir ce qu'ils en pensent eux-mêmes, elle et lui.

Avant d'avoir lu *Les Fantasmes masculins*, je pensais que les hommes n'appréciaient pas beaucoup de sucer une femme. Je suis contente de m'être trompée : même si on me l'a jamais fait (sauf mon chien), le seul fait d'imaginer un mec en train de me lécher et de me sucer me fait perdre la tête. Je me masturbe beaucoup, et mes fantasmes tournent en général autour du sexe oral. J'aime aussi m'imaginer en train de sucer un mec. Je ne l'ai jamais fait, je ne suis pas certaine de savoir comment faire mais, si quelqu'un voulait m'apprendre, je serais une élève douée. Ma seule réserve à l'égard du sexe oral, c'est l'idée que mon minou puisse sentir trop fort. J'ai déjà senti et goûté mon jus, cela ne m'a rien fait, mais, d'après ce que vous écrivez, les hommes l'aiment et j'ai envie de vous croire : alors, si l'occasion se présente et si un mec est d'accord, je n'hésiterai pas !

255

J'ai un faible pour le type oriental, d'abord parce que les Indiens d'Amérique m'ont toujours fait « bander ». Il se trouve que depuis que je suis toute petite, à chaque fois qu'ils passaient un western, je restais collée à la télé en espérant apercevoir un Indien. Mon père a cru que je m'intéressais à leur histoire, au « bon sauvage », et il m'a toujours acheté des dizaines de livres à ce sujet : la vérité est que je n'en ai jamais lu un seul, mais que, s'il y avait un Indien sur la couverture, il a pu contempler mon minou plus d'une fois ! Si jamais papa savait ce que je faisais avec ces livres... Après les Indiens, je suis passée aux Japonais, Chinois, Coréens, et autres. Et j'en suis arrivée au point où la seule vue d'un mec même passable qui ressemblerait vaguement à un Oriental ou à un Indien me donne des frissons le long du dos et jusque dans mon minou.

J'ai deux principaux fantasmes. Dans le premier, j'ai rendez-vous avec le meilleur ami de mon frère, pour lequel j'ai toujours eu le béguin. Nous sommes assis dans un coin assez retiré du restaurant, autour d'une table couverte d'une nappe. P. est en face de moi, il est en smoking, très séduisant, moi j'ai une robe noire ouverte sur les épaules et plutôt courte, avec des talons hauts noirs. Nous commandons du vin, le goûtons, commençons à bavarder, et alors je dégage mon pied droit de sa chaussure pour le poser entre ses jambes. Il est plutôt choqué, et me lance un regard interrogateur. Je me contente de lui sourire en faisant tourner mon orteil autour de la bosse de son pantalon. A ce moment, le serveur arrive avec nos plats mais cela ne me trouble pas du tout et je continue mon travail. P. a du mal à garder une expression normale, il avance un peu sa chaise en avant pour que mon pied ne soit pas visible. Quand le serveur s'en va, P. ouvre sa braguette et mon pied poursuit sa manipulation, si bien qu'après un moment P. se tortille sur sa chaise. Je feins de laisser échapper une cuillère par terre, et je pars la chercher sous la table. Plus personne ne me voit, on pense que je suis allée aux toilettes, alors qu'en réalité je lui fais la meilleure pipe de sa vie. Le plus excitant de ce fantasme, c'est le contrôle que j'ai sur lui, et la tête que fait P. pendant que je le suce, à essayer de garder une contenance normale, de continuer à boire et à manger alors que je suis sous la table avec sa queue dans la bouche. Cette seule idée me rend folle.

Connie

J'ai dix-huit ans, j'ai rencontré mon petit ami en cinquième et nous sommes tombés instantanément amoureux. En juin passé, nous avons tous les deux obtenu notre examen d'entrée à l'université. Pendant tout ce temps, nous ne nous sommes pas quittés, il n'a jamais dragué, il n'a eu personne d'autre, et moi non plus. J'ai été sa première femme, il a été mon premier mec. Pendant tout le temps de l'école, nous nous sommes désirés, mais ce n'est qu'en dixième que nous avons vraiment baisé ensemble. J'avais quinze ans, lui dix-sept — il en a vingt maintenant. Il vit avec ses grands-parents, et cette première fois s'est passée à la fin d'un mercredi après-midi, dans l'abri de jardin de son grand-père — entre la tondeuse et le pulvérisateur. Nous avions une bouteille de lait corporel, nous nous sommes masturbés et sucés mutuellement, c'était fantastique ! Ce jour-là, cela nous avait suffi. Nous n'avons véritablement fait l'amour que le jour suivant, sur le divan chez mes parents. Depuis, nous nous entendons parfaitement sur le plan sexuel, et en général. Nous ne nous lassons jamais l'un de l'autre. Pendant toutes ces années, nous avons baisé dans la voiture, ou chez des amis pendant des fêtes, ou dans un motel.

J'ai adoré la première fois où nous avons parlé ouvertement ensemble de masturbation. Je le fais depuis que j'ai trois ou quatre ans — peut-être pas aussi tôt, mais en tout cas je suis sûre d'avoir commencé avant d'aller au jardin d'enfants. Avec mon petit ami, nous avions pris l'habitude de convenir d'une heure, par exemple dix heures et demie ou onze heures du soir, et quand nous étions tous les deux au lit (chacun chez soi) nous nous masturbions. Le lendemain, nous échangions à l'école les lettres dans lesquelles nous nous décrivions l'un à l'autre ce qui s'était passé. Cette lecture m'excitait tellement que je devais me glisser dans les toilettes des filles et m'essuyer le jus qui me coulait entre les jambes et qui risquait de se remarquer.

Quand nous avons commencé à faire l'amour, il a reconnu qu'il ne se masturbait pas tellement, mais moi si, et j'aime encore plus quand il le fait aussi ! Parfois je le lui fais juste par plaisir. J'aime lui donner des idées et, même quand il n'est pas prêt à ça, je le supplie de me laisser lui ouvrir sa braguette et je le suce à fond. J'en suis folle.

Voici mon fantasme : la vue de n'importe quel policier me fait bouillir le sang, me fait mouiller, me donne une envie dingue de sexe. Les Noirs ne m'excitent pas particulièrement, mais si j'en vois un en uniforme au volant d'une voiture blanche avec le girophare bleu dessus, cela me va aussi. En fait, je ne cherche pas à baiser avec un flic, c'est juste de l'imaginer qui me bouleverse. En fantasmant, je me vois suivre une longue route de campagne déserte, avec la forêt de chaque côté. Toit ouvert, musique à fond, je ne me rends même pas compte que je dépasse largement la limitation de vitesse. C'est seulement quand j'accroche la lumière d'un girophare dans mon rétroviseur : je crie « Merde », et je me gare sur le bord de la route. Il sort de sa voiture — Dieu, je mouille rien qu'à l'écrire —, une dizaine de mètres derrière la mienne, et marche lentement vers moi, en secouant la tête d'un air désapprobateur. « Dites, M'dame, vous n'avez pas remarqué que vous alliez à 75 dans une zone limitée à 55 ? »

Tout ce que je peux voir, c'est mon reflet dans ses lunettes de soleil, et je ne sais pas ce qu'il regarde exactement. Ses yeux pourraient très bien être sur mes seins bien ronds et fermes, ou sur les courbes tentatrices de mes cuisses bronzées, que ma minijupe blanche révèle plus qu'elle ne les couvre. Je me mets à trembler tant je suis effrayée, mais lui se contente de se rapprocher autant que possible de ma portière et de me contempler, la tête légèrement penchée de côté, les bras croisés, la bosse que fait sa queue juste à la hauteur de la vitre ouverte. Enfin, il dit qu'il doit me contrôler et me fouiller. Il m'ouvre la porte (comme c'est gentil) et je commence à me glisser lentement dehors, découvrant toutes mes jambes jusqu'au point délicieux où elles se rejoignent. Comme il a enlevé ses lunettes, je peux suivre ses yeux qui remontent, de mes chaussures à talon haut délicatement échancrées, tout le long de mes jambes brunes et lisses, puis passent à regret sur ma minijupe pour s'arrêter au creux entre mes seins. Rien qu'à me demander ce qu'il a en tête, je suis tout excitée. Je sors pour de bon de la voiture.

« Retournez-vous, ouvrez les jambes, penchez-vous avec les bras bien écartés sur le toit », ordonne-t-il, et j'obéis. Mon string en dentelle couvre à peine mon bouton rose, et il est imprégné de mouille. Mon clitoris me brûle. Il se baisse et pose ses mains autour de mes chevilles, puis commence à remonter lentement, accentuant la pression lorsqu'il arrive à mes cuisses. Il fait venir ses mains par-devant, écarte avec précaution mon string et commence à titiller mon clito, à fouiller dans mon beurre. Je l'entends haleter, je sens sa bite toute dure contre mes fesses. Me serrant toujours plus fort, il place ses mains sur mes seins et les écrase. Mes tétons durcissent encore contre ses paumes. Il me dit d'aller dans sa voiture, retire mes mains du toit et les attire derrière mon dos. Je sens l'acier froid des menottes qu'il me passe autour des poignets. Puis il me conduit jusqu'à son *cruiser* et ouvre la porte arrière. Je monte, en savourant l'odeur à la fois douce et forte du cuir et en lançant à ma voiture un regard sans espoir à travers la vitre de séparation fumée. Il me pousse vers le fond de la banquette, monte à son tour derrière moi et pose sa main sur mon cou en me poussant jusqu'à ce que je me retrouve sur le dos. Il m'enlève mes chaussures et m'écarte les jambes, relevant mon pot à miel à peine couvert. Il attrape ma taille et me retire ma jupe, puis ramasse un couteau qui se trouvait là et ouvre avec précaution ma culotte sur mes hanches. Il enlève les deux morceaux, se penche et plante sa langue dans mon con, en remontant pour séparer mes lèvres et trouver mon clitoris. Tout en me pompant avec force, il sort sa queue de son pantalon. Je me tords déjà de plaisir, mais il s'arrête, se déshabille entièrement et monte sur moi pour entrer sa bite distendue dans mon vagin. Je lance mes hanches en avant, à son rythme. Il presse son bas-ventre terriblement fort contre mon clito, j'en perds littéralement la tête. Il m'arrache mon chemisier et se met à sucer mes tétons. Des décharges d'électricité me secouent le corps quand je le sens se tendre au maximum, quand je sens aussi ses couilles cogner furieusement contre mes fesses, de plus en plus vite. Mes muscles se resserrent, je l'entends gémir puis je sens sa bite palpiter tout au fond de moi. Son sperme brûlant explose contre les parois de mon vagin, et à ce moment je suis balayée par une vague de plaisir et de contentement quand je sens mon orgasme venir. Sa queue et ses couilles sont couvertes de mon jus crémeux.

Il détache mes poignets, nous nous nettoyons un peu, puis il me dit en me donnant un tendre baiser : « Voilà. Peut-être que cela t'apprendra à respecter le code de la route ! » Puis nous partons chacun de notre côté.

Cela fait presque un an que je conduis, mais jamais je n'ai

été arrêtée par un flic pour la moindre raison. A chaque fois que je me trouverai à côté de l'un d'eux à un feu rouge, ou sous un autre prétexte, et qu'il me jettera un coup d'œil en passant, je lui adresserai un sourire d'enfer en espérant qu'il devine mes pensées.

CELLES QUI EN VEULENT PLUS QUE LEUR HOMME

Dans cette section, les femmes s'attaquent aux fondations mêmes du système patriarcal. «Je crois que les femmes ont de plus gros besoins sexuels que les hommes et désirent plus qu'eux faire l'amour», dit Sophie, illustrant comme les femmes de la décade quatre-vingt en sont venues à regarder en face la réalité de leur appétit sexuel. Mais quelle que soit l'époque où vous lirez ces lignes, n'oubliez pas que les fantasmes érotiques ne sont jamais «datés» : toute la littérature érotique, d'*Histoire d'O* jusqu'à Anaïs Nin et Henry Miller, continue à produire son effet parce que la sexualité humaine ne change pas ; c'est seulement le rideau de la répression qui peut se lever ou retomber. Il a toujours existé des «aventurières sexuelles» comme celles qui s'expriment ici, mais elles n'ont certainement jamais été aussi nombreuses ni aussi franches, car elles parlent avec la rassurante certitude de ne pas être des cas rarissimes. Elles ont commencé à «apparaître au grand jour» dans les années soixante-dix, à ce moment sans précédent historique où les femmes ont réclamé pour elles aussi la permissivité sexuelle, et où pour la première fois elles n'ont plus été punies mais au contraire approuvées pour leur inventivité érotique. Afin de saisir l'ampleur de ce tournant révolutionnaire, il suffit de revoir tous ces films où l'héroïne «dévoyée» paie sa transgression des normes sexuelles en finissant sous les roues d'un train, comme *Anna Karenine*, où la femme adultère, aussi sympathique soit-elle, doit mourir. Il fallut attendre les années soixante pour que Hollywood, le parangon de notre morale, ne rejette plus les scénarios qui laissaient la vie sauve à la «pécheresse».

Mais la censure et la répression pourraient-elles ramener un jour les femmes au sort d'Emma Bovary ? En toute logique, on peut dire que le nouveau pouvoir économique des femmes les protège de la discrimination sexuelle, que ces vingt dernières années n'ont pas été une parenthèse mais un stade dans une évolution profonde, irréversible. Mais la répression sexuelle n'obéit pas à la «logique» : il suffirait ainsi que les femmes perdent leur contrôle sur le droit à la reproduction de l'espèce pour les «remettre à leur place». Les hommes, et beaucoup de femmes aussi, n'ont aucune idée de l'étendue des besoins sexuels féminins : la culture a été conçue pour poser un voile dessus, les hommes continuent à se poser la fameuse question de Freud : «Que veulent donc les femmes?», en hochant la tête avec une résignation ironique, comme si la réponse était, disons, un nouveau chapeau. Si la position du missionnaire occupe une place cardinale dans la mentalité patriarcale, c'est parce qu'en laissant les femmes «en dessous» les hommes se retrouvaient *a priori* «au-dessus», supérieurs. Et quand, au début des années quatre-vingt, des femmes ont voulu se dégager de dessous leur mari sexuellement barbant pour dégourdir leurs muscles érotiques, elles n'étaient pas certaines de ne pas être des exceptions. Mais la consigne a circulé rapidement ensuite, durant cette décade d'hyperinformation sexuelle, et bientôt les femmes dotées de maris à la libido défaillante n'ont plus eu peur de perdre leur image de «fille bien» en exprimant leurs désirs. Certes, le sentiment de culpabilité n'a pas disparu, il ne disparaîtra d'ailleurs jamais, mais les femmes ont appris à l'accepter comme une partie intégrante de la vie : tandis qu'au début des années quatre-vingt les statistiques enregistraient une hausse notable des cas d'infidélité avérée, de plus en plus de femmes ont compris que le seul fait de penser à quelque chose d'«illégal» leur donnait l'avantage.

Bernard Shaw a expliqué un jour le succès durable du mariage par le fait qu'il procure le maximum de tentations avec le maximum de facilités, remarque plutôt cocasse dans le contexte puritain où il vivait : mariés ou non, les victoriens pensaient qu'il y avait quelque chose de profondément pervers dans le sexe, ne serait-ce que parce que c'est si bon. Mais aujourd'hui le mariage combine trop souvent le maximum de facilités avec le minimum de sexe. Tout le monde connaît le cliché à propos du couple qui vivait heureux dans le péché mais dont la vie érotique est devenue un cauchemar dès qu'un mariage légal l'a consacrée. On a aussi lu les enquêtes qui prouvent que le statut conjugal favorise plus les hommes que les femmes dans notre société. Il n'est donc pas étonnant que plus les femmes s'affirment, plus elles se montrent réticentes face au mariage.

Aiguillonnée par sa nouvelle fascination pour le tabou, la femme peut avoir l'esprit occupé par une curiosité sans borne envers «l'autre homme», même quand elle continue à partager sa vie avec «son» homme. Le charme du dangereux inconnu, elle le connaît depuis sa petite enfance : même si mon moi conscient ne veut pas d'un autre homme dans ma vie, déjà bien remplie par mon mari et mon travail, je continue à fantasmer sur ce mystérieux... qui ? C'est pour cette raison que j'ai failli ne pas me marier, pensant que je ne pourrais jamais être fidèle. Dans le meilleur des cas, la monogamie n'est pas une contrainte de la société mais le choix libre de deux individus, un choix que des millions d'humains ont fait depuis des siècles, ce qui tend à faire penser qu'elle a de sérieux arguments pour elle, qu'elle satisfait des besoins réels. En ce qui me concerne — et je pense que c'est le cas pour bien d'autres femmes —, je ne reste fidèle et heureuse de l'être, monogame sans états d'âme, que parce que mon imagination reste libre de faire l'amour avec qui je voudrais. Sans les fantasmes érotiques, si j'étais «programmée» pour ne penser qu'à mon mari lorsque nous faisons l'amour ou quand je me masturbe, je verrais évidemment dans la monogamie non un idéal, mais une prison et une raison de fuir le mariage.

Il serait absurde de prétendre que les femmes de ce chapitre sont seulement frustrées, laissées insatisfaites par leurs hommes. Au contraire, la plupart ont une vie sexuelle épanouie, et cependant elles veulent en fantasme «plus de sexe», une quantité de sexe qui est souvent très éloignée du raisonnable ou du réel. Si en réalité une femme se retrouvait sur une île déserte avec dix hommes nus, séduisants et empressés, elle se retrouverait généralement liée à un seul d'entre eux, satisfaite par un seul d'entre eux, et dirait aux autres : «Dites, et si vous vous rhabilliez pour aller cueillir des noix de coco? Lui et moi, ça marche très bien!» Mais dans les fantasmes qui suivent, voici des femmes qui veulent deux, quatre, six, dix, vingt hommes en même temps, qui ne se satisfont pas d'un seul fantasme mais en caressent des douzaines à la fois. Elles affichent leur féroce appétit, une voracité qui dépasse de bien loin tout ce qu'une femme pourrait réaliser en réalité. Ces fantasmes expriment un besoin psychique, un désir d'expérimenter toutes les ressources du corps et de la libido, une envie de rattraper le temps perdu : après avoir été bridées si longtemps, les femmes veulent vérifier où sont leurs véritables limites, et ces fantasmes prouvent qu'elles n'y sont pas encore parvenues.

Sans doute mieux que toute autre image, celle du «plus gros pénis jamais vu» sera la métaphore de ce désir féminin d'une vie moins étriquée. «Encore, plus!» : dans ce cri, il y a la demande de «plus» de tout. Car le sexe n'est jamais séparé du reste de la vie, il reflète et symbolise ce qui se déroule dans la réalité, et la manière dont une femme se conduit au lit est liée à la façon dont elle se sent et se perçoit en société. Les femmes d'aujourd'hui pensent qu'elles ont «droit» à tout ce qu'elles n'osaient même pas imaginer encore récemment. Si une femme n'est pas heureuse avec son mari, elle a le droit de divorcer. Si elle s'ennuie à la maison, elle a le droit de partir trouver un travail et, si ça ne marche pas, elle a le droit de retourner à l'activité traditionnelle de maîtresse de maison. Alors, si elle estime que la société a limité arbitrairement sa sexualité, elle se sent en droit de surmonter ces limites.

Avant toute chose, ces fantasmes à propos de plus d'un homme à la fois sont une réaction au rôle traditionnellement passif qui a été imposé à la femme. Au lieu d'attendre timidement qu'un homme veuille bien lui téléphoner, la femme imagine la situation où elle en a une douzaine à sa disposition. Quoi qu'il arrive dans ces fantasmes, c'est elle qui est le centre d'attraction et, après avoir inventé le scénario, attribué leur rôle aux acteurs, c'est elle seule qui décide de la suite des événements. Ce type de fantasmes est strictement conçu pour satisfaire ses propres besoins, ses demandes spécifiques.

Rien certainement n'a plus ouvert les yeux des femmes que la télévision, le cinéma, et le nombre croissant de films pour adultes. Il est fait allusion dans ce chapitre aux très nombreux ouvrages sur la sexualité parus ces dernières années, mais en matière d'éducation sexuelle une image vaut des centaines de mots. Et il suffit de voir de quoi est pourvu le moindre magasin de vidéo au coin de la rue. Ces femmes décrivent leurs fantasmes érotiques comme si elles étaient en train de passer commande en feuilletant un énorme catalogue. La vie leur a appris qu'un seul homme ne «dure» pas assez, elles en veulent d'autres, et avec de gros, de très gros sexes. Beaucoup reconnaissent honnêtement se contenter du pénis de taille normale de leur mari, mais, quitte à créer un amant imaginaire, pourquoi ne pas le doter d'attributs vraiment splendides, qui lui feront produire des «litres» de sperme, de quoi se baigner dedans, de quoi se noyer dedans?

Quand bien même elle n'occupe pas une place centrale dans le fantasme, il est rare que la taille du pénis ne soit pas précisée : «gros», «énorme», «géant»... Derrière l'envie d'être remplie, comblée, envahie par ce sexe fabuleux, transportée par l'énormité de cette expérience sexuelle, on peut aussi trouver la célèbre sentence freudienne : «Derrière chaque pénis, il y a un sein.» Ce qui signifie qu'une femme veut un pénis qu'elle puisse sucer, qui la pénètre, qui lui appartienne de tout son volume pour remplacer l'amour, l'attention, la chaleur, la tendresse, le lait et le sein maternels qu'elle a perdus depuis son enfance. Quand des hommes adultes tentent de retrouver dans un corps féminin la chaleur qu'ils ont reçue ou qu'ils auraient aimé recevoir de leur mère, nous comprenons qu'ils se focalisent sur le sein. Mais à nos débuts nous sommes tous dépendants du corps féminin, et si une femme faite a l'impression de manquer de quelque chose de gros, de chaud, de tendre, si elle déplace et sexualise ce besoin, elle peut «sentir» que ce dont elle a envie est un pénis géant.

La plupart des hommes se refusent à toute tendresse et affection non seulement après le coït, mais aussi pendant et avant. Ils distinguent nettement le sexe de l'affectif, et c'est pourquoi tant de femmes se retrouvent insatisfaites après des expériences sexuelles. Elles ont pu éprouver de multiples orgasmes, mais si la sexualité n'a pas comblé leur besoin de chaleur et d'intimité, elles ne seront pas épanouies. L'acte sexuel ne s'adresse pas qu'au corps, il doit aussi répondre aux émotions. Ainsi, certaines de ces femmes affirment qu'elles ne seraient pas capables physiquement de prendre en elles un homme mieux pourvu que leur mari, mais elles n'en continuent pas moins de rêver à cet énorme pénis fantasmé, si satisfaisant à d'autres niveaux. Peut-être y a-t-il aussi dans ces fantasmes l'exaltation d'une omnipotence féminine, d'une totale féminité, tellement importante à une époque où les femmes tentent de se retrouver en tant que «vraies femmes». Celle qui fantasme se voit si féminine, si puissante sexuellement qu'elle peut prendre un homme ordinaire entre ses jambes et en faire un superman, se prouvant par là même qu'elle est Superwoman. Ne peut-on y voir une forme de vantardise, pratiquement comme un homme se vante de la taille de son pénis : elle, tellement femme, tellement capable de prendre, qu'aucun homme n'est assez gros pour elle ?

Pourquoi ces femmes ne peuvent-elles pas fantasmer directement une existence plus ouverte, sans passer par cette explosion érotique ? On ne peut émettre que des hypothèses. Elles désirent quelque chose qui soit totalement hors de l'ordinaire et du quotidien, si radicalement différent de tout ce qu'elles connaissent qu'elles seront ainsi poussées hors de leurs dernières limites, que leur vie en sera bouleversée. Pourquoi ce besoin de transcendance s'exprime-t-il à travers une imagerie érotique ? Peut-être parce qu'elles ne peuvent s'identifier sur le plan émotionnel aux héroïnes de cinéma ou aux femmes des magazines : que savent-elles concrètement de la vie des milliardaires, d'une prodigieuse réussite professionnelle ? Par contre, elles ont l'expérience du sexe. Même si leur homme les déçoit, ce sont des expertes de la masturbation, elles peuvent faire naître l'orgasme d'une seule main, d'un seul doigt.

Et puis, même la plus timide des femmes peut faire son éducation au magasin de vidéo et de livres de son quartier. *Playboy* et *Penthouse* demeurent jusqu'à aujourd'hui une source constante d'informations et de plaisir voyeuriste. Alors que les hommes sont peu coutumiers du fait de scruter passionnément des photos d'autres hommes nus, les femmes font preuve d'une bien plus grande élasticité érotique : à n'importe quel moment, devant une image de l'un ou de l'autre sexe, elles peuvent se sentir excitées. Et l'on se demandera encore pourquoi les hommes ont toujours cru nécessaire de réprimer la sexualité des femmes !

Plus que tout autre médium, le marché de la vidéo domestique a ouvert aux femmes l'immense et merveilleux champ des possibilités érotiques. Il y a dans leur histoire un « avant » et un « après » magnétoscope. En 1980, huit cent cinq mille magnétoscopes avaient été vendus aux États-Unis ; dix ans plus tard, soixante-cinq millions de foyers en étaient équipés. Et ce n'est pas seulement que des femmes peuvent ramener chez elles *Neuf Semaines et demie* ou *Blue Velvet* afin de mieux regarder et de se repasser les passages les plus « chauds » : en l'espace de cette décennie, les films X sont devenus plus explicites, plus abondants, et de plus en plus souvent conçus pour un marché féminin. L'engouement des femmes non seulement pour le voyeurisme mais aussi pour l'exhibitionnisme a encore donné naissance à un nouveau produit vidéo : les films de sexe réalisés « à la maison » par des amateurs et interprétés aussi par des non-professionnels. Quand la presse a été frappée au début des années quatre-vingt-dix par la récession, ce qui a entraîné la disparition de nombreux titres, les nouveaux magazines qui sont apparus alors avec le plus grand succès ont été des parutions intitulées *Erotic Lingerie*, ou *Sexual Secrets*, ou *Wet Lips*, sur lesquels peu de femmes refuseraient catégoriquement de jeter un œil.

Les femmes de ce chapitre ne sont pas simplement les égales sexuelles des hommes, elles sont plus exigeantes sexuellement que leur mari, qu'elles aiment généralement mais qui ne les satisfont pas sur le plan érotique. Elles sont tellement voraces qu'un seul homme ne peut leur suffire, elles veulent être pénétrées par devant et par derrière, avoir la bouche pleine, les deux mains occupées, le tout aussi bien avec des hommes qu'avec des femmes. Et tout en même temps. Quel appétit, en effet... Elles ridiculisent le double code de conduite sexuelle traditionnellement appliqué aux deux sexes. Elles n'ont rien à voir avec le modèle de l'érotisme passif à la Doris Day, qui fut si longtemps l'idéal de la femme américaine, tant et si bien que la question vient à se poser : ces femmes insatiables ont-elles toujours existé, étaient-elles seulement réprimées par les codes sociaux, tenues au plus court par la bride qui a toujours été passée aux femmes ? Mon impression est que le seul élément nouveau chez elles est la liberté qu'elles prennent à s'exprimer : elle leur donne une impression de puissance, terme qu'elles utilisent souvent.

Avant les années soixante-dix, le code culturel disait que les hommes étaient des animaux dotés d'un besoin de sexe qui ne se retrouvait pas chez les femmes. Définir les hommes comme sexuellement actifs et donc dominants servait les intérêts du système patriarcal, mais cela a aussi assigné aux hommes et aux femmes des rôles totalement négatifs, faisant du lit non un lieu de rencontre, mais un champ de bataille. Et pour les hommes qui n'étaient pas capables ou n'avaient pas envie de jouer les étalons perpétuellement en rut, cette comédie était un véritable enfer. Comme la sexualité devait être entièrement dominée par les hommes et que ceux-ci étaient élevés dans l'idée qu'une « femme bien » ne pouvait qu'avoir des appréhensions virginales, ces *a priori* enfantins devinrent pour eux une règle de vie : le sexe était censé ne se produire que contre la volonté de la femme, à moins que l'homme ne se rende chez une prostituée où, sans surprise, son fantasme préféré était, pour changer, de se faire dominer. Évidemment, la sexualité désertait le mariage dès la fin de la lune de miel : pour les femmes, désappointées de constater qu'il n'était pas cette fusion romantique dont elles avaient rêvé, le sexe se muait en objet de chantage, la possibilité de se dérober au « devoir conjugal » se faisant baptiser « le plus grand pouvoir de la femme ». Elles en faisaient l'aumône quand elles voulaient avoir la paix, et s'y dérobaient quand elles étaient en colère, ce qui était aussi fréquent que soigneusement dissimulé.

Les nouvelles femmes ont renvoyé au rancart une telle passivité. Très au fait de leurs demandes sexuelles, elles accusent leur mari d'être celui qui a placé l'amour physique au dernier rang de la liste conjugale, après la lessive et le paiement des factures. J'ai toujours vu dans l'activité fantasmatique un des principaux alliés de la monogamie, car elle nous permet de rester fidèles tout en faisant partager à notre partenaire les stimulantes innovations que nous réserve notre imagination. Dans une durable relation amoureuse, nous finissons par si bien nous connaître l'un l'autre que nous avons souvent l'impression de ne faire qu'un : une telle intimité peut se révéler profondément gratifiante, mais où est l'excitation sexuelle quand la main droite caresse la gauche ? L'étincelle qui allume le brasier sexuel, c'est la distance. C'est pourquoi l'amour physique avec un parfait inconnu est si tentant : il n'y a pas de relations, pas d'attaches. Je rends gré aux fantasmes de nous aider à être fidèles, et je ne peux m'empêcher de grimacer quand je lis — comme dans tel travail scientifique — des thérapeutes considérer que leur client(e) est « guéri(e) » quand son unique sujet fantasmatique est son partenaire habituel. C'est aussi moyenâgeux et sectaire que l'ancien préjugé selon lequel les femmes n'avaient pas de fantasmes sexuels.

Ces femmes savent aussi que, si leur mari sexuellement paresseux « ne couvre pas tout le terrain », il existe dans leurs fantasmes deux ou trois hommes qui connaissent bien ce qui leur fait plaisir. Et la plupart d'entre elles jugent plus sages de garder pour elles l'existence de ces amants « efficaces ». Raconter un fantasme n'est en effet pas sans risques : premièrement, il peut perdre tout son sel dès qu'il est exprimé ; deuxièmement, le partenaire ne veut peut-être pas savoir que sa femme rêve de son ou de ses meilleurs amis ; troisièmement, penser qu'un amant doit forcément prendre le fantasme comme une preuve d'amour se résume à exercer sur lui un chantage. Enfin, il faut rappeler à quiconque est désireux de mettre en pratique un fantasme que nous ne pouvons jamais contrôler la réalité comme nous pouvons orienter l'activité de notre imagination...

Sans doute les femmes deviennent-elles plus sages à cet égard : une enquête récente montrait qu'une écrasante majorité de maris ne savaient pas sur quoi leur épouse projetait ses fantasmes érotiques. A part les cas où le fantasme exprime directement le besoin de combler un vide, comme la demande de sexualité orale, je conseillerais à celles qui veulent partager leurs secrets érotiques d'y réfléchir à deux fois avant de s'y risquer, et même à trois fois.

Laurie

Diplômée (maîtrise). Menue, blonde aux yeux bleus, trente et quelque. Vivant seule, par choix. Antécédents : mes premiers souvenirs érotiques remontent à environ l'âge de quatre ans. J'avais des cousins plus âgés qui jouaient à « papa et maman » ou au « docteur », je les observais se découvrir et se toucher entre eux. Plus tard, mon voisin de palier, Steve, d'un an plus âgé, voulait toujours me toucher partout : il pouvait brosser pendant des heures mes longs cheveux blonds, m'embrasser sur le visage, dans le cou, la poitrine, les pieds. Il me menaçait de raconter à mes parents un gros mensonge que j'avais commis à moins de lui promettre que, dès que j'aurais onze ans, je le laisserais me « pisser » dessus après avoir enlevé ma culotte. J'étais choquée, mais aussi excitée par l'idée, mais avant la « date prévue » sa famille déménagea... C'est vers onze ans que j'ai eu ma première et dernière expérience « entre femmes ». Une cousine de douze ans passait la nuit dans ma chambre, nous avions déjà longuement parlé des garçons et du sexe — enfin, du peu que nous en savions —, j'étais en train de lui décrire quel effet cela devait faire quand elle s'est mise sur moi et a commencé à m'embrasser en frottant son corps contre le mien. Nous nous en sommes tenues là parce que nous ne savions pas comment continuer, je n'avais pas ses connaissances en matière de sexe. Ma mère ne m'en parlait jamais, sinon pour me dire que «les filles bien élevées ne s'occupent pas de ça». Elle ne m'a même pas préparée à l'arrivée de la puberté, je fus la première de ma classe à avoir mes règles, mais ma mère déclara encore que «les filles bien, etc.», et je m'inclinai. Mon instruction sexuelle n'a vraiment commencé qu'en douzième. Mes amis, garçons et filles, avaient découvert à quel point j'étais encore innocente et naïve. Les garçons me firent lire des livres comme *Tout ce que vous avez toujours voulu savoir sur le sexe*, me montrèrent le film *Le Dernier Tango à Paris*; les filles me racontèrent leurs expériences avec des mecs, comment se comporter, que faire... Mais même avec cela, je restais une «fille bien élevée». Arrivée au collège, par contre, les aventures se sont succédé : je suis sortie avec plusieurs mecs — dont un étudiant déjà marié, et pourvu d'une bite gigantesque —, mais la relation la plus sensuelle se produisit avec le mec de ma meilleure amie (ils sont maintenant mariés).

Femmes entre elles :
Je ne suis pas lesbienne, mais je me suis souvent demandé comment c'était. Cela me vient généralement quand je me masturbe avec un gode et/ou en regardant deux femmes «se bouffer» dans un film de cul — ce genre de films a le don de m'exciter. Dans mon fantasme, je viens de rompre avec mon petit ami, que j'ai surpris avec une autre femme. Je décide de la rencontrer sur son terrain, je l'appelle au téléphone, elle me dit de venir chez elle.
Quand elle m'ouvre la porte, elle ne porte qu'une culotte noire ajourée sous un léger kimono noir. Elle a un corps très voluptueux, des seins taille 38C, sa motte est sombre comme ses longs cheveux noirs. Exactement mon contraire, puisque je suis petite, blonde, avec des nénés très menus. Je ne peux m'empêcher de la détailler, je ne sais pas si c'est par jalousie, parce que je la désire, ou les deux à la fois. Elle remarque ma réaction et met en route son plan. Elle me fait asseoir à côté d'elle sur un canapé, elle me dit qu'elle est désolée de ce qui est arrivé, mais que je ne dois pas m'en faire parce qu'elle n'est

pas amoureuse de lui, ni de quiconque. Elle a eu des tas d'amants, hommes et femmes, et, quand je pousse un «oh!» d'étonnement à cette révélation, elle se met à rire puis me demande si j'ai déjà fait l'amour avec une femme. Je lui réponds que non, elle me demande si l'idée me déplaît, je réponds encore non, et elle : «Très bien.» Alors elle commence à m'embrasser, passe sa main sous ma chemise pour me toucher les seins. Je n'ai jamais eu une pareille sensation avec mon petit ami : c'est excitant, rassurant, érotique. Oui, voilà, en fait je n'avais pas connu l'érotisme avant. Je suis bientôt nue, avec elle entre mes jambes qui lèche mon jus sucré, sa langue explorant des endroits «où aucun homme n'est allé». Elle me déclenche orgasme sur orgasme. Puis elle prend un gode et me pénètre avec; je suis debout, elle continue à me sucer en restant à mes pieds, dans cette position mon clitoris est sensible comme jamais et je dois bien jouir vingt fois. Sans me laisser me rasseoir, elle me baise avec le gode par derrière pendant que sa langue s'enfonce dans mon cul. Cette petite langue titillant mon derrière est si bonne, je n'en reviens pas. Puis elle prend un autre gode, avec trois bouts différents, un pour mon clitoris, un pour mon vagin, un pour mon anus. C'est presque trop pour moi, mais elle met encore un autre leurre dans ma bouche, un qui émet un liquide comme du sperme, et elle suce mes nénés pendant ce temps. Je pense que je suis morte et que je suis arrivée au paradis de l'érotisme. Je n'en peux plus, je hurle : «Arrête, c'est trop bon!» Elle sort alors un double gode, que toutes les deux nous nous mettons à chevaucher pendant des heures... Puis c'est à mon tour de m'occuper d'elle, mais je ne sais pas trop comment faire, je me sens mal à l'aise. Elle me dit qu'elle va arranger ça, elle prend un autre appareil qui s'appelle «Papillon de Vénus», un vibromasseur avec des attaches qui vient se coller étroitement sur ma chatte, contrôlé à distance par une télécommande qu'elle garde en main. Ce petit papillon pompe littéralement ma «crème», elle le fait marcher pendant que je la suce, et j'en oublie mon inexpérience : je veux seulement qu'elle se sente aussi bien que moi. Et elle me dit que dans ce cas je dois me sentir vraiment bien... Vingt-quatre heures plus tard, je la quitte après une baise entre femmes quasiment ininterrompue, si ce n'est par quelques heures de sommeil. Je ne sais pas si je vais la revoir, mais deux semaines plus tard elle m'appelle pour me dire qu'elle voudrait me présenter quelqu'un. J'arrive, c'est aussi une femme, et à trois c'est aussi très érotique, avec encore d'autres nouvelles choses à expérimenter.

Se faire aimer par deux femmes est une expérience plutôt «juteuse»! Nous avons aussi regardé des films de cul lesbiens tout en nous servant d'un gode triple, trois femmes jouissant d'un coup... Par la suite, je me mets à sortir régulièrement avec un autre homme mais, avant que Meg et moi arrêtions nos relations sexuelles, elle vient chez nous pour une partie à trois, avec mon petit ami. Le mignon, il ne savait pas ce qui allait lui arriver : il se fait enculer, voilà. Meg avait en effet apporté un gode spécial pour anus, qui se fixe autour de la taille de la partenaire.

Un autre fantasme lesbien, que j'ai mis en pratique : je suis en train de regarder un film de cul impliquant deux filles ou un trio. J'appelle le numéro «ligne ouverte» de l'association des lesbiennes, pour leur raconter en détail ce que j'aimerais qu'elle me fassent si elles étaient là. Pour se masturber, c'est idéal.

Un chien affectueux :
De temps en temps, il m'arrive de fantasmer que je me fais prendre en levrette par un vrai chien. En général, c'est un berger allemand et cela se passe ainsi : une de mes petites amies et moi sommes en train de nous caresser. Son chien mâle entre dans la pièce, la renifle et se met à la lécher entre les jambes, puis essaie de la monter. Elle se retourne, il la pénètre avec sa bite réellement énorme, pendant plus de vingt minutes. Ma copine est littéralement inondée de sueur à cause de tous les orgasmes qui la secouent, et moi je suis en feu rien qu'à les regarder pendant qu'ils continuent. Je dois me finir avec un gode, puis ils s'arrêtent et le chien se couche par terre pour un repos bien mérité. Après environ dix minutes, ma copine me dit : «C'est ton tour.» Elle vient sur moi et commence à me sucer la chatte, juste assez pour que mon jus se remette à couler. Elle, elle se branle avec un gode, et elle enduit le bout de mes nénés avec ses secrétions. Elle dit à Rex (le chien baiseur) de venir, il sent l'odeur de sa maîtresse sur mes seins et commence à me lécher, ensuite il descend sur mon minou qu'il lappe voracement. Sa bite est toute tendue, rouge foncé. Ma copine le redresse en lui posant les pattes de devant sur mon ventre pour que je puisse non seulement la sentir mais aussi la voir en action. Je

la sens en moi comme aucune autre : chaude, gonflée, énorme, et inépuisable. Toutes les deux, nous n'arrêtons plus de jouir, nous nous servons de Rex pendant des heures encore. Ensuite, nous lui donnons un bain, nous le suçons à fond. Tous les trois, nous restons allongés sur le lit, vidés.

Les garçons :
Une de mes amies s'est mariée avec un homme qui a deux garçons, de dix-sept et quinze ans. Nous avons l'habitude de nous embrasser en nous revoyant et en nous quittant, et à chaque fois que je touche Kevin, le plus jeune, je sens qu'il bande, tout comme son père, Gordon. Celui-ci me fait un jour une drôle de proposition, alors que Harry (son fils aîné) et sa femme sont partis en week-end : il voudrait que j'apprenne à Kevin «les choses de la vie», concrètement. Je suis chez eux, Kevin est parti camper pour la nuit, donc nous sommes tranquilles pour tout mettre au point, une fois que j'ai accepté. Gordon m'explique qu'il sera caché dans sa chambre d'où il contrôlera son système vidéo, parce qu'il veut «faire un film du stage».
Quand Kevin revient à la maison le lendemain, il est tout content car il croit que nous sommes seuls tous les deux. Je lui propose de piquer une tête dans la piscine, je passe mon nouveau bikini (rose vif et noir). Je suis en train de me prélasser dans une grosse bouée quand il sort de l'eau juste entre mes jambes, je le coince entre elles et le fait me lécher par-dessus mon maillot. Ensuite il me suce les doigts, les doigts de pied, le lobe des oreilles. Quand le haut de mon maillot glisse «accidentellement», il est déjà prêt à passer à mes seins, je les lui laisse un instant puis je lui dis en riant : «Allez, vas-y», en poussant sa tête entre mes jambes. J'ai déjà écarté ma culotte pour découvrir ma chatte — que son père m'a rasée la veille au soir. Kevin me bouffe si longtemps que je me demande s'il ne va pas se noyer à rester sous l'eau sans reprendre sa respiration. Je le repousse pour enlever complètement mon maillot, et sans que j'aie à le lui dire il retire le sien : à ma grande satisfaction, sa bite est de bonne taille, pas aussi grosse que celle de son père, mais... Je reste dans la bouée, et nous baisons dans cette position pendant vingt minutes. Quand il a son premier orgasme, je crois encore qu'il va se noyer, moi-même je manque tomber de la bouée tant je jouis fort. Nous sortons de la piscine, il drape sa virilité dans une serviette, m'en

donne une, et m'entraîne sur une chaise longue. Là, nous baisons de cinq manières différentes, lui sur moi, moi sur lui, assis face à face, en levrette, et en 69. Couchée sur les coussins, je lui apprends comment bien sucer une femme, et sa langue est bientôt d'une habileté diabolique, allant et venant, s'enfonçant ou effleurant la surface, parcourant toute la zone entre mon vagin et mon anus. Il me dit qu'il adore mon goût. Ensuite, je lui montre comment je me masturbe, ce qui l'incite à en faire de même pour lui, et ensuite nous nous «séchons» mutuellement avec la langue. Je lui présente mes nombreux accessoires érotiques, surtout mes godes, qu'il apprend à utiliser sur moi. Je lui essaie même un gode dans le cul, je lui en glisse un autre qui émet comme du sperme dans la bouche pour qu'il puisse sentir ce que je ressens quand je fais une pipe. Puis je l'emmène dans sa chambre pour le sucer à nouveau, j'aspire, je langote, je mords même ses couilles et sa bite. Ensuite, je lui fais passer une culotte en candi, j'en mets une aussi et nous nous la mangeons mutuellement jusqu'à atteindre notre sexe pour sucer encore. Ensuite, nous prenons un bain à remous, et nous revenons dans sa chambre pour que je lui fasse un massage. J'ai enfilé des collants ouverts à l'entre-jambes, fixé des pendentifs rouges sur mes tétons, il aime jouer avec et il adore aussi mes collants «si pratiques». Gordon a tout suivi sur son système vidéo, et il décide de laisser Kevin se regarder. Quand il se revoit avec moi, il est fasciné. Gordon et moi montons dans sa chambre, ma récompense étant de me faire baiser par le maître des lieux. Nous nous y mettons de si bon cœur que nous n'entendons même pas Kevin quand il entre dans la chambre. Il nous filme avec la caméra un bon moment, et lorsque son père s'aperçoit de sa présence, il a son grand sourire d'adolescent et lui dit : «Bien eu! Souriez, c'est pour la *Caméra cachée*!» Gordon et moi n'en sommes que plus excités. Il me fait un clin d'œil et dit à Kevin : «Viens par ici, fils, tu vas apprendre de première main comment deux hommes peuvent baiser une femme.» Kevin pose la caméra et vient avec nous, il regarde comment son père me baise par en dessous, lui me suce les seins et moi j'ai sa bite dans la bouche. Ensuite, il me suce la chatte pendant que je fais une pipe à son père. Une heure après, Kevin retourne voir à nouveau son «film de stage». Gordon prépare du pop-corn, ouvre trois bières, et je m'assois avec eux pour regarder nos exploits.

Pauline

J'ai vingt-trois ans, je suis étudiante en droit dans une université très cotée. Cette lettre va peut-être vous paraître confuse, mais je voudrais essayer de démêler l'histoire de mes fantasmes. J'ai découvert l'existence de mon clitoris à l'âge de douze ans, mais jusqu'à seize ans ma seule technique de masturbation a été de frotter mon pubis contre une culotte roulée en boule ou mon oreiller. C'était plutôt inconfortable, et j'ai vite renoncé. Comme je n'éprouvais pas d'orgasmes vaginaux avec mon premier amant, je me suis dit que, si je pouvais me donner un orgasme clitoridien pendant que nous faisions l'amour, il se répercuterait sur ma vulve par une sorte d'opération de magie freudienne. Cela ne s'est jamais réalisé — même si par la suite j'ai eu sans problèmes des orgasmes vaginaux avec la plupart des hommes —, mais je crois que ma vie fantasmatique a commencé pour de bon à ce moment.

Je fantasme — ou du moins c'est ce que je considère fantasmer — surtout quand je me masturbe. Plusieurs fois par jour, je peux imaginer que je suis au lit avec un amant passé, présent ou futur (si tout marche bien), et je me demande comment c'était, c'est ou cela pourrait être de faire l'amour avec lui. Mais mes fantasmes ne font en général pas appel à des hommes que je connais. Dans mon favori, j'ai réellement une autre vie, que je me mets à vivre à un moment donné (en général vers l'âge de quinze ans) pendant que je me masturbe. Il se trouve que j'ai tendance à y penser à la troisième personne mais que les scènes de sexe se déroulent généralement à la première personne, si bien que je passerai de l'un à l'autre mode.

Elle a grandi seulement avec son père et son frère aîné : sa mère est morte, ou partie. Elle a toujours été très mûre et sexy, et dès l'âge de neuf ans un des amis de son père (ou parfois son professeur de piano) l'a initiée au sexe. Ensuite, elle a fait l'amour à tous les amis de son frère, et au lycée elle a couché avec tous ses professeurs de sexe masculin pour passer de classe en classe, consacrant aussi beaucoup de temps sur le campus voisin à y séduire les étudiants. Parfois, elle pouvait se faire tout un club de garçons ou une équipe de sportifs : je m'allongeais sur le dos, les jambes ouvertes, et ils faisaient la queue pour me baiser. Quand un mec avait joui, il se remettait à la fin de la queue et, s'il n'était pas dur quand revenait son tour, il était « éliminé ».

Celui qui tenait le plus longtemps pouvait m'avoir tout le reste de la nuit. Dans une autre variante, où il s'agit en général d'un groupe de rockers, je suce le mec qui est le suivant à devoir me pénétrer, pour qu'il soit le plus en forme possible quand arrive son tour...

Elle a quinze ans, elle est en train de faire des courses quelque part quand elle tombe sur l'«homme». Il n'a pas de nom, mais il a forcément la quarantaine, les tempes et les poils de la poitrine gris argent, des yeux bleu-vert, un nez grec, un corps musclé très bien conservé, et ainsi de suite, toute son apparence n'étant pas clairement définie. Il est à la tête d'un immense empire commercial, avec notamment plusieurs sociétés d'affaires et un magazine du genre *Playboy*. Toutes ses filiales sont installées dans le même gratte-ciel, qu'il possède aussi. Donc, elle et l'«homme» ont une liaison qui dure jusqu'à la fin du fantasme, même si ni elle ni lui ne se montrent le moins du monde fidèles. Pour mon dix-huitième anniversaire, il installe tout son équipement photographique, me baise sur des draps de satin puis me photographie pour le cahier central de son magazine. Après, il m'installe dans un loft de son gratte-ciel, où je dois le contenter, lui et tous ses associés, qui sont tous d'âge moyen et très autoritaires. Habituellement, n'importe lequel d'entre eux arrive, me jette sur le lit, s'agenouille devant moi, m'attache ou me maintient plaquée sur le lit pendant que je le suce. Cela m'excite au moins autant que lui et, quand il met sa main sur ma chatte, il découvre que je suis chaude et mouillée. Sans autres préliminaires, il m'enfonce sa trique et me baise. Je jouis à chacun de ses coups de reins.

Pendant cette période de ma vie, je pose aussi pour des publicités de grands couturiers. Le genre pseudo-violent et sexy. Je peux passer la journée à me frotter contre le mannequin mâle avec lequel je travaill, à l'exciter. En général, pour la dernière pose, je suis en manteau de fourrure sans rien dessous. J'arrive à caresser sa bite au moment des dernières photos, ensuite je le suce et il me prend d'un coup, dans ma fourrure. Le photographe continue à nous mitrailler.

C'est plus ou moins ce qu'«elle» vit dans mon fantasme, même s'il y a des variantes pour chaque thème. Il y a encore quelques mois, mon récit et ma lettre se seraient arrêtés là. Mais depuis, j'ai rencontré un homme avec lequel je n'ai absolument rien d'autre en commun que le sexe, et j'ai eu la chance de pouvoir mettre en pratique certains fantasmes dans un contexte où je me sens sûre de moi, sûre de contrôler la situation sans m'embarrasser de sentiments. J'en ai retiré une fantastique liberté. J'adore être dominée, par exemple être pénétrée sans préliminaires après qu'il m'a lié les mains à la tête du lit. Une fois, j'ai pu réaliser mon fantasme de deux hommes à la fois, un dans ma chatte et l'autre dans ma bouche : c'était avec cet homme et l'un de ses associés que je n'avais jamais vu auparavant et que je n'ai jamais revu. Du coup, beaucoup d'autres fantasmes encore me sont venus. Je veux le refaire. C'est la première fois que je fantasme sur un homme que je connais.

J'ai une expérience professionnelle en psychologie — il se trouve que j'ai été amenée à travailler avec des psychopathes sexuels ! —, aussi ai-je entendu des millions de fois que les fantasmes n'avaient rien de mauvais mais qu'essayer de les réaliser pouvait vous causer pas mal de problèmes. Donc, je suis toujours à l'aise avec mes fantasmes, mais depuis que je commence à les réaliser je me pose des questions : est-ce que je suis malade ? Est-ce que le fait d'avoir commencé par faire l'amour à seize ans et d'avoir couché avec tellement d'hommes explique que je devrai faire toujours plus de choses « bizarres » pour me sentir bien, que je ne pourrai jamais me satisfaire d'un seul homme ? Est-ce que je finirai comme un personnage d'*Histoire d'O* ? Pour l'instant, ces questions ne me tourmentent pas trop, mais je me demande ce qu'il en sera dans quelques années : après tout, il n'y a pas si longtemps, j'étais encore une bonne petite catholique du Midwest !

Holly

A vingt-deux ans, je suis mère célibataire d'une petite fille. J'ai abandonné mes études à mi-chemin, à cause de la drogue, mais c'est maintenant terminé, je n'y touche plus depuis cinq ans. J'ai une vie sexuelle très active, qui me satisfait, et cependant j'ai un fantasme qui ne me quitte pas. A propos, je ne me masturbe pas : j'y pense de toute mon âme, mais je n'en ai pas besoin. Donc, je suis seule chez moi, lumière tamisée, musique douce. Soudain, devant moi, il y a un homme debout, la trentaine, séduisant, entièrement nu. Il me prend doucement dans ses bras, m'emporte dans ma chambre et me déshabille. Quand il commence à me caresser, un autre homme, beaucoup plus jeune, dix-huit ans environ — j'ai un faible pour les jeunes ! —, nu lui aussi, entre dans la pièce et nous rejoint. Je suis de plus en plus excitée, surtout qu'arrive encore un autre homme, de dix-neuf ou vingt ans, et tous les trois se mettent à faire absolument tout pour me faire jouir. Le plus âgé me fait l'amour, le plus jeune me donne son sexe dans la bouche, celui de dix-neuf ans caresse mes seins. Ils me disent tous que je suis belle, qu'ils m'aiment et me désirent. Alors nous jouissons tous ensemble, puis nous nous endormons pour recommencer le matin, cette fois en inversant les rôles pour eux. Cela fait si longtemps que je donne du plaisir aux hommes que j'aimerais au moins une fois en avoir quelques-uns avec moi pour qu'ils me fassent ce dont j'ai envie.

Denise

Je suis une étudiante en sociologie de vingt ans, célibataire. Je suis chrétienne (mais pas fanatique, je tiens à le préciser), avec une solide éducation religieuse, mais je n'accepte pas les préventions répressives contre la sexualité : je ne crois pas que coucher avec n'importe qui ou tromper son conjoint soit une bonne chose, mais faire l'amour avec quelqu'un auquel on est profondément lié avant le mariage me semble une chose que Dieu comprend certainement. En tout cas, je ne m'attends pas au « châtiment infernal » pour avoir fantasmé, ni pour avoir fait l'amour.

Même si je suis sortie avec pas mal d'hommes, je n'ai eu qu'un amant. J'avais dix-neuf ans et lui trente, il était amoureux de moi (du moins pendant un moment) et, bien que ne partageant pas ce sentiment pour lui, je le désirais. C'était une période de ma vie où je rêvais d'apprendre ce qu'est la sexualité, et comme il est un de mes meilleurs amis, il était le seul en qui j'avais assez confiance pour « la première fois ». Notre histoire s'est terminée rapidement d'un accord mutuel, parce que notre amitié était en danger : tout simplement, nous ne faisions pas la paire au lit. Heureusement, nous l'avons compris assez tôt et aujourd'hui nous sommes plus proches l'un de l'autre que jamais.

Cet homme (je vais l'appeler Keith) est merveilleux, et très compréhensif en matière de sexualité : il m'a appris comment faire, se montrant toujours patient et ouvert après avoir compris qu'à ce sujet je ne connaissais rien de plus que ce que j'avais lu dans les manuels scolaires. Son seul défaut, c'est qu'il est un peu égocentrique au lit. Chaque fois que nous faisions l'amour, il commençait à me faire faire une fellation jusqu'à ce qu'il jouisse dans ma bouche, ensuite il me baisait (toujours deux fois), ensuite nous restions couchés quelques heures et enfin je devais rentrer chez moi. Il ne m'a pas laissée passer une nuit avec lui après la première fois, et je lui en ai toujours voulu pour cela : je me suis sentie abusée.

Comme Keith se préoccupait plus de son plaisir que du mien, mon fantasme fait toujours intervenir deux hommes dont le désir commun est de me conduire d'orgasme en orgasme. Cette «équipe» peut varier, mais pour cette fois je parlerai des deux hommes avec lesquels (en pensées) j'ai inauguré ce fantasme, un duo d'acteurs que je désignerai simplement sous les noms de Tom et Peter. Tom est grand et brun, Peter est un blond trapu et musclé, tous deux fantastiques, avec un très beau physique. Je raconte de mon mieux ce fantasme :

Je suis une scénariste très connue, je vis dans une belle maison à Hollywood (en fait, j'aimerais écrire pour le cinéma, un jour). Tom et Peter sont venus chez moi discuter d'un scénario. Ils commencent à me faire la cour, en général dans la cuisine. Ils m'embrassent tous les deux, puis Tom m'emporte dans la chambre, Peter suit, tous deux me murmurant à l'oreille qu'ils me désirent follement.

Le fantasme débute pour de bon quand nous sommes tous les trois dans le lit. Je suis nue, couchée dans les draps frais, les hommes ne portent que des jeans moulants. Ils embrassent et caressent mon visage, ma gorge, mes seins, mes épaules, pendant un bon moment (Keith, lui, ne s'intéressait pas aux préliminaires). Cela seul me met au bord de l'orgasme. Mais soudain Peter s'arrête, je le regarde aller au pied du lit, repousser le drap, puis remonter à genoux entre mes jambes. «Ouvre encore les jambes», me dit-il tendrement, amoureusement. Je m'exécute, il dégrafe sa ceinture de cuir, déboutonne son jean et le jette de côté. Naturellement, il ne porte pas de sous-vêtements. Nu, avec son beau sexe maintenant presque érigé, il se met en position pour me faire un cunnilingus.

Et là, je suis très mal : je sais bien comment donner du plaisir, mais pas en recevoir. « Je ne peux pas, je ne peux pas », dis-je en essayant de me relever. Mais Tom est là et me repousse doucement en arrière, en m'embrassant et en me réconfortant : « Tout va très bien aller, bébé. Il sait comment s'y prendre. Laisse-le te faire jouir. » Je suis encore effrayée, mais l'intervention de Tom et ses caresses me font tenir tranquille. Peter pose délicatement sa langue sur mon clitoris. D'abord je me tends, crispée, mais au fur et à mesure qu'il aspire mon clitoris ou enfonce sa langue dans mon vagin, je commence à me relaxer. « Il sait comment s'y prendre » : Tom n'avait pas menti. Peter aime surtout donner de rapides coups de langue sur mon clitoris, ou tracer des cercles autour avec une lenteur hallucinante, ou le parcourir de bas en haut. J'arrive cependant à retenir mon orgasme pendant un long moment, et quand je viens finalement mon dos est arqué par l'extaxe, ma tête rejetée en arrière pour crier si fort qu'ensuite je peux seulement rester allongée, encore tremblante.

Tom prend la place de Peter. Son sexe est aussi fabuleux que celui de Peter. Il s'asseoit entre mes jambes, passant ses mains sur mes cuisses, ses yeux noirs brillants parcourant tout mon corps, et il murmure : « Tu es si belle. Quelle femme fantastique. Je te veux, bébé, et je veux te donner du plaisir. » Une nouvelle fois, ces simples marques de tendresse suffiraient presque à me faire jouir. Tom s'allonge enfin sur moi, couvre de baisers mon visage et ma gorge, caresse mes seins et les embrasse aussi (pendant ce temps, Peter me passe tendrement la main dans les cheveux). Après un moment délicieux, il me pénètre. Ses assauts sont parfaitement rythmés : longs et tendres au début, puis plus pressants quand je commence à répondre, jusqu'à ce qu'il y mette toute son âme et tout son corps, en moi, tout son corps merveilleux exprimé par son sexe. De nouveau, mon orgasme est dévastateur, mon cri d'extase n'en finit plus. Ensuite ils restent avec moi toute la nuit à m'embrasser, me caresser, me murmurer des mots d'amour. Parfois, je fantasme que je leur administre une fellation, ce qui me plaît mais continue à m'évoquer des souvenirs pénibles en raison de l'attitude trop exclusive de Keith : mais dans mon rêve, cela devient un cadeau à ces hommes merveilleux, quelque chose qui me comble moi aussi sexuellement.

D'après ce que j'en ai écrit, on pourrait croire que Keith est presque un monstre, mais ce n'est pas ce que je veux dire : c'est quelqu'un de vraiment très tendre, et je pense qu'il m'a sincèrement aimée. Je suis heureuse de ce que nous avons vécu, et de ce que la première fois ait été avec lui. Il n'était seulement pas prêt à s'engager à fond avec moi. Je veux un homme qui le fera, ce qui signifie d'abord se soucier de mon plaisir autant que du sien. Mes amants imaginaires répondent à tous mes besoins, et peut-être que, si je me prépare par mes fantasmes à le rencontrer, je ne serais pas effrayée quand ce « donneur » croisera mon chemin dans la réalité.

Veronica

J'ai vingt et un ans, je suis blanche, je me marie dans trois semaines. Mon fiancé (disons qu'il s'appelle Dan) et moi n'avions jamais réellement couché avec quelqu'un d'autre avant de le faire ensemble, à seize ans. Mais avant lui j'avais essayé la fellation et la masturbation réciproque. Nos relations sexuelles étaient et restent excellentes, mais visiblement je veux plus souvent que lui.

Il y a quatre ans, quand il est parti en internat au collège, j'ai laissé son meilleur ami (Jack) me séduire, mais comme je le désirais très fort je pense qu'on peut parler d'une séduction mutuelle. La queue de Jack est plus petite que celle de Dan, mais justement pour cette raison je trouve beaucoup plus facile de pratiquer la fellation sur lui. Plus tard, quand Dan est revenu et que nous avons été ensemble à nouveau, je lui ai parlé de Jack et de moi. Il en a été fâché et triste, mais nous sommes restés ensemble. Et, depuis quatre ans, j'ai fait l'amour environ tous les deux mois avec Jack sans que Dan ne le sache. Jack a beaucoup plus d'expérience, et nous avons beaucoup aimé mettre en pratique nos fantasmes ensemble.

Récemment, Dan est parti au service militaire et nous nous sommes fiancés. Mais j'ai vu Jack très souvent, car nous savons tous les deux que notre relation ne sera bientôt plus possible. Sur le plan sexuel, je suis beaucoup plus heureuse avec Jack, nous nous aimons vraiment beaucoup. Seulement, je suis prête à m'engager dans une relation sérieuse alors que lui ne l'est pas, cela l'effraie plutôt et dès qu'une de ses petites amies devient « sérieuse » il se refroidit. Moi je ne suis pas jalouse de ses copines, mais lui l'est un peu de Dan.

Il n'y a pas longtemps, nous avons essayé le sexe anal et j'ai vraiment aimé, comme lui d'ailleurs! Celle de Dan est trop grosse pour prendre mon cul, mais celle de Jack, par contre... Quand il ne restera plus qu'une semaine avant mon mariage, Jack et moi avons décidé d'avoir une dernière nuit de sexe «dément»: je veux être fidèle à mon mari, ce sera donc mon apothéose avec mon amant clandestin.

Le grand fantasme, c'est qu'après la soirée du mariage Dan et moi descendons dans un hôtel très classe. Je demande à Dan de me laisser un moment pour que je puisse «me passer quelque chose de plus confortable». Dès qu'il sort, j'enfile une chemise de nuit en dentelle de satin noir, très moulante et qui fait beaucoup d'effet avec ma chevelure blonde et ma peau claire. J'éteins les lumières et je m'asseois devant la grande baie vitrée qui domine la ville du haut de cinquante étages. J'entends frapper à la porte, je me lève pour ouvrir.

Il y a là mon mari et trois des garçons d'honneur, tous en smoking (dans mon fantasme Jack est garçon d'honneur, comme dans la réalité d'ailleurs!). Je suis un peu gênée, mais je les laisse entrer. Nous nous asseyons tous sur le lit immense, en buvant du champagne et en nous racontant des blagues obscènes. Bientôt nous sommes tous saouls, et très excités. je déshabille les hommes chacun à leur tour, et ils font glisser ma chemise de nuit. Jack me verse du champagne sur tout le corps, ils se mettent à le lapper sur moi. Pendant que Jack et Dan s'occupent de mon visage, de mes épaules et de mes seins, Jim et Tom embrassent mes pieds. Puis il s'emparent de moi et me portent sur la table ronde en face de la baie. Soudain, je me rends compte que seuls Jack et Dan continuent à m'embrasser. Je baisse les yeux vers le sol pour découvrir Tom et Jim en train de faire un 69. Cette vue me tourneboule, je n'ai jamais vu deux mecs ensemble! Pendant ce temps, Dan suce mon con et Jack force le barrage de mes lèvres avec sa queue. D'un coup, elle commence à se contracter dans ma bouche, il la sort précipitamment et envoie des jets de sperme sur la vitre. Mon regard se porte vers le bas juste au moment où la queue de Tom est en train de rentrer dans le cul de Jim.

Je me tourne vers Dan et je lui crie: «Baise-moi maintenant! S'il te plaît, enfonce-toi en moi!» Dan me porte sur le lit et m'allonge sur le ventre, il passe un coussin sous mes hanches pour que j'aie les fesses bien en l'air, avant de me prendre par derrière en étalant avec ses doigts mes sécrétions sur mon périnée et mon cul. Très lentement, il pousse toute son énorme queue dans mon con traversé de spasmes. Jack vient se placer devant mon visage, je prends sa queue dans ma bouche pour le faire rebander. Dan se retire pour se glisser sous moi, je monte sur lui et m'empale sur sa trique. Jack passe derrière moi et, très lentement, il introduit sa queue dans mon cul. Dès que Dan part en avant dans mon con, Jack sort un peu de mon cul, c'est un mouvement lent, superbe. Dan me pince les tétons et les fait rouler entre ses doigts, pendant que Jack passe un doigt sur mon clitoris. Tom arrive derrière Jack et lui met sa langue entre les fesses, Jim s'emploie à lécher et à sucer mes doigts de pied. Finalement, Dan se met à jouir, ce qui déclenche l'orgasme de Jack. En sentant mes deux trous triomphants inondés par les deux grands amours de ma vie, je suis secouée par un orgasme comme je n'en ai jamais connu.

Bootsie

J'ai trente-trois ans, deux enfants. Mon mariage dure depuis quinze ans, mais les deux dernières années n'ont pas été très harmonieuses. Nous avons un problème peu courant — ou peut-être que si, je ne sais pas : je suis beaucoup plus portée sur le sexe que lui. Beaucoup de nos difficultés proviennent tout bêtement de ce que j'aime autant ça ! Lui, au contraire, est des plus réservés, ce que je n'arrive pas à comprendre parce qu'il est plutôt beau garçon et d'apparence virile. Pour tout le monde, nous sommes le «couple idéal», nous avons une très bonne situation matérielle, une maison splendide et des enfants adorables, nous voyageons beaucoup et nous aimons tous deux notre travail. Mon mari est ce genre d'homme qui a rêvé d'être millionnaire avant d'arriver à trente ans, et qui a réussi ! Et malgré tout, cela ne nous empêche pas d'avoir d'après moi une vie sexuelle lamentable. Lui, par contre, pense que tout va bien.

J'ai commencé une liaison avec un homme plus jeune que moi, et je peux dire que cela été les deux plus heureuses années de mon existence. J'étais affamée d'affection, d'amour et de sexe, et maintenant j'en ai. Je le connaissais déjà depuis plusieurs années sur un plan purement amical, mais la «possibilité» avait toujours été là. Je me sentais très attirée par lui, j'espérais que la réciproque était vraie, mais je n'étais pas sûre. Comme je n'arrivais pas à imaginer qu'il puisse s'intéresser à une femme de neuf ans son aînée, je m'étais contentée de son amitié.

Cela peut paraître fleur bleue, mais je dirais que tout se passe comme si nous étions les deux moitiés de la même personne. Notre relation sexuelle est si parfaite, si forte... Il a déjà eu des liaisons sérieuses avec des femmes avant moi, mais il me dit qu'il n'y a rien de comparable. Et en effet je me vois très bien vivre avec lui et vieillir en sa compagnie. C'est ce qu'il veut : il m'a dit qu'il attendrait jusqu'à ce que je sois prête à rompre mon mariage. Je l'aime profondément. Il est maintenant plus fort que jamais, il est ma force. Je peux m'appuyer sur lui, alors que mon mari m'a toujours interdit de rechercher le moindre réconfort sentimental. Mais il est si bon, et je déteste avoir à reconnaître que nous avons un désaccord visiblement fondamental sur le plan sexuel et émotionnel. Enfin, tout cela peut sans doute permettre de comprendre le fantasme érotique qui me hante. Je n'en avais jamais eu avant ces deux années ; mon expérience sexuelle était très limitée parce que j'étais vierge à mon mariage et parce que la méthode de mon mari est immuable : position du missionnaire après quelques baisers et une vague stimulation vaginale avec son doigt. C'est pourquoi, avant, je pouvais avoir des rêves érotiques confus, mais, en me réveillant, je pouvais à peine me rappeler de mon partenaire, ni de ce que nous avions fait ensemble.

Quoi qu'il en soit, mon amant m'a initiée à tout ce que j'ignorais. Je n'avais jamais été vraiment stimulée, alors que j'en mourais d'envie, personne ne m'avait jamais fait de cunnilingus, je n'avais jamais fait de fellation. Je n'avais jamais rien eu d'autre que la position du missionnaire, je n'avais jamais fait l'amour ailleurs que dans un lit. Mon amant, lui, est follement porté sur le sexe. Les six premiers mois, nous le faisions trente ou quarante fois par semaine. Sans blague. Nous passions littéralement nos journées au lit. Même maintenant nous faisons l'amour huit ou dix fois par semaine. Et donc j'ai de quoi m'occuper, et occuper mes pensées ! C'est lui qui m'a fait prendre conscience de mon corps. Je me trouve magnifiquement belle maintenant. Alors, quand je ne peux pas le rencontrer pendant plusieurs jours, je lutte contre la déprime, et ces fantaisies érotiques m'aident à tenir le coup, ou à m'endormir tranquillement.

A chaque fois que je vois un homme qui me rappelle d'une manière ou d'une autre mon amant, ses cheveux, son visage, sa démarche, son rire, quoi que ce soit d'autre, mon esprit fonce sur lui comme un épervier, et ensuite, quand je suis tranquille, je peux imaginer comment cela pourrait être avec lui, qu'il me suce ou que moi je le suce. D'après mon amant, c'est ce dont les hommes ne se lassent jamais et n'obtiennent jamais assez. Comme il m'a aussi révélé la beauté de mon corps, je rêve souvent que je l'exhibe devant de parfaits inconnus. Il m'a raconté qu'un de nos amis communs lui a confié qu'il adorerait me faire l'amour. Eh bien, je fantasme aussi là-dessus. Il s'appelle Craig. Mon amant m'a dit un jour : «Craig est fou de nibards. Il en parle sans arrêt, et il m'a souvent dit qu'il aimerait voir si les tiens sont aussi gros qu'ils en ont l'air. Moi aussi, j'aimerais qu'il les voie, il en juterait dans son pantalon. Il les imagine déjà depuis le jour où il t'a matée au club, quand tu étais en short et en T-shirt moulant.» Cette générosité masculine me renverse : mon amant a l'air de souhaiter que tout le monde sache comme nous faisons bien l'amour, si bien que maintenant je l'imagine souvent en train de me regarder pendant que je fais un strip-tease pour quelqu'un d'autre, et même plus. Mais de toute façon lui et ce qu'il m'a appris avec tendresse sont toujours présents dans mes fantasmes. Je lui ai souvent dit que j'étais pratiquement vierge avant de le connaître.

Janie

J'ai vingt et un ans, je suis célibataire mais je vis avec un homme que j'aime, en essayant de continuer mes études tout en travaillant à plein temps. Je suis restée vierge jusqu'à l'âge de dix-huit ans, et depuis je n'ai jamais eu à me plaindre : visiblement, j'aime tellement faire l'amour que je ne suis jamais restée sans petit ami pendant toutes mes années de lycée. J'ai couché avec tous les genres possibles d'hommes, et aussi toutes les tailles... Mais le vieux mythe selon lequel c'est la taille seule qui compte est archifaux : ce qui compte, c'est ce que l'homme sait faire de ses mains, de sa bouche, de sa langue, et bien sûr de son pénis, de tout ce dont il dispose.

Je fantasme beaucoup quand je me masturbe. Ce n'est pas qu'il me manque quelque chose, bien au contraire : quand j'ai envie et que mon copain est là, je prends mon pied directement, mais quand il est au travail, et que par exemple j'ai vu un mec sexy dans la rue, alors je me masturbe.

Quelqu'un de la famille a abusé de moi quand j'avais treize ans, j'ai été violée à l'âge de dix-huit ans, et pourtant j'adore le sexe et je n'ai jamais pensé que tous les hommes étaient comme ces deux-là. Certains trouvent incroyable que je puisse encore penser que l'acte sexuel est quelque chose de merveilleux, mais bon, je l'ai déjà dit, c'est ma façon d'être.

Un de mes fantasmes favoris, qui ne s'est pas encore réalisé, implique mon petit ami Jack et un copain à moi qui m'attire terriblement, Ben. Tous les deux, ils décident de me faire une surprise pour mon anniversaire : m'emmener pendant le week-end dans une villa au bord du lac près de la ville où nous habitons. Nous ne serons que tous les trois pour fêter l'événement. Nous consacrons la plupart de la première journée à nager et à prendre le soleil sur la plage. En revenant à la villa, Jack me dit qu'ils ont encore une autre surprise pour moi : ils vont me faire jouir jusqu'à ce que je n'en puisse plus — à vrai dire, je suis en réalité assez infatigable, après quatre heures je peux encore continuer mais lui est vidé. Donc, ils ont eu cette riche idée qu'en s'y mettant à deux je me fatiguerais plus vite, à peu près en même temps qu'eux.

Arrivés à la villa, nous nous installons devant la cheminée, nous buvons le champagne qu'a apporté Ben, nous bavardons, puis Jack propose : «On va jouer au strip-poker, le perdant devra non seulement enlever un vêtement mais aussi embrasser quelqu'un (moi les garçons, eux moi) partout.» Nous acceptons, le jeu commence. Inutile de dire que, quand nous avons fini, tous les trois sans rien sur la peau, nous n'avons plus d'autre envie que de nous envoyer en l'air. Donc, pendant que j'embrasse Jack et qu'il joue avec mes tétons, la bouche de Ben glisse jusqu'à ma chatte. Jack embrasse mes seins, me dit que je suis si belle, et Ben me lèche si fort qu'on ne peut pas ne pas entendre le bruit : alors il lève les yeux, s'arrête, sourit, et replonge. D'avoir un homme suçant mes seins et un autre mon sexe me rend folle. Sur le point de jouir, je me débats sur le sol mais ils continuent et leur langue est impitoyable. Aussi, quel orgasme ! Tout mon corps est en feu d'être ainsi parcouru et cajolé par quatre mains et deux bouches.

Maintenant Ben est allongé en train de reprendre son souffle. Je me redresse, me mets à quatre pattes au-dessus de lui, je prends sa bite magnifiquement tendue dans mes mains et la lèche de bas en haut. Quand je commence à le sucer pour de bon, Jack se place derrière moi et me pénètre, ce qui me fait aller encore plus vite. Pendant que Jack va et vient dans ma chatte, je suce Ben de toutes mes forces, et quand il commence à noyer mon gosier de son sperme délectable, je me mets à jouir en aspirant en moi la queue de Jack; cette chatte avide le met à bout et nous sombrons tous les trois dans l'orgasme.

Je ne peux rien imaginer de plus génial que ces deux hommes, que j'aime tellement, en train de me partager entre eux et de me faire l'amour. Pour l'instant, je n'en ai parlé à personne mais certainement je le raconterai bientôt à Jack, pour voir ce qu'il en pense.

Les hommes ne sont pas les seuls à pouvoir aimer le sexe et à en parler. D'ailleurs, si plus de femmes en faisaient autant, il y aurait plus d'hommes heureux, et aussi de femmes : ils se sentiraient plus à l'aise de savoir qu'ils ne sont pas les seuls, et que les uns comme les autres nous trouvons notre plaisir.

UNE FEMME, PLUSIEURS FANTASMES

Je ne suis pas certaine que la plupart des hommes sachent comment réagir devant la variété encyclopédique d'évocations sexuelles que les femmes de ce chapitre peuvent produire. Jadis, les femmes étaient aussi fidèles à leur constante fantasmatique qu'à leur mari dans la vie de tous les jours. Mais depuis le début des années quatre-vingt l'écran à image unique a explosé en kaléidoscope. Et, à une époque où l'aventurisme sexuel est devenu de plus en plus dangereux dans la vie réelle, on a l'impression que les femmes cherchent par leurs fantasmes à compenser cette limitation. Après avoir goûté concrètement à la liberté de choisir, elles ont transformé leur engouement pour la variété en une activité fantasmatique à multiples facettes : n'importe quelle femme peut maintenant jouer sur tout le clavier, du voyeurisme à l'exhibitionnisme, des animaux à la partouze, du dépucelage de jeunes garçons au lesbianisme, en allant même jusqu'à rêver qu'elle «est» un homme.

Une parenthèse à propos du « meilleur ami de la femme », le berger allemand : ceux qui sont choqués par les fantasmes sur les animaux seront heureux d'apprendre qu'ils sont bien moins répandus qu'auparavant. Selon moi, les femmes, ayant vu leur liberté sexuelle se développer toujours plus, ont de moins en moins ressenti le besoin de se rabattre sur le chien de la maison, en réalité comme en rêve*. Il y a vingt ans, Fido présentait les mêmes avantages que l'étranger ténébreux : il n'allait certainement pas demander des comptes à sa maîtresse, ni la juger, ni exiger de compensations si ce n'est, éventuellement, un morceau de sucre. Mais le chien-chien bien monté ne disparaîtra jamais de la scène fantasmatique, avant tout parce que son évocation renvoie le plus souvent à l'enfance, quand son museau indiscret donnait à la petite fille sa première sensation érotique. Jusqu'à ce qu'il ait définitivement appris à laisser son museau tranquille, il y aura toujours des femmes pour appeler Fido dans la parade fantasmatique.

Finalement, il s'exprime une grande maîtrise du pouvoir dans ces fantasmes à thèmes multiples. Pourquoi, ainsi, une femme aussi volontaire que Betsy fantasme-t-elle d'être dominée ? Avant tout, elle veut dans la réalité « une bonne baise, une vraie, une sauvage », histoire de rappeler à ces féministes qui voudraient une sexualité sans aspérité aucune que l'amour sans ses côtés sauvages (griffer, mordre, enfoncer...) n'a aucun intérêt pour beaucoup d'hommes et de femmes. Betsy aime rêver qu'elle se fait agresser car, pour reprendre ses termes, « je veux juste être forcée à faire ce que de toute façon je voulais faire ». Elle conduit l'homme à la conduire à faire l'amour, et cette agressivité complémentaire rejoint son bon plaisir. C'est aussi cela le pouvoir, cette capacité à paraître désemparée même quand elle obtient exactement ce qu'elle veut. Et puis, en un clin d'œil fantasmatique, ces femmes changent de position, d'image, et après avoir été « prises » elles se mettent avec détermination à prendre tout ce qu'elles désiraient.

* Curieusement, au siècle dernier, les Anglo-Saxons soupçonnaient volontiers les Européennes, et notamment les Françaises, d'entretenir des relations sexuelles avec les animaux domestiques, alors qu'aujourd'hui ce fantasme paraît beaucoup plus en vogue outre-Atlantique que dans le Vieux Monde. (N.d.T)

Eileen

Je n'imagine même pas pouvoir raconter un jour à mon mari le moindre de mes fantasmes. C'est un père-la-morale accompli, et j'en suis même venue au cours des dernières années à me dire qu'il avait un sérieux problème vis-à-vis de la sexualité. Il a autant de répugnance à me laisser toucher son pénis qu'il en met à toucher mes seins. A mon avis, quelqu'un qui résume l'acte sexuel à la durée d'un clip publicitaire a sérieusement besoin d'aide. Une de mes amies m'a conseillé de lui acheter le livre *The Joy of Sex* (Les Plaisirs du sexe), mais après l'avoir parcouru je l'ai définitivement écarté : ce dont il a besoin, c'est d'un manuel d'instruction élémentaire. Sans doute la raison est-elle le manque d'expérience : nous sommes mariés depuis vingt-deux ans (nous en avions dix-neuf tous les deux), et je crois bien qu'il n'a jamais connu d'autre femme que moi. De mon côté, j'ai eu plusieurs histoires, essentiellement durant ces dix dernières années, et je m'en félicite. Il y a neuf ans, un homme très sensuel de cinquante-neuf ans m'a permis de me découvrir moi-même sur le plan sexuel : ce fut comme une seconde naissance, et une première découverte de ma véritable personnalité. Le seul point noir, c'est que je n'en suis que plus consciente des limites de mon couple.

Conséquence : je fantasme beaucoup plus, je me masturbe beaucoup plus, mate les hommes constamment et suis sans cesse à la recherche d'un partenaire possible. Je me demande si je suis frustrée (c'est ce que je suspecte) ou tout simplement trop « sexuelle ». Mes fantasmes sont géniaux. Il y passe des hommes sur lesquels j'ai mes vues en ce moment, mais aussi un grand-père par alliance qui m'a obligée à le branler quand j'étais une innocente fillette de dix ans (fait réel), un chien, une autre femme, un trio, des groupes... Mon préféré : un homme et moi nous déchaînons au téléphone si bien qu'à chaque bout de la ligne nous nous masturbons en nous racontant ce que nous éprouvons. L'ironie de l'histoire, c'est qu'au cours du mois dernier nous avons reçu des centaines d'appels pour une ligne érotique dont le numéro ne diffère du nôtre que d'un chiffre ; certains types ne disent même pas bonjour, ils commencent directement à vous raconter comment ils vont vous sauter. Malgré la gêne d'être dérangée sans cesse par le téléphone, certains de ces appels m'ont pas mal retournée, et ont stimulé encore plus mes fantasmes. Un jour que je serai seule à la maison et que j'en recevrai un, il se pourrait bien que je me risque à réaliser mon fantasme.

Je ne sais pas du tout comment mon mariage va évoluer. Pour l'instant, mes fantasmes et mes petites aventures me suffisent, j'ai laissé depuis longtemps tomber en chemin ma mauvaise conscience pour essayer de trouver mon plaisir comme je peux. Je ne pense plus du tout être « perverse » ou « anormale », comme avant. Je n'ai pas l'intention d'être une nonne pour le restant de ma vie. J'ai quarante-deux ans, et je me suis souvent fait dire que j'étais une belle femme.

Zoé

Vous excuserez le caractère décousu de cette lettre mais, si je ne la poste pas sitôt finie, je sais que je la changerai, et je ne le veux pas.

J'ai un Q.I. de 158-165, selon les tests. Je fais des études de théâtre, j'ai vingt-deux ans, je suis célibataire. J'étais encore vierge, il y a quatre mois de cela, et je sors toujours avec « mon premier homme ». On m'a souvent reproché de vivre dans la lune, dans mes fantasmes. Je rêve souvent de chiens, de très jeunes garçons et parfois de femmes, mais en raison de ma « morale » personnelle et de la législation en vigueur, je ne suis jamais passée à l'acte. J'ai découvert que j'étais sexuellement insatiable et, bien que monogame, je vois pratiquement en chaque homme un « coup » possible. Toutes mes idées romantiques sur l'amour exclusif d'un homme se sont envolées avec ma virginité. Je pense et rêve beaucoup à différentes sortes de pénis, et à ce que je pourrais faire avec. J'ai beaucoup d'amis très proches, avec lesquels je suis très familière physiquement ; j'aime glisser une de mes longues jambes entre les cuisses d'un copain, en toute innocence, puis pousser ma hanche contre lui pour le faire bander instantanément, puis lui lécher l'oreille — mmm, mmm ! — et m'écarter : pas pour le mettre dans l'embarras, juste pour lui donner envie de moi. Mon amant ne sait rien de mes fantasmes. J'aimerais un jour le convaincre de verser du miel, par exemple, ou du chocolat fondu sur tout mon corps et qu'il me nettoie entièrement avec sa langue. J'adore la sexualité orale, mais lui a l'air moins porté là-dessus. Pourtant, je n'avais jamais fait de pipe à un autre homme avant lui, mais il me dit que je suis incomparable : «Les murs se mettent à tourner», affirme-t-il. Et ce n'est pas un novice.

Fantasme 1 :

Je rencontre un homme, Joe, qui promène son chien, Butch. Il est grand, large d'épaules, brun. Nous commençons à bavarder, et le chien n'arrête pas de venir me renifler. Son maître le réprimande, m'apprend qu'il est mieux dressé que cela, mais que c'est un étalon et qu'il n'a pas eu d'entraînement ces derniers temps. Il a tourné autour de salopes en chaleur, ce qui l'a beaucoup excité, mais il n'a pas été autorisé à éjaculer, donc il est à cran et doit se sentir mal. Pendant ce temps, le chien n'a pas arrêté ou de se lécher ou de me donner des coups de museau entre les jambes, en gémissant. Et moi aussi je suis excitée, je regarde cette pointe rose vif palpiter, grossir... L'inconnu me dit qu'il a l'air d'avoir envie de moi : il s'est déjà occupé de femmes, cela fait partie de son dressage, et il me demande si je serais intéressée. A ce moment, les lents spasmes qui me prennent entre les jambes deviennent presque intolérables, alors je pars avec lui. Arrivés chez lui, il me prévient que je dois me préparer si je veux prendre l'animal, car il est plutôt énorme : je dois être assez lubrifiée pour lui permettre de s'enfoncer d'un seul coup, afin de ne pas porter atteinte à ses «qualités d'étalon». Je m'allonge sur un matelas, les reins au bord, les jambes le plus ouvertes possible. Quand Butch s'approche de moi, sa grosse bite rose darde et rentre dans son fourreau sans arrêt, elle cogne presque par terre sous la pulsation et le poids de la colonne emplie de sperme.

Joe fit glisser le fourreau jusqu'à l'énorme bosse qui palpite à la base de cette trique bouillante, le membre frissonne d'impatience, des gouttes de gel transparent apparaissent au bout, que les mouvements impatients de l'animal envoient dans les airs. Après l'avoir reniflée «pour inspection», Butch se met à lécher et à lapper ma motte humide de rosée ; sa langue immense entre et sort, chaude, baveuse, si longue, puis son nez froid cogne sur mon clitoris. Joe vérifie que je suis assez mouillée pour tout prendre, mais il a «oublié de me dire» quelque chose : le chien est dressé de telle sorte qu'il ne pourra pas jouir avant moi ! Sur ce, il libère les reins furieux de l'animal et Butch plonge en moi de toute sa longueur et de toute sa masse, commence à émettre ce liquide transparent annonciateur du sperme dont je sens la chaleur s'écouler en moi. Avec la fierté du propriétaire, Joe commente qu'« il baise superbement », qu'« il va tout te mettre », et pendant que le chien gémit j'ai un orgasme terrible, et un autre quand l'énorme animal se vide en moi en hurlant. Il se retire, nettoie son membre avec sa langue, et je jouis encore quand il me lèche pour avaler tout le sperme qui coule de moi.

Fantasme 2 :

Plus tard, quand je suis prête à recommencer. Le maître de Butch a tellement été retourné par cette scène qu'il veut sa part. Il lèche mes tétons, les suce lentement, les mordille, puis il se lève et ouvre les premiers boutons de son jean tendu à craquer. La tête de son sexe apparaît, congestionnée et déjà luisante de sueur et de la rosée collante et salée qui a commencé à suinter. Je passe doucement ma langue autour, titille le méat du bout de la langue. Il soupire, j'ouvre plus grand son pantalon avec les dents pendant qu'il grossit et durcit encore. Il s'allonge sur moi et rentre lentement, juste le bout, excite mon clitoris en l'effleurant, et me demande si je le veux. Il fait durer le supplice et, quand il s'enfonce finalement d'un coup, il pousse un long gémissement. Butch, reposé, revient en bandant beaucoup moins fort qu'avant, son maître passe ses doigts autour de mon sexe pour recueillir ma crème et s'en enduit le trou du cul : Butch a l'air de savoir ce qu'il doit faire car il y enfonce sa trique et se met à le pistonner jusqu'à ce que Joe hurle en faisant gicler en moi son sperme épais, chaud. Butch décharge et son sperme aqueux de chien se répand sur les couilles de Joe, et quand il se dégage je jouis violemment encore une fois. Ensuite, le chien nous lèche à fond, tous les trois.

Fantasme 3 :

Cette fois, il y a trois garçons de douze-treize ans, au maximum quatorze. Ils tiennent tous en main leur queue bandée, imberbe. Je passe de l'un à l'autre en les caressant, provocante et souriante. Ils sourient timidement en retour, espérant tous être celui que je vais choisir. Finalement, mon choix se porte sur un jeune Adonis, un David de Michelangelo en blue-jean, jean que nous nous empressons de retirer. Nous allons sur le futon installé au milieu de la pièce, je me mets à genoux devant lui, l'embrassant, le câlinant, pendant que les autres garçons se branlent, parfois frénétiquement : c'est moi qu'ils veulent, et ils se demandent qui des deux sera le suivant, si jamais je décide qu'il y aura un suivant. Mon favori me touche timidement et doucement, mais il est aussi curieux et vorace. Il se risque à lécher mes tétons et pose de doux baisers sur ma bouche, sa langue chaude contre la mienne, ses mains cherchant partout. Puis sa queue se tend encore quand je descends un peu le long de son corps. Nous avalons tous deux notre salive, je murmure : «Je ne m'étais pas trompée.» Nous nous serrons étroitement l'un contre l'autre quand il se glisse en moi, puis il vient au-dessus, ses longs cheveux bruns répandus sur mon visage, sa bouche contre la mienne. Il se retire et le bout tout chaud de sa petite mais parfaite virilité commence à cogner contre mon clitoris durci, sa jeune queue se ramollissant juste un peu pour aller et venir sur lui. Je passe la main pour la flatter par en dessous, elle durcit à nouveau et, quand je caresse ses couilles légèrement, nous jouissons tous les deux; c'est si bon et si chaud. Puis il se recroqueville et s'endort avec les mains sous mes seins pour les avoir près de sa bouche.

J'ai découvert que si mon amant peut me donner de merveilleux orgasmes — que je préfère à ceux que je me procure par moi-même —, j'en ai de plus violents, plus rapides, et parfois plus durables quand je me masturbe. En relisant cette lettre, je me dis que je dois avoir de sérieuses tendances au voyeurisme... et à l'exhibitionnisme aussi, non ?

Tanya

Du plus loin que je me souvienne, j'ai toujours eu des fantasmes et je me suis toujours masturbée. C'est bon de savoir que je ne suis pas la seule dans ce cas. J'ai vingt-deux ans, je suis dans une université prestigieuse, je suis célibataire (mais j'ai en ce moment un amant régulier et un autre petit ami, mon amant a aussi une autre liaison), et en principe hétérosexuelle. Je dis « en principe » parce que je fantasme beaucoup sur les femmes, même si je n'ai jamais fait l'amour avec l'une d'elles. Je suis l'aînée de deux enfants, d'une famille non religieuse mais cependant très répressive sur le plan sexuel. Comme je l'ai dit, je me masturbe depuis la prime enfance, ma mère m'a surprise plusieurs fois pendant ou après cet «acte» («tes mains sentent la petite fille qui ne se lave pas ») et m'a seulement crié que c'était dégoûtant, répugnant, mal, etc.

A l'école, avant la troisième, j'avais une très grande amie. Nous allions dans sa chambre, fermions la porte à clef, et nous racontions des situations érotiques — comme : « Ce serait un homme qui viendrait vers toi et demanderait s'il peut te tâter, et il mettrait ses mains dans ta culotte, et il se mettrait à tâter, par là, par là... » — en nous masturbant pendant ce temps. A dix ans, je m'enfonçais tout ce que je pouvais trouver : bougies, gros stylos, tampons (avec leur tube), mes doigts... Je me faisais aussi des lavements. A douze ans, on me fit cadeau d'une énorme peluche, plus grosse que moi, et vous pouvez imaginer à quoi me servit sa queue ! Je crois avoir baisé avec cet animal au moins une fois par jour de douze à dix-sept ans, habituellement avec l'un de ces trois fantasmes. D'abord, j'étais une fille innocente jetée en prison par de méchantes femmes, en général des religieuses (?!), qui voulaient me punir. Puis elles faisaient entrer un homme, quelqu'un de magnifique, en général un de ces grands joueurs de hockey, qui me prenait en pitié et me baisait merveilleusement. Dans le second, j'étais une femme d'expérience envoyée en prison avec l'un de mes complices. Il est blessé, je le soigne et lui sauve la vie. A un moment, pour une raison quelconque je suis penchée au-dessus de lui, et l'image d'après il m'a dénudé un sein et me suce le téton. Cela me rend folle, l'instant d'après nous baisons, c'est moi qui le viole pratiquement. Dans le troisième, j'occupe le rôle de l'homme du second fantasme, l'envie est réciproque, il n'y a pas d'agresseur ni d'agressé. Je m'imagine sucer mes propres tétons et mon propre clitoris, puis je reprends le rôle féminin quand vient le tour du pénis.

A dix-sept ans, je suis allée au collège, où j'ai eu mon premier vrai amant et ma première véritable relation sexuelle. Je suis devenue folle de sexe, et c'est encore vrai aujourd'hui. En comptant les deux actuels, j'ai eu douze ou quatorze amants. J'adore positivement faire l'amour avec quelqu'un de nouveau, pour la première fois. Respirer l'odeur d'un homme inconnu, sentir de nouvelles mains, de nouvelles lèvres, un nouveau sexe... Rien que d'y penser, cela me bouleverse ! J'adore mater le pubis et les fesses d'inconnus. Quand je fantasme, il m'arrive souvent d'écrire toute l'histoire pendant que je me masturbe. Cela demande plus de temps, car d'habitude je peux atteindre l'orgasme, après avoir démarré «à zéro», en cinq minutes. Quand je suis contentée, je froisse le papier sur lequel j'ai écrit pour le rendre plus doux, je m'essuie l'entre-jambes avec, et je le brûle ou je le déchire en mille morceaux.

Mon fantasme préféré demande quelques préparatifs. Je baisse la lumière, enfile ma robe la plus sexy et mes chaussures avec plus hauts talons, pas de sous-vêtements. Je suis l'unique femme seule invitée à ce dîner hyper-chic. J'ai décidé de voler le plus bel homme de la soirée à son épouse, et de me le faire. Je me promène un moment dans la maison, en imaginant la scène et les invités, j'ai une démarche très érotique. Finalement je choisis ma proie. Ma chatte est déjà inondée. Au dîner, nous sommes assis l'un en face de l'autre, j'arbore mon air le plus sensuel, je prends soin de me pencher souvent pour qu'il puisse voir mes beaux seins et mes tétons durcis. Je sais qu'il est déjà dur comme le fer et qu'il attend avec impatience le dessert. A la fin du dîner, je me lève, j'erre de-ci de-là, sachant qu'il me suivra. Je me tiens sur un balcon, penchée sur la balustrade, quand j'entends des pas derrière moi. Je ne me retourne pas. Brusquement, une main avide se glisse sous ma robe, s'empare de mon sein et pince le téton. Une autre main se pose sur ma hanche, et je sens une bosse bien reconnaissable se presser contre mes fesses. Je me laisser aller en arrière contre lui. La main du bas passe sous ma robe et trouve ma fente trempée. Avec deux doigts plongés dedans et son pouce passant sur mon clitoris, il me donne rapidement un orgasme. Alors je me retourne, nous nous embrassons passionnément. Je tâte ses fesses merveilleusement fermes puis, après avoir ouvert sa braguette, ses couilles chaudes et finalement son sexe doux et tendu. Je m'agenouille pour l'admirer, je passe ma langue sur les côtés en prenant mon temps avant de lancer ma langue en dessous, sur la partie la plus sensible. Je le prends aussi loin que je peux dans ma bouche, je suce, je fais jouer ma langue dessus, avant de revenir à ses couilles que j'aspire (j'adore les couilles!) et que je lèche. Il gémit maintenant de telle façon que je sais qu'il est sur le point de tout lâcher. Il s'assoit sur un siège sans accoudoir, je me mets à cheval sur lui, me portant lentement le long de sa trique tendue à craquer. Je le pressure avec les muscles de mon vagin, le baise lentement, lentement, puis j'accélère le rythme, de plus en plus vite jusqu'à ce que nous atteignions tous les deux un orgasme dévastateur, baignés de sueur.

Parfois, ce fantasme se termine au moment où il m'a fait jouir avec ses doigts. Il m'embrasse dans le cou et s'en va, si bien que je ne sais pas véritablement qui c'était.

Veronique

Je suis une WASP de la moyenne bourgeoisie du Sud, «libérale» bien qu'issue d'une famille plutôt stricte, j'ai trente-deux ans. J'ai eu une enfance très protégée et réglementée, pendant laquelle on a imprimé dans mon cerveau l'idéal mythique et proverbial de la «belle fille du Sud». Mes études se sont déroulées sans problèmes et j'ai très bien réussi professionnellement.

J'ai eu cependant un handicap, et je sais que cela peut paraître incroyable d'en parler ainsi : celui d'être presque «trop» belle! Pratiquement toute ma vie, j'ai dû me battre avec les hommes pour qu'ils acceptent de me considérer comme un être doué d'intelligence, de voir plus loin que l'image d'une blonde aux yeux bleus avec une silhouette de sablier. Féministe active dans les années soixante-dix, je me suis mise à éprouver de l'hostilité envers les hommes en général, et notamment pour leur manière de me traiter comme un objet sexuel. Ma réaction, assez puérile, a été de leur renvoyer la monnaie de la pièce en les rendant fous amoureux de moi puis en les plaquant... D'en faire des objets sexuels, pour changer. Enfin, j'ai surmonté cela et, en mûrissant, je suis arrivée à la conclusion que j'aimais les hommes. Depuis, j'ai essayé de les aider à se libérer, et d'avoir des relations mutuellement enrichissantes avec eux : Dieu sait combien ils ont besoin de se libérer de leurs stéréotypes, comme nous des nôtres (ou comme nous l'avons déjà fait avec les nôtres).

Cela pourra paraître égocentrique, mais d'après moi les fantasmes sont quelque chose de très intime, de très personnel, et je pense profondément qu'en parler à un partenaire reviendrait à saccager cet espace si privé qui n'appartient qu'à moi, un espace restreint spécialement conçu et cultivé pour moi et moi seule. Au-delà du fait que je me sentirais un peu gênée de les exposer au grand jour, j'ai peur qu'ensuite il connaisse toujours le fond de mes pensées à certains moments, qu'il me prive ainsi de la saveur du « fruit défendu », qu'il devienne un intrus dans mon esprit, une sorte de voyeur psychologique.

A mon avis, les fantasmes prennent naissance dans les expériences de la prime enfance (je peux me rappeler que je me masturbais de quatre ans jusqu'à six ans, même si je ne me souviens pas d'avoir joui, et si j'ai ensuite perdu tout intérêt pour cela jusqu'à l'âge de treize ans). Il y a toujours un écho de cette innocence initiale et de cette « prescience » dans mes fantasmes. *A posteriori*, je peux aussi définir une autre particularité : quand je prenais la pilule, je fantasmais presque toujours sur des femmes (mais je n'ai pas eu d'expérience homosexuelle) et, quand j'ai arrêté, mes rêves sont devenus strictement hétérosexuels : je suppose que mes hormones me jouaient un tour !

J'ai eu des amants de toutes sortes, de milieu, de race et d'âge divers. J'ai été mariée une fois mais j'ai divorcé, et je n'ai pas d'enfants. Mon amant actuel m'a ouvert de nouveaux horizons érotiques, et je ne pourrais pas être plus heureuse qu'en ce moment. Quand il m'a demandé de lui faire partager mes fantasmes, je lui ai dit que probablement le plus évident était de faire l'amour dans des endroits très inattendus. Il a répondu qu'il satisferait volontiers ce désir, mais que je devrais être toujours prête à passer à l'acte. Et donc nous avons expérimenté pratiquement tous les endroits possible, à la maison ou en dehors. Souvent il y a beaucoup de monde autour de nous, et comme j'ai tendance à crier de plus en plus fort quand il me prend par-derrière avec son sexe imposant, il a l'habitude de glisser un ou deux doigts dans ma bouche pour me faire tenir (plus) tranquille et pour que je jouisse dans des gémissements étouffés. Je ne trouve rien de plus excitant que d'être en permanence à sa disposition quand il en a envie, c'est-à-dire souvent !

Et maintenant, en route vers la planète des fantasmes. Ce sont ceux que je convoque lorsque je me masturbe ou qu'il est en train de me sucer ou de me caresser, et encore lorsque je veux rester bien humide pendant la journée en attendant qu'il arrive.

1. J'ai treize ans, « techniquement » vierge encore (en fait, j'ai été déflorée à quatorze ans), mais très bien formée. Je suis

cheerleader*. Mon meilleur ami, plus âgé que moi et gay, me ramène d'un match en voiture, et nous décidons de nous arrêter un moment sur la route dans un endroit tranquille. Nous buvons des bières, tirons éventuellement sur un joint, en écoutant du hard-rock avec la sono à fond. Me sentant plus hardie que d'habitude, je lui demande de me raconter ses aventures car je n'arrive pas à comprendre ce que peuvent fabriquer deux mecs ensemble. Il refuse d'en parler, mais monte à l'arrière de sa voiture en m'invitant à le rejoindre (jusque-là, ce scénario reprend une scène réellement vécue). Là, il me demande de me pencher contre le siège avant, ce que je fais sans avoir la moindre idée de ce qu'il a en tête. Derrière moi, il s'applique à faire descendre ma culotte en dentelle jusqu'à mes genoux et commence à lécher, sucer mon cul, enfonçant aussi sa langue dedans. Mais il prend le plus grand soin à ne jamais toucher mon minou qui, à ce point du scénario (comme dans la réalité), est en train de se liquéfier. Cette stimulation provoque un tel plaisir en moi que je le supplie de me toucher «là aussi», mais il s'y refuse et continue comme avant jusqu'à ce que je me mette à jouir sans arrêt. (Habituellement, c'est la fin, mais, si cela ne suffit pas... :) Il passe une main autour de moi et tire sur mon clitoris, avec lequel il joue comme s'il s'agissait d'une bite minuscule, mais en évitant toujours mon vagin. Plus tard, quand je reviens à la maison, mon beau-père m'attend de pied ferme : j'ai dépassé l'heure du «couvre-feu», je suis dans de mauvais draps. Assis dans une ottomane, il m'attire brutalement vers lui, fourre ses doigts à l'intérieur de mes cuisses pour découvrir que je suis trempée. Furieux, il me plaque sur ses genoux et me flanque une fessée mémorable (je n'en ai jamais reçu aucune en réalité), d'abord avec ma culotte puis sans. Comme je retiens mes cris, il frappe encore plus fort, mais je peux sentir sous mon ventre qu'il bande de plus en plus.

2. Je suis une jeune Africaine qui vit dans une hutte en terre traditionnelle avec plusieurs sœurs de tous âges, père, mère, oncle

* Véritable institution aux États-Unis : les filles, en général les plus jolies de l'école ou de l'université, ont pour tâches de mener le chœur des supporters pendant que leur équipe de sport masculine livre un match, et de défiler court-vêtues avant et après les rencontres sportives. *(N.d.T.)*

et grand-père. Tous les garçons de la famille doivent vivre loin de nous dans un autre village, jusqu'à ce qu'ils soient mariés. Étant donnée la chaleur ambiante (l'équateur n'est pas loin), nous vivons en général nues, à part quelques colliers et bijoux. Les jeunes filles ont le devoir de servir en tout point les éléments mâles les plus âgés de la famille, et eux ont la responsabilité de nous préparer à une sexualité libre et épanouie, sans tabous ni réticences, afin d'assurer la fertilité et la descendance du clan. Il y a beaucoup de cérémonies collectives pendant lesquelles les hommes doivent peindre, parer et provoquer leurs filles (par exemple avec des plumes sur les parties génitales, etc.). Depuis leur plus jeune âge, les filles sont maintenues dans un état d'excitation érotique quasi-permanent. On les encourage à se caresser toutes seules et entre elles, les hommes peuvent tout leur faire sinon les pénétrer, réservant cela à leurs épouses. Dans notre hutte, ils peuvent jouer avec nos mottes lisses et sans poils, et ils dorment souvent avec leur sexe érigé entre nos jambes ou contre nos fesses. Quand un homme d'une autre famille vient chez nous, il a droit à tout un spectacle puisque l'oncle ou le grand-père écarte largement de ses doigts les lèvres de l'une d'entre nous pour masser le clitoris tendu jusqu'à ce que nous jouissions toutes. Les hommes s'amusent à nous exciter sans arrêt. A neuf ans, les filles passent par une cérémonie au cours de laquelle elles sont droguées et attachées avec les jambes et les bras écartés devant toute la tribu : puis, à l'aide de toutes sortes de plumes, leur clitoris est excité jusqu'à être érigé au maximum. Le chaman en titre, couvert depuis la tête d'une peau de léopard, se place devant la jeune fille, suce le petit bouton en la conduisant au bord de l'orgasme, passe un mince ruban d'or mou autour et le serre : il est là pour garder en permanence le clitoris bien apparent et tendu, accroître sa sensibilité et rehausser sa beauté. (A ce point, j'ai déjà joui plusieurs fois, mais sinon... :) Ma sœur aînée et moi, nous nous glissons un jour hors de la hutte pour aller espionner le camp des garçons, qui pique notre curiosité. La distance est telle que nous n'arrivons qu'à la nuit tombée, et nous ne pouvons apercevoir que leur feu. En nous rapprochant avec précaution, nous découvrons qu'ils sont en pleine fête : ils se repassent une pipe de l'un à l'autre, et chaque garçon exécute à son tour une danse très sensuelle, nu. A la fin de chaque danse, un garçon plus âgé prend le danseur par la main, le fait se mettre à quatre pattes et commence à lécher ses couilles et son cul par-derrière, passant parfois sa main autour de la taille de l'autre pour manipuler son pénis, parfois le prenant comme un chien et le pistonnant frénétiquement.

Fin.

«AVEC LA BOUCHE, S'IL VOUS PLAÎT!»

Si les hommes déçoivent souvent les femmes dans ce livre, c'est particulièrement le cas en matière de stimulation orale, dont les femmes, après avoir mis longtemps à l'exprimer, demandent désormais toujours plus. C'est là d'ailleurs un fascinant renversement, quand on repense aux traditionnelles préventions des femmes à l'idée d'un homme portant sa bouche entre leurs jambes.

Il y a vingt ans, les sexologues considéraient que le grand tabou féminin était la masturbation. Éduquée à redouter tout ce qui n'appartenait pas à une relation affective «normale», comment une femme aurait-elle pu vouloir se conduire toute seule jusqu'à l'orgasme? Même quand elle savait localiser son clitoris, comment aurait-elle pu explorer la *cloaca* (égout, en latin), s'intéresser à ces «parties honteuses»? Ne se touchant pas elle-même à cet endroit, elle aurait encore moins voulu qu'un homme vienne le regarder, le sentir et, Dieu pardonne, le lécher! Mais dès que les femmes eurent appris à respecter leurs organes génitaux et découvert le plaisir interdit de la masturbation, le stade suivant était évidemment la stimulation orale. Et elles ne se contentèrent pas d'«aimer ça»: elles se mirent à attendre de l'homme qu'il chérisse, embrasse, lèche tout ce qu'elles avaient entre les jambes. Pour les femmes de ce chapitre, les sécrétions vaginales ne sont rien moins qu'un véritable nectar.

Paradoxalement, ce sont maintenant certains hommes qui pensent que l'«égout» sent mauvais et qu'il a un goût abominable. Pendant des générations, c'est le pénis qui occupa la place d'honneur dans l'imagination des hommes comme des femmes: c'était lui «le» puissant, «le» bel organe génital. Parce qu'il était externe et exposé à l'admiration de tous, une petite fille pouvait croire aisément que son frère était plus en mesure qu'elle de contrôler son sexe, et donc de donner davantage satisfaction à la mère au cours du stade complexe de l'apprentissage de la propreté — là où commencent tant de problèmes de la vie sexuelle adulte. Visible, épanoui en plein air, il «devait» aussi, ce sexe masculin, être plus propre que les organes génitaux de la petite fille, repliés dans leur humidité. Parvenue à l'âge adulte (et n'ayant encore pratiquement jamais regardé ou touché son propre sexe, excepté pour le nettoyer), la femme allait prendre son courage à deux mains, retenir sa respiration et refermer ses lèvres délicates autour d'un pénis — même si cela ne se produisait pas aussi souvent que «lui» l'aurait voulu —, mais continuer à détourner honteusement la tête de ses propres parties intimes.

Telle était la femme jadis. Quand je réunis le matériel de mon livre *Les Fantasmes masculins*, les fantasmes de mes interlocuteurs abondaient d'héroïnes imaginaires qui faisaient exactement ce que les femmes réelles évitaient : non seulement elles aimaient sucer un homme, mais elles se pourléchaient de son sperme. En refermant sa bouche autour de son pénis, en le conduisant au maximum de l'érection et, enfin (le plus important), en avalant son précieux fluide, la femme fantasmée prenait le contrepied de la femme réelle que l'homme soupçonnait de répugnance. Désirant si fort ce genre de stimulation, les hommes ne pouvaient comprendre pourquoi une femme qui acceptait de la lui procurer s'y refusait pour elle-même. Comment auraient-ils pu savoir que, contrairement à eux, les femmes étaient conduites intérioriser le dégoût de la mère pour tout objet génital, qu'elles s'étaient transformées en leur propre mère ?

C'est désormais terminé. Ce que j'entends maintenant, c'est un chœur de femmes réclamant le contact de la bouche, suppliant leurs hommes de descendre entre leurs jambes. Même si la plupart des enquêtes sur la sexualité sont sujettes à caution, il est clair qu'un bien plus grand nombre d'hommes et de femmes qu'auparavant donnent et reçoivent la stimulation orale. Que les femmes de ce livre se plaignent de ne pas en recevoir assez ne reflète pas forcément une frustration à l'échelle de tout le pays : celles qui ont pris part à ce travail ne forment qu'un échantillon qui s'est sélectionné lui-même par un intérêt particulièrement vif pour tout ce qui est sexuel.

Mais si ce genre d'insatisfaction existe plus largement qu'auparavant chez les femmes, c'est peut-être parce que certains hommes se refusent aujourd'hui à donner à une femme ce qu'elle désire exactement pour la même raison qu'hier elle pouvait tourner le dos à l'homme dans le lit et refuser l'acte d'amour : consciemment ou pas, les hommes expriment leur mécontentement face au nouveau rapport de forces en dehors de la chambre conjugale. Dans l'esprit de certains d'entre eux, la balance penche dangereusement du côté des femmes. Ainsi, les hommes souffrent plus de maux de tête que jadis, ce qui pourrait indiquer que le pouvoir de se dérober à l'acte sexuel n'est plus le monopole de la femme ! Et si un homme peut au moins obtenir son orgasme en pénétrant une femme, descendre entre ses jambes... il pourra se vivre alors comme un faiblard plutôt que comme un King Kong ! Dans la pratique, les femmes ont au contraire appris que la perte de contrôle qu'induit l'orgasme, loin d'être dangereuse comme elles avaient eu l'habitude de le croire, était en fait un délice. Et les femmes actives d'aujourd'hui ont encore plus de raisons de vouloir échapper, dans ces moments précieux, aux responsabilités accrues et à l'autodiscipline sociale qu'elles se sont imposées. L'idée que l'on risque de se perdre dans l'orgasme ne tient pas quand on en éprouve plus souvent et plus facilement. Quand les femmes n'exerçaient pas entièrement leur contrôle sur leurs vies, l'idée de s'« abandonner au sexe » les terrorisait. Mais maintenant qu'elles ont vu ces expressions triomphantes et préorgasmiques sur le visage de tant de femmes au cinéma, elles veulent elles aussi laisser la réalité l'emporter sur leurs principes d'airain. Elles se disent : pourquoi pas moi ? Elles peuvent lire avec le maximum de détails comment donner et recevoir le plaisir oral, et ont envie d'y goûter : si tu m'aimes, disent-elles, mange-moi comme un fruit.

Y a-t-il d'ailleurs un don sexuel réciproque plus total que ce baiser à l'intime de l'intimité ? Une femme aurait encore des doutes quant à ces histoires d'odeur et de goût repoussants, qu'un seul homme qui sache y faire lui prouverait que tout cela n'était que chimères. Un homme, ou une femme, d'ailleurs. Et dans leur recherche de sensations toujours plus riches, les femmes de ce chapitre, jamais en reste, n'oublient pas l'anus dans leur créativité orale. L'idée peut être grossièrement résumée ainsi : s'il est si bon de sentir un de ses orifices stimulé, pourquoi pas tous en même temps ? De là dérivent des dispositifs aussi ingénieux que les godemichets à double tête ou les vibromasseurs. Le plaisir anal est un goût acquis, se lamentent certaines d'entre elles en constatant qu'elles y sont plus portées que leurs hommes. Tout au long de ce livre, j'ai été surprise par la grande curiosité et le peu d'inhibitions dont certaines font preuve en explorant les ressources de la sexualité anale : elles ont toutes une vingtaine d'années, et expriment la liberté de leur génération à reconnaître qu'il existe encore d'autres positions, d'autres zones érogènes à explorer. Et elles ne se sentent pas seules concernées, elles voudraient aussi bien toucher, embrasser, sentir, essayer l'anus de leurs hommes, mais à chaque fois ces derniers serrent leurs fesses avec l'indignation exaspérée de jeunes vierges protégeant leur trésor. Pour beaucoup d'hommes, la sexualité anale est avant tout le symbole de l'homosexualité. Qu'arriverait-il si d'aventure ils y prenaient goût ? Certes, c'est une femme qui la lui propose maintenant, mais que se passerait-il si l'homme imaginait qu'à la place de son doigt féminin et manucuré vient se présenter un autre pénis ? Instinctivement, il repousse la main, ou la bouche, de la femme.

L'ironie de l'histoire, c'est que selon moi les femmes ont été poussées à mieux penser aux plaisirs de la sexualité anale précisément selon la même logique. Avant l'apparition du sida, il y eut une période où l'homosexualité était à la mode, y compris dans ses manifestations les plus explicites. Les femmes, fréquentant des amis homosexuels, voyant des homosexuels au cinéma ou à la télévision, ne pouvaient que se demander ce que ces hommes en général très séduisants faisaient quand ils étaient ensemble. «En fait, déclarait Madonna dans une interview à *Vanity Fair*, ce serait génial d'avoir les deux sexes. Il n'y a rien au monde qui m'attire plus que les hommes efféminés. J'y vois des alter ego, je me sens très attirée par eux. Je ressens les choses comme un mec, mais je suis aussi féminine. Donc je suis proche des hommes efféminés.» Tout au long de ce livre, les femmes, en fantasme, regardent des gays faire l'amour, mettant en images à la fois l'intensité sexuelle et la tendresse qu'elles imaginent que deux hommes éprouvent ensemble. Et la sexualité anale, pour certaines, fait désormais partie de leur rêve d'une totale gratification érotique. Je ne veux cependant pas limiter cette nouvelle fascination à la curiosité féminine envers l'homosexualité maxculine : l'anus est en tant que tel une zone très érogène, qui aurait certainement été déjà plus été utilisée dans les relations hétérosexuelles si elle n'avait pas été primitivement associée aux «mauvaises» odeurs, et aux «mauvais» souvenirs. Avant d'apprendre que nos excréments donnent presque la nausée à notre mère, c'était le premier don que nous lui faisions. Son amour et la peur qu'elle ne nous rejette pour des raisons qui émanent de cette zone cachée entre nos jambes sont devenus le champ de bataille entre nos tout premiers efforts pour lui donner satisfaction et notre envie de garder un peu de ce qui nous arrivait jadis de «là» comme une «bonne» sensation.

Ce que fait apparaître d'absolument nouveau cette recherche, c'est qu'un grand nombre de femmes ont rejeté encore une des étiquettes qui collaient à la «fille bien».

Hannah

Je vais faire comme si c'était à «lui» que j'écrivais mes fantasmes.

Premier scénario :

J'espère que nous pourrons y aller le week-end prochain. J'attends vraiment le moment où j'aurai le con qui frottera sur ma selle pendant que j'imaginerai que je monte à cru, mon con frottant contre le dos poilu du cheval, que je le masse ainsi, que je sens l'humidité tremper ma culotte et que je ne demande qu'à être baisée.

Sur la piste forestière, c'est facile de partir dans son monde de fantasmes, d'évoquer et de revivre certains scénarios que tu m'as racontés dans le passé. Par exemple, quand je suis arrivée dans la clairière, où bien sûr tu t'étais arrêté, quand je me suis agenouillée sous le cheval pour caresser son pieu gigantesque, lécher son bout énorme, masser ses bourses massives. Et quand son pieu a été dressé à fond, dur comme fer et tout palpitant, tu m'as ordonné de me mettre à quatre pattes et tu l'as guidé droit sur mon con, encourageant cette créature à pousser en avant, ce qui m'a jetée face contre sol. Alors que je suis ainsi plaquée sur le ventre, tu fixes un collier autour de mon cou et tu peux maintenant tirer ma tête vers le haut avec la laisse, tu me remets ainsi à quatre pattes pour que la bite impatiente vienne une nouvelle fois s'écraser sur mon con. Je suis maintenant projetée en avant et retenue en arrière, je lutte pour arriver à rester sur mes genoux.

Tu réalises que je suis épuisée et que le cheval est sur le point de faire jaillir son foutre, et tu me renverses sur le dos juste à temps pour que je reçoive son flot sur moi, giclée après giclée, jusqu'à n'être plus qu'une obscène fille de ferme poisseuse de foutre de cheval, les seins, le ventre, la motte, les cuisses dégoulinants. Ta bite à toi était congestionnée, pourpre, et le seul endroit où tu pouvais déposer ton trésor était mon visage. Il est tombé en grosses gouttes, noyant mes yeux, mes joues, mes lèvres, mon menton.

C'est ce que je rêverai éveillée si nous partons nous promener à cheval.

Deuxième scénario :

Après un instant de repos et un autre verre, Sylvia et moi nous nous mettons d'accord : vous méritez, Scott et toi, une récompense.

Pendant que vous nous regardiez nous enfoncer des godemichets toutes les deux, plonger notre visage dans le jus l'une de l'autre, nous faire baiser par Wolf puis avaler son sperme de chien, ta bite adorée et la belle bite de Scott avaient gonflé à un tel point que, avions-nous pensé, vos veines allaient éclater. Le bout de ta bite était pourpre, celle de Scott palpitait, vous étiez bandés comme des arcs et sembliez n'attendre qu'une main : les nôtres, en fait.

Scott et toi étiez assis sur le canapé, complètement nus car le spectacle que nous donnions avait fait monter votre température, les jambes largement écartées. Je me suis agenouillée entre les tiennes, Sylvia entre celles de Scott. Nos mains qui malaxaient vos bourses et caressaient votre pieu ont cédé la place à nos bouches, nos dents qui mordillaient vos bourses, nos langues qui parcouraient votre pieu de haut en bas et de bas en haut.

Plus tard, vous avez reconnu qu'il serait meilleur, au moment de jouir tous les deux, de le faire non dans notre bouche mais sur nos œillets plissés ; donc, au moment où cela allait arriver, où les deux bites allaient exploser, Sylvia et moi nous sommes retournées, présentant notre coupe devant vous, et lorsque nous avons malaxé votre membre entre nos fesses, vous avez aspergé de vos giclées de crème poisseuse le pourtour de nos deux trous.

Ensuite Scott et toi vous avez enduit de tout ce foutre nos fesses et les lèvres de notre con, et vous avez essuyé sur notre visage ce qui restait encore collé à vos doigts.

Il était temps de reprendre le spectacle. D'abord Sylvia s'est agenouillée derrière moi pour lécher ton foutre sur mon œillet et mes fesses. Je lui ai fait de même, puis nous nous sommes mangées l'une l'autre, savourant le foutre que vous aviez frotté sur nos vagins.

Elle appréciait le goût de ta crème tandis que je me rassasiais avec celle de Scott. Après nous être nettoyées ainsi, nous avons léché le foutre sur le visage l'une de l'autre. Nous étions comme deux animaux affamés, à la recherche de plus encore. C'est alors que j'ai remarqué que votre bite était à nouveau tendue, mais cette fois vous nous avez demandé de nous placer à genoux contre le canapé, les jambes écartées et les mains ouvrant nos fesses pour que nos culs puissent être pénétrés.

Scott n'éprouva pas de difficultés à enfoncer son pieu dans le trou de Sylvia, il s'y glissa aisément et, en la maintenant par les hanches, il a commencé à la parcourir violemment en lui arrachant des cris de plaisir.

Il te fallut plus de temps pour introduire ta bite gonflée dans mon orifice contracté, mais après avoir poussé le bout dedans, l'avoir ressortie et remise plusieurs fois, tu as eu moins de mal et bientôt ta bite était plantée au plus profond de moi ; je ne pouvais faire rien d'autre que gémir et te supplier de me baiser plus fort, de me déchirer s'il le fallait mais surtout de continuer, et tu as accepté avec empressement, me montant comme si tu étais à cheval, cognant contre mes fesses à chaque coup de boutoir, jusqu'à ce que je me mette à trembler en sentant ta bite faire éruption, emplissant ma sombre caverne de ta crème blanchâtre.

Troisième scénario :
Alors, comment s'est passé ton week-end ?
Le vendredi, j'ai loué trois vidéos, dont *L'Orchidée sauvage*. Mickey Rourke me rend folle, il me rappelle toi, d'ailleurs pendant que je regardais le film je pensais à toi. Mais enfin, comparé à *Neuf Semaines et demie...* ! En tout cas, pendant la scène entre le Noir et la femme, mes doigts n'ont pas chômé, et pour la scène finale mon con était aussi brûlant que la fille dans le film. Et hier, j'ai eu le temps de regarder la vidéo que tu m'avais donnée. Le dernier scénario de la première série : pensé à la fille aux cheveux noirs en regardant. J'ai absolument perdu la tête en te suçant, en me faisant baiser, etc. Et puis, dans la série deux,

il y avait deux bites pour une blonde, et quel festin elle a eu ! Elle en voulait encore puisqu'après sa bouche allait de l'un à l'autre mec, léchant et suçant leurs bourses et leur membre. L'un d'eux m'a fait penser à Charlie, alors je suis partie dans le fantasme que c'est moi qui festoyais grâce à vous.

Bientôt, j'étais prise par-derrière tout en recevant dans ma bouche une bite, puis vous vous êtes retrouvés tous les deux du même côté et je vous ai sucés tour à tour, de haut en bas, sauvagement.

J'étais couchée sur le côté par terre pour que Charlie me baise à fond quand tu as fourré ton pieu épais dans ma bouche, et après un moment j'ai eu enfin mon déjeuner : toute la bouche et le visage remplis de foutre chaud et gluant, un grand sourire sur mes lèvres et deux bites essorées et satisfaites.

J'ai continué à jouir plusieurs fois en faisant aller et venir mes doigts, trois, dans mon con inondé, et une fois en me servant du goulot de la bouteille de champagne. Je pensais à ce que cela pourrait être, de s'abandonner totalement, de se faire contenter et posséder jusqu'au délire, les cheveux tirés en arrière, le cul fessé, les seins pincés, le con pistonné, prise par tous les orifices jusqu'à n'être plus qu'une hétaïre partie au-delà de toutes limites, qui demanderait encore plus et se ferait répondre qu'elle serait comblée.

Pourquoi me rappelles-tu Mickey Rourke ? Eh bien, parce qu'en écoutant tes scénarios je mouille tellement que c'en devient insupportable. Je peux sentir ta belle bite et en vouloir encore et encore. Tu m'excites, me provoques, me fais rechercher toujours plus, même après une délicieuse jouissance solitaire, parce que je veux encore lécher jusqu'à la dernière goutte, lécher et mordre tes bourses poilues, forcer ton petit œillet, encore être pressurée dans ton étreinte d'ours, encore me faire pénétrer par ton poing, mais surtout te donner du plaisir, alors je me contiens mais je rêve toujours qu'un jour je perdrai tout contrôle avec toi, à la folie.

Oui, j'ai dit que je voulais être possédée, humiliée, dégradée, et que je me montrerais docile, obéissante, obséquieuse... Mais je veux aussi la contrepartie, des scénarios pour nous deux, seulement toi, moi et un ami très proche, Peter, Charlie ou Scott, avec toute l'attention, la tendresse et le foutre que vous pouvez donner.

Attention, je ne suis pas en train de me plaindre. Certains jours, je me sens plus seule que d'autres, je voudrais que certaines personnes n'existent pas ; certains jours, je n'ai pas le moral, mais autrement tout va bien. En ce moment je pense à toi, à ta bite adorée, à ce que nous avons fait vendredi, c'était si bon et j'en voulais tellement encore, à cinq heures du soir.

Ton esclave dévouée, ta salope de suceuse, ta baiseuse de chiens, ta catin en chaleur qui adore ton foutre, qui te trouve extraordinaire, et à laquelle tu as tant manqué hier.

Maintenant, imagine-moi avec des bas à jarretière noirs, des talons hauts, un string noir évidemment, et rien d'autre. Je suis entourée par plusieurs de tes amis, il y a là des visages familiers, leur bite pointant hors de leur pantalon pendant que je passe de l'un à l'autre en glissant sur mes genoux pour prendre leur mesure. Un de tes amis me dit de venir vers lui et de lui prendre son pieu dans ma bouche sans me servir de mes mains, ses bourses sont prêtes à exploser, d'après lui. Il m'a fait le supplier, puis m'a prise par les cheveux et l'a enfournée dans ma bouche qu'il s'est mis à pistonner comme s'il s'agissait de mon con brûlant.

Comme mon cul rebondi était en l'air pendant que je me faisais ainsi prendre dans la bouche, un autre de tes amis est venu derrière moi et a précipité son pieu dans mon con, se balançant puissamment comme s'il montait un cheval au trot. Celui que je suçais a éclaboussé mon visage, et l'autre m'a rempli le con d'une telle quantité de foutre qu'il a commencé à s'écouler le long de mes cuisses.

Tes autres amis appréciaient la scène, ils avaient commencé à se caresser et moi j'étais encore plus affamée. J'allais me glisser devant un troisième quand j'ai été plaquée sur le dos par terre. Un gros godemichet noir a surgi de nulle part, électrique, on l'a fourré en moi pendant que mes jambes étaient écartées de part et d'autre, et on m'a ordonné de me baiser moi-même à fond. Pendant que je m'accomplissais, chacun de tes amis, après s'être branlé avec énergie, est venu chacun à son tour envoyer sa giclée sur tout mon corps, mon visage, mon con, jusqu'à ce que je ne sois plus qu'une grosse masse gluante — me vautrant dedans comme une truie dans la boue, tout entière secouée par un orgasme brutal et spongieux pendant que je me tordais dans cette grande flaque de foutre. Mes cheveux en été couverts, mes seins en été couverts, j'étais une vraie salope baignant dans le foutre.

Ensuite tes amis sont partis un par un, et nous sommes restés seuls, toi et moi.

Quatrième scénario :

Pour poursuivre l'un de nos scénarios : je suis attachée aux quatre coins du lit, un godemichet dans mon con, un autre dans mon cul, et toi tu es dans la pièce d'à côté. Les godemichets sont maintenus en place par ma culotte, et dès que je bouge un peu ils s'enfoncent un peu plus en moi. Je sens la marée qui envahit mon con mais je dois rester étendue, abandonnée, ne pouvant qu'espérer que tu reviennes pour les faire aller et venir en moi, rapidement et violemment, comme tu l'as fait une fois dans cette salle de conférence pendant que j'étais à quatre pattes.

Je suis glacée, je commence à trembler, et soudain la porte s'ouvre, je tourne la tête pour voir entrer Charlie qui vient près de moi, abasourdi par ce qu'il découvre, choqué de me voir ainsi seule, impressionné par le spectacle pathétique que je donne en essayant de jouir juste par le mouvement de mon bassin sur les deux godemichets plantés dans mes orifices.

Quand il m'a demandé pourquoi je m'étais retrouvée ainsi, je lui ai répondu que j'aimais être humiliée de temps en temps, dégradée, et qu'en effet c'était humiliant qu'il m'ait découverte dans cet état aujourd'hui. Charlie n'a pas été satisfait par la réponse : il pensait que je devais être détachée et pouvoir me détendre et me réchauffer un peu. Il m'a donc d'abord servi un verre de brandy, puis s'est mis à masser mes jambes, mes épaules, mon dos, mes fesses et mes seins pour faire revenir la chaleur. Ses mains étaient douces, tendres, il a touché très sensuellement mes seins en excitant mes tétons de ses doigts, puis de sa langue. Ensuite sa bouche les a pris l'un après l'autre, pendant que ses mains caressaient et pétrissaient mon dos, mes hanches et mes cuisses. Ses doigts ont effleuré les lèvres de mon con. C'était excitant. J'allais jouir, et en plus il avait réussi à me réchauffer. Je me sentais merveilleusement bien. Je le désirais.

Tout en me suçant les tétons et en parcourant mon corps de ses mains, il me dit qu'il se moquait bien que je sois plus vieille que lui, qu'il ne me trouvait pas grosse, mais que de toute façon l'essentiel était de me sentir comblée, d'aller au bout du possible, d'être enculée. Quand je lui répondis que je n'avais jamais connu ce plaisir, il me fit mettre à quatre pattes. Mes fesses étaient tendues en l'air, mon con inondait le haut de mes cuisses de son jus, et j'ai senti la chaleur de son corps quand il s'est pressé contre moi par-derrière, j'ai senti comme il était dur quand son pieu a glissé entre mes fesses, j'ai mouillé encore plus quand il l'a introduit dans mon con, simplement pour le lubrifier avant de l'enfoncer au plus profond de mon cul.

A ce point, il est devenu animal. Il m'a pratiquement déchirée en deux, j'ai hurlé mais il a ignoré mes cris et mes prières, intensifiant au contraire son invasion. Il était comme un tisonnier chauffé à blanc, et mes fesses me brûlaient aussi parce qu'il les claquait à chaque fois qu'il s'enfonçait dans mon cul étroit. Il avait l'endurance d'un taureau, et il a encore accéléré son rythme. J'avais mal et pourtant je m'étais attendue à souffrir plus encore, et j'ai pensé à toi. Je te voulais toi plus que tout au monde, plus que la vie même, et tu n'étais pas là.

J'ai pensé à ta bite adorée sur mes lèvres, ma langue tournant autour, et au goût délectable de ton foutre, et juste à ce moment Charlie a déchargé au fond de moi. Ça s'écoulait de mon trou le long de mes jambes quand je me suis effondrée sur le lit, et lui sur moi.

C'est dans cette position que tu nous as trouvés quand tu es entré, en me disant que tu avais une surprise pour moi : encore une bite à ma disposition, une autre bite qui raffolait des culs et qui allait se payer le mien. J'ai prié et supplié qu'on me laisse tranquille, j'ai expliqué que j'avais trop mal, mais tu as répliqué qu'une grosse salope insatiable, une obscène bouffeuse de bite méritait plus, elle méritait ce que tous ses trous pouvaient accueillir ; et sur ces mots tu m'as remise sur mes genoux, tes doigts se sont enfoncés dans mon con et sont venus sur ma bouche pour que je puisse les nettoyer de mon jus, et tu les as replongés dans ma vulve brûlante en poussant vers le haut. J'avais les fesses en l'air, le con palpitant. Un godemichet encore plus gros qu'avant a été brutalement poussé dedans, c'était plus qu'un godemichet, c'était un vibromasseur qui a été branché sur sa vitesse maximum, et bientôt je n'ai plus pu contrôler mes soubresauts.

Quand la bite est entrée dans ma pastille, elle s'est glissée tout au fond sans difficultés après son intrusion précédente. Le vibromasseur était pistonné dans mon con et se portait parfois sur le clitoris et sur les lèvres, puis quelqu'un ma relevé la tête en tirant mes cheveux, et ta bite distendue m'a envahi la bouche, étouffant mes cris. J'étais en extase, était-il possible que cela soit meilleur ? J'ai pensé à toi, ton sperme a rempli ma bouche, mon cul, j'ai été à nouveau investie, et mon con était en feu.

Cinquième scénario :

De retour à la maison vendredi, j'ai repensé à la veille et je me suis demandé comment cela aurait pu être encore plus «génial». Si nous en avions eu le temps, peut-être en me soulevant en l'air ; si nous en avions eu le temps, peut-être en te branlant entre mes seins ; si nous en avions eu le temps, peut-être en me laissant m'agenouiller devant toi, en me laissant mordiller tes bourses ou lécher le dessous de ton pieu durci ; si nous en avions eu le temps, peut-être en déchargeant sur ma langue. C'était cependant agréable, à moitié nus, un état dans lequel j'adorerais te voir : tu es debout sur le pas de la porte, et moi, assise dans ton fauteuil, je te regarde faire tomber ton pantalon et laisser glisser ton boxer-short pour découvrir ta belle bite.

Samedi matin, j'étais seule. J'ai vaqué comme d'habitude à mes occupations après avoir pris ma douche, etc. J'ai pris mon petit-déjeuner en regardant les dernières informations sur la guerre, et j'ai enchaîné sur une séance avec ma bouteille de champagne. J'avais tellement pensé à toi la nuit d'avant que j'avais terriblement besoin de me soulager. Alors j'ai pensé à toi, à ta bite adorée, gonflée de vie, je l'ai imaginée entre mes jambes, le bout contre mon clitoris ; le goulot reposait entre les lèvres épaisses et douces de mon con, il a glissé un peu dedans, je serrais la bouteille très fort dans mes cuisses tout en remuant et en balançant mes hanches, les yeux clos, faisant comme si c'était ta bite distendue qui était en train de combler ma vulve. J'ai attrapé la bouteille par le fond pour la faire aller et venir avec ma main gauche, tandis que les doigts de ma main droite s'occupaient de mon clitoris, le massant, le tirant, l'enfonçant, le tordant. Ensuite mes deux mains ont pétri mes seins jusqu'à ce que les tétons pointent en l'air, et je me suis lentement balancée d'avant en arrière, sentant le goulot tout au fond de moi.

Cette sensation, jointe au massage de mon clitoris, m'a procuré un orgasme agréable, et à ce point j'ai imaginé que tu giclais sur moi, sur mes seins, mon ventre, mon con. Ensuite, j'ai retiré la bouteille, je suis restée tranquillement étendue en sentant encore mon con palpiter, se gonfler.

J'ai continué à penser à toi.

Trudi

1. Un jour, j'étais allongée sur le canapé de la salle de séjour, avec seulement un peignoir sur moi (je venais de prendre une douche). Comme je m'ennuyais, j'ai mis une cassette porno dans le magnétoscope et je me suis allongée de nouveau pour regarder. J'ai été vite prise par le film, et même si on n'était qu'au milieu de la matinée je me suis dit : Et alors ? J'ai ouvert mon peignoir pour parcourir de mes mains mon corps encore humide après la douche, m'arrêtant sur les seins, qui sont chez moi particulièrement sensibles. J'ai excité mes tétons et ils ont bientôt été tendus comme des pointes. Mes mains sont ensuite descendues le long de mon ventre plat jusqu'à mon buisson, ouvrant la douceur blonde pour arriver à la chaleur de ma chatte, déjà mouillée et béante. J'ai couvert ma motte d'une main, mon index courbé s'enfonçant loin dans la chatte pendant que ma paume frottait le clitoris. Plus la scène que je regardais devenait chaude, plus ma cadence s'accélérait. Soudain, j'ai levé les yeux et une fille se tenait debout devant moi. Elle avait une longue chevelure sombre, elle était petite mais avec de très gros seins. Elle m'a souri en déboutonnant son chemisier et en laissant tomber à terre sa jupe, elle est restée en collants noirs à me regarder me masturber. J'ai gémi en essayant de lui rendre son sourire. Très vite, elle s'est retrouvée au-dessus de moi, elle embrassait et massait mes seins pendant que je continuais ma masturbation. J'étais couverte de sueur. Elle a eu soudain en main une banane qu'elle m'a enfoncée dans la chatte. J'étais sur le point de jouir pendant qu'elle parcourait mon vagin avec, puis elle a glissé le long de moi et a commencé à manger la banane. Je n'en pouvais plus, et quand elle a fini le fruit elle m'a bouffée, me tirant en l'air par les fesses tandis que je soulevais les hanches, et enfonçant son visage plus profond entre mes jambes. Elle pompait très fort mon clitoris tout en se frottant sur une de mes jambes. J'ai joui sans aucune retenue, criant mon plaisir comme jamais je ne l'avais fait. Elle a sorti un pot de crème fouettée, s'en est beurré le bout des seins et j'ai léché avidement ;

elle gémissait, m'a repoussé sur le dos et s'est assise sur mon visage. J'ai commencé à lécher les lèvres de sa chatte à travers le nylon des collants, mourant d'envie de les arracher. Elle a roulé des hanches contre mon visage, son clitoris venant cogner contre ma langue. Elle a gémi : «Là! lèche-moi là!» Elle tire ma tête vers elle, sa chatte m'avale presque. J'ai une envie folle de quelque chose, de n'importe quoi dans la mienne. Brusquement, comprenant mon état, elle se passe un énorme gode (trente-cinq centimètres de long et sept de circonférence) autour des reins et me fait rouler sur le ventre. Je me place sur les mains et les genoux, frissonnant d'impatience. Elle me pénètre entièrement et se met à me besogner, en s'enfonçant à chaque coup jusqu'à la garde. Puis ses mains se mettent en action, l'une sur mon clitoris et je manque de m'évanouir sous une rafale d'orgasmes, l'autre entre ses jambes à elle, jusqu'à ce que nous explosions une dernière fois ensemble et que nous nous écroulions. Quand je reviens à moi, elle est partie. La seule preuve que je n'ai pas rêvé, c'est une peau de banane laissée sur la table basse, et trempée de mon jus.

2. Je suis allongée sur le ventre près d'une piscine. Je porte une culotte de bikini, et rien en haut. J'observe un très bel homme en train de faire des abdominaux dans la piscine. Au début, il ne sent pas mon regard, puis il remarque ma présence, sort du bassin et vient vers moi pour me proposer de me passer de l'ambre solaire sur le dos. Je roule sur moi pour révéler mes seins, et lui répond en souriant : «Et si vous...» Mais je n'ai pas le temps de finir ma phrase qu'il est tombé sur les genoux et m'embrasse à pleine bouche, dardant sa langue au fond de ma gorge. Il me retire mon maillot, je passe mes doigts dans son caleçon pour le faire fébrilement descendre. Il prend mes tétons entre ses dents et les fait rouler dans sa bouche pendant que ses mains atteignent ma chatte, puis il descend entre mes jambes et me lappe avec voracité.

Il a sucé mon clitoris et je me suis déchaînée, des décharges de plaisir secouaient mon corps que j'ai tendu en avant, pour lui baiser son visage. Je savais ce que je voulais... Je l'ai poussé sur le dos pour le chevaucher, mais je ne me suis pas enfoncée sur lui tout de suite, je l'ai provoqué avec mes baisers, avant qu'il me soulève par les hanches et me plante sur sa queue bandée. J'étais si mouillée qu'elle a glissé en moi d'un coup, je le regardais droit dans les yeux en remuant sur sa queue pendant qu'il me pétrissait les seins. Il s'est mis à gémir et à aller au-devant de mes coups de reins, et il a joui, déversant des tonneaux de sperme en moi. Moi, je ne viens pas encore, je me dégage de sa queue flageolante et je m'étends à côté de lui, me branlant avec mes doigts en regrettant de ne pas avoir un gode-michet avec moi.

J'éprouve soudain une étrange sensation, comme une langue sur ma chatte. Je me redresse un peu et je découvre avec stupeur un gros berger allemand entre mes jambes. Je suis choquée mais excitée aussi, je me retourne et me cambre pour qu'il lèche mon sexe insatiable et mon autre trou. Il essaie très vite de me monter, je dois l'aider à guider sa trique en moi mais ensuite il l'enfonce jusqu'à la garde. Il se débat sur moi, son nœud me bourre, je pense que je vais défaillir de jouir tant de fois. Le chien éjacule, il se retire et s'en va. Je tombe sur le dos, vraiment satisfaite, l'homme et moi nous embrassons et je m'endors.

Ce sont là mes deux principaux fantasmes. En fait, quand je me masturbe (et c'est souvent), les images lesbiennes me mettent facilement «en train». Je suis très attirée par la domination féminine, le bondage masculin (par trop *hard*) et les chiens. J'adore aussi faire des pipes, mais cela je le garde pour la vie concrète, je ne me permets le reste que quand je suis seule avec mon godemichet. A tout hasard, je précise que j'ai dix-huit ans.

Maria

Ah, comme c'est bon de savoir que des milliers de femmes de tout âge ont des fantasmes, et que beaucoup d'entre elles ont fait exactement les mêmes choses que moi! J'ai trente ans, je suis mariée depuis six ans, notre fille en a sept. Je l'ai eue à vingt-deux ans, «en dehors des liens du mariage». Je viens d'une famille catholique très pratiquante, et, pour corser le tableau, mexico-américaine, avec des parents très vieux jeu qui ne m'ont jamais dit un mot à propos de la sexualité. J'ai grandi dans une petite ville agricole de Blancs au Nouveau-Mexique : les gens pensaient tous là-bas qu'une fille mexicaine, quel que soit son âge, était une «pute en chaleur». J'étais la seule fille sur cinq enfants. J'ai suivi quelques années d'études, que j'aimerais bien reprendre dans un proche avenir. Mon mari et moi avons ce que vous considérez ici comme le foyer américain *middle class* typique, une maison, des enfants, des animaux. Je suis bien décidée à ce que ma fille apprenne à être fière de son corps et à ne jamais être rebutée par ses odeurs et ses particularités de femme, contrairement à moi pendant si longtemps.

J'aime profondément mon mari, j'ai toujours envie de lui, et je n'arrête pas de m'étonner de le désirer encore aussi fort après tant d'années. Mais je suis frustrée, parce qu'il n'accorde pas la même importance au sexe que moi. Quand nous faisons l'amour une ou deux fois par semaine, je peux m'estimer contente. Et je n'ai éprouvé que rarement des orgasmes avec lui. Quand il me pénètre, il jouit si vite qu'après il doit me finir en me suçant, ce que j'aime évidemment, mais j'aimerais tellement qu'il prenne plus son temps et qu'il se montre plus imaginatif ! Son manque d'intérêt pour le sexe (ou devrais-je dire : pour me sucer et me baiser ?) m'a conduit à avoir des liaisons et des aventures d'une nuit. J'aime ces escapades parce qu'elles me donnent l'occasion de sentir mon pouvoir sur un homme, de bien lui faire l'amour et de le faire jouir longtemps et violemment. Mais je me sens toujours affreusement coupable après.

Je n'ai jamais eu le moindre problème à captiver l'attention des hommes, cela se passe seulement avec mon mari. Il est très très bel homme, sexy, avec un sexe énorme et une langue merveilleuse. Mais, comme il me rend folle de désir, quand il ne me donne pas ce que je veux je dois bien trouver une compensation.

J'ai découvert l'orgasme quand j'avais cinq ou six ans. Mon père et ma mère m'avaient emmenée en visite chez mes grands-parents. Je jouais toute seule dans la cour quand j'ai décidé de me cacher sous un appareil à air conditionné. Le chien de mes grands-parents m'a suivie là-bas, et quand je me suis assise par terre il est venu renifler entre mes jambes. Je me rappelle que c'était agréable, et une force m'a poussée à écarter ma culotte d'un côté, pour voir ce qu'il ferait. Sous mes yeux sidérés, il a poussé son museau tiède et humide contre mon minou entièrement lisse. Son souffle chaud m'a fait frissonner, il a commencé à frotter son museau dans mon intimité, puis à me lécher ! J'ai eu un orgasme incroyable. Je me souviens d'avoir senti mes oreilles bourdonner, mon regard se voiler, et de cette sensation de gonflement dans mon clitoris. Mais une voix me disait aussi que je n'aurais pas dû faire cela. D'un coup, j'ai senti une présence à côté de moi et je me suis retournée : horreur, c'était mon parrain qui se tenait là, avec un air totalement scandalisé... J'ai aussitôt essayé de faire comme si le chien m'avait mordue, mais il avait déjà couru chercher mon père. Quelques minutes après, papa m'a expliqué que le chien était sale et faisait des choses dégoûtantes. Je me suis sentie si honteuse que pendant des années j'ai redouté de me faire surprendre ainsi. Cette culpabilité s'est intensifiée quand j'ai été plus âgée et parfaitement au fait des choses de la vie, mais cela ne m'a jamais empêchée de me faire lécher par mon chien.

Je peux avoir des fantasmes n'importe où et n'importe quand, mais quand je veux oublier la vie quotidienne et mes problèmes, je me masturbe dans la baignoire avec l'eau qui coule et je m'abandonne à celui-ci :

J'ai été faite prisonnière par des pirates qui m'ont conduite sur leur navire, un de ces bateaux de l'ancien temps avec des voiles massives et des parquets en bois qui sentent le cèdre. Ils ont tous l'air vieux et sale avec leurs vêtements en lambeaux et des barbes de plusieurs jours. Ils empestent la sueur et le whisky. Une tempête éclate, le navire se met à rouler et à tanguer sur les vagues. Je suis attachée par les bras au pied d'un mât, mes jambes restées libres. Je porte une longue robe bleue, très décolletée, d'où mes seins pressurés risquent à tout moment de jaillir. Ma jupe a été fendue jusqu'à la taille, mes jupons et mes pantalons gisent à côté de moi en tas. Ces hommes rudes et vulgaires font cercle autour de moi, les yeux brillants, et ils se lèchent les babines en s'apprêtant à décider qui aura le privilège d'être le premier. Finalement ils font leur choix, c'est un gros lard qui salive en se mettant à genoux et en glissant vers moi. Lentement, il écarte les pans de ma jupe déchirée et passe son groin le long de mes cuisses, jusqu'à ma fente. Sa langue baveuse en lèche sans se presser les lèvres, je l'entends distinctement humer à petits coups leur parfum érotique, puis il passe doucement sa langue entre elles. J'en ai le souffle coupé. D'un coup, il plonge sa langue dans mon trou. Je me demande comment une jeune fille comme moi devrait réagir à une telle épreuve ! Brusquement sa bouche change de position pour pren-

315

dre les petites lèvres et le clitoris saillant et les sucer avec force. De temps en temps, sa langue revient dans mon trou. A ce moment, dans mon fantasme et parfois en réalité, j'ai un premier orgasme. Je me presse sauvagement contre la bouche de ce vieux type. Les hommes, toujours en cercle, ont sorti leur sexe de leur pantalon, la tempête forcit encore et le navire roule de plus en plus. Ils sont assez prévenants pour laisser mon sexe palpitant se calmer un peu avant que le second, qui a une queue en forme de crochet, ne vienne prendre son tour. Il s'approche de moi de la même manière que le premier, sauf que sa salive dégouline sur sa poitrine comme du sperme. Ce qui m'excite encore plus! Il écarte mes jambes bronzées presque au maximum, pour planter sa langue brûlante dans mon cul mouillé, le goûte en quelques rapides allers-retours puis se porte sur mon clitoris bandé. Je vois tout cela distinctement, mon sexe enfle et se convulse. Tandis que le navire est intensément secoué par les vagues, le pirate me provoque un orgasme dévastateur. Le tonnerre gronde, les hommes rugissent et se mettent à éjaculer parce qu'ils n'en peuvent tout simplement plus. Je tends mon pelvis en avant, provocante, j'écarte encore plus les jambes, et je crie que j'en veux encore.

Comme vous le voyez, je préfère la sexualité orale, mais je ne demanderais qu'à jouir plus souvent avec un homme en moi.

Lydia

J'ai vingt-cinq ans, je suis d'un milieu assez aisé, noire, célibataire. Même depuis que mon petit ami m'a quitté, j'ai eu des fantasmes très variés et très excitants où il apparaît. Avant de le connaître, les personnages de mes fantasmes n'avaient pas de visage, ils ne me procuraient pas beaucoup de plaisir. Si seulement il savait comme il me manque!

Nous sommes étendus sur le lit chez moi, tout habillés. Mike et moi nous embrassons passionnément, collés l'un à l'autre, de baisers «à la française», une de ses spécialités qu'il m'a d'ailleurs apprise. Quand j'essaie de commencer à le déshabiller, il me souffle dans l'oreille d'attendre un peu. Il retire la ceinture de ma robe et me propose de me bander les yeux avec. La proposition est excitante, et aussi légèrement inquiétante : que veut-il me faire? Mais j'accepte; il la noue autour de ma tête en bourrant deux mouchoirs dessous pour que je ne puisse vraiment rien voir. Quand je suis totalement aveugle, il se met à me déshabiller. Ses doigts parcourent ma chair, allumant des traînées de fièvre sur leur passage. Ne pas savoir où je serai touchée ensuite est si troublant... Il prend mes bras et les place au-dessus de ma tête. Je sens quelque chose de froid sur mes poignets, j'entends un déclic. Je comprend brutalement qu'il vient de me menotter aux montants du lit. Je me tends, mais sa voix est à nouveau dans mon oreille : il me jure qu'il ne me fera pas de mal. Mon imagination se déchaîne ; je n'ai plus peur, mais je n'arrive presque plus à contrôler ma curiosité et mon impatience. Après avoir ouvert mon chemisier, il passe ses doigts autour de mes tétons dénudés pour les durcir, à tel point qu'ils en deviennent douloureux, d'une exquise douleur. Avec une plainte sortie du fond de ma gorge, je me cambre vers lui pour qu'il puisse les prendre dans sa bouche, mais il me repousse, il n'a pas besoin de ma coopération. Je n'entends de lui que sa respiration. Lui qui m'avait jusqu'alors couverte de tendres et douces caresses, il attrape soudain dans ses doigts ma culotte pour la déchirer en deux et l'arracher de mes cuisses. Cet accès de violence est tellement inattendu que je ne peux réprimer un hoquet de surprise. Il ouvre mes jambes autant que possible en pétrissant mes cuisses, puis il saisit mes chevilles et les attache avec quelque chose en bas du lit. Je suis entièrement à sa merci, le seul mouvement qui me reste possible est de me soulever un peu et de retomber impuissante sur le lit. Il a la situation en mains, je ne peux rien faire contre lui. Pendant quelques minutes, il prend plaisir à sucer et à lécher diverses parties de mon corps, tandis que j'alterne soupirs et gémissements. Le lit se dérobe sous moi. Je sens qu'il quitte la pièce. Je n'ai pas la moindre idée de ce qu'il va faire, mais ma peau est parcourue de picotements comme si on avait versé de l'acide sur mes nerfs. Je l'attends avec trop d'impatience, je me retiens de l'appeler. D'un coup, je note qu'il est tout près de moi, il est revenu sans faire le moindre bruit. Il verse une substance froide sur mes seins et mon ventre (confiture ? crème fouettée ? quoi d'autre ?), commence à la lapper sur moi. Quand il se place entre mes jambes, je peux deviner au contact de sa peau qu'il s'est déshabillé, mais je ne pourrais dire s'il est entièrement nu. Saisissant mes fesses à pleines mains, il me soulève pour planter sa bouche sur mon sexe humide. Je me débats, je crie, je me tortille si fort qu'il en perd presque sa prise, mais il résiste et enfonce sa langue au fond de mon puits. Autant que mes liens le permettent je me tends vers sa langue, qui explore mes parois, puis dont le bout vient jouer avec mon clitoris et donner des coups rapides sur mes lèvres. Oh! c'est trop bon, c'est trop, je vais venir, quand il s'arrête soudainement. Je le supplie de me laisser venir, de me donner tout son membre, toute sa grosse queue. Désespérée, je me débats en vain et je jure comme un charretier.

Il s'allonge de tout son corps sur moi, me prend la bouche voracement, puis s'écarte pour me torturer encore. Enfin, je sens quelque chose pousser contre mon sexe ruisselant, entrer lentement en me faisant pousser de nouveaux soupirs. Non, ce n'est pas elle, je sais aussitôt que ce n'est pas sa queue mais quelque chose de dur, de tendu, légèrement flexible aussi. Je gémis parce que « c'est » aussi plus gros que sa queue, et qu'il l'enfonce lentement mais inexorablement en moi. Mon corps recommence à être pris de soubresauts. Je suis dans un tel état que je ne me soucie pas de comprendre ce qui me pénètre; ce qu'il m'a fait avec sa langue m'a rendu tellement glissante que l'objet pénètre sans difficultés, me donnant l'impression d'être envahie, juste à la limite de la douleur. Il arrête de pousser et me demande si j'ai mal. J'arrive à peine à articuler : continue. S'il te plaît, ne t'arrête pas, continue. Après avoir un peu retiré l'objet, il le plonge vigoureusement en moi, et de nouveau mon dos se cambre, au point de rupture. Je hurle de bonheur, mes spasmes ébranlent tout le lit. Maintenant qu'il sait que je peux prendre tout l'objet, il commence à s'en servir comme d'un vrai pénis. Le fait aller avec force, dedans, dehors, dedans, dehors. A un moment, il le retire entièrement et le passe sur mon clitoris et mes lèvres (mais qu'est-ce que cela peut bien être?). Quand j'annonce en haletant que je vais jouir, il le laisse enfoncé en moi et s'étend sur moi de tout son poids, vibrant de l'orage qui me secoue et me laisse pantelante dans ses bras, me prodiguant des caresses de réconfort. Mais il ne me détache pas encore. Au contraire, ses doigts recommencent à jouer sur moi. Quand il me retire l'objet, rien que de le sentir quitter mes parois contractées me fait grincer les dents, je sens le désir remonter en moi comme la marée. Il s'en rend compte, presse mon sexe brûlant de ses deux mains, et je sens ses doigts gluants étaler ma crème sur mes seins, puis il les suce avidement, les mordant presque dans sa hâte à s'enivrer de ma liqueur. Il me dit d'une voix altérée qu'il veut boire tout ce qui vient de moi, ma salive, ma sueur, mon jus. Je n'arrive pas à croire qu'il me parle ainsi. Et maintenant c'est son tour : une vraie queue, la sienne, s'introduit en moi. Il se tend en moi, se presse contre moi, de la tête aux pieds. Nous nous jetons l'un contre l'autre. Maintenant, son corps est plus captif que le mien. Collant ses jambes aux miennes, il se met à émettre des sons étouffés dans mon oreille, gémissements, mots bredouillés, soupirs, grognements, obscénités, le tout entrecoupé de suppliques pour que je le fasse jouir, pour que le dénouement arrive. Je pourrais en dire autant, mais je ne le veux pas. Je ne me soucie plus du tout de l'obscurité dans laquelle je suis plongée depuis le début, j'ai l'impression qu'il en a toujours été ainsi : un inconnu sans visage me supplie, se tord à la merci de mon corps. Oui, il est à ma merci, c'est lui qui doit transpercer mon corps avide, s'arranger de mon corps privé de sa liberté de mouvement. Mon imagination me suffit pour voir son corps frissonnant, ses muscles tendus, ses membres suant sous l'effort, sa bouche ouverte, ses fesses crispées. Dans un dernier élan et avec un cri fulgurant, il jouit, jouit, jouit encore. Ses bras m'enserrent au moment de l'extase finale, et je jouis aussi, la voix trop cassée pour crier encore, avec seulement des sanglots convulsifs. Même si mon tourment s'est achevé, on dirait que son ardeur continue à l'emporter, à le pousser encore en avant. Mais lentement il se calme. Lentement aussi, il me détache et me masse tendrement chevilles et poignets. Les draps du lit sont roulés en boule, couverts de notre sueur, mais nous nous en moquons.

Parfois, je l'imagine me faire l'amour en utilisant ses mots à lui. De nouveau, j'ai les yeux bandés et je suis nue, mais cette fois debout. Encore habillé, il fait les cent pas autour de moi, tout près, parfois en me touchant, mais pas toujours.

MIKE : Tu as de beaux seins. (*Les prenant dans ses paumes.*) J'aime les tenir comme ça, on dirait des fruits bien lourds, bien chauds... Des pêches ? Des brugnons ? (*J'essaie de me coller à lui, mais il me repousse.*) Ne bouge pas, je t'ai dit de ne pas bouger. Reste tranquille. Tu as ces petits poils adorables autour des tétons, tu les connais ? Je parie que tu ne t'en étais pas rendu compte. A chaque fois que je les embrasse, je m'en prends un entre les dents. (*Rires*) Tu trouves ça drôle? Et ça? Je vais te tordre les seins, les lécher partout, surtout tes tétons poilus. Je vais sucer tes poils jusqu'à ce qu'il n'en reste plus un. Je vais pincer si fort tes tétons entre mes lèvres que tu croiras que je te les ai arrachés. Tu devrais aimer, non? Tu sais que tu trembles? Je sens ton cœur battre sous ma main. Ou peut-être que non, peut-être que je vais commencer avec ton nombril. (*Portant ses mains à mon nombril*) Il est vraiment très profond, ton nombril. J'ai envie d'y mettre ma langue et de la faire tourner dedans. Tu as le nombril le plus excitant que j'aie jamais vu, on dirait un deuxième con, il est si profond. J'aimerais bien mettre ma bite dedans, je veux dire réellement l'enfoncer dedans si fort que tu croiras qu'elle va ressortir dans ton dos. Je le ferai peut-être, si tu es sage. Maintenant tu sens ma bite par-derrière, hein? Elle est dure comme du fer, chérie, elle demande qu'on soit gentil avec elle. Tu veux la prendre en toi, dis-le, dis le mot, vas-y. Demande.

MOI (*Murmurant*) : Oui. S'il te plaît.

Erica

Vingt-cinq ans. Je suis mariée à un homme merveilleux mais très empoté; donc, je fantasme beaucoup, ce qui m'aide à me mettre en condition avant de faire l'amour. Mon seul moyen de parvenir à l'orgasme est le sexe oral, et comme mon mari aime le pratiquer il arrive à me satisfaire. Il n'est guère porté sur le sexe, si bien que généralement il me suce pour me faire jouir puis s'endort. Ou bien il me met un doigt et me suce jusqu'à l'orgasme avant de partir au travail. Parfois, nous jouons «à la nounou» pendant la nuit : il suce mes seins chaque fois que je le veux, toute la nuit. Maintenant que nos trois enfants sont en pension, nous avons l'«intimité» et la «liberté». Après le dîner, nous pouvons prendre une douche ensemble, puis regarder une émission ou deux à la télé, pendant qu'il me suce les seins — lors des pubs ou des moments ennuyeux... — et que je tripote son nœud. Inutile de dire que j'attends avec impatience les week-ends et les vacances.

Je n'ai jamais osé le raconter à qui que ce soit mais quand mes seins ont commencé à pointer, vers dix ans, mes deux frères aimaient les caresser et les sucer — nous avons été élevés en prenant notre douche ou notre bain ensemble. Ils ne m'ont jamais pénétrée, mais m'ont sucée plusieurs fois. J'ai toujours redouté que tous ces attouchements sur mes seins et mon clitoris (jusqu'à ce que je parte au collège) aient fini par augmenter la taille de mes seins et stimuler mon besoin fréquent de faire l'amour. Je raconte ici un seul de mes nombreux fantasmes.

Nous sortons de la douche, il s'agenouille, ouvre les lèvres de mon connin, passe sa langue dessus, encore et encore. Arrivés à la chambre, je reste debout devant lui, il regarde par-dessus mon épaule, dans le panneau de glace, mes superbes seins à la Dolly Parton. Il passe ses mains du haut en bas de mon ventre, les porte sur le bout érigé de mes seins, puis sur mes seins qu'il relève dans ses paumes en faisant rouler mes tétons entre ses doigts... Ses grandes mains glissent ensuite sur ma moule, pour la fermer et l'ouvrir, la fermer et l'ouvrir. Toujours derrière moi, il se met à genoux pour sucer et lécher mes fesses et mon trou en caressant l'intérieur de mes cuisses, puis il me fait me retourner. Il ouvre ma moule, lèche à nouveau et lance sa langue pointue dedans, encore et encore. Il se redresse lentement pour me sucer et lécher mes lèvres, et me faire un baiser «à la française». Je gobe sa langue. Il approche une chaise et s'assoit dessus pour que sa bouche soit exactement au niveau de mes nénés. Il nous place dans l'axe de la glace, et je le regarde commencer à lécher mes tétons et leur aréole. Il cajole mes seins, les serre doucement l'un contre l'autre, et du plat de la langue, en bougeant la tête de haut en bas et de droite à gauche, il lèche un téton, puis passe à l'autre sans décoller de mes seins, le lèche de haut en bas, de droite à gauche, pendant que sa salive couvre mes seins et s'écoule lentement sur mon ventre; puis il repasse à l'autre, et ainsi de suite pendant des siècles, jusqu'à ce que mes tétons soient enflés et bandés de plaisir, d'excitation, de chaleur. Je m'entends le supplier : «Oui, je t'en prie, suce-les, suce-les, suce-les, s'il te plaît.» Aspirant un téton et son aréole dans la bouche, il se met à sucer en passant son doigt autour de l'aréole. Quand sa bouche passe à l'autre, ses doigts continuent à frotter celui qui vient d'être abandonné... Ils reçoivent tous deux ce traitement pendant que son autre main monte et descend entre mes cuisses, finalement l'un de ses doigts glisse dans ma moule, d'environ cinq centimètres, et va dedans, dehors, dedans, dehors, en faisant le tour de l'orifice, en me provoquant. Il remarque que je tremble et me fait asseoir sur notre lit King-size très bas, en s'installant à genoux entre mes jambes écartées. Il lèche et suce mes nénés pendant longtemps encore, avant de m'incliner sur des coussins, de toucher mes épaules, de se mettre en position pour regarder dans le miroir ou assister directement à la suite des événements. Prenant mes hanches dans ses mains, il bloque mes jambes avec ses bras pour qu'elles soient le plus ouvertes possible. Il se lèche les lèvres, sort une langue durcie en pointe et commence à labourer mon sexe, dedans, dehors, dedans, dehors, autour, autour, puis à nouveau au plus profond, jusqu'à ce qu'un doigt vienne remplacer sa langue, partie sur ma motte. Son autre main remonte sur mon ventre et fait rouler mon téton entre deux doigts. On dirait qu'un courant électrique circule du téton au connin, du connin au téton, et c'est merveilleux ; mais au bout d'un moment je ne peux plus m'empêcher de hurler : « Oh, vas-y, suce, suce ! » Donc, il a un doigt dans ma moule, excite mon téton et me suce la chatte, et au bout de soixante secondes (soixante délicieuses fois de « suce ! »), des centaines de milliers de cailles prennent leur envol à travers mon corps quand je jouis, pendant que lui continue à frotter, sucer et me baiser d'un doigt. Je lui demande de me laisser souffler une minute ; il me redresse en position assise pour lécher et sucer mes nénés, les cajoler et les caresser. Nous nous levons, nous nous embrassons « à la française », puis il s'assoit sur le lit, se laisse aller contre les coussins et sa grosse queue pointe en avant, pivote en grossissant encore... L'expression me fait soudain un flash dans la tête : « sexuellement active ». Je m'agenouille devant lui, caresse l'intérieur de ses cuisses, commence à lécher ses bourses, les suce doucement en les embrassant, puis de même en dessous de sa queue, tout du long, jusqu'au bout sur lequel je passe et repasse ma langue... Et ensuite, lentement, lentement, ma langue redescend par en dessous sa queue, tout du long, puis remonte, au bout, où je suce son nœud brûlant, et continue à lécher, jusqu'à ce que ma salive coule partout sur lui et qu'il me supplie : « Chérie, je t'en prie, suce-la, suce-la ! » J'ouvre large mes lèvres mouillées, enfourne sa grosse queue aussi loin que je peux et me mets à sucer et à sucer jusqu'à le vider. Quand je reviens de la salle de bains, je le découvre étendu sur le lit, face au miroir, endormi. Son énorme, épaisse, palpitante queue a l'air maintenant si seule... Comme un gros doigt sans os dedans...

Je monte sur le lit avec précaution pour ne pas le réveiller, m'étends sur le côté, cette fois avec la tête vers le bas du lit. J'ouvre la bouche et avale sa queue avachie, et je m'endors aussi, avant d'être réveillée en sentant ma jambe gauche être relevée, un coussin plié en deux se glisser entre mes genoux pour garder mes jambes ouvertes. De ses doigts, il ouvre encore plus ma motte et place sa langue entre les deux renflements de ma chatte, et nous nous reposons ainsi encore un peu. Quand je me réveille, je suce sa queue en voie d'érection, il passe sa langue sur mon sexe de haut en bas, de droite à gauche, et me suce aussi. Il me demande de me mettre à quatre pattes pour qu'il puisse lécher et sucer mes gros seins pendant qu'ils pendent, ce dont je raffole. Tout en suçant mes seins, il se met à me baiser avec les doigts, puis il se redresse d'un bond et me prend par-derrière. Mon cul en l'air, mes épaules collées au lit, mon visage face au miroir, je peux voir sa queue mouillée entrer et sortir de mon con juteux, brûlant. Il s'arrête un moment pour caresser mes seins et exciter mon clitoris... Puis recommence à bouger, dedans, dehors, dedans, dehors. Ensuite il se met sur le dos, moi à cheval sur ses hanches, et je commence à bouger sur sa queue pendant qu'il me regarde dans la glace, je monte et je descends dessus, de bas en haut, en bas, en haut, en bas... Avant de me pencher en avant et de labourer sa poitrine de mes tétons durcis. Ensuite, je me retourne vers ses pieds, toujours à cheval sur lui, et je m'incline en avant jusqu'à ce que mes seins et mes épaulent reposent sur ses jambes, tendant les fesses en l'air pour qu'il me voit monter et descendre sur sa queue, allant et venant, en haut, en bas, dedans, dehors... Il attrape mes fesses quand j'accélère graduellement le rythme, jusqu'à obtenir un orgasme con-bite : d'habitude, je ne peux jouir que s'il me suce et me branle le clitoris, mais parfois c'est possible dans cette posture. Il m'enlève de sa queue et me baise en position du missionnaire, jusqu'à ce qu'il jouisse, jusqu'à ce qu'il beugle qu'il jouit, qu'il jouit. Ensuite, nous sommes étendus face à face, il suce mes tétons et branle ma chatte et mon con, couverts de son sperme... jusqu'à ce que le sommeil arrive. Quand le soir tombe, je me réveille, vais aux toilettes et reviens me mettre avec lui en 69, et nous nous faisons réciproquement «la nounou», jusqu'au matin. Ce jeu de «la nounou», à vrai dire, existe dans ma famille depuis des générations. C'est une façon tendre et rassurante de s'endormir, qui vous fait sentir complice et aimée, et dans l'attente du moment où vous pourrez lécher, et sucer, et baiser encore.

LE PRENDRE TOUT ENTIER

Le pouvoir de celui, ou celle, qui donne du plaisir : bien des femmes dont il sera question ici l'ont éprouvé et savouré — car c'est une excitante prise de conscience du Pouvoir —, et elles rêvent d'appliquer encore une fois leurs pouvoirs magiques sur un homme, de l'aimer avec leur bouche puis de contempler leur œuvre, le sexe vidé, la mare de sperme, le mâle épuisé. Le pouvoir de la voyeuse.

Mais il ne s'agit pas ici de sadisme. Ces femmes aiment l'idée d'aimer les organes génitaux masculins. Elles sont la réalisation du fantasme suprême de l'homme : la femme qui prend l'initiative, qui aime sucer, mais aussi, parce qu'elle sait qu'un homme a besoin de récupérer de temps en temps, qui saura le bercer dans un demi-sommeil jusqu'à ce qu'il ait récupéré. D'ailleurs, les hommes consentiraient-ils à introduire dans leurs fantasmes cette unique manifestation de tendre patience s'ils ne redoutaient pas toujours, au fond d'eux-mêmes, d'être incapables de satisfaire les demandes (et certains diront « la lubricité ») d'une femme ? Le miracle du fantasme, c'est que, sans même que nous ayons conscience d'une terreur primitive, notre imaginaire érotique sait construire dessus un fantasme qui recouvrira ses fondations.

Le frisson d'interdit que les femmes ressentent à regarder un homme, la puissance que constitue la possibilité de le fixer droit après des décennies passées les yeux baissés — quand elles avaient appris que rien n'est moins « féminin » qu'un regard direct —, c'est la même puissance qu'elles reprochaient jadis aux hommes qui « mataient », qui les réduisaient au rang d'« objets sexuels ». Je dois cependant répéter que les femmes ne se sentent pas toutes gênées d'être regardées, au contraire : le pouvoir de l'exhibitionniste existe lui aussi, grâce auquel elle exige l'attention de l'homme, puis prend le contrôle de son regard et de sa pression artérielle avec le moindre geste, le moindre secret révélé. Contrairement à la sadique et à la masochiste, la voyeuse et l'exhibitionnisme peuvent aisément changer de rôle, et goûter pareillement la différente qualité de puissance que chacun confère.

Les hommes d'aujourd'hui disent aimer qu'une femme les regarde « en allant droit au but », mais aussi qu'ils n'aiment pas être considérés « comme un bout de viande ». Ils parlent exactement comme les femmes : personne, ni mâle ni femelle, n'aime sentir qu'il n'a aucun pouvoir. Le pouvoir, l'impression de contrôler sexuellement quelqu'un, est au cœur de ce livre. Et les femmes de ce chapitre se réfèrent à des aires de pouvoir qui n'avaient jusqu'alors jamais été ouvertes au soi-disant « sexe faible ». Le pouvoir est excitant, euphorisant, surtout quand nous le générons entièrement par nous-mêmes. « A mon avis, c'est la femme qui d'elle-même se fait jouir » durant l'acte sexuel, avance une femme.

Quand nous sommes dépendants des autres pour tout, comme les femmes ont eu coutume de l'être, notre esprit ne peut guère se montrer auto-analytique. La connaissance ne semble pas être une source de révélations, mais paraît au contraire menacer le « moi » symbiotique auquel nous sommes habitués et sans lequel nous aurions l'impression de ne pas exister. Alors, la perspective d'une plus grande lucidité (et du pouvoir qu'elle confère elle aussi) ne nous excite en rien, mais au contraire nous semble devoir être évitée, car le moindre pouvoir que nous manifestons a l'air de proclamer à celui ou celle dont nous sommes dépendants : « Je n'ai pas besoin de toi. » Mais les femmes de ce chapitre n'ont pas « besoin » de quelqu'un d'une manière aussi désespérée. L'expérience leur a montré que la lucidité ne leur faisait rien perdre, qu'au contraire elle leur conférait une force qu'elles ne soupçonnaient même pas en elles. Bien sûr qu'elles veulent savoir, et en savoir encore plus : elles considèrent leur sexualité et l'analysent comme jamais les femmes ne l'ont fait auparavant.

Parce que ces femmes comprennent ce qui se passe dans leur vie, elles se sentent assez fortes pour regarder les hommes, les observer pendant qu'ils se masturbent, employer des mots et des expressions qui auraient fait rougir de honte leur mère, apprécier l'odeur du sexe, et même les sonorités les plus évocatrices : le son des testicules battant contre leurs fesses, de leurs seins se collant contre la poitrine de l'homme, de sa bouche quand il les lappe. Or ces mêmes sonorités avaient, il n'y a pas si longtemps, le don de crisper une femme car elles lui évoquaient le monde « sale » de l'homme, elles lui rappelaient qu'elle ne possédait pas ce pouvoir, ni aucun autre.

Où ces femmes ont-elles appris à s'exprimer ? Pas auprès des hommes, qui en général ne paraissent pas aussi inspirés par le sens du détail, ni avoir cette capacité à faire télescoper les bruits du sexe et le langage érotique. Quel que soit leur niveau d'études, la plupart ont une telle aisance à utiliser le lexique entier de la représentation sexuelle que je me demande parfois si ce n'est pas quatre générations et non trois qui se sont succédé depuis le temps de *My Secret Garden*. Or la parole, c'est le pouvoir. A moins d'être acrobate professionnel, notre apparence et ce que nous disons sont les deux principaux moyens d'attirer sur nous l'attention, de nous « faire voir ». Et finalement nous voulons toutes plus ou moins « être vues » : c'est une façon d'être en vie. Les petites filles parlent plus tôt et mieux que les petits garçons. Quand elles ont quatre, six, huit ou dix ans, leur maman et leur papa exhibent ce petit trésor doué de parole avec la plus grande fierté. Mais jadis les filles devaient abandonner cette aisance naturelle quand elles arrivaient à l'adolescence : les jeunes filles qui voulaient recevoir l'approbation de l'homme devaient apprendre à se taire. J'utilise ce temps passé tout en étant bien consciente que bien des jeunes femmes ont encore du mal à parler ouvertement, et que par là même elles apprennent, comme leur mère, à ne pas exprimer leurs pensées, à douter de leur capacité à « dire ». La parole demande de la pratique, de l'entraînement, pour que le circuit de cognition et d'articulation entre le cerveau et la langue ne se rouille pas.

Les femmes de ce livre n'ont peut-être pas toujours une grammaire irréprochable, mais on ne peut certes pas dire qu'elles paraissent « rouillées ». Il leur vient une idée, une image, et elles l'expriment au grand jour, elles la manifestent. De s'être ainsi exprimées, elles se sentent plus vivantes, plus « visibles ». Et quand elles ont relu leurs mots dans ce livre, sans doute se sont-elles encore mieux identifiées. C'est l'une des raisons pour lesquelles elles m'ont parlé ou écrit : le besoin d'« être vues ».

Trish

J'ai trente-deux ans, je viens d'une famille touchée par la maladie de l'alcoolisme. Mon père l'est, pathologiquement. Je me suis mariée une fois, mon mariage a duré six ans. J'ai essayé de me masturber depuis le collège, mais cela s'est toujours révélé frustrant et sans saveur. A vingt-trois ans, j'ai eu mon premier orgasme avec mon mari (ex-mari maintenant) en faisant l'amour avec lui. Pendant les six années de notre mariage, j'ai toujours obtenu facilement un orgasme quand nous accomplissions l'acte sexuel mais pour le reste notre vie érotique n'avait aucun sel : il se retrouvait sur la défensive dès que je proposais autre chose que le coït. C'est à cause de cela que, six ans après l'avoir rencontré, je l'ai quitté.

Jusqu'à ce que j'aie éprouvé un orgasme, je me sentais anormale de ne pas en avoir eu ; après l'avoir connu durant l'acte sexuel, je me suis dit que je devais avoir quelque chose de détraqué puisque je n'en éprouvais pas en me masturbant. Et puis, il y a environ un an — c'est-à-dire deux ans et trois liaisons après la fin de mon mariage —, j'ai eu la chance de lire le livre de Betty Dotson, *Self-Love and Orgasm* (Orgasme et amour de soi). J'ai acheté le plus puissant vibromasseur que j'aie pu trouver, et depuis lors j'ai eu des orgasmes pratiquement chaque nuit. Cette expérience a été pour moi libératrice, car je détestais ne dépendre des hommes que pour «prendre mon pied». Je ne me suis toujours pas fait jouir par une simple stimulation manuelle, mais cela ne me préoccupe pas trop : je ne veux pas rentrer dans la logique «espoir-déception». Les progrès que j'ai déjà faits sont suffisamment encourageants.

Dès que j'ai été en âge d'en comprendre les mots, ma mère m'a expliqué la sexualité le plus crûment et anatomiquement possible. Je me souviens d'elle assise sur mon lit et m'expliquant que l'homme met son pénis dans le vagin de la femme. J'avais demandé : «Et papa te le fait à toi aussi ? — Oui. — Et il aime ça ? — Oui», avait-elle répondu en trahissant une certaine surprise : «Oui, bien sûr.» Incroyable comme ces choses-là me reviennent.

A l'approche de la puberté, ma meilleure amie et moi avions dessiné des croquis obscènes, par exemple des coupes de pénis en train de gicler dans un vagin... Ma mère et/ou mon père étai(en)t tombé(s) dessus, et avaient décidé de les placarder sur la porte du réfrigérateur pour nous faire honte. Je sais que c'était une décision qu'ils avaient prise ensemble, car je me rappelle avoir entendu mon père demander à ma mère : «Tu as suspendu les œuvres d'art?», et elle répondre : «Oui». Évidemment, je les avais arrachées dès que j'avais pu. Je ne savais plus où me cacher. Cela me rend hystérique de repenser qu'on puisse faire une chose aussi affreuse à une petite fille en train de découvrir sa sexualité. Je me souviens aussi à cet âge avoir entendu ma mère dire un jour au cours d'une conversation : «Bon, je ne suis pas si portée que ça sur le sexe de toute façon...», ce qui a été une surprise pour moi. Encore maintenant je sais que c'est à ce moment que j'ai pris une résolution : que je n'allais pas me mettre à lui ressembler, et que moi, par contre, je n'allais pas me priver. Et elle a fait naître en moi un refus inébranlable de «s'écraser», comme je soupçonne la majorité des femmes de le faire.

J'ai toujours dévoré les livres. A huit ans, un jour où j'étais malade et où j'étais restée à la maison, j'ai lu un résumé du mythe de Prométhée. Ce qui a marqué mon esprit, je m'en souviens, c'est qu'il avait amené le feu à la glaise froide de l'humanité, et qu'il avait pour cela été condamné à rester enchaîné sur un pic — à jamais, si mes souvenirs sont bons. Tous les jours, deux aigles descendaient vers lui et dévoraient son foie, mais il était immortel et retrouvait à chaque fois son intégrité physique. Pour quelque étrange raison cette histoire m'a procuré un intense trouble sexuel (même si à l'époque je ne savais pas nommer cette étrange sensation) dès la première fois que je l'ai lue. Ce jour-là, j'étais descendue du lit, sortie dans la cage d'escalier pour demander en criant à ma mère de confirmer les faits : «Maman, est-ce que les aigles mangeaient vraiment le foie de Prométhée? — Oui. — Tous les jours? — Oui.»

En évoquant l'image de ce demi-dieu fabuleusement important, de cet archétype du Christ, je ne m'étonne pas qu'il ait eu un tel effet sur mon imagination. Être «puni d'avoir fait le bien» est un thème qui renvoie beaucoup à mon rôle dans une famille frappée par l'alcoolisme, celui de la «fille bien», qui sauve les autres, qui vient toujours à leur rescousse (c'est aussi un trip typiquement féminin). J'ai toujours été encline à me sentir coupable, et avec le recul je comprends que la punition vient répondre au sentiment de culpabilité comme le fait de se gratter vient répondre à une démangeaison.

Pourtant, il a fallu que je lise votre livre, *My Secret Garden* (je l'ai terminé hier), et ce que vous dites sur les racines profondes où plongent les fantasmes dans la petite enfance, pour que j'arrête de refouler ce souvenir, de penser que c'était une monstrueuse créature née de mon imagination. Maintenant, je me sens le courage d'explorer et de développer ce fantasme. C'est désormais celui qui me fait parvenir le plus rapidement à l'orgasme. Je n'en ai pas un stock considérable, puisque je n'ai réellement commencé à fantasmer qu'après avoir eu mon vibromasseur. Mais j'étais arrivée à un stade où mes fantasmes commençaient à s'user sans que rien de nouveau ni d'excitant ne se présente. J'ai l'impression qu'avec cette histoire de Prométhée une porte s'est ouverte en moi.

Parfois je suis Prométhée en personne, parfois l'aigle, parfois un mélange des deux, parfois je me contente d'observer.

Prométhée, demi-dieu titanesque, immortel, beau, primitif, impulsif, animal, est enchaîné sur un pic de montagne isolé de tout, en punition d'avoir voulu aider une humanité balbutiante et à l'existence précaire. L'humanité, ce n'est encore presque rien, le monde est neuf et brut, les dieux ne pensent qu'à gouverner brutalement et à satisfaire leurs envies. Toute la journée, le soleil le brûle implacablement sur la roche nue, et tout ce qui peut occuper son esprit, c'est d'attendre l'arrivée des aigles, ses bourreaux implacables. Vient le moment où il les voit au-dessus de l'immensité désertique, d'abord deux taches noires qui grandissent jusqu'à venir fondre sur leur proie réservée, sur ce qui leur appartient jour après jour, cette délectable chair immortelle arrachée à un torse parfait. (Oh, je m'excite, encore sur l'ordinateur du bureau après la fin de la journée. Je ne pourrai pas attendre de rentrer à la maison pour me masturber. Mais c'est bon aussi, de retarder la gratification...)

Paresseusement, les deux prédateurs aux yeux perçants viennent se poser sur ses bras et ses épaules. Ils ont tout leur temps, ils savent que l'insensé n'est là que pour eux. Le Titan ne peut s'empêcher de tirer sur ses liens, dans l'angoisse de son agonie quotidienne, dans le vain espoir de s'échapper. Quand ils se sont reposés de leur long vol, ils se mettent à déchirer sa poitrine, exposant ses organes vitaux aux rayons du soleil. Le foie rougeoyant, vital, les attend. Le sang coule de la blessure. Lentement, posément, les aigles accomplissent leur tâche en se gavant, faisant durer le festin aussi longtemps que possible. Ils savent que, sitôt le foie disparu, il faudra attendre le lendemain pour continuer la fête. Prométhée, désespéré, peut seulement penser à son désir de voir l'épreuve s'achever. Il voudrait qu'ils se dépêchent, que la souffrance soit même pire mais au moins qu'ils s'emplissent la panse et s'en aillent, car alors il vivra un moment d'engourdissement, cet état entre la vie et la mort d'un immortel privé d'un organe vital.

Mais alors même qu'ils se repaissent, le foie se reforme peu à peu et se donne à nouveau à leur voracité. Les aigles s'arrêtent souvent pour savourer, tels des gourmets autour d'un bon dîner, marquent des pauses pour lisser leurs plumes ou faire claquer leur bec en avalant le sang. Oiseaux de proie, ils n'ont cure de la souffrance. L'agonie de Prométhée est pire que celle qu'a jamais connue un être mortel, car lui serait mort depuis longtemps.

Une horrible pensée : peut-être aujourd'hui vont-ils tellement faire durer leur repas qu'ils laisseront intacte une partie renouvelée du foie, interdisant ainsi à Prométhée tout repos ? Peut-être ne partiront-ils plus jamais ? Mais cela n'arrive pas, parce qu'à ce moment je jouis toujours, ou bien parce que j'ai déjà pris une autre direction dans le fantasme. Finalement les aigles, gorgés, repus, indifférents, s'envolent pour repartir là d'où ils sont venus sans laisser la moindre parcelle de foie palpitant. Ils reviendront. Demain. Et l'enchaîné qui devrait être mort commence à éprouver l'affreuse sensation que la vie, contre son propre gré, est en train de réanimer son corps immensément puissant, indomptable. Retrouver son intégrité physique n'est qu'une souffrance de plus, parce qu'alors il va pouvoir scruter à nouveau l'horizon, redouter l'apparition des deux taches noires qui se précisent lentement.

Mes autres fantasmes se déroulent à peu près de la manière suivante, que je sais maintenant dérivée du fantasme « prométhéen », même si, plus réalistes (?), ils me sont venus avant que je redécouvre la place qu'avait en moi le mythe de Prométhée :

Je suis maintenant immobile sur une table d'examen médical. On va tenter sur moi une expérience : voir si une femme peut mourir de jouissance sexuelle. Le médecin chercheur me prévient que je dois me laisser exciter par l'homme qui inspire actuellement mes fantasmes (quelqu'un avec un corps magnifique, en ce moment précis, un de mes collègues de travail qui pratique le body-building). Il fait entrer son énorme pénis durci en moi, lubrifié par mes sécrétions ; il le fait aller de plus en plus fort en jurant que « je vais te faire jouir, salope », etc. Mais il commence à perdre la tête lui-même et paraît sur le point de jouir. Il ne veut cependant pas s'arrêter, le chercheur lui dit de ralentir, il s'exécute, mais pas suffisamment. Alors le chercheur envoie deux sbires à la carrure de géant, sans visage, le retirer de moi, mais ils n'y parviennent qu'après une lutte terrible. Puis l'homme de science se met à me baiser, pendant que mon premier amant reste avec son effrayante érection, se débat, hurle des imprécations, a la bave aux lèvres tant il me veut encore. Il demande à pouvoir au moins se masturber, il est à l'agonie de ne pas parvenir à l'extase avec moi, mais les sbires le maintiennent les bras collés au corps et ne le laissent pas faire.

Pourtant, il arrive finalement à se dégager d'eux et arrache le chercheur d'entre mes jambes, et il reprend ses menaces et son œuvre, suant sous l'effort. Cette scène se reproduit souvent crescendo jusqu'à ce que je jouisse, parfois avec l'homme de mes fantasmes en moi, parfois pendant qu'il se débat furieusement en me regardant jouir avec l'homme de science.

Une autre fois, je suis attachée nue dans un donjon, attendant d'être brûlée sur le bûcher comme sorcière. Je suis la proie d'un homme, un seigneur ou un chevalier en armure, qui vient parfois m'apporter un peu de pain et d'eau. Je suis dans un tel état d'épuisement que toutes mes défenses sont tombées, que je suis excitée à la moindre stimulation car toute ma volonté a été brisée. Or cet homme se plaît à me tourmenter sexuellement. Sans trahir lui-même la moindre excitation, entièrement habillé à l'exception de son pénis découvert, il lèche mon sexe, me conduit pratiquement jusqu'à l'orgasme, jouit parfois lui-même sans avoir l'air d'en faire cas et sans s'occuper de savoir si j'ai moi aussi joui ou pas, puis s'en va (dans la réalité, j'ai déjà eu ce que je voulais), en me laissant toute frissonnante, mourant d'envie de continuer, parfaite image de la luxure dénudée et abandonnée.

Je n'ai pas fait part de ce fantasme sur Prométhée à mon amant, pour une raison que vous avez vous-même mentionnée : je ne veux pas qu'il perde de sa puissance de suggestion. Mais j'espère qu'un jour notre relation sexuelle sera si intense qu'il n'y aura plus à redouter cela.

Blythe

A trente-neuf ans, j'ai été mariée deux fois, j'ai un fils de mon premier mariage et j'élève maintenant les quatre enfants de mon second mari. Notre couple est solide, nous sommes fiers de notre engagement mutuel, nous sommes croyants et pratiquants, et très respectés dans notre paroisse et notre quartier. Diplômée en finance, je travaille actuellement à la direction d'une société locale. Personne, pas même mes amies les plus proches, ne connaît mon secret : un appétit insatiable pour les hommes.

Il est apparu chez moi très tôt, sans doute vers l'âge de huit ou neuf ans. Je ne peux pas me rappeler d'un moment où je n'aie pas fréquenté deux, trois, voire quatre hommes à la fois. Visiblement, je suis attirée par tous les types possibles d'hommes, de toute taille, de toute corpulence, de tout âge, de toute race. Et moi aussi, j'ai l'air de les attirer. Beaucoup de ces aventures ont été riches en amour et en respect réciproques, et ces sentiments peuvent perdurer au long des années même si, pour une raison ou une autre, nos existences ont pris des chemins différents. Je me rappelle aussi que, jeune fille, je prenais des poses et des airs sexy devant la glace, m'entraînant à séduire les hommes de la manière la plus subtile possible.

En grandissant, je me suis rendu compte que cela n'avait guère d'importance puisque j'étais de toute façon très séduisante. Je me suis donc focalisée sur la meilleure manière de m'adresser à leurs sentiments. Le seul problème : dès que j'avais trouvé le chemin du cœur d'un nouvel homme, je me mettais à la recherche d'un inconnu à séduire. Je raffole du rituel de la rencontre, de la séduction, qui conduit ensuite à consommer la relation. Cette tension érotique initiale est pour moi la meilleure part du jeu : après l'acte sexuel lui-même, je me lasse plus ou moins vite, avant de regarder autour de moi à la recherche de quelqu'un de nouveau. Nombre de mes anciens amants sont aujourd'hui de grands amis, nous nous aimons toujours énormément mais il n'y a plus rien de sexuel entre nous. Même si eux aimeraient continuer la relation sexuelle, je me sers de mon mariage comme d'une excuse. Quant à mon mari, il est persuadé que le sexe ne m'intéresse tout simplement pas. Comment pourrais-je lui dire que j'en suis au contraire obsédée, mais pas avec lui ?

Je ne trouve aucun intérêt aux femmes, seuls les hommes occupent mes pensées. Je n'ai que très peu d'amies femmes. Je ne fantasme non plus jamais sur les chaînes, les fouets, l'urine, la scatologie... Mes fantasmes sont de deux types : regarder des hommes inconnus se masturber, ou baiser avec des hommes que je connais. Certains d'entre eux s'inspirent d'aventures passées, mais en changeant les personnages.

Par exemple, un de mes anciens amants portait toujours des caleçons, jamais de slips. Je m'étais rendu compte que le contact du tissu léger autour de son pénis en érection m'excitait beaucoup. Il s'étendait sur le dos en caleçon, je m'asseyais à côté de lui, me contentant de passer la main sur le tissu autour de son pénis en le faisant durcir de plus en plus. Je continuais assez longtemps, me délectant de ses grognements et de ses soupirs. Quand il était tout secoué de frissons, je sortais finalement son pénis de la fente du caleçon et le prenait à pleine main pour le caresser encore plus vite et plus fort, avant qu'il n'en puisse plus, se jette sur moi, et me baise à mort. Nous jouissions tous les deux en deux minutes, après tant de désir accumulé. Ensuite, nous nous reposions un peu et recommencions, cette fois plus calmement et longuement, en nous murmurant des mots d'amour à l'oreille. Je découvre maintenant que dans mes fantasmes les hommes portent toujours des caleçons...

Cependant, je fantasme encore plus sur des hommes en train de se masturber. La seule évocation de cette image, sa main sur son pénis bandé, son visage déformé par le plaisir, peut me faire jouir instantanément quand je suis moi-même en train de me masturber. J'aime aussi le bruit que fait la main en caressant un pénis. Mon mari se branle parfois dans le lit pendant qu'il me croit endormie, et les sons qu'il produit alors suffisent à me donner un orgasme sans que j'aie besoin de me toucher une seule fois. Parmi mes fantasmes préférés :

1. Je rencontre un homme en train d'acheter de l'alcool dans un magasin. C'est un homme d'un certain âge, la soixantaine disons, ou bien un homme d'une trentaine d'années mais très corpulent. Il est déjà bien parti, et il commence à m'entreprendre en me complimentant sur ma beauté. Je lui demande s'il m'inviterait chez lui à prendre un verre, il répond : «Mais comment donc!» Arrivés chez lui, il enlève aussitôt sa chemise et son pantalon, s'assoit en caleçon sur le canapé, je m'assois à côté de lui pour boire mon verre et bavarder un moment. Il

a passé un bras autour de moi, je remarque qu'il respire de plus en plus fort, je baisse les yeux pour découvrir que son pénis pointe sous son caleçon. Je suis si excitée que je ne peux m'empêcher de le toucher. Il veut baiser mais je refuse, en expliquant que je ne veux pas le faire avec quelqu'un que je viens juste de rencontrer. Mais j'ajoute que j'adorerais par contre le voir se branler. Je lui dis de s'étendre sur le sol pendant que je me place debout au-dessus de lui, tournée vers ses jambes afin de ne rien perdre du spectacle. J'ouvre de mes doigts les lèvres de ma moule, ainsi il peut regarder aussi, et tendre la main pour jouer avec. Il enfonce ses doigts en moi, je me mets à remuer en cadence avec eux, ma moule malaxe ses doigts. Il halète d'excitation, son autre main instrumente violemment son pénis. Il branle, branle, jusqu'à ce que son corps soit secoué de spasmes et que son sperme jaillisse en l'air. Et là, sur le sol, il s'évanouit. J'attends un peu, puis j'essaie de jouer avec son pénis pour voir si je peux le refaire durcir. Comme il est évanoui, ce n'est pas facile mais je m'acharne dessus jusqu'à ce qu'il soit à nouveau tendu. Il ne se réveille toujours pas, mais après quelques minutes il jouit, je ris toute seule pendant qu'il grogne dans son sommeil. Et je m'en vais.

2. Je rencontre un homme dans un bar. Il n'est pas particulièrement beau. D'ailleurs je trouve que les hommes à l'aspect commun sont en général beaucoup plus sensuels que les beaux : ceux-là s'aiment souvent trop eux-mêmes pour laisser une femme leur entrer dans la peau. Enfin, lui est visiblement très attiré par moi ; assise au bar à côté de lui, je sens à plusieurs reprises son regard sur mes seins et mes jambes pendant que nous bavardons. Je porte une jupe très courte et un large décolleté, sans rien dessous. Il y a de la musique, je l'invite à danser, et sur la piste je me presse contre lui en frottant mes tétons contre sa poitrine. Il commence à caresser d'une main mes seins et attrape de l'autre mon cul pour m'attirer contre son pénis, qui entre-temps a durci à fond. Je frotte mon bassin dessus, il en a le souffle coupé. Mais la musique se termine, nous revenons nous asseoir au bar, et il me dit qu'il veut aller quelque part où nous pourrions être tranquilles. Je lui réponds que moi je veux aller voir un film au cinéma porno du quartier. Il accepte de m'y accompagner, je suis trop timide pour y aller toute seule

mais j'ai vraiment envie de voir un film porno. Je suis la seule femme dans la salle, mais les hommes ne remarquent pas mon entrée. Sur l'écran, une femme couchée sur le dos, les jambes en l'air, braque sa moule en face des spectateurs pendant qu'un homme la baise avec ses doigts puis avec son pénis. La caméra suit le pénis aller et venir dans son vagin qui se dilate et se referme sur lui. Je sens la respiration des hommes dans la salle devenir de plus en plus rauque, certains s'agitent sur leurs fauteuils, j'entends quelques grognements étouffés. L'homme qui est assis devant moi fait descendre sa main entre ses jambes et j'entends le bruit de sa braguette qui s'ouvre, je vois sa main prendre son pénis qu'il a dégagé de son pantalon en gigotant. Puis je vois sa main commencer à travailler sur son pénis, j'entends le bruit qu'elle fait en frottant la trique de haut en bas. Je me mets debout derrière lui pour mieux l'observer, il ne veut pas venir tout de suite, il ralentit le rythme de temps en temps mais bientôt il ne tient plus, il essaie de réprimer ses grognements quand il se met à jouir dans sa main. Le spectacle m'a mise au bord de l'extase moi aussi, je relève ma jupe pour que mon compagnon puisse toucher ma moule, il titille mon clitoris d'un doigt et en un instant je jouis dans sa main. Alors il ouvre lui aussi sa braguette pour libérer son pénis, déjà à la verticale, il l'attrape dans sa main et commence à la caresser. Comme il veut que je le branle moi-même, il saisit ma main et essaie de la refermer sur son pénis. Mais pour l'exciter, je refuse ; il est fou d'excitation et ne peut s'arrêter de se branler. Son envie est si forte que du sperme suinte un peu au bout de son pénis, et à cette vue je ne peux plus me retenir, je l'attrape et le branle jusqu'à le faire exploser dans ma main.

3. Je rêve souvent que je loue une chambre inoccupée de ma maison à un jeune homme, entre dix-neuf et vingt-trois ans. Comme elle se trouve juste derrière le placard de ma propre chambre, j'ai installé dans la cloison un miroir à deux faces à travers lequel je peux regarder ce qui se passe dans sa chambre sans que lui puisse me voir. J'ai aussi laissé chez lui plusieurs livres et magazines pornographiques qu'il pourra découvrir facilement. Quand il se retrouve dans sa chambre, je l'observe à travers le miroir pendant qu'il se branle en regardant les photos. La nuit, je garde ma porte ouverte : s'il passe devant, il

pourra voir que je suis étendue sur mon lit en lui laissant mon derrière à découvert. Un matin, en passant, il jette un coup d'œil dans ma chambre et me découvre nue de la taille aux pieds, avec ma moule exposée. Il reste debout à la porte, s'en mettant plein les yeux. Je fais semblant de dormir, mais je l'entends très bien descendre la braguette de son pantalon, j'entends sa main frotter d'avant en arrière son pénis. Il se branle de plus en plus vite, moi je suis de plus en plus excitée, et soudain j'ouvre les yeux en le regardant tout droit. Je me mets à faire rouler mon clitoris sous mon doigt et, quand je commence à balancer ma moule d'avant en arrière comme si j'étais en train de baiser quelqu'un, il se rapproche de moi pour mieux voir. Il pompe furieusement sur sa bite, ses genoux commencent à fléchir, je crie en jouissant et en me tordant sur mon lit, ce qui déclenche son propre orgasme, couvrant sa main de sperme.

4. Je me rends au travail dans une librairie pornographique, qui emploie des danseuses : elles doivent se produire devant les hommes assis dans des cabines individuelles, avec un panneau en vitre entre elles et eux. Le propriétaire me dit qu'il y a un client qui attend, et il me recommande de le chauffer à blanc. Je gagne ma place sur une chaise dans la cabine, de l'autre côté de la vitre, puis le client arrive de son côté et s'assoit. La musique commence, quelque chose du genre *Boléro* de Ravel. Je me lève, commençant à rouler des hanches en parcourant de mes mains tout mon corps. Je retire lentement ma jupe et mon chemisier. Le client ne me quitte pas des yeux, la respiration altérée. En soutien-gorge et culotte, je descends ma main entre mes jambes et commence à me toucher sous le tissu. Les yeux clos, je ne lui cache pas mon état d'excitation. Je rouvre les paupières pour regarder où il en est : une grosse bosse est apparue sous son pantalon, il a posé sa main dessus et presse pour la contenir. Enlevant mon soutien-gorge, je commence à me caresser les seins et à jouer avec mes tétons. De plus en plus sous l'emprise de son érection, il s'agite sur sa chaise. Je fais glisser ma culotte, m'allonge par terre les pieds relevés et posés contre la vitre, et je me mets à parcourir ma moule avec les doigts. Il se lève d'un bond, tout contre la vitre, ouvre sa braguette et sort son pénis gonflé. Puis il frotte la tête de son pénis contre la vitre en me regardant jouer avec ma moule. Il la frotte si fort que du sperme

s'échappe un peu et se colle à la vitre. Je me mets à lever et descendre mon bassin comme si j'étais en train de le baiser lui. Et il commence à se branler de plus en plus vite, le souffle coupé, jusqu'à ce qu'il éjacule en maculant toute la vitre et que je jouisse dans ma main. Son temps est terminé, il s'en va.

Je suis follement excitée par un pénis. Et je me moque des photos, je veux en voir des vrais. Je ne cesse de regarder les hommes entre les jambes, j'espère toujours surprendre une érection, à défaut d'être assez chanceuse pour surprendre un inconnu en train de décharger. Comme je l'ai dit, en fantasme l'acte sexuel proprement dit se passe toujours avec un homme que je connais, dont je me sens proche. Je me lie d'amitié avec les hommes très facilement, et quand je commence à mieux en fréquenter un, au début, j'imagine sans arrêt notre première rencontre au lit pendant que je me masturbe. Je suis capable de fantasmer à un tel point que je sens presque son pénis en moi pendant que je bouge mes hanches en caressant mon clitoris. J'obtiens des orgasmes fulgurants de cette manière. Je sais que la plupart de ces hommes sont autant attirés par moi que moi par eux, j'aime les surprendre en train de reluquer mes seins et mes jambes. Si je n'étais pas mariée et si la plupart des hommes de ma connaissance ne l'étaient pas, je suis sûre que j'aurais tout un choix d'amants sous la main.

Je ne pensais pas être aussi longue, mais j'ai pris un grand plaisir à coucher ces fantasmes sur le papier. Je ne l'avais jamais fait jusque-là. Maintenant, en relisant tout ce que j'ai écrit, je vais sans doute passer le reste de la journée à rêver d'hommes en train de se branler ou de quelqu'un de ma connaissance que je baiserais jusqu'à l'extase.

Cheryl

J'ai dix-neuf ans bientôt, je ne suis pas mariée, je suis jolie, sûre de moi, je fréquente un excellent collège et je viens d'une famille aisée. Mais mes parents ne sont pas du tout du genre traditionnel et conformiste : excentriques, je dirais plutôt. Je ne me sens pas entièrement à l'aise pour bavarder à propos du sexe avec eux, mais ma mère affirme qu'il n'y a a rien de plus naturel. En tout cas, je sais qu'elle sera toujours prête à m'aider sur ce terrain si je le lui demande. Sa logique est simple : si quelque chose est interdit, on ne fait que le désirer encore plus, et on est capable de faire les pires idioties pour l'obtenir. Donc, la sexualité n'a jamais été un tabou pour moi.

Quand j'ai eu mon premier petit ami à seize ans, elle s'est rendu compte que nous couchions ensemble — nous ne nous cachions d'ailleurs pas du tout, le faisant souvent chez moi quand mes parents étaient à la maison. Elle m'a juste dit : « Si cela te gêne d'aller demander un contraceptif au magasin, je te dépannerai sans problème. » Sur le moment, je me suis sentie un peu embarrassée, mais maintenant je suis très fière d'elle, parce que je suis sûre que c'est un moment délicat à passer pour une mère.

J'ai commencé à me masturber et à fantasmer à l'âge de huit ans. Les premiers fantasmes dont je me souvienne tournaient autour d'une de mes amies, âgée de douze ans, en train de me donner la fessée. Je pouvais même me coucher en travers d'une chaise pour donner mieux cours à mon imagination. Depuis j'ai rarement fantasmé sur les femmes, mais l'idée de faire l'amour avec l'une d'elles me fascine et j'espère bien essayer un jour. La plupart de mes fantasmes tournent autour des hommes noirs, latino-américains ou indiens (en fait, je n'ai vu d'Indiens que dans les films). Au début, j'ai eu honte de mon imagination et de mes envies, mais maintenant je n'y vois que du bon : et je trouve que mes joues ont une plus belle couleur, plus d'éclat, quand j'ai eu dans les derniers jours plusieurs orgasmes. Voici donc quelques-uns de mes fantasmes actuels. Le visage de l'homme qui y apparaît est celui de mon dernier coup de cœur, ou bien il demeure flou, un visage sans traits précis.

Fantasme 1 :
Je suis allongée sur mon lit dans un peignoir de soie, mes cheveux tombent en boucles délicates sur mes épaules. J'entends des bruits sourds sur le palier, je me redresse et pousse un cri étranglé : trois hommes en cagoule sont en train d'enfoncer ma porte, je me précipite dans le placard pour me cacher, mais il me trouvent et me tirent dehors en me disant : « Fais tes bagages. » J'obéis, ils prennent mon sac, m'entraînent pendant que je hurle et me débats, me font monter dans une limousine, puis me font avaler un somnifère.

Je me réveille dans une pièce étrangement rococo où un Latino (ou un Noir) est assis sur une chaise, la chemise ouverte, un verre à la main et une cigarette pendant négligemment aux lèvres.

Je réalise que je suis vêtue d'une chemise de nuit rouge. Je comprends qu'il l'est un de ces narcotrafiquants tout-puissants et sans scrupules (ou un autre type de criminel de haut vol). Encore groggy, je demande : «Pourquoi suis-je ici?» Il répond : «Tu es maintenant à moi. Quand je vois quelque chose que je veux, c'est simple, je m'en empare.» Pendant qu'il me parle si grossièrement, la cigarette à la bouche, son verre à la main, je lui crache au visage, je le traite de salaud, de fils de pute, ou autre. Il rit d'un air satisfait, pose sa cigarette et son verre, vient m'attraper par la chemise de nuit, me fait mettre debout et m'embrasse fiévreusement. Je me débats, mais ses bras me retiennent contre lui sans effort. Puis il me rejette sur le lit et se déshabille. Ses mains me clouent par les bras sur le lit, et il recommence à embrasser et mordiller mon visage, mon cou. Je pousse un gémissement étouffé, et lui ricane : «Je vais te donner une leçon, je sais que tu le veux.» D'un coup (je ne porte pas de culotte) il enfonce ses doigts dans ma chatte, puis sa langue. Je perds toute capacité de résistance. Puis il me baise lentement, comme s'il calculait chacun de ses mouvements.

Fantasme 2 :
Je suis la fille, gâtée, d'une riche famille qui emploie un jardinier. Il a de longs cheveux noirs et des bras musclés. Ce n'est qu'un travailleur manuel, mais il est intelligent et fier. Pendant qu'il travaille, je traîne autour de lui, feignant une attitude nonchalante, bâillant, faisant semblant d'aller regarder la boîte aux lettres ou de laisser prendre l'air au chien. Je n'ai sur moi qu'une chemise de nuit pourpre qui dessine nettement ma silhouette. Malgré ce manège, il me surprend plusieurs fois les yeux posés sur lui. Après quelques jours de travail pour finir notre jardin, il s'en va, et quelques jours plus tard je pars à sa recherche pour finir par découvrir qu'il travaille dans une usine, ou un truc de ce genre. Mon alibi pour venir à lui est que j'ai retrouvé des gants dont il se servait dans notre jardin, et que je veux les lui rendre. Il me regarde d'un air soupçonneux quand je les lui tends puis, d'une voix railleuse et rauque : «D'accord, mademoiselle Machin. J'ai l'impression que vous savez fichtrement bien que ces gants ne sont pas à moi, et aussi que ce n'est pas du tout pour ça que vous êtes venue ici.» Je me sens choquée et humiliée, je le gifle avec les gants en plein visage, et je m'enfuis. De

retour à la maison, je remarque en passant une moto dans le garage, j'entre et il est là, en train de fumer une cigarette à la table de la cuisine. Presque comme s'il se forçait, il tend une main vers moi et, sans broncher, la ferme sur mon cou pour m'attirer à lui et m'embrasser violemment sur la bouche. Je me dégage, je lui dis que je vais crier au secours. «Ça m'étonnerait, réplique-t-il d'un ton moqueur. En fait, je crois que tu ferais n'importe quoi pour qu'on ne vienne pas nous déranger.» Lentement, il vient se placer derrière moi, puis colle sa poitrine et son ventre contre mon dos. J'essaie en vain de me libérer pendant qu'il pousse mes épaules en avant pour me forcer à me pencher sur la table. Il relève ma jupe, me caresse entre les cuisses, les lèvres de ma chatte, remarque à voix haute que je suis toute mouillée. Et, tout en me maintenant dans cette position, il sort son sexe et l'enfonce tout au fond de moi, me faisant hurler de douleur et de plaisir.

Fantasme 3 :

Le début de celui-ci varie à chaque fois, mais au bout du compte le truc est que je découvre qu'un homme — cela peut être un de mes professeurs, un parent lointain, un inconnu... — est un vampire. Il sait que j'ai percé son secret, et donc une nuit il arrive dans ma chambre en volant, par la fenêtre. Il dit : «Comment as-tu osé, jolie mortelle, apprendre mon secret ? Je pourrais te tuer de mes simples mains, là, tout de suite», etc. Comme dans la plupart de mes fantasmes, je fais preuve d'une arrogance dévergondée : «Vous ne me faites pas peur. Je n'ai peur de personne.» Il me soulève par les cheveux, la plupart du temps il attire mon visage contre le sien, en disant qu'il devrait me trucider mais que je suis si belle qu'il préfère faire de moi sa maîtresse. En me tenant encore par les cheveux, il me pousse à terre de telle sorte que je sois à genoux devant lui, et quand je lève les yeux je vois qu'il ne porte rien d'autre sous sa cape noire, et que son pénis est tendu en avant, d'une taille monstrueuse. «Déshabille-toi, catin», m'ordonne-t-il calmement. Je le fais, il me dit de me remettre à genoux et de le supplier de me laisser en vie. Quand je refuse, il réplique : «Très bien, donc quand je vais te baiser je vais faire en sorte que ça fasse mal.» Il me fait tomber en arrière, lèche, suce, mord ma chatte et mes seins opulents. Puis, de moi-même, je me place à quatre pattes et il me pénètre violemment par-derrière en me mordant dans le cou. Ainsi, il fait de moi sa chose et m'insuffle aussi ses pouvoirs surhumains. Désormais, pour conserver ces pouvoirs, je dois séduire des jeunes victimes, vierges, mâles ou femelles. Bon, des amis à moi m'ont affirmé qu'un vampire ne pouvait pas faire l'amour avec de simples mortels, ou ne pouvait pas faire l'amour tout simplement, mais je m'en moque, ce sont mes fantasmes, c'est moi qui décide !

Ce n'est là qu'un petit échantillon, et chacun a de multiples variations, mais tous mes fantasmes présentent une constante : il y a toujours une lutte entre deux volontés, au cours de laquelle — moi habituellement victorieuse — je perds face à l'homme du fantasme. Lui est toujours puissant, bien bâti et arrogant ; je le suis aussi mais physiquement je ne suis pas aussi forte que lui. Séduite ou forcée, je le désire toujours, même si je peux feindre le dégoût, la haine ou l'indifférence. Beaucoup fonctionnent sur le thème de *La Mégère apprivoisée*, quand je me montre une garce d'une telle sauvagerie qu'un homme en particulier se résout à tenter et à réussir l'impossible : faire ma conquête, me soumettre à sa volonté ! Pour les hommes que j'imagine, me faire jouir est le triomphe suprême, parce qu'ils sentent alors qu'ils ont tout pouvoir sur moi... En réalité, à mon avis, c'est la femme qui d'elle-même se fait jouir, essentiellement. Mon premier amant pensait qu'il m'avait « appris » à jouir, mais en vérité cela fait dix ans que je sais me faire jouir toute seule !

Babs

J'ai quarante ans, un diplôme d'études supérieures ; mariée pendant vingt-quatre ans, mes deux aînés volent déjà de leurs propres ailes, j'ai encore une fille de quatorze ans à la maison. Je n'avais jamais « fait d'écart » jusqu'à l'an dernier, quand j'ai rencontré l'homme que j'aime et avec lequel je veux me marier, l'année prochaine sans doute : pour l'instant, il est dans un pénitencier fédéral.

Je suis avant tout une rêveuse, une intellectuelle. Je ne savais pas du tout ce qu'était ou pouvait être une véritable relation homme-femme jusqu'au jour où je l'ai rencontré. Mais j'ai toujours beaucoup rêvé éveillée, et plusieurs de ces rêves se sont réalisés depuis ce jour mémorable où j'ai envoyé promener l'image de la femme «décente et respectable» qui m'avait été imposée dès l'enfance. J'ai eu une éducation très sévère, j'ai toujours été une excellente élève, je me suis mariée à seize ans, j'ai toujours fait exactement ce que l'on attendait de moi. Mais, même en ce temps-là, dans les limites de cette existence réglementée, je vivais dans le monde de mon imagination débridée. Aujourd'hui, j'ai du mal à croire que je suis la même personne. Je suis follement, passionnément amoureuse de Jim, et il l'est autant que moi ; il est aussi tendre, affectueux et très sensible. Je bénis le jour où je l'ai connu. La séparation que nous vivons est une épreuve atroce, mais nos fantasmes nous aident beaucoup à tenir le coup. Je n'en décrirai que deux :

1. Je suis dans un camping-car avec quatre hommes, tous d'environ trente ans. Nous nous déshabillons, je me sens folle d'excitation en voyant tous ces pénis en érection, tendus pour moi. Je chevauche un homme, suce le deuxième, conduit le troisième à l'extase avec ma main, pendant que le quatrième me pénètre par-derrière — ce que je n'ai jamais essayé, mais je m'empresserai de rattraper ce retard dès que mon amant retrouvera la liberté. Ou bien l'un d'eux tient mes jambes en l'air pour enfoncer en moi son membre jusqu'aux testicules, le deuxième est à califourchon sur ma poitrine pour que je le suce, le troisième est enfoncé dans le cul du quatrième et le branle en même temps. Toutes les combinaisons sont possibles, mais c'est toujours moi et quatre hommes. Ce qui me fascine, c'est l'idée qu'ils dépendent tous de moi seule pour parvenir au plaisir. J'en retire un sentiment de force, de puissance. J'aime les regarder perdre la tête en sachant que j'en suis la responsable. Le fait de regarder suffit à me bouleverser.

J'aime la vue d'un corps masculin, tout simplement. Je ne comprends pas pourquoi, pendant des années, les articles de presse sur la sexualité ont rabâché que seul un homme pouvait s'exciter à la vue d'une personne de l'autre sexe, nue. Ceux qui ont écrit de telles insanités ne me connaissent pas, ni toutes les femmes comme moi qui doivent bien exister un peu partout. Bon sang, je me rappelle que j'ai toujours été une «mateuse». Cela fait un peu plus d'un an que je couche avec Jim et le moindre regard sur son corps dénudé me fait frissonner. Nous prenons notre douche ensemble, nous dormons tout nus, mais à chaque fois son corps est pour moi une découverte excitante. Il m'arrivait de me réveiller en pleine nuit pour le contempler sans le réveiller, et à chaque fois qu'il se promène devant moi tout nu, c'est le même trouble qui me saisit.

Quand il était en liberté sous caution en attendant la sentence, nos moments ensemble étaient si comptés et si précieux que nous faisions l'amour trois ou quatre fois d'affilée. Puis il s'endormait d'un coup, moi je me levais, j'allais dans la salle de bains me laver, je revenais éponger ses organes génitaux, les séchait, me glissais dans ses bras et m'endormais à mon tour. Je me réveillais au moins deux fois par nuit pour me blottir encore mieux contre lui. Je pouvais rester là à penser comme je l'aimais, à me demander s'il faudrait attendre longtemps avant qu'il puisse revenir à moi pour de bon, je suivais le dessin de ses sourcils du bout des doigts, touchais ses lèvres, embrassais tout doucement sa poitrine, et je retombais dans le sommeil. Le matin, je me réveillais pour le découvrir penché sur moi avec des yeux pleins d'amour, et je savais que nous étions encore un jour plus près de la date de la sentence. Si je raconte tout cela, c'est parce que je crois que, si j'éprouve une telle fascination pour son corps, c'est parce que je l'aime profondément. Un corps masculin m'excite en soi, mais le sien m'est familier, précieux, parce que j'aime cet homme tout entier, en dehors comme en dedans. Son corps est à moi, tout comme le mien est à lui.

Un autre fantasme :

2. Il y a une soirée de sexe chez moi. Les gens présents sont des connaissances, ou des inconnus, ou un mélange des deux. Il y a une vingtaine d'invités, des hommes en majorité. Tout le monde est nu, je ne me lasse pas de regarder tous ces membres bandés, toutes ces tailles et ces formes différentes. Des couples forniquent dans toutes les positions possible, et deux hommes éjaculent rien qu'en les regardant, j'adore voir leur sexe se rétrécir après. Je me rends à la cuisine, où je découvre un grand type costaud ordonner à un autre un peu minet de se pencher en avant, ce qu'il fait en se retenant à la table. Le grand type introduit son énorme pénis dans l'anus du plus petit, et lui, celui qui a l'air d'un gay, le supplie de ne pas le blesser. Mais l'autre enfonce de toutes ses forces malgré les plaintes du gay, et ils ont l'air d'aimer ça tous les deux. Je les regarde se

frotter l'un contre l'autre, les traits crispés, puis je retourne dans le living. Le grand type a son compte, on peut entendre d'ici ses grognements de satisfaction, et ensuite un autre homme venu du living attrape le gay, le force à s'agenouiller devant lui et à le prendre dans sa bouche. Il a un pénis de taille moyenne, qu'il enfonce dans la bouche du gay jusqu'aux testicules. Il se balance d'avant en arrière, et soudain le petit pédé commence à émettre des bruits étouffés, je vois son membre long et mince s'agiter en tout sens quand il se met à éjaculer sur le sol. Je voudrais me précipiter, l'attraper de ma main pour le sentir se convulser, mais je suis paralysée sur place, je ne peux que rester là à le regarder éclabousser le sol. A ce point, mon orgasme explose.

C'est finalement encore le même thème : la perte de contrôle.

GROUPES

Ce chapitre reflète lui aussi une nouvelle manifestation du pouvoir qu'entendent exercer les femmes aujourd'hui. Si l'on en croit les manuels de sexologie, tout ce qui dépasse le nombre de trois personnes (le « ménage à trois », finalement...) constitue du « sexe de groupe », et au-dessus de sept on parlera d'orgie. Les sexologues et analystes m'ont dit et répété dans le passé que le sexe de groupe était avant tout une idée d'homme : si une femme suivait, c'était ou bien pour faire plaisir à son homme, ou par peur de le perdre en le laissant y aller seul. Et cette affirmation ne semblait pas illogique, étant donné la totale dépendance que connaissaient traditionnellement les femmes vis-à-vis de leur homme.

Au temps de la révolution sexuelle, les femmes se lancèrent pourtant dans le sexe de groupe avec enthousiasme. Même aujourd'hui, malgré l'inquiétude légitimement causée par les maladies sexuellement transmissibles, il paraît qu'il existe plus de deux cents clubs d'échangisme aux États-Unis. En fantasme, les femmes éprouvent elles aussi une vive curiosité à l'égard du « principe de plaisir », que l'on pourrait résumer ainsi : si un homme est excitant, n'est-il pas possible de doubler ou tripler cette excitation avec deux ou trois hommes, voire encore en compagnie d'une autre femme ? Ces groupes érotiques sont absolument « une idée de femme », un fantasme dans lequel celle-ci contrôle tout, car elle sait pertinemment que tout peut partir en débâcle dans un groupe si quelqu'un ne prend pas la responsabilité d'être «aux commandes». Autant que ce qui s'y déroule concrètement, c'est la sensation de «prendre les choses en main» qui donne tant de piquant à l'affaire.

Attirées par la variété et la diversité, les femmes ne voudraient cependant pas que leur homme se montre trop attiré par une autre femme, même dans un fantasme. Le sexe de groupe peut être régi dans la réalité par des règles bien définies, mais il n'existe pas de règles pouvant contrôler la jalousie et la compétition. Alors, dans ses fantasmes, une femme fera en sorte que ces émotions négatives n'aient pas l'occasion de s'exprimer. Et même en fantasme, l'adultère peut se révéler stressant s'il n'est pas soigneusement organisé : il faut compter non seulement avec le sentiment de culpabilité de la femme, mais aussi avec la réaction douloureuse du mari à son infidélité. C'est là reconnaître encore le pouvoir de l'esprit, car les personnes et les événements ne sont pas aisément manipulables quand les fantasmes rencontrent la réalité, surtout dans le cas du sexe de groupe.

Que veulent-elles, ces femmes, beaucoup d'amour ou beaucoup de sexe? Les hommes avaient l'habitude de mettre leurs infidélités au compte d'un simple besoin sexuel, qui n'influait pas sur leurs sentiments profonds. C'étaient les femmes qui confondaient sexe et amour. Et peut-être le font-elles encore, ce qui expliquerait que tant de femmes choisissent aujourd'hui de vivre seules, sans hommes, redoutant que même une nuit de sexe ne les enchaîne à nouveau, se contentant d'être amoureuses de l'idée d'aimer. Comment faire rencontrer ce «sexe et amour» des femmes avec la sexualité sans attachement des hommes? Au début des années quatre-vingt, avant l'apparition des épidémies de MST et notamment du sida, les femmes ont goûté à l'idée que cela était possible, elles ont vécu dans la liberté de leurs fantasmes leurs aventures adultérines avec une aisance jusque-là inconnue. Aujourd'hui encore, elles tentent de trouver ce terrain sexuel commun de part et d'autre duquel hommes et femmes se sont toujours tenus. Dans le secret de leurs rêves, elles arrivent à combiner l'esprit aventureux de l'homme, son besoin de vivre des expériences sans lendemain, avec leur besoin si féminin de chaleur et de tendresse. A suivre.

Victoria

J'ai vingt ans. Je me suis mariée, il y a deux ans, à un homme avec lequel je travaillais à l'armée, et nous avons un fils qui aura bientôt un an. Notre mariage va bien, notre vie sexuelle aussi. J'ai été la première femme avec laquelle mon mari (appelons-le David) ait fait l'amour complètement, mais il avait déjà pratiqué le sexe oral avec plusieurs femmes avant de me connaître.

J'ai toujours été très libre sexuellement. Je me rappelle me l'être fait avec une carotte (il n'y avait pas grand-chose d'autre à utiliser chez nous) pendant que je lisais un des livres porno de mon père, à onze ou douze ans. Il les gardait dans une boîte, dans la chambre de mes parents, et je cachais le livre et la carotte sous mon matelas jusqu'à ce qu'il soit temps d'aller en prendre un autre. Mon père m'a finalement prise la main dans le sac, il m'a dit qu'il me comprenait mais que je ne devais pas laisser ma mère l'apprendre. Il ne m'a pas dit d'arrêter, et depuis ce jour-là n'en a plus jamais reparlé. Je me suis toujours sentie trop gênée pour aborder le sujet à nouveau, mais cela ne m'a pas empêchée de continuer encore longtemps après.

J'ai perdu ma virginité vers treize ans avec l'ami d'un copain. Nous l'avons fait trois fois ce premier jour, sans plus jamais nous revoir ensuite. Il avait quinze ans, je n'ai absolument rien éprouvé ce jour-là. Et donc j'ai continué avec la carotte pendant une bonne année encore. Puis je l'ai fait avec l'un des animateurs du club scout de mon petit frère, sous une tente devant sa maison, dans une rue très passante. Cette fois (il avait trente ans), j'ai ressenti quelque chose. Il en avait une beaucoup plus grosse que celle du garçon de quinze ans. Après, je l'ai fait avec d'autres hommes, mais plus de garçons : je voulais être discrète, or les garçons se vantent et parlent trop alors qu'aucun homme avec un peu de jugeote n'irait se vanter de sortir avec une mineure.

Je pense que tout ce sexe si jeune s'explique par mon besoin d'affection. Mes parents se sont séparés quand j'avais douze ans, et je suis restée vivre avec ma mère, qui était une vraie salope : elle ne faisait que dire du mal des hommes et les rabaisser. Je suppose que c'est à cause de cela que j'ai recherché leur affection.

Je m'entends super-bien avec mon mari sexuellement, mais je me sens moins «chaude» qu'avant la naissance du bébé. A vrai dire, il m'arrive de le faire uniquement pour que mon mari n'ait pas envie d'aller chercher ailleurs. En général je jouis, mais c'est grâce aux fantasmes qui me viennent pendant que je fais l'amour avec mon mari. Avant le bébé, je n'en avais pas besoin : il me suffisait de penser à ce que nous étions en train de faire, à l'effet que cela procurait d'avoir mon mari en moi, au plaisir qu'il était en train d'éprouver, et alors j'explosais littéralement.

Le fantasme de base, c'est que je suis au lit avec mon mari, sur lui, avec sa queue dans mon con (je déteste être vulgaire en réalité, mais mes fantasmes le sont, donc j'écris les choses telles qu'elles sont). Nous passons vraiment du bon temps. Puis la situation se développe selon plusieurs possibilités.

1. Un berger allemand adulte entre dans la chambre et entreprend de lécher mon anus. Il s'excite et pénètre mon trou avec son énorme bite. Ni mon mari ni moi ne pouvons l'arrêter. En rêve je n'ai pas mal du tout, même si je pense que la réalité serait différente. Le chien commence à m'enculer pendant que mon mari et mon continuons à faire l'amour. Puis le propriétaire du berger allemand arrive, à la recherche de son chien, et m'annonce qu'une fois qu'il est lancé il n'y a plus moyen de l'arrêter. Aussi me propose-t-il que je le suce pendant qu'il attendra que son chien finisse. J'enfourne donc l'homme jusqu'à la garde (ce que je ne peux pas faire dans la réalité) et nous jouissons tous. Moi aussi, à ce point, je jouis toujours pour de vrai.

2. Un Italien costaud, bel homme, rentre dans la pièce avec environ quatorze autres types. C'est l'Italien qui a la plus grosse queue, près de trente-cinq centimètres et une circonférence impressionnante, donc c'est lui qui mène le jeu. Il me prévient qu'il va me l'enfoncer dans le cul, et passe aussitôt à l'acte (cette fois non plus, je n'ai pas mal). Tous les autres hommes ont des sexes d'au moins trente centimètres de long, ou plus; ils commencent à se masturber en frottant leur queue contre mon dos. L'un d'eux, un Noir, me la fait avaler jusqu'au fond (impossible avec une taille pareille), et l'Italien me dit que je dois tous les satisfaire au moins trois ou quatre fois. Alors, quand les hommes qui se caressent eux-mêmes sentent que leur orgasme approche, ils viennent un par un fourrer leur queue dans ma bouche avec celle du Noir, et jouissent dans ma bouche. Cela ne fait

que m'exciter davantage. Pendant tout ce temps, l'Italien me parle dans l'oreille des tonneaux de sperme qu'il va balancer au fond de mon cul, et du plaisir que je vais avoir. Alors, ils éjaculent tous trois en même temps, et, en réalité, je jouis aussi.

Je trouve très significatif que mon mari se retrouve dans mon fantasme, même s'il n'est pas fabuleusement doté (dix-sept de long, sept et demi de circonférence). En fait, il est le seul homme avec lequel j'aie éprouvé un orgasme — et pourtant les occasions n'ont pas manqué —, et dans mes fantasmes je ne le tiens pas à l'écart. Il se tient tranquille, sans exprimer d'opinion. Il est aussi le seul à pouvoir pénétrer mon vagin. Je ne lui ai jamais raconté mes fantasmes, parce que je sais que je serais blessée de découvrir que les siens se passent avec d'autres femmes. Je n'en parle pas du tout, simplement. Et je suis certaine qu'il n'aimerait pas du tout apprendre que je rêve de baiser trois hommes à la fois pendant que d'autres attendent leur tour, ou de faire jouir un chien dans mon cul. Intéressant, aussi, que tous les hommes de mes fantasmes aient d'énormes sexes, plus du double de celui de mon mari : pourtant, je ne suis pas très profonde et je ne pourrais absolument pas prendre plus que celle de mon mari. Pour moi, il est déjà énorme !

Sarah Jane

J'ai commencé à me masturber à l'âge de cinq ou six ans. Ensuite, je crois que j'ai eu l'expérience sexuelle moyenne d'une lycéenne, caresses, doigts... mais rien de sérieux. Et puis, l'an dernier, j'ai rencontré ce garçon positivement génial dont je suis tombée très amoureuse, et je me suis dit que ce serait bien de faire l'amour. C'est le seul avec lequel j'ai couché depuis, je l'ai toujours, nous sommes encore ensemble et nous nous éclatons vraiment (du moins c'est ce que je pense) ensemble.

L'un de mes gros problèmes est que, ma famille étant très pratiquante, nous ne pouvons pas les laisser découvrir notre vie sexuelle tant que nous ne serons pas mariés (ce que nous avons l'intention de faire plus tard). Quant à son père, il le tuerait sur place s'il apprenait que nous nous envoyons en l'air ensemble. Donc la plupart de nos baises se passent dans la voiture garée quelque part, chez des amis, dans notre école après les cours, chez moi quand mes parents sont sortis, en balade à la campagne, etc. Nous avons eu l'occasion de le faire quelquefois dans un lit, et c'est vraiment spécial. Mais, aussi peu pratiques que soient les endroits que nous pouvons trouver, nous sommes relativement libres sur le plan sexuel. J'ai appris à lui faire des pipes, et il en est venu à beaucoup apprécier de me sucer. Nous pratiquons beaucoup de positions, mais d'après moi la meilleure (pour lui et moi) c'est quand je suis au-dessus de lui. Il aime me regarder me caresser et, même si je n'ai jamais pu le faire encore, j'adorerais pouvoir le regarder pendant qu'il se branle. Il ne veut toujours pas me baiser quand j'ai mes règles, alors que c'est pourtant le moment où je suis le plus en chaleur. Notre spécialité (et cela se comprend !), c'est de tirer un coup très rapide et intense.

Je ne lui ai jamais raconté mes fantasmes, mais j'ai presque terminé l'un de vos livres et, quand j'aurai fini, j'ai l'intention de le laisser me l'emprunter pour qu'il le lise. Est-ce que cela l'excitera autant que moi ? Enfin, quand j'aurai terminé d'écrire cette lettre, je la lui donnerai peut-être à lire. Ce n'est pas que je sois gênée, mais je ne voudrais pas qu'il se fâche contre moi.

Je ne fantasme jamais quand nous faisons l'amour, même quand je sais que je ne vais pas arriver à jouir (cela arrive parfois, ne me demandez pas pourquoi, d'autant que mon petit ami est vraiment un baiseur hors pair !). C'est le seul homme que je désire réellement. En général, mes fantasmes (en voici les trois principaux) me viennent quand je me mets au lit toute seule, ou quand j'attends qu'il vienne me chercher pour que nous allions baiser quelque part...

1. Mon petit ami est parti disputer un match de football dans sa ville natale, en Floride. Je pars le rejoindre pour lui faire une surprise, mais en ouvrant la porte de sa chambre d'hôtel j'entends des gémissements qui ne trompent pas monter du lit. Je me cache pour n'être pas vue tout en pouvant observer ce qui se passe. Apparemment, il a revu cette fille qu'il connaissait (la seule autre fille avec laquelle il ait couché) et de fil en aiguille... Une fois que mes yeux se sont habitués à la pénombre, je peux voir qu'elle est assise sur son visage pour qu'il lui bouffe la moule. Elle les reins cambrés et se tortille sur sa bouche ; c'est comme si sa langue était sur mon clitoris, comme déjà tant de fois, et je sens l'humidité monter dans ma culotte en dentelle. Soudain son corps à lui se tend, je « sais » qu'elle vient d'être

prise par un de ces orgasmes déments qui vous secouent des pieds à la tête. A ce moment, je remarque par en bas que la bite de mon petit ami est prise de soubresauts, se cogne contre son ventre tant elle a besoin de décharger dans une moule bien juteuse. J'ai le plus grand mal à me retenir de courir vers le lit pour la prendre dans ma bouche. La fille glisse le long du corps de mon mec jusqu'à ce que ses lèvres se posent sur le bout de sa bite, puis elle ouvre la bouche et la fait descendre tout du long, l'avalant tout entière (une chose qu'il m'est impossible de faire). Sa bouche se met à monter et à descendre ; à la manière dont les doigts de pied de mon ami se crispent, je me dis qu'il est au septième ciel. Juste au moment où il va exploser au fond de sa gorge, elle relève la tête et le fait gicler sur son visage et ses seins. Je suis tellement partie moi-même que je n'ai pas dû remarquer son appel, mais brusquement elle se positionne pour s'asseoir sur sa bite. A ce moment, j'ai déjà un doigt dans ma moule. Pendant qu'elle le monte, il pétrit ses seins et pince ses tétons provocants, et moi je n'y tiens plus : je me rue sur le lit et, sans lui donner le temps de comprendre ce qui se passe, je presse ma moule contre sa bouche. Dès que sa langue se met à fouiller mon trou et à tourner autour de mon clito gorgé de désir, je n'arrive plus à me retenir, je jouis dans des spasmes de plaisir pendant qu'il gicle encore une fois dans la moule de cette fille.

2. Mon petit ami a un copain vraiment très proche qui est aussi un gros calibre — je veux dire dans les vingt-trois centimètres ! J'imagine qu'il l'amène à la maison un jour que mes parents sont sortis, pour me faire une surprise. Quand ils arrivent, je suis allongée sur le canapé en train de regarder un mélo à la télé. Malheureusement (?), je n'ai rien d'autre sur moi qu'une chemise de nuit pratiquement transparente. Sans m'adresser une parole, mon petit ami me fait lever et m'entraîne vers la chambre en faisant signe à son copain de nous suivre. Il me jette sur le lit, m'arrache ma chemise de nuit, plonge d'un coup son visage sur ma moule déjà humide et se met à sucer mon clito. A chaque coup de langue, je deviens encore plus chaude, je finis par me tordre de plaisir. Je remarque que son copain est debout à côté du lit en train de nous contempler, avec une « énorme » érection, alors du regard je l'invite à venir dans ma bouche. Il baisse sa braguette pour libérer ce monstre, que je sens bientôt

s'enfoncer dans ma bouche ouverte. Pendant que je lui taille une pipe d'enfer, il attrape la queue de mon petit ami et se met à le branler. Soudain, je sens de grands jets de sperme brûlant s'écraser contre la paroi de ma gorge, mon petit ami me fait jouir en déclenchant des vagues de plaisir à partir de mon clito, puis il balance toute sa purée sur mes cuisses et ma moule.

Après un peu de repos, nous finissons avec le fantasme numéro trois...

3. J'émerge juste d'un état de transe pour constater qu'on frappe à ma porte. Je crie «Entrez!» et secoue mes compagnons de lit pour les réveiller. Dès que ma meilleure amie entre dans la chambre, mon petit ami a une érection instantanée. N'en croyant pas mes yeux, je lui donne un coup de coude et lui dis de ne pas se gêner si c'est ce qu'il veut. Je reste couchée pendant que son copain me met un doigt, je regarde mon mec déshabiller mon amie et commencer à lui sucer le bout des seins. Quand ses tétons sont congestionnés, il les quitte pour descendre de plus en plus bas, jusqu'à sa motte trempée. Avec deux coups de sa langue si bonne, si bonne, il la fait jouir. Je me demande pourquoi il est allé si vite mais je le vois la coucher par terre, lui écarter les jambes, et ouvrir de la main sa moule pour qu'elle puisse prendre sa bite tendue. Quand il commence à la baiser à fond, je me tords de désir sur le lit tant je voudrais que cette bite soit en moi. Mes hanches remuent en rythme avec les trois doigts de son copain, et je glisse lentement vers l'orgasme. Avant la fin, je sens les doigts se retirer de ma moule crispée; comme je veux continuer, je recherche en tâtonnant autour de moi n'importe quoi à me mettre à la place, mes doigts se referment sur une bite que je guide en moi et commence à pomper de toutes mes forces. Lorsque je sens des traînées de sperme envahir ma moule comme de la lave fondue, je jouis avec des cris rauques. Ensuite, je comprends que mon petit ami a laissé la fille pour venir se répandre en moi, et je vois que son copain et elle viennent de parvenir à l'orgasme par terre pendant que nous le faisions sur le lit. Je jouis encore une fois.

Mary Lee

J'ai trente ans et je suis infirmière diplômée. Je suis mariée depuis sept ans, heureuse. Je vous raconte ici mon fantasme :

Mon mari et moi sommes en vacances dans les Caraïbes. Nous sommes en train de dîner dans un restaurant agréable mais plein de monde, quand le maître d'hôtel vient nous demander si cela nous ennuierait de partager notre table avec un autre couple. Nous dînons, buvons, bavardons, dansons avec cet homme et cette femme, beaux et bronzés. En sortant, nous découvrons qu'on nous a volé notre voiture de location, mais le couple nous propose de nous emmener avec la leur à la police pour y faire une déclaration de vol. Très reconnaissants, nous montons dans leur voiture pour comprendre qu'en fait ils nous kidnappent et nous conduisent dans la partie la plus inaccessible de l'île! En arrivant, mon mari et moi sommes séparés et conduits dans deux chambres différentes. C'est la femme qui m'escorte dans la mienne, où nous retrouvons deux autres femmes. Elles m'ordonnent de me déshabiller; au début, j'ai très peur mais ensuite je me détends en constatant qu'elles ne font que me donner un bain, me manucurer les doigts, me coiffer, m'administrer un massage facial, etc. Puis elles m'allongent sur une table de massage, mais elles ne se contentent pas de masser les muscles que j'ai fait travailler tout à l'heure en dansant tellement... Je ne m'en rends pas compte, mais il y a un miroir sans tain dans cette chambre, mon mari se trouve dans la pièce d'à côté et regarde à travers tout ce qui est en train de se passer. La séance de massage se termine en « ménage à quatre » féminin. Puis mon mari et trois autres hommes, leur queue bandée à force de nous avoir regardées, entrent dans la pièce et nous rejoignent. Cela n'arrête plus de sucer et de baiser, et je finis par être prise dans les deux trous par deux hommes en même temps. L'un d'eux est un Noir, musclé, avec une queue énorme.

REGARDER DEUX HOMMES ENTRE EUX

A l'heure où la monogamie, voire la complète chasteté, a tendance à remplacer la curiosité sexuelle mise en pratique durant les deux précédentes décennies, il faut ici se poser la question : que faire de toute cette connaissance accumulée, de toute cette stimulation, de tout ce que nous avons tenté et appris durant ces vingt dernières années? Ce que nous retiendrons du passé et ce que nous en rejetterons dépend en grande partie des femmes, éternelles détentrices des clefs qui mènent au sexe puisqu'elles ont cet immense pouvoir de dire «non». Aujourd'hui, les femmes peuvent prendre l'initiative de la sexualité et elles comptent aussi à part entière dans la vie économique. Jadis, quand les temps se faisaient difficiles, les hommes travaillaient plus dur et les femmes rallongeaient leurs robes. Puisque la majeure partie de l'identité masculine a toujours tenu à ce que les hommes soient de bons «nourriciers», se retrousser les manches ne portait en rien atteinte à l'image qu'ils avaient d'eux-mêmes, tout comme les «vrais hommes» partent à la guerre. Mais les femmes ne se forgent qu'une partie de leur identité dans la bataille pour gagner sa vie, à peu près égale à celle qu'elles se construisent grâce à une vie de famille satisfaisante. La part d'identification qu'elles obtiennent de leur sexualité reste donc mouvante, changeante. Et elles ont beaucoup à gagner à s'assumer comme les pionniers sexuels de l'avenir.

Donc, lorsque j'affirme que la femme à la sexualité aventureuse se retrouve seule en terrain inconnu, sur la «limite», ce n'est pas pour accabler les hommes. La plupart d'entre eux ont observé de loin comment la femme a évolué sur le plan sexuel ces dernières années. Cela a plu à certains, en a terrifié d'autres, mais d'après moi la majorité des hommes se sont raccrochés à leurs rêves poussiéreux de domination machiste, pour ne pas avoir à décider si ce que proposait cette nouvelle femme en pleine évolution devait remplacer l'habituel «double critère», un pour les hommes, un pour les femmes. Le statu quo sexuel n'est peut-être pas exaltant, ont-ils pensé, mais il continue à fonctionner en leur faveur. Pourquoi changer, alors? S'ils ne bougent pas le petit doigt, s'ils laissent les femmes continuer à se taper dessus entre elles comme elles le font en ce moment, peut-être les choses reviendront-elles à leurs cours «normal», traditionnel?

Pendant ce temps, une petite fraction de femmes, plus courageuses qu'eux, continue à explorer de nouvelles possibilités et de nouveaux accomplissements érotiques, à la fois pour leur bénéfice et pour celui des hommes. Bien des femmes de ce livre vivent sans hommes, la masturbation est leur unique recours sexuel. Pourtant, que les hommes les aient flouées ou qu'elles soient en colère contre eux, elles n'en retournent pas pour autant au slogan destructeur des féministes d'il y a vingt ans : «Les hommes, on s'en fiche!» Ces femmes croient sincèrement que pour vivre dans un monde où les hommes aussi existent, il vaut mieux les comprendre. Et qui sait, peut-être en les comprenant mieux se comprendront-elles mieux elles-mêmes ?

Que veulent les hommes ? Qu'attendent-ils du sexe ? Pourquoi un homme ne pourrait-il pas plus ressembler à une femme, se montrer plus tendre, plus attentionné, plus aimant ? Il n'y a pas de fantasmes où les femmes cherchent à découvrir mieux la sexualité masculine et à se faire une image plus juste de l'homme que ceux qui suivent, ces fantasmes où elles regardent des hommes faire l'amour entre eux.

Le plaisir masculin à observer deux femmes enlacées dans l'amour érotique diffère notablement de ces fantasmes-là, aussi bien en qualité que par le but recherché. Ce que les femmes apportent de totalement nouveau dans le fantasme voyeuriste, c'est un intérêt féminin sans précédent pour le sexe masculin scruté au plus près, non seulement en tant que stimulation orgasmique mais aussi dans le but de saisir comment « fonctionnent » les hommes. Voici des femmes mettant en pratique leur fameux talent à assurer la convivialité, à panser les blessures émotionnelles, et aussi, pourquoi pas, à prendre du bon temps.

En regardant deux hommes faire l'amour ensemble, parfois avec leur participation active mais le plus souvent en retrait du tableau qu'ils forment, ces femmes recherchent des émotions, des images, des sons qui les aideront à comprendre ce qui peut manquer dans leurs propres relations hétérosexuelles. Elles m'obligent à me rappeler que, dans *My Secret Garden*, j'avais écrit que les femmes n'étaient pas excitées par la vue de deux hommes faisant l'amour. Certes, à l'époque, on n'en parlait pas ; il y a encore dix ans, les femmes avaient du mal à imaginer leur homme se masturber en leur absence, c'était trop menaçant. Mais les époques changent, et les fantasmes suivent. Dans le chapitre consacré au thème fantasmatique des femmes entre elles, j'avais souligné l'insistance qu'elles mettaient à affirmer que « personne ne sait satisfaire une femme comme une autre femme ». Eh bien, dans ces fantasmes à propos de deux hommes, la femme apprend aussi comment deux hommes peuvent savamment se procurer l'un à l'autre un orgasme, et la leçon lui servira dans son propre lit, avec son homme.

Dans la réalité, les femmes ne sont pas particulièrement appelées à vénérer le corps masculin, et elles ne sont pas non plus accoutumées à le voir vénéré. Mais, si fantasmer sur une femme en train de vénérer l'enveloppe physique d'un homme peut provoquer jalousie et compétition, en fantasmant sur deux hommes entre eux une femme peut se détendre, regarder, et vénérer. Et il ne s'agit pas là uniquement de voyeurisme. Parce qu'elles savent désormais que leur imagination n'est pas une feuille de papier vierge sur laquelle leur inconscient vient impudemment gribouiller des messages érotiques, les femmes d'aujourd'hui voient dans leurs fantasmes une source de plaisir sexuel mais aussi d'informations précieuses sur leur histoire personnelle. Le fantasme, c'est le moment où nous apprenons tout de nous, depuis la prime enfance jusqu'au dernier acte impudique que nous commettons avant de fermer les yeux pour plonger dans le rêve.

Diane

J'ai vingt-huit ans, je suis divorcée, j'ai une petite fille d'un an et demi. J'ai suivi les cours d'un collège universitaire religieux pendant deux ans et demi, avec un système de double spécialisation : j'ai choisi théologie et anglais.

J'étais vierge quand je me suis mariée et je n'avais jamais trompé mon mari. Maintenant, j'ai un amant de dix-neuf ans. Il compte énormément pour moi, nous aimons terriblement faire l'amour ensemble. Comme c'est quelqu'un de très ouvert, il me laisse souvent diriger, ce que j'adore. J'ai toujours rêvé d'essayer le sexe à trois, mais il n'est pas très à l'aise avec cette idée, du moins pour l'instant. On verra. En tout cas, quand vous écrivez qu'une femme ne fantasme pas sur deux hommes faisant l'amour, vous vous trompez : s'il y en a qu'une, c'est moi. Cela m'est venu, je crois, à partir d'une remarque anodine de mon petit ami à propos des gelures (bizarre, non ?). Il est dans l'armée, et on lui a expliqué que, si on a le visage gelé, il ne faut surtout pas le frotter mais simplement le placer dans l'endroit le plus chaud possible, sous un bras par exemple, ou, si l'on est avec quelqu'un, entre ses jambes, parce que c'est l'endroit le plus chaud du corps. Vous voyez où j'en suis arrivée à partir de là...

J'ai la vision de Marty — il est grand, mince, la peau claire avec des taches de rousseur, roux aux yeux bleus — qui se fait cruellement attaquer par le gel. Il est avec un autre soldat, brun aux yeux noirs, grand lui aussi mais un peu moins viril. Ils décident d'essayer de se réchauffer mutuellement le visage entre les jambes ; le froid est intense, ils ont mal. Finalement ils trouvent un abri, ils s'installent pour se réchauffer de cette façon. Seulement, ils n'avaient pas pensé à une chose : cette tête se blottisant entre les jambes apporte aussi une douce sensation de réconfort à leur sexe, chacun sent la respiration de l'autre à travers le tissu du pantalon. Ils commencent à bander. Que faut-il faire ? L'un des deux se sent un peu gêné, il essaie de dégager légèrement sa queue enflée, mais au contraire ne fait que la pousser un peu plus contre la bouche de l'autre, tandis que ses cuisses lui frottent les joues. Alors, bien sûr, Marty se tortille un peu, et son ami en fait de même.

Ils se sentent si bien. Son ami ouvre la bouche et la pose doucement sur la partie gonflée du pantalon de Marty, juste pour souffler son haleine chaude sur son pénis, et Marty tressaille en se rapprochant encore de cette bouche. Maintenant, ils ressentent tout l'érotisme de cette intimité, ils se frottent l'un contre l'autre, et après un moment ils se sortent mutuellement la queue de leur pantalon, sucent, sucent, sucent jusqu'à ce que chacun jouisse dans la bouche de l'autre. Rien qu'à écrire ces lignes, je me sens toute frissonnante.

Je me suis toujours demandé pourquoi la plupart des gens, hommes comme femmes, n'ont pas l'air d'être choqués par les lesbiennes mais ont du mal à supporter l'idée de l'homosexualité masculine. Toute notre vie, on nous répète que les femmes sont belles, désirables, sexy. Même les femmes le pensent des autres femmes, et ce n'est pas surprenant. Je trouve la nudité féminine aussi troublante et excitante que celle d'un homme, et pourtant je n'ai jamais fait l'amour avec une femme. Je ne dis pas que je ne me sois jamais posé la question avec des femmes que j'aimais réellement, mais je me suis dit que c'était impossible, que je ne le désirais pas si fort que cela, qu'il s'agissait seulement d'une idée. Mais l'homosexualité en tant que telle ne me choque ni ne me dégoûte, comme elle choque mon petit ami et tant d'autres hommes. Même la censure au cinéma fait la différence entre la nudité féminine et masculine. Est-ce que le corps d'un homme serait plus « obscène » ? Je trouve les hommes très beaux, je ne sépare pas leurs organes génitaux du reste, ils contribuent à faire de l'homme un être fantastique, et j'aime les regarder autant que je peux. Et ils peuvent procurer un tel plaisir que parfois je ne suis pas loin de leur vouer un culte.

Mais même mon amant, qui me connaît bien, a du mal à accepter cet état d'esprit. Comme beaucoup d'hommes, il a du mal à accepter que son corps et son sexe sont vraiment géniaux, et pas simplement «OK». Je les aime eux, je l'aime lui.

L'homosexualité n'est pas pour moi, mais elle ne m'inspire ni peur ni dégoût. J'aime le sexe anal, pourquoi un homme ne pourrait-il pas l'aimer aussi? J'adorerais mettre un doigt à mon petit ami, mais il y voit une atteinte à sa virilité. C'est trop dommage, trop triste. Les hommes ratent des choses réellement fabuleuses dans la vie tout simplement parce qu'ils ont honte d'eux. Ce n'est pas le cas de toutes les femmes. Moi, en tout cas, je n'ai jamais eu ce genre d'idées. J'espère que les hommes apprendront à en faire de même. J'aimerais tellement le leur apprendre à tous, mais je ne suis que moi, je ne peux pas être partout. Quel dommage.

Clair

J'ai trente-huit ans, divorcée deux fois, avec deux enfants en bas âge. Mon premier mariage a été un total fiasco sur le plan sexuel, j'étais beaucoup trop jeune (vingt ans) et immature. J'ai eu une liaison avec un homme deux fois plus vieux que moi, et j'ai mis fin à mon premier mariage. Cette aventure m'a ouvert les yeux sur la passion qui pouvait exister avec quelqu'un que l'on aimait vraiment. Mon second mariage a duré treize ans, deux enfants adorables en sont nés. Mais malheureusement lui aussi manquait de cette passion dont j'ai besoin, et il passait plus de temps avec sa bouteille qu'en ma compagnie. Je suis maintenant engagée dans une relation avec un homme de quinze ans plus vieux que moi, il adore aller à la rencontre de mes fantasmes, notre entente sexuelle est extraordinaire. Aussi, j'ai réalisé que ma curiosité était bisexuelle : le fait qu'un jour je vive ou non une expérience bisexuelle est une autre histoire.

Jusqu'ici je n'avais jamais pensé écrire sur mes fantasmes. Enfin, voici le rêve qui me tient le plus à cœur.

Avec nos impératifs de travail et les enfants, Nick et moi n'avons guère l'occasion de nous échapper, mais un week-end nous y avons réussi. Pas de téléphone, pas de stress, un magnifique temps d'automne : le paradis. Pendant que Nick signait le registre dans un charmant hôtel de campagne et que je m'étais assise pour l'attendre tranquillement, j'ai remarqué qu'un jeune portier d'une vingtaine d'années était en train de reluquer mes jambes. Je m'amusais à flirter légèrement avec lui quand j'ai brusquement constaté que ma robe était ouverte jusqu'à mi-cuisse, je l'avais déboutonnée dans la voiture et j'avais oublié de la fermer. Quand j'ai croisé les jambes, il n'avait plus à faire beaucoup travailler son imagination. Le jeune homme s'est placé à côté de Nick pendant qu'il remplissait les papiers. Pendant une pause, Nick a remarqué que l'autre restait complètement captivé par moi, et il a eu un petit rire quand le portier s'est mis à ramasser tous nos sacs de voyage. Dans la cabine de l'ascenseur, j'ai pressé mes fesses contre le sexe de Nick pour lui faire comprendre à quel point j'avais envie de lui. Il les a légèrement touchées et m'a embrassée dans le cou. Le week-end n'avait pas été facile à trouver, et nous l'attendions depuis longtemps. Mais ce que je ne savais pas, c'est que Nick avait en tête d'intéressants projets pour le rendre encore plus agréable...

Nous avions une belle chambre, avec un grand lit King-size. Je suis allée vers les larges fenêtres pour contempler le paysage pendant que Nick échangeait quelques mots avec le portier et lui donnait un pourboire. Je me suis dit que cet échange durait un peu plus longtemps que la normale, mais je ne m'en suis pas vraiment souciée. Après une petite sieste, Nick a fait monter dans la chambre un dîner intime. Nous avons dîné, et ensuite j'ai trouvé étrange que Nick ne réponde pas aussitôt à mes avances, puis j'ai pensé qu'il voulait faire durer la soirée et n'était pas pressé. Après tout, nous n'avions pas l'occasion de partir si souvent... Bientôt j'ai entendu frapper à la porte. J'étais déçue que nous soyons dérangés, mais Nick a eu au contraire un grand sourire. Très surprise, j'ai vu que c'était encore le portier, qui a parlé à nouveau avec Nick à la porte, avant que celui-ci ne le fasse entrer et me le présente sous le nom d'Adam. Il avait l'air très nerveux, mais aussi sûr de lui. Nick s'est approché de moi et m'a murmuré à l'oreille : « Adam voudrait embrasser et caresser tes seins, puis que tu le suces pendant que je regarde. » J'étais tellement excitée par toute la scène que je me sentais prête à passer immédiatement à l'action. Nick m'a demandé de déshabiller, puis de retirer ses vêtements à Adam. Ils se sont assis sur le lit, il m'a dit de sucer le sexe d'Adam pendant que je le caressais. Il savait dans quel état je me trouvais et a décidé de prendre les devants. Il m'a fait asseoir sur le lit, a entrepris de lécher mon clitoris qui n'attendait que cela, et en rentrant sa langue dans ma chatte déjà mouillée il a enfoncé un doigt dans mon cul. Sachant que j'allais jouir bientôt, Nick a demandé à Adam de caresser mes seins et de m'embrasser. J'ai joui pour lui et sur lui, en pleine extase, je le sentais contre ma chatte, j'étais tellement partie que j'ai attrapé le pénis bandé d'Adam dans ma main. Nick m'a attirée par les jambes jusqu'à sa hauteur et m'a fait signe de prendre le sexe d'Adam dans ma bouche. Dès que mes lèvres l'ont touché, il a été électrisé. Nick et moi l'avons caressé avec les mains et la langue jusqu'à ce qu'il soit sur le point de jouir, puis je l'ai pris en charge pour qu'il explose dans ma bouche. Ensuite Nick m'a embrassée passionnément, et il m'a baisée furieusement, avec des mouvements merveilleusement sûrs et impérieux. Nous avons joui ensemble comme toujours, tandis qu'Adam suçait mes tétons. Il est resté étendu avec nous un moment puis il s'est excusé et il est retourné au travail. C'était un superbe week-end et un non moins superbe fantasme. Peut-être un jour se réalisera-t-il ?

Kristin

J'ai dix-neuf ans, je suis bisexuelle. Je vis maintenant avec celle qui est mon amante et ma meilleure amie depuis quatre ans, je l'aime tant, nous sommes si proches l'une de l'autre !

Je suis quelqu'un d'incroyablement porté sur le sexe. Je n'ai fait l'amour avec un homme qu'une seule fois, enfin techniquement, car je ne considère pas avoir réellement « fait l'amour » avec lui. Nous travaillions ensemble dans un magasin de produits diététiques, il avait vingt-deux ans et moi dix-sept. C'était l'été, je vivais déjà avec mon amante, Anne, et il était au courant à notre sujet. Un soir, après le travail, il est venu chez nous. Anne s'est endormie, lui et moi étions très saouls, et moi quand je suis saoule je perds toute retenue, j'ai tellement envie que je ne peux pas dire non. Sans même nous en apercevoir nous nous sommes retrouvés à nous embrasser de la manière la plus sensuelle qui soit. J'avais un body avec une fermeture Éclair de haut en bas, qui s'est vite retrouvé ouvert pendant qu'il léchait, suçait et enfouissait fiévreusement son visage entre mes seins, qui sont très gros. Nous étions sur le flanc, face à face, j'ai ouvert son 501, le caressant au-dessus de son jean pour sentir son sexe se tendre dessous. Je lui ai enlevé son pantalon, malaxant à pleine main son slip en coton, le pressant, le pinçant et quand j'ai finalement sorti sa bite il a poussé un gémissement déchirant. Puis il m'a couchée sur le dos, a parcouru mon corps de sa langue et de ses lèvres en n'arrêtant pas de me supplier de le laisser me « goûter ». J'ai longtemps refusé, parce que je considérais que c'était un privilège sacré qui revenait à Anne, mais finalement je l'ai laissé faire, seulement pour une minute. Cela a été suffisant pour que je me sente entièrement inondée entre les jambes, alors je me suis redressée et j'ai avalé sa bite. Après un moment, j'ai décidé de m'allonger sur le dos, il a essayé de me pénétrer mais j'étais trop étroite. Finalement, il a posé mes jambes sur ses épaules pour que mon bassin soit dans l'angle idéal, et il est entré, lentement, pressuré par mon fourreau. Je n'arrêtais pas de lui demander de faire attention de ne pas jouir en moi, j'étais tellement parano que je n'ai pas vraiment pu apprécier. Après quatre coups de reins, il est ressorti et a lâché sa purée qui a coulé sur mes fesses et mon dos.

En fait, je ne voulais pas m'appesantir sur cette histoire. Je n'ai pas joui ce soir-là, alors que j'ai tellement d'orgasmes fabuleux avec mon amante. Je me sentais si coupable de l'avoir fait chez nous que je lui ai demandé de s'en aller tout de suite, après quoi je suis allée me laver la foufoune pendant dix bonnes minutes. Je me suis mise au lit en sanglotant, j'ai réveillé Anne pour tout lui raconter, je me sentais atrocement mal. Elle a été très douce et compréhensive. Elle a maintenant vingt-cinq ans, elle est toujours vierge avec les hommes, nous avions décidé qu'un jour nous le ferions toutes les deux avec un mec, et je me suis sentie horriblement coupable d'avoir saccagé ses plans.

Bon, en tout cas je dois absolument vous parler de mes fantasmes. J'aimerais tellement avoir un vibromasseur. Je me sers toujours de bouteilles ou de stylos quand je fantasme, mais je sais bien que c'est dangereux. Seulement, je suis trop gênée d'entrer dans un magasin pour acheter un vibro.

J'ai toujours rêvé de me faire prendre, passionnément et violemment, par un professeur, surtout un prof de gym. J'imagine que je suis la dernière dans le gymnase, en train de prendre une douche. Un entraîneur très costaud survient et me surprend en train de laver mes gros nibards. Il ne peut résister à la tentation, il enlève son short, entre dans la douche avec moi et m'ordonne de lui laver sa bite. Fascinée par ce membre déjà énorme alors qu'il n'est pas tendu à fond, je m'exécute lentement et timidement. Il commence à gémir, glisse sa main entre mes jambes et enfonce ses doigts dans ma foufoune. Je me mets à gémir de bonheur (il faut que je me touche maintenant, pendant que j'écris, tant je me sens brûlante). Je me penche en avant pour lécher sa bite, il grogne, passe son index puissant dans sa bouche puis me l'enfonce en le faisant tourner dans mon cul. Je frissonne de plaisir, il me relève la tête et me fait me redresser puis me dit : « Ne bouge pas. » Il écarte mes jambes en s'agenouillant entre elles, écarte mes lèvres de ses doigts et enfonce sa langue en moi, tout en remettant son index dans mon petit trou, j'ai le souffle coupé, au bord de l'orgasme. Il me fait asseoir par terre — la douche coule toujours sur nous —, me fait m'incliner en arrière et introduit son énorme bite en moi. Nous bougeons en rythme, gémissant de concert : « Ooh, ooh ! » Il se retire, me fait mettre à quatre pattes, me prend en levrette, nous nous précipitons l'un contre l'autre avec frénésie. Puis il fait aller le même doigt dans mon cul, d'avant en arrière. Je meurs, lui est aussi sur le point de jouir quand entre soudain un autre entraîneur, noir, baraqué lui aussi. Le nouveau venu se déshabille pendant que l'autre et moi jouissons. Il se rapproche, place sa bite entre mes seins pour se frotter contre moi. Quand elle est bandée à fond, je le supplie de me prendre, et il dit : « Oui, petite, je vais te baiser pour de bon, tu n'as jamais eu une queue comme celle-là. » Il admire ma foufoune rose et glissante, puis s'introduit d'un coup de reins. Nous roulons sur nous-mêmes, je me retrouve dessus, roulant mes hanches d'avant en arrière et sur le côté, chevauchant le beau cheval noir. L'autre entraîneur est à nouveau partant, je me remets à quatre pattes, toujours baisée par le Noir qui a plongé un vibromasseur bien lubrifié dans mon œillet, je prends l'autre mec dans ma bouche en lui enfonçant un doigt dans le cul. Nous continuons ainsi pendant des heures. Les mecs se branlent même mutuellement, et ils apprécient. Puis il me bouffe la foufoune avec ses doigts plongés dans mes deux trous pendant qu'il se fait enculer par le Noir. Quel rêve ce serait...

En relisant cette lettre, j'ai dû aller me masturber.

«SI J'AVAIS UN PÉNIS...»

Les pages de mon livre *Les Fantasmes masculins* résonnaient des lamentations des hommes dont les femmes n'accordaient pas même un regard à leur cher pénis, et apposaient encore moins dessus le baiser si désiré de la reconnaissance. Les hommes se contentaient des fantasmes où les femmes, sans réticence aucune, adoraient leur pénis. Aujourd'hui, ces rêves sont devenus réalité. Aujourd'hui, il est des femmes exaspérées de ce que leur homme apprécie moins qu'elles la fellation. Ces jeunes femmes éprouvent un plaisir épicurien à caresser le pénis, à le prendre loin dans leur gorge, à savourer sa liqueur d'amour, et l'on ne s'étonnera donc pas que, parfois, elles rêvent elles-mêmes de posséder l'un de ces remarquables instruments.

Elles ont depuis longtemps dépassé l'assertion erronée de Freud selon laquelle une femme se considère mutilée et passe sa vie à envier la supériorité du pénis. Elles n'ont aucune envie de renoncer à leur cher vagin, ni à quoi que ce soit d'autre. Dans un article fameux datant de 1943 et intitulé «Les femmes et l'envie du pénis», Clara Thompson posait le problème sans détour : «L'attitude appelée *envie du pénis* est similaire à celle de n'importe quel groupe opprimé à l'égard de ceux qui détiennent le pouvoir.» On y a donc vu un symbole, une projection de l'insatisfaction des femmes vis-à-vis de la société patriarcale.

Ces nouvelles femmes, cependant, ont encore avancé d'un pas : elles laissent les symboles au placard et ne s'excusent pas de pouvoir s'imaginer dotées de l'objet dont il est concrètement question. Tout au long de ce livre, on a vu des femmes s'attacher un godemichet autour des reins, aussi bien dans la réalité qu'en fantasme. Pourquoi alors ne pas imaginer l'effet que cela ferait d'avoir réellement ce fascinant appendice entre les jambes, de sentir une main dessus, de le faire aller ici ou là, de le caresser jusqu'à ce qu'il soit aussi gros que possible, et puis, réellement, d'envoyer son sperme droit devant soi?

Le vagin a ses qualités, mais, qu'on le veuille ou non, il y a quelque chose de très «spectaculaire» et de très convaincant dans le pénis. En avoir un en vous, le prendre savamment avec les muscles du vagin et jouer dessus comme sur une flûte jusqu'à ce que l'homme ne puisse plus se retenir et explose en vous, c'est en effet paradisiaque ; mais comment l'esprit pourrait-il se refuser à imaginer d'être à la place de celui dont le « monstre » est en train de vous parcourir et de vous combler ?

Et d'ailleurs, les femmes n'ont-elles pas depuis des années essayé sur elles tout ce qui appartient à la virilité ? Nous nous réinventons chaque jour en reprenant le travail des hommes, leurs attitudes, leurs comportements, et même leurs habits. Des chaussures à lacets aux cheveux courts, nous avons essayé — au nom de la mode — de leur dérober leurs pouvoirs magiques. Et la question arrive donc sans difficultés : « Est-ce que je peux t'emprunter ta bite, aussi ? » Juste pour la nuit, juste en fantasme, juste pour voir ce que cela fait d'ouvrir la braguette de mon élégant costume et, comme dit Pam, de la laisser « jaillir vers la liberté ».

Nous, les femmes, ne faisons que nous plaindre et nous plaindre encore, alors que souvent je me dis qu'en montrant un peu plus de compassion nous obtiendrions plus aisément ce que nous voulons. Essayons de considérer ce que représente, pour les hommes, la manière dont nous nous sommes emparées de leur monde. A telle heure, nous sommes au bureau, en compétition avec eux, portant les mêmes pantalons qu'eux ; et l'heure d'après nous sommes allongées dans une pose alanguie et séductrice, chaleur et tentation des pieds à la tête, avec un vagin juteux qui n'attend que de les prendre. Nous ne nous demandons même pas si des envies de sein ou de matrice les traversent : les hommes évitent d'aborder la question, et même de l'envisager consciemment, car leur fuite loin du pouvoir de la première femme, de la mère, n'est jamais entièrement consommée puisque, après elle, chaque femme les menace de les attirer à nouveau au fond de leur ventre. Et nous ne sommes pas non plus très lucides devant le pouvoir de la femme, le pouvoir magique de celle qui porte, met au jour et élève l'enfant. Au contraire, nous préférons peindre le rôle de la mère avec les sombres couleurs de la responsabilité omniprésente et du sacrifice. Nous nions qu'il fonde un quelconque pouvoir, mais par ailleurs nous tenons jalousement à notre irrésistible contrôle sur les dix ou quinze premières années de la race humaine, sur cette époque où l'esprit de l'enfant est profondément modelé par l'amour ambivalent de sa mère.

Non : mis à part les travestis, les transsexuels, et certains homo-sexuels, les hommes doivent farouchement refouler le désir d'avoir ou d'imiter la moindre partie de l'anatomie féminine. Et pour bien se convaincre qu'ils se moquent de nous imiter de la moindre façon, ils forcent la note de leurs traits agressifs, brutaux, traits qui nous révulsent, nous les femmes, mais que secrètement nous rêvons de copier. En fait, si le pouvoir du pénis a tellement été surévalué, ce n'est pas parce que les hommes y croient tant, mais parce qu'ils ont voulu compenser leur envie de sein, de matrice, leur jalousie du pouvoir de la femme. Le pénis doit être gros, grand, toujours plus grand, parce que le sein/matrice est en définitive le plus grand encore. Et puisque les hommes ne peuvent pas «dire» cela, du moins les femmes qui les aiment devraient les connaître assez pour le comprendre.

Ma propre envie de pénis, je pourrais la raconter ainsi : je me tiens debout avec nonchalance sur le pont arrière de mon yacht, dans mon blazer Hermès et mon pantalon de flanelle blanche, cigare en bouche, et je pisse en une large courbe dorée dans la douceur de l'air d'été au large du cap d'Antibes... au lieu d'avoir à me précipiter en bas et à me déshabiller à moitié pour m'accroupir sur le siège d'un réduit étouffant, pendant que me parvient de loin la musique des rires car ces messieurs, sans ren-verser sur eux une goutte de leur Martini ni de leur pipi, vien-nent d'entendre la fin de la plaisanterie que j'ai manquée.

Pam

J'ai trente-quatre ans, je suis blanche, mariée depuis quatre ans — le troisième mariage pour moi, le second pour mon mari. A nous deux, nous avons cinq enfants entre huit et dix-neuf ans, et un petit-fils. Mon mari exerce une profession libérale, moi j'ai «pris ma retraite» il y a trois ans pour être une «maman à temps complet».

Je ne me rappelle pas avoir éprouvé le moindre trouble éroti-que avant dix-neuf ans, quand l'une de mes amies m'avait prêté un livre dont le titre m'échappe maintenant. J'étais d'une naï-veté et d'une discrétion confondantes, en plus ma vie familiale ressemblait à une foire d'empoigne. Je pouvais être l'«amie» de tous, mais je n'étais la «petite amie» de personne... Je comprends maintenant que j'ai surtout manqué d'occasions pour combler mon inexpérience.

Je me suis mariée à vingt et un ans, me gardant «intacte» pour la première nuit. Avec mon mari, le sexe était «pour lui» : si je lui proposais d'essayer quelque chose, par exemple de me sucer, il se mettait dans tous ses états plutôt que d'accepter. Cela a duré deux ans. Mon second mari était plutôt meilleur en terme de performances, mais il n'arrêtait pas de m'accabler avec ses critiques, me voulant par exemple avec des seins petits et fermes alors que mes soutiens-gorge 38D me laissent des marques! Deux ans aussi. De vingt et un à trente ans, jusqu'à mon troisième mari, j'ai connu en tout et pour tout trois orgasmes... Et cependant, entre mon deuxième et troisième mariages, et bien que je ne sois pas belle, j'ai couché avec plus d'une centaine d'hommes. Je ne pense pas que je sois prude. Je n'ai jamais fantasmé et je ne me suis jamais masturbée jusqu'à l'âge de vingt-cinq ans, quand mon patron (mormon...) m'a fait la surprise de m'offrir un vibromasseur.

Mon mari était meilleur au lit avant notre mariage et quand j'étais «préorgasmique». Nous faisions l'amour plusieurs fois par jour, avec beaucoup de préliminaires, et il n'avait jamais l'air de «s'ennuyer» avec moi. Maintenant, le sexe se limite essentiellement aux samedis et/ou aux dimanches matin, et il dure quinze minutes chrono. Il a en effet découvert comment me déclencher un orgasme et va droit au but. Moi je voudrais que cela dure plus, avec cette tension douloureuse et parfois insoutenable, mais je ne me fais pas d'illusions car mon mari ne s'intéresse pas à ce qui peut m'exciter.

Avant de raconter mes fantasmes, je précise que je ne me masturbe qu'une ou deux fois par semaine. Parfois c'est la nuit au lit à côté de mon mari, en cherchant le sommeil, mais surtout le matin quand tout le monde est parti au travail ou à l'école.

1. Mon préféré : je suis un homme à la place d'être une femme (mais des fois je peux avoir et un vit et de gros seins). Je suis folle amoureuse de mon corps et à la moindre occasion j'ouvre ma braguette pour laisser mon vit jaillir vers la liberté. Je me déshabille pour rester devant le grand miroir de ma chambre, admirant mon anatomie mais surtout mon énorme vit — je parle de vingt-six centimètres de long. Mes testicules sont très gros aussi, et très poilus : je les prends dans ma main pour les presser contre mon vit, qui alors se durcit complètement. Quand

je le sens se tendre et palpiter ainsi je n'ai qu'une envie, c'est de terminer le travail. Je le prends dans mes deux mains pour l'admirer encore dans la glace, ensuite il faut que je commence à le caresser. Je pense à toutes ces chattes qui n'attendent que lui et qui deviennent dingues parce que j'aime me faire jouir toute seule, parce que rien ne vaut ma main. Je suis debout, les jambes écartées, à me branler, et j'explose. Dans la réalité mon orgasme est si fort qu'il me secoue tout entière.

2. J'ai mon âge réel, mais je suis faite autrement, toute en courbes et très sexy, avec d'énormes seins et de longs tétons. Je m'arrange pour donner rendez-vous à un adolescent que je connais et à deux de ses amis dans un endroit discret. Quand j'arrive, il y a à peu près dix garçons, tous dans les quinze-seize ans. J'ai une robe très moulante qui souligne mes cuisses bombées et ma fourche. Je passe devant les garçons en admirant leur corps, même s'ils sont encore habillés. Je ne touche que leur visage, plusieurs sont encore imberbes. Je m'adosse à l'une des voitures qui sont garées là, avec tous les garçons en cercle autour de moi, je leur annonce qu'ils sont là pour satisfaire mon bon plaisir. Je monte sur le toit après avoir mis une musique très sensuelle et me lance dans un strip-tease affolant. Je les regarde, personne n'ose souffler un mot tant ils ont peur de rompre le charme. Je constate que les pantalons sont tendus un peu partout. En faisant glisser mon soutien-gorge et ma culotte en dentelle, je les préviens que la baise va bientôt commencer, mais que pour mettre de l'ordre là-dedans ils doivent tous ouvrir leur pantalon et en sortir leur vit bandé et leurs testicules. Pas question cependant de retirer les pantalons pour l'instant ! J'inspecte le cercle des yeux en poursuivant ma danse lascive : il y a là dix sexes de différentes tailles, mais tous tendus à craquer. Je leur ordonne de faire un concours d'éjaculation pendant que je continuerai ma danse. Celui qui tiendra le plus longtemps sera le premier à m'avoir, et ainsi de suite. Tous les garçons se saisissent de leur pieu et commencent à pomper. Je suis hallucinée (et très excitée) par la diversité des techniques que chacun emploie. Toute nue maintenant, je joue avec mes seins et fais descendre mes mains jusqu'à ma chatte juteuse. J'en ressors une pour leur montrer comme elle est mouillée et collante. La plupart d'entre eux explosent à ce moment.

J'en choisis un, d'environ dix-sept ans. Je m'allonge sur le capot de la voiture et lui donne ma chatte à bouffer. C'est pour lui une première, mais il s'en tire très bien et, en quelques minutes, il me fait le supplier de me baiser. A un moment entre le premier et le troisième coup, j'atteins l'orgasme.

3. Il y a un fantasme dans lequel j'initie mon beau-fils de quinze ans à l'art de la masturbation et du sexe oral.

4. Un autre : je suis attachée sur un « chevalet » avec des coussins rembourrés placés sur chaque cuisse pour écarter les lèvres de mon sexe. Ainsi écartelée, un inconnu, doté d'un gros vit, vient me tourmenter. Puis la porte s'ouvre et une femme très belle et très bien tournée entre, se déshabille lentement et s'installe pour me bouffer. Elle apprécie beaucoup mon clitoris, qui est plutôt long et pointe comme un petit pénis. Elle le lèche, le suce et le caresse jusqu'à ce que je sois emportée par des vagues de plaisir exalté. Puis elle se met de côté pendant que cet énorme vit me transperce. J'obtiens un orgasme très intense avec ce fantasme.

Sans ces rêves érotiques, je le crains, ma vie sexuelle serait des plus frustrantes. Je les ai racontés à mon mari, sa réaction a été du genre « hmm-hmm » et sourcil haussé, comme s'il n'arrivait absolument pas à comprendre ce que je trouvais d'excitant là-dedans. Et pourtant, il s'attend à ce que ses fantasmes à lui me mettent au bord de l'évanouissement ! Ce n'est pas le cas, mais je peux comprendre l'effet qu'ils ont sur lui. Pendant que nous faisons l'amour, je ne fantasme jamais : tout simplement parce que je n'en ai pas le temps.

Allegra

J'ai divorcé il y a sept ans, j'ai une fille. J'ai grandi dans une ferme et je pense que tous mes fantasmes sur l'urine proviennent de ma contemplation des animaux (surtout des chevaux) quand j'étais petite. Au lycée, j'ai aussi souvent participé à des soirées où mes amis buvaient beaucoup, et je garde des images très précises d'hommes en train d'uriner.

Je suis fascinée à un point incroyable par les pénis, surtout en érection ou en train d'uriner. Il est certain que j'éprouve une forte envie de pénis et que j'ai toujours désiré en avoir un, en même temps que mon vagin évidemment. Mon fantasme consiste à observer un homme bien bâti, musclé, bronzé, debout les jambes écartées, en train de regarder son pénis dur et bien en chair qui urine (je préfère dire « gicler »), dehors par un clair de lune d'été bien chaud, dans un champ immense, nu et seul. Sa vessie est remplie plus que de raison, il ne peut plus se retenir, moi je l'observe sous tous les angles, et il est très excité par ma présence et mon envie de participer. Je prie pour qu'il ne finisse jamais de gicler. Je viens me placer derrière lui, passe mes bras autour de lui pour soutenir dans ma main son pénis tendu et l'aider à gicler, et le caresser, en tendant fréquemment un doigt en avant pour sentir son jet brûlant. Lui passe sa main par-derrière pour toucher du bout des doigts mon con gonflé et trempé, pendant que je me penche pour le regarder gicler. Ma vessie elle aussi est tendue à se rompre, et je me retiens de toutes mes forces jusqu'à ce qu'il ait fini. Quand il a terminé, il se retourne en gardant ses doigts en moi tandis que j'ouvre les jambes, toujours debout, et gicle pour lui. Je continue longtemps, il est tellement excité qu'il ne peut s'empêcher de se branler. Je lui demande de venir finir en moi.

J'imagine aussi que mon amant gicle en moi et sur moi, et que je gicle sur lui. J'adore le regarder tendre le muscle de son pénis quand il a fini, ce qui fait que son pénis pointe en avant et tressaute sous le mouvement de son muscle, encore et encore. J'aime aussi regarder un homme marcher avec son pénis en pleine érection, palpitant et se balançant de droit à gauche. Je suis également fascinée par un cheval aux muscles puissants avec son pénis érigé qui danse sous son ventre, le voir écarter un peu les pattes de derrière et gicler. J'ai toujours voulu avoir une photo d'un homme et d'un cheval giclant côte à côte : ainsi je pourrais les voir ensemble quand je me masturbe. Je me masturbe régulièrement avec un vibro, mais j'aime aussi me servir de mes doigts, ou d'une bouteille en plastic avec un bec verseur pleine d'eau chaude, que je tiens à bout de bras allongée sur le dos dans la baignoire, et que je fais gicler sur mon con, les jambes bien écartées. J'ai aussi utilisé ces caoutchoucs que les secrétaires se mettent au bout des doigts pour feuilleter rapidement une liasse, ou des jouets pour chiens en caoutchouc.

Marge

Je fantasme souvent sur un mec qui se fait violer. C'est toujours un sale type, qui ne l'a pas volé. C'est toujours aussi un viol en groupe, où sa suprême humiliation est de finir par être excité et par éjaculer. Dans mon fantasme, sa bite lâche le sperme sans qu'on l'ait touché. Des fois c'est encore meilleur comme ça, parce que le mec devient vraiment cinglé tellement il voudrait qu'on la touche. J'imagine rarement être moi-même violée, ou si c'est le cas il y a toujours une vengeance très brutale, ou bien le coupable est jeté en prison et y reçoit le traitement dont je viens de parler de la part des autres prisonniers.

En pensant à mon amant, je peux être un peu perverse mais jamais cruelle. Mon fantasme le plus récent concerne son cul. J'aime le toucher. Il est debout et penché en avant dans la salle de bains ou les toilettes, etc. Je suis assise derrière lui sur une chaise, je fais courir mes mains sur ses jambes et ses fesses, je fais remonter ma langue le long de ses jambes. J'aime particulièrement la partie si douce derrière ses couilles. Ma langue joue avec elles comme avec des balles. Dans la réalité, j'adore le regarder se masturber. Dans le fantasme, il commence à caresser le monstre sans se presser, détendu. Je masse ses fesses puis les ouvre pour enfoncer ma langue loin dans son cul. Il se caresse, moi aussi. La pointe de ma langue est comme un petit pénis délicat. Il accélère sa cadence, moi aussi. Ses genoux commencent à trembler, son sexe prend encore environ un centimètre de longueur. Quand il se met à éjaculer, c'est comme s'il émettait toutes ses décharges en une seule, le sol devant nous en est tout éclaboussé. Le bout de son sexe est doux comme la soie après qu'il a joui, j'aime le toucher. Je me laisse tomber par terre, passe ma tête entre ses jambes et l'effleure juste du bout de la langue pour recueillir la dernière goutte (pas parce que je ne veux pas le prendre plus, mais parce qu'il est si sensible maintenant...)

C'est le meilleur amant que j'aie jamais eu. Il comprend parfaitement mon envie d'avoir moi aussi un pénis. Parfois nous nous mettons dans la position où je suis sur lui et c'est moi qui le baise. Il passe toujours alors ses jambes sur les miennes et me dit de «le baiser»: et moi, alors, j'ai toujours une éjaculation précoce! Qu'est-ce que j'aimerais pouvoir le finir dans cette position! Je me dis que mon corps finira par trouver un moyen de gicler en lui.

Bliss

J'ai vingt-trois ans, j'étudie dans une école d'informatique, mais plus tard j'aimerais écrire et illustrer moi-même un livre. Je suis plutôt créative et « bizarre » à peu près dans tous les domaines. Mes parents n'étaient pas puritains, mais un peu en retard sur leur temps. Je me masturbais librement quand j'étais enfant, j'avais même un petit chien qui me léchait les organes génitaux.

Il m'a fallu la moitié de mon existence pour y parvenir, mais maintenant je me sens très à l'aise avec ma sexualité — pendant un moment, j'ai pensé que j'étais lesbienne. Je n'ai pas peur de reconnaître que je suis autant attirée par les femmes que par les hommes. J'aime le sexe, voilà tout. Je n'ai eu qu'une brève histoire avec une femme, mais j'aimerais essayer encore. J'ai de gros besoins sexuels, et je ne suis pour l'instant pas tombée sur beaucoup d'hommes capables de les satisfaire. Je suis très bonne au lit, faisant perdre la tête (et la queue !) à plus d'un... Je considérais les hommes comme de simples conquêtes, mais depuis un an j'ai essayé de me calmer un peu. J'ai été mariée une fois, cela n'a pas marché : il m'a fallu quatre ans pour réaliser que ce débile ne me « plaisait » même pas !

J'aimerais tout essayer une fois (au moins), et continuer à le faire jusqu'à ma mort si cela me plaît. Comme j'ai un goût prononcé pour le « bizarre » (concombres, vibros, cuir, lunettes de soleil, urine, et même sang parfois), il n'est pas toujours facile de trouver des partenaires coopératifs. Parfois, je suis tout bonnement sidérée de constater comme les hommes peuvent être coincés. Je n'aime pas ce qui fait vraiment très très mal, au pire j'aime être mordue assez fort dans le cou et sur les seins. J'aime aussi mordre en retour, mais généralement les hommes ne sont pas très emballés par ça. J'ai aussi constaté que certains hommes ne me mordront jamais quand bien même je les supplie à genoux de le faire (ça me fait jouir, tout simplement). A propos, quand je parlais de sang plus haut, je voulais dire que j'adore donner mon sang : l'aiguille, la sensation, tout ça m'excite (je sais, c'est étrange, non ?).

Je suis maintenant embringuée dans une fantastique relation avec un homme de trente ans. Je l'aime très fort. Il est bon au lit, il aime mordre, et lui aussi est très chaud. C'est le paradis. Ah, si seulement je pouvais le convaincre de porter un grand manteau en cuir et des lunettes de soleil quand il me saute ! Il a été marié avant, et sa femme était la complète sainte nitouche (elle trouvait «bizarre» de baiser en gardant ses dessous). J'ai été sa première relation sérieuse depuis la fin de son mariage, et je peux dire que je lui ai fait perdre la boule.

J'aime le sexe, je suis douée pour, mais je le considère aussi comme quelque chose de sacré et de merveilleux. Je sais d'expérience que rien ne vaut une baise avec quelqu'un que l'on aime «vraiment». J'ai tout un stock de péchés mignons dans ma tête, et voici ceux que j'utilise le plus en fantasmant :

Je suis un homme de vingt-cinq ou trente ans, marié, propriétaire d'une maison, et absolument pas porté sur le sexe. Ma femme et moi venons d'engager une fille de seize ans pour aider à la maison. En rentrant du travail le soir, je remarque qu'elle porte tout le temps des jupes ultra-courtes sans rien dessous. Elle se penche souvent en avant quand je suis là pour me laisser tout voir de son minou juteux et poilu (j'aime les poils). Mais je ne l'ai jamais touchée, simplement je bandais dans mon coin. Et puis un jour, je l'espionne pendant qu'elle remplit le lave-vaisselle dans la cuisine, avec cette jupe ras le bonbon qu'elle met sans cesse. Elle se penche pour placer une assiette et j'ai une vue magnifique sur son petit con. Je m'installe dans un fauteuil confortable du salon pour l'observer, ma bite palpite follement mais j'essaie de conserver un air normal.

Brusquement, elle va vers le frigidaire et en retire un beau concombre, très long. Le sang me monte à la tête, je jette mon journal et j'attends. Alors, elle s'incline au-dessus du plan de travail et enfonce le concombre dans son minou affamé (à ce moment, je me branle déjà dans mon coin). Elle s'arrête une minute, se retourne pour me regarder et me lancer un sourire coquin, et retourne à son légume chéri. A la fin, je n'en peux plus, je me lève et me glisse derrière elle. Elle devine que je suis là, et quand je suis tout près de ses fesses rondes et douces, elle se retourne en laissant échapper un gémissement voluptueux. J'ai tellement envie de la baiser que je suis au bord de l'explosion.

Elle pose le concombre, et frotte ses fesses contre moi. Je les lui prends des deux mains et les savoure comme un loup affamé, je grogne, elle se trémousse et cambre encore plus son cul vers moi. Enfin, je plonge ma bite dure comme de l'acier en elle, et c'est le paradis! Son petit con me prend comme un étau. Je dois avouer que je ne dure pas très longtemps : pendant que je la pistonne comme un taureau en rut, j'entends la voiture de ma femme se garer devant la maison. La fille pousse un cri étranglé et se propulse encore plus fort sur ma bite. Je jouis tout au fond d'elle juste au moment où j'entends la portière de la voiture se refermer. Je savais que ma femme risquait de me surprendre en train de baiser cette fille, mais je m'en fichais éperdument!

Là, je suis déjà arrivée à l'orgasme. Mais bon, je continue sur un autre de mes fantasmes.

A nouveau, je suis un homme, mais un peu plus âgé cette fois. Je suis encore assis dans mon fauteuil en train de lire mon journal. En face de moi, par terre, ma nièce, une fille de douze à seize ans (cela dépend) fait du coloriage ou lit un livre ; elle me tourne le dos et la vue de ce petit derrière sous la culotte blanche me distrait de plus en plus de la lecture de mon journal.

Après quelques minutes, je dis à la petite fille de venir s'asseoir sur mes genoux. A ce point, mon fantasme peut prendre deux directions. Dans la version la plus rapide, elle obéit, je lui dis de remuer son petit cul, et je jouis presque tout de suite dans mon pantalon. Dans la version développée, je commence à lui caresser l'intérieur des cuisses en lui expliquant que je suis médecin et que sa maman m'a demandé de l'examiner. Elle dit d'accord, je lui demande d'enlever sa culotte. Je continue à lui caresser doucement les cuisses en me rapprochant de son minou. Je lui demande de me dire ce qu'elle sent. Je remarque que sa respiration s'est accélérée, j'introduis un doigt dans son joli petit con, parfois je la fais étendre par terre pour la bouffer. Elle trouve ces nouvelles sensations surprenantes mais délicieuses. Puis j'ouvre ma braguette et ma bite jaillit d'un coup sous elle. Je caresse ses seins en continuant avec mon doigt dans son minou, elle se met à se convulser et à gémir sur mes genoux. Je sens les spasmes de son minou sur mes doigts. Elle est vraiment mouillée. Je la préviens que je vais mettre maintenant quelque chose d'autre en elle, mais que cela fera plus ou moins l'effet que produisent mes doigts. Elle hoche la tête sans un mot, et je manœuvre pour pouvoir glisser ma bite en elle. Elle est très étroite mais, dès que le gland est entré, elle prend le reste sans difficultés. A voir comment elle se met d'instinct à me pomper, je comprends qu'elle aime, et souvent j'éjacule après une minute ou deux. Parfois je retire ma bite et je jouis sur ses fesses, et il y a encore d'autres variantes, trop nombreuses pour être racontées ici. Quand l'imagination se met en route...

Je fantasme aussi beaucoup sur mon amant. Ce que je préfère, c'est d'imaginer que je le suce à mort. Je rêve aussi à du sexe de groupe, en public, dans un cimetière (ce que j'ai déjà fait à plusieurs reprises), ou avec une longue « queue » d'hommes qui me baisent l'un après l'autre (parfois, il y a des moines et des maçons), et après je fais une pipe au meilleur d'entre eux.

Je ne suis absolument pas gay : j'aime les bites, les queues, les braquemarts, ou comme on veut appeler ça ! J'aime faire bander mon amant juste pour l'admirer et jouer avec. J'aime explorer tous les endroits les plus secrets et les plus obscurs du corps, en suçant, léchant, mordant. Je pourrais ne pas m'arrêter de la journée. Ce serait la fête !

UNE INVITATION AUX FEMMES

Mes recherches sur l'interaction entre la vie concrète des femmes et leurs fantasmes sexuels se poursuivent. Si vous désirez y contribuer, je vous remercie de m'écrire à l'adresse ci-dessous.

N'oubliez pas d'apporter les informations que vous jugerez nécessaires sur l'histoire de votre sexualité, comme par exemple vos relations avec vos mère et père, vos expériences de masturbation, la perte de votre virginité, vos premiers rêves érotiques... Votre rapport à la contraception m'intéresse aussi : utilisez-vous ou non des contraceptifs, pourquoi, et si oui depuis quand ? Indiquez aussi si vous avez subi un avortement.

Toutes vos hypothèses relatives à la manière dont vos fantasmes sexuels ont évolué jusqu'à leur forme présente seront aussi très utiles.

UNE INVITATION AUX HOMMES

Les hommes qui aimeraient aider à la poursuite de mes recherches devraient accompagner la relation de leurs fantasmes sexuels de toute indication biographique qu'ils estiment importante pour leur développement sexuel et leur vie fantasmatique.

Cela peut inclure l'attitude des parents face aux premières manifestations de votre sexualité, l'âge de la première masturbation et la poursuite de cette pratique, et tout souvenir d'adolescence qui aurait eu une influence notable sur vous, physiquement et mentalement.

Toute idée et toute opinion sur la manière dont les changements en cours dans le statut socio-économique des hommes et des femmes peuvent modifier les relations entre sexes seront aussi les bienvenues.

Écrire à :
   Nancy Friday
   P.O. Box 1371
   Key West
   Florida 33041
   USA

(Anonymat garanti)

Table

imprimerie gagné ltée

IMPRIMÉ AU CANADA